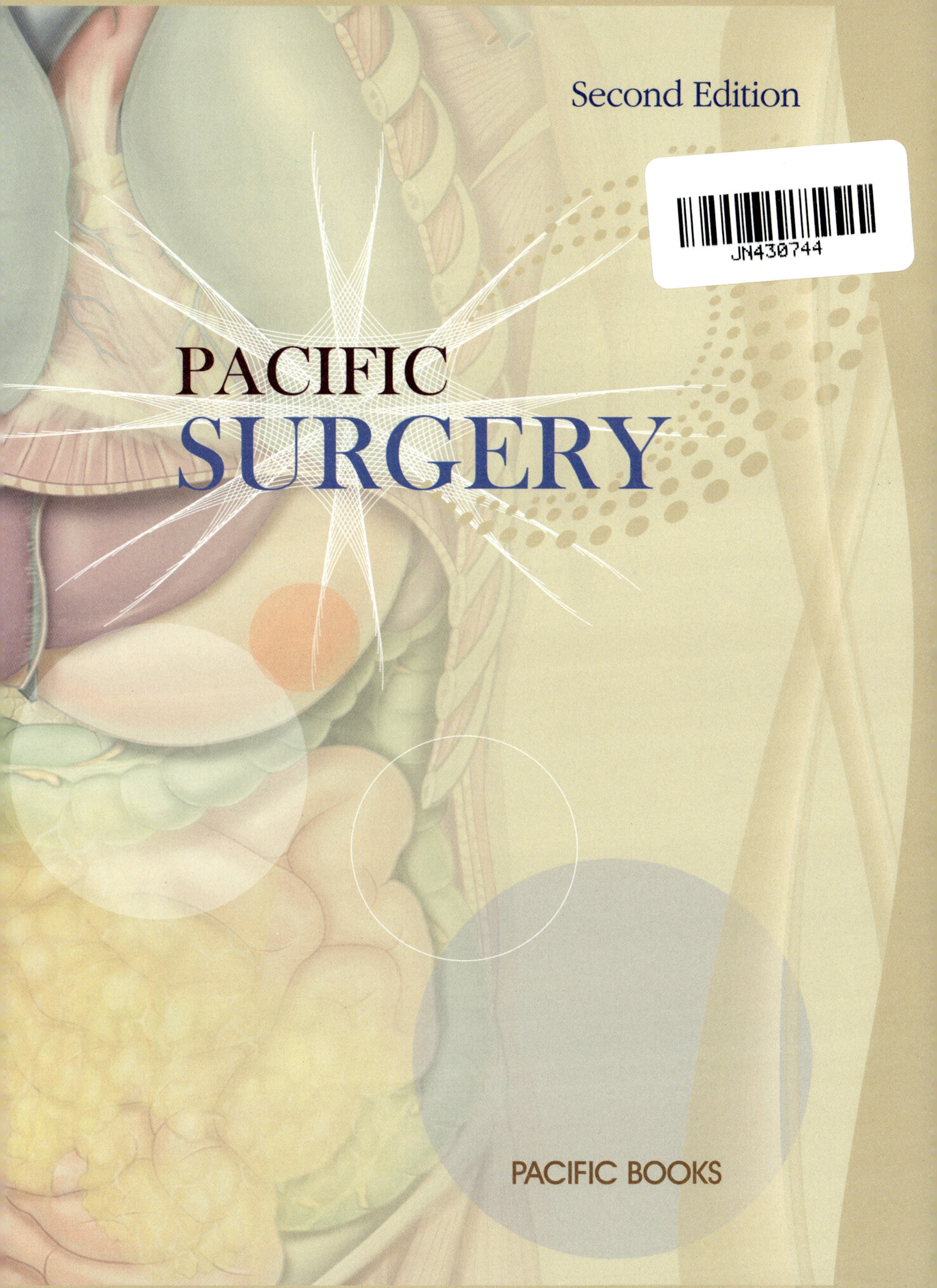

Second Edition

PACIFIC SURGERY

PACIFIC BOOKS

PACIFIC
SURGERY

머리말

외과학은 내과학과 더불어 의학의 근간을 이루는 분야로 그 원리를 파악하기 위해서는 단순한 암기가 아닌 체계적이면서도 구체적인 접근방법을 통해 이해해야 합니다. 이를 위해서는 교과서를 통해 공부하는 것이 가장 바람직하겠으나 그 방대한 양으로 인해 시간적 제약이 있는 학생이나 전공의들에게는 매뉴얼이 교과서의 대안으로 필요합니다.

물론 기존에도 외과 매뉴얼이 나와 있었으나 그 내용이 대부분 단지 외과시험을 위한 단문형 주입식으로 기술되어 있어 외과를 전공으로 하는 사람조차도 근본적인 내용에 대한 이해가 쉽지 않았습니다. 이에 보다 구체적이고 임상에 적용할 수 있는 서술형 매뉴얼이 필요하다고 생각하여 본 매뉴얼을 기획하게 되었습니다.

단문형 주입식 매뉴얼에 비해 수고는 많이 들었지만, 본 매뉴얼은 외과학을 처음 접하는 학생들도 질병의 원인·진단·치료에 대한 근본적인 이해가 가능하도록 서술형으로 이해하기 쉽게 구성하였으며, 시험대비뿐만 아니라 실제 임상에서도 적용할 수 있도록 다양한 그림 및 사진을 첨부하여 외과전공의에게도 도움이 될 수 있게 구성하였습니다. 또한 대한의사협회 의학용어 4집에 따른 우리말 용어를 사용하여 의사국가고시를 준비하는 수험생들에게 도움을 주고자 하였으며, 외과학 용어에 대한 정의를 구체적으로 설명함으로써 막연한 이해가 아닌 확실한 개념을 가지고 접근할 수 있도록 노력하였습니다.

서술형으로 기술하다 보니 요점정리가 쉽지 않을 우려가 있어 학생수준에서 반드시 알아두어야 할 내용은 따로 박스 처리하여 요약하였으며, 내용을 심도있게 다루는 가운데 학생수준을 넘는 내용이 언급될 수밖에 없는 부분에 있어서는 심화학습으로 별도로 다루어 선택적으로 공부할 수 있도록 하였습니다.

또한 각 단원의 말미에는 이해하는 데 도움을 줄 수 있는 대표적인 문제를 첨부하였으며 다양한 임상경험을 바탕으로 각 문제에 대한 꼼꼼한 설명을 덧붙였습니다.

끝으로 원고가 완성되기까지 오랫동안 지원을 아끼지 않으신 퍼시픽북스 이웅현 사장님, 내용이 한눈에 잘 들어올 수 있도록 훌륭하게 편집해 주신 편집부 직원 여러분, 물심양면으로 많은 도움을 주신 제주 한마음병원 임직원분들께 감사드리며, 모쪼록 이 책으로 공부하는 학생들과 전공의 여러분들에게 도움이 되었으면 하는 바람입니다.

편저자 대표 외과전문의 채영준

PACIFIC
SURGERY

차 례

28 결장 및 직장 _529

29 항 문 _583

30 간 _611

31 간경변 및 문맥고혈압의 외과적 합병증 _659

35 혈 관 _757

36 소아외과 _791

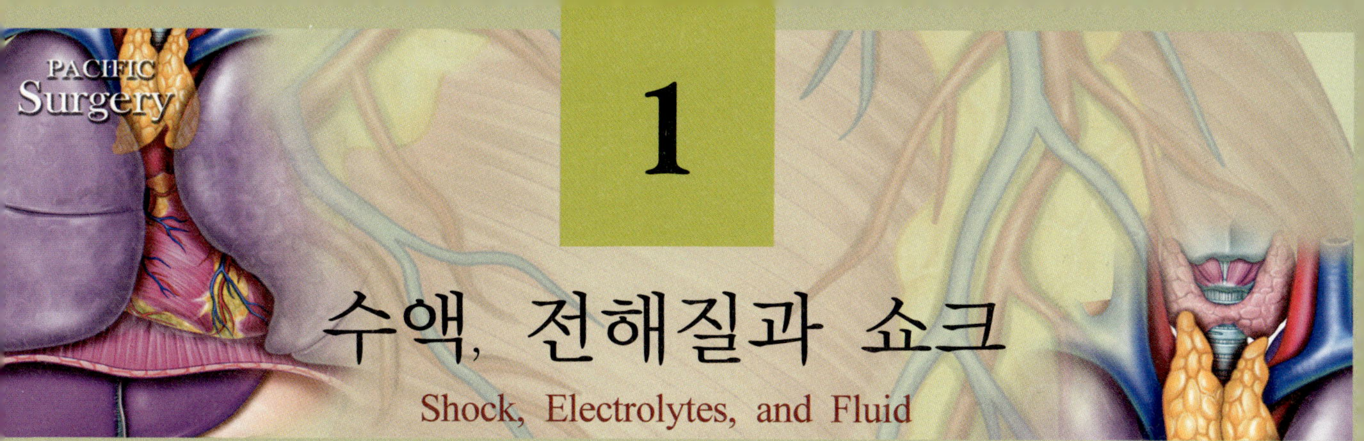

1 수액, 전해질과 쇼크

Shock, Electrolytes, and Fluid

1.1 수 액

생명을 유지하기 위해서는 세포내액과 세포외액의 성분이 적절하게 조절되어야 하며, 이러한 조절에는 수분대사가 매우 중요하다. 수분의 농도는 간접적으로 용질의 농도(osmolality)의 변화에 의하여 알아낼 수가 있다. 체내의 수분조절 기전을 이해함으로써 수술 전후 환자의 상태에 맞는 수액 처치를 할 수 있어야 한다.

1) 인체의 체액 조성

인체의 총체액은 젊은 성인 남자에서는 몸무게의 60%, 젊은 성인 여자에서는 몸무게의 50%를 구성한다.

체액은 세포외액(extracellular fluid)이 20%, 세포내액(intracellular fluid)이 40%를 차지하며, 20%의 세포외액은 간질액(interstitial fluid) 15%, 혈장(plasma) 5%로 이루어져 있다.

한편 지방이 근조직에 비해 수분을 적게 포함하기 때문에 지방조직이 많을수록 수분량이 적어 마른 사람은 뚱뚱한 사람에 비해 수분량이 25~35% 가량 많고, 여자는 남자보다 지방의 양이 많고 근육의 양이 적기 때문에 수분량이 적다.

총체액(total body ware)의 양은 나이에 따라 다른데, 신생아시기에 체중에 대한 체액의 비율이 가장 높고, 1세 때는 체중의 약 65%를 차지한다. 총체액은 나이가 들면서 감소하게 되는데, 이때 세포외액량은 감소하고 세포내액량은 비슷하게 유지된다.

표 1-1 신체를 구성하고 있는 체액 조성

	총체액량		세포내액	세포외액
신생아	80%		40%	40%
유아	70%		40%	30%
성인	60%	51%	40%	20%
노인(60세 이상)	남 : 54%	여 : 46%	30%↓↓	20%

정상인의 경우 체액은 일정한 상태를 나타낸다. 즉 수분의 섭취량과 배설량이 같은 평형 상태를 유지한다. 수분의 손실은 피부와 폐를 통한 불감손실(insensible water loss), 대변, 그리고 소변을 통한 배설로 이루어진다. 정상상태의 경우 불감손실은 변화가 거의 없으며, 영아의 경우 25～50mg/kg/day, 소아나 성인의 경우 400ml/m^2/day 가량이다. 대변을 통한 손실은 무시할 수 있을 정도이므로, 수분의 평형상태는 주로 섭취량과 소변량에 의하여 결정된다고 할 수 있다.

표 1-2 60～80kg 남자인 경우의 수분의 평형상태

경 로		일 평균 부피(mL)	최소(mL)	최대(mL)
수분 섭취				
Sensible	경구수분섭취	800～1500	0	1500/h
	고형음식	500～700	0	1500
Insensible	산화된 수분	250	125	800
	용액의 수분	0	0	500
수분 손실				
Sensible	소변	800～1500	300	1400/h
	장	0～250	0	2500/h
	땀	0	0	4000/h
Insensible	폐와 피부	600	600	1500

2) 체액의 전해질 조성

세포막의 Na－K ATPase로 인하여, 세포내액의 주된 양이온은 칼륨이고, 세포외액의 주된 양이온은 나트륨이다. 세포내액에는 음이온을 띤 유기인과 단백이 많아 음이온이 90%를 차지하며, 이들은 세포막을 통과하지 않기 때문에 Gibbs-Donan 평형법칙에 의하여 Chloride와 HCO_3^-는 주로 세포외액에 분포한다.

표 1-3 위장관 분비물의 전해질 조성

종 류	부피(mL/d)	Na(mEq/L)	K(mEq/L)	Cl(mEq/L)	HCO_3^-(mEq/L)
위액	1000～2000	60～90	10～30	100～130	0
소장액	2000～3000	120～140	5～10	90～120	30～40
대장액	–	60	30	40	0
췌장액	600～800	135～145	5～10	70～90	95～115
담즙	300～800	135～145	5～10	90～110	30～40

3) 크리스탈로이드 수액(crystalloid fluid)

크리스탈로이드는 반투과막을 통과할 수 있을 정도의 작은 입자가 용매에 녹아 있는 용액을 말한다.

(1) 5% 포도당(5% dextrose)

① 조성

증류수 1L에 포도당 50g이 들어있다. 이 수액은 포도당이 증류수에 녹아 있는 것이기 때문에 solute-free water나 거의 마찬가지이므로 체내에서 free-water와 같이 분포가 이루어지므로 1L의 5% 포도당 수액을 정맥 주입 시 이중 1/3이 세포외액(ECF)로 가게 되고 다시 이중의 1/4이 혈관 내에 존재하게 된다. 결국 주입 수액의 1/12만이 혈관 내에 있게 된다. 따라서 1L의 수액 주입 시 약 83ml 정도가 혈관 내에 남게 된다.

② 적응증

칼로리 공급용으로 쓰이며 포도당이 완전히 산화되면 포도당을 녹이고 있던 물이 대사수로 남게 되어 수분공급도 가능하다. 심부전, 신부전, 폐부종 환자가 혈역학적으로 안정적일 때 체액용적 증가효과가 생리식염수에 비하여 상대적으로 적어서 수분과잉을 주의하여 환자에게 사용한다.

(2) 생리식염수(normal saline)

① 조성

- 증류수 1L에 9g의 NaCl이 첨가된 수액(0.9% NaCl)으로 normal saline 1L의 무게는 1.009g이다. 신체의 정상 혈청 삼투압인 285mOsm/L(range 270～310)과 유사한 308mOsm/L의 삼투압을 가지기 때문에 등장성식염수(isotonic saline) 또는 생리식염수(physiological saline)라고도 한다.
- 생리식염수 내의 NaCl의 분자량이 58g/mole이고 따라서 58g이 1mole이기 때문에 NaCl 9g은 0.154mole에 해당한다. 또한 NaCl은 Na^+와 Cl^- 두 개의 이온으로 나뉘기 때문에 생리식염수 1L에는 154mEq/L의 Na^+와 Cl^-을 포함한다.
- Na^+가 체내의 Na 농도와 거의 같은 수액으로 1L의 생리식염수를 정맥주사로 주입하면 전부 세포외액(ECF)에 분포하게 된다. 크리스탈로이드 수액은 세포외액(ECF)을 자유롭게 움직일 수 있으므로 1L 중 1/4만이 혈관 내에 존재하게 된다. 따라서 250mL가 혈관 내에 존재하게 된다. 5% 포도당에 비하여 3배정도의 혈관 내 용적증가 효과가 있어 저혈량(hypovolemia) 환자에서 우선적인 치료로 사용된다.

② 적응증

경구 수분섭취가 불가능한 환자 또는 탈수, 저혈량증 환자에서 가장 효과적이고 흔하게 사용되는 수액이며 일반적으로 정맥로를 통해 주입한다. 그러나 대량 주입시 대사성 산혈증(metabolic acidosis)을 일으킬 수 있는 단점이 있다.

(3) half saline(0.45% NaCl)

① 조성

증류수 1 liter에 0.45g의 NaCl이 첨가된 수액으로 삼투압은 154mOsm/L이다. 따라서 77mEq/L의 Na^+와 Cl^-을 포함하고 있으며, 종종 5%의 dextrose와 혼합하여 사용한다. 5% dextrose는 1 liter의 증류수에 50g의 glucose를 함유한 용액으로 흔히 5D/W solution으로 칭한다. 결국 생리식염수와 5% 포도당 용액의 중간정도의 특징을 보인다.

② 적응증

half saline은 고나트륨혈증 환자의 수액 공급, Na^+ 손실이 있는 환자에서 Na^+의 공급을 위해 사용된다.

(4) 고장성 식염수(3% NaCl, 5% NaCl)

① 조성

3% NaCl 용액은 증류수 1 liter에 30g의 NaCl을 포함하며, 용액 내 Na^+와 Cl^-의 농도는 513mEq/L이다. 5% NaCl 용액은 증류수 1 liter에 50g의 NaCl을 포함하며, 용액 내 Na^+와 Cl^-의 농도는 856mEq/L이다.

② 적응증

저나트륨혈증의 교정과 뇌부종(cerebral edema)의 교정에 사용된다. 고장성 수용액이므로 주사 부위의 혈전염과 조직괴사가 일어날 수 있기 때문에 2%가 넘는 식염수는 중심정맥 카테터를 이용하여 주사해야 한다.

(5) Lactated Ringer's solution(Hartmann's solution)

영국 생리학자인 Sydney Ringer에 의해 개발된 수액으로, 후에 Hartmann이 소아의 산혈증 치료를 위해 변형시킨 용액이다.

Hartmann은 Ringer가 개발한 수액에 lactate를 첨가하였으며, lactate는 산에 대한 완충역할을 하여 pH를 높이는 역할을 한다. 따라서 이 용액은 처음에 Ringer's solution에서 후에 lactated Ringer's solution 혹은 Hartmann's solution으로 변형되어 사용되고 있다.

① 조성

- 하트만 용액이라고도 불리며 용액은 NaCl, $NaC_3H_5O_3$(sodium lactate), $CaCl_2$(calcium chloride), KCl(potassium chloride)로 구성되어 있어 Na^+와 Cl^- 외에도 lactate, Ca^{2+}, K^+이 포함되어 있다.
- 제조회사마다 첨가되는 용질의 구성성분이 조금씩 다를 수 있지만, 일반적으로 각각 용질의 농도는 Na^+ 130mmol/L, Cl^- 109mmol/L, lactate 28mmol/L, Ca^{2+} 4mmol/L, K^+ 1.5mmol/L로, 다 합하면 272.5mmol/L로 인체의 삼투압과 유사하다.

② 적응증

급성 실혈이나 신부전에서는 산혈증이 나타나기 쉬우므로 외상이나 화상, 수술에 의한 실혈에 주로 사용된다. 대량 출혈로 인한 소생 시에는 시간당 몸무게당 20~30ml를 주입하여 혈압과 맥박을 정상화시키고 소변량을 유지한다. 그러나 하루에 필요한 전해질의 양에 비해 Na^+의 농도가 130mmol/L로 비교적 높고 K^+의 농도가 1.5mmol/L로 낮기 때문에 유지용 수액으로는 적합하지 않다.

표 1-4 수액의 종류와 조성

수액 종류	approximate pH	mOsm/L	Calorie/L	전해질					
				143 Na	4 K	2 Ca	1 Mg	104 Cl	Lactate
Dextrose 5%	3.5~6.5	278	187						
Dextrose 10%	3.5~6.5	555	374						
Dextrose 15%	3.9~4.2	920	578						
Dextrose 20%	3.5~6.5	1110	748						
Dextrose 5% +NaCl 0.9% (5DS)	3.5~6.5	586	187	154				154	
NaCl 0.45%	4.5~8.0	154	–	77				77	
NaCl 0.9%	4.5~8.0	308	–	154				154	
Lactated Ringer's	5.0~7.0	279	–	130	4	3	–	109	28
DNK2	3.0~6.5	472	187	77	20	–	–	97	
Mannitol 15%	4.5~7.0	823							
Mannitol 20%	4.5~7.0	1098							
Dextran 40 Dextrose 5%	3.0~7.0	309	187						

4) 콜로이드 수액(colloid fluid)

콜로이드는 녹지 않는 작은 입자(1~1,000nm)가 용매에 균질하게 섞여 있는 물질을 의미하며, 균질하게 섞여 있기 때문에 외관상으로는 용액처럼 보인다.

콜로이드는 고체, 액체, 가스의 형태를 모두 지닐 수 있다.

(1) 알부민(albumin)

혈청 알부민은 인체 혈청 단백질의 약 70%를 차지하는 단백질로써 간에서 생성되고 혈청 단백질의 대부분을 차지한다.

알부민 외의 다른 혈청 단백질로는 글로불린(globulin)이 있다.

① 역할

혈청 알부민은 혈액의 삼투압을 유지하는데 중요한 역할을 하며 따라서 혈액량을 유지하는데 중요하다. 또한 물에 녹지 않는 분자들인 지용성 호르몬, 담즙산염, 빌리루빈, 지방산, 칼슘, 철, 기타 약물들과 결합하여 운반체의 역할을 한다.

② 주사제로서의 알부민

- 알부민은 혈장으로부터 한냉알코올분획법을 이용하여 제조한 혈장분획제제로서 AIDS 및 B형 간염 바이러스를 불활성화시키기 위해 60℃에서 10시간 동안 열처리하여 제조한다. 상품화 되어 있는 것으로는 5% 용액 및 20% 용액의 제품이 있다.
- 5% 알부민은 혈장과 같은 콜로이드 삼투압을 가지고 있으나 20% 알부민은 혈장보다 4배 높은 삼투압을 가지고 있으며, 냉장온도에서 5년간 보존할 수 있다.

③ 적응증

- 콜로이드 제제이기 때문에 crystalloid에 비해 혈관 내 용적을 주입한 수액량에 비해 크게 증가시킨다. 일반적으로 순환혈액량 감소와 저알부민혈증이 동시에 있는 환자에게 적응되며, 혈장교환술의 보충 용액으로도 사용한다.
- 주의할 사항으로는 혈액량 과부하가 생기기 쉬운 환자에서는 투여하지 말아야 하며, 영양 결핍이나 간기능 장애로 인한 만성 저알부민 환자에서는 알부민 투여가 효과를 보기 힘들기 때문에 비용 대 효용면에서 가치가 떨어진다.

(2) 펜타스타치(pentastarch)

① 조성

녹말을 원료로 추출한 Hydroxyethyl Starch(HES)가 주성분이며, 상품명으로는 pentaspan, voluven, hespan 등이 시판되고 있다. 펜타스타치는 혈관 내 용적을 증가시키는 효과적인 약제이며, 그 효과는 18~24시간가량 지속된다.

② 적응증

출혈, 수술, 패혈증, 화상 혹은 외상으로 인한 쇼크 상태의 환자에서 혈관 내 용적을 증가시키기 위해 사용된다. 그러나 적혈구 또는 혈액응고인자와 같은 효과는 없어 수혈의 대체제로 사용될 수는 없다.

③ 금기증

hydroxyethyl starch에 과민 반응이 있거나 출혈성 경향(bleeding disorders)이 있는 환자에서는 금기이며, 용적과부하 상태인 울혈성 심부전증 환자에서도 금기이다.

④ 부작용

대량 사용 시에 혈액응고의 장애를 일으켜, PT, aPTT의 연장이 발생할 수 있다. 천명음, 발진, 저혈압과 같은 과민 반응이 나타날 수 있으며 아나필락시스도 발생한 바가 있다.

표 1-5 1L 수액을 주사하였을 때의 분포 상황

수 액	분포범위	용적변화량(mL)		
		혈관	세포간질	세포내액
5% 포도당	체내 수분 분포와 동일	83	250	667
0.9% 식염수	세포외액에 국한	250	750	0
0.45% 식염수		166.5	500	333.5
500mL 수분	체내 수분 분포와 동일	41.5	125	333.5
500mL 0.9% 식염수	세포외액에 국한	125	375	0
혈장성분	혈관(혈장)내에 국한	1000		

문제

1-1 4)

같은 양을 투여할 때 혈장량 증가 효과가 가장 큰 것은?

1) 0.45% 등장수액
2) 0.9% 등장수액
3) 5% 포도당액
4) 알부민
5) 링거락테이트액(lactated Ringer's solution)

해설

입자로 이루어진 colloid가 삼투압이 높아 crystalloid에 비해 혈장량 증가 효과가 우수하다. 보기 중 알부민만 colloid이며, 나머지 수액은 crystalloid이다. crystalloid 중 혈장량 증가의 효과가 좋은 것은 normal salline, Hartmann's solution, 0.45% normal salline, dextrose 순이다. dextrose 수액제제는 혈장량 증가 효과가 가장 적기 때문에 혈장량 증가의 목적이 아닌 dextrose의 공급을 위해 사용한다.

1.2 전해질

1) 나트륨(sodium)

세포외액의 삼투압을 95% 이상 결정하며, 정상 혈청 나트륨은 138~145mEq/L이다.

(1) 저나트륨혈증(hyponatremia)

나트륨 농도에 비해 세포외액량이 과도할 때 생기며 세포외액량이 많을 때, 정상일 때, 부족할 때에 따라 그 원인과 치료방법이 다르다.

① 원인

대부분의 저나트륨혈증에서 나트륨 농도는 나트륨 결핍이나 희석에 의해 감소하게 된다.

- 나트륨의 결핍에 의한 저나트륨혈증(depletional hyponatremia) : 나트륨 섭취가 부족하거나 나트륨을 포함한 체액의 손실이 생길 때 발생한다. 나트륨 섭취의 부족은 저염식이(low salt diet)를 지속하거나, 구토, 지속적인 비위관 흡인(prolonged nasogastric suctioning), 설사와 같은 위장관을 통한 손실이 일어나거나, 이뇨제 사용이나 콩팥 질환으로 인한 콩팥에서의 나트륨 손실이 원인이 된다.
- 희석에 의한 저나트륨혈증 : 의도적으로 수분 섭취를 많이 한 경우 또는 정맥을 통한 수분 주입이 많은 경우와 같이 세포외액량이 과도하게 많은 경우에 생기게 된다.

② 증상

경증의 저나트륨혈증인 경우(130~138mEq/L)에는 증상이나 징후가 거의 없고, 중등도의 저나트륨혈증(120~130mEq/L)에서는 두통 또는 기면의 증상이 있으며, 중증(120mEq/L 이하)에서는 발작의 위험도가 높아진다(110mEq/L 미만은 뇌부종으로 사망할 위험도가 높다).

- 급성 저나트륨혈증 증후군 : 출혈, 급성 설사, 췌장염 또는 화상 환자와 같이 나트륨과 수분의 갑작스런 감소가 있는 환자에게 정맥으로 저장염 수액(hypo-osmotic fluid)을 공급한 경우에 자주 발생하고, 체내 vasopressin의 상승으로 악화된다. 치료는 혈량저하증(hypovolemia) 또는 탈수환자에게 등장성 용액(isotonic saline)을 투여하는 것이고 갈증을 호소해도 물 섭취를 제한(water restriction)해야 한다.
- 수술 후 저나트륨혈증 : 수술 후에는 콩팥에서 수분 흡수를 돕기 위해 항이뇨 호르몬(antidiuretic hormone)의 분비가 증가하고 따라서 세포외액량이 증가하여 저나트륨혈증이 발생하기 쉽다. 체구가 작고, 특히 월경중인 여자에서 수술 후 저나트륨혈증의 위험도가 높으며, 초기증상으로 반응도 저하, 발작, 호흡 정지가 나타나면 혈청 나트륨치를 측정해야 한다.
- 만성 저나트륨혈증 : 항이뇨호르몬 부적절 분비 증후군(Syndrome of Inappropriate Release of Antidiuretic Hormone, SIADH)은 만성 저나트륨혈증의 가장 중요한 원인이며 혈장량이 정상인 환자(euvolemic patient)에서만 내려질 수 있는 진단이다. 진단기준은 혈청 삼투압이 270mOsm/kg 이하, 소변 삼투압이 300mOsm/kg 이상이고 다른 내분비 질환(갑상샘기능저하증 또는 부신기능부전)과 신장기능부전이 없어야 한다.

③ 치료

급성인 경우에는 신경학적 이상이 동반되는 경우가 많으나, 만성인 경우에는 혈청 나트륨의 농도가 매우 낮음에도 불구하고 신경학적 이상이 없는 경우가 흔하다. 등장성 생리식염수(normal saline) 또는 3% 고장성 생리식염수(hypertonic saline)를 주입하여 치료하며, 저나트륨혈증의 빠른 교정은 뇌교 중심부 수초융해증(central pontine myelinolysis)을 일으킬 위험이 있으므로, 나트륨의 증가 속도를 시간당 0.25mEq/L 이하, 하루에 8mEq/kg 이하로 유지하며, 120mEq/L가 될 때까지 천천히 상승시킨다.

또한 한 가지 주의할 사항은 저나트륨혈증이 지속되면 세포 내 칼륨의 농도가 보상적으로 결핍되기 때문에 세포내액량을 정상화시키기 위해서는 많은 양의 칼륨을 보충해야 한다.

(2) 고나트륨혈증(hypernatremia)

급성 고나트륨혈증이 생기게 되면 세포외액의 삼투압이 증가하게 되어 세포내액이 감소하게 된다. 혈청 나트륨 농도가 146～159mEq/L일 때를 중등도의 고나트륨혈증, 160mEq 이상을 때를 중증의 고나트륨혈증이라고 하며 치명적일 수 있다.

① 원인

가장 흔한 원인은 수분손실(water loss)이며 신경학적 손상이 있는 환자, 콩팥으로 수분손실이 큰 요붕증 환자, 화상, 위장관계 손실(구토, 비위관 흡인, 장샛길, 설사; 특히 어린아이나 노인의 위험도가 높음) 등에 의해 발생할 수 있다.

② 증상

기립성 저혈압, 건조한 점막, 피부긴장도 저하가 나타나며 특히 나트륨 농도가 160mEq 이상일 때 의식의 저하와 경련, 혼수, 뇌내출혈(intracerebral hemorrhage)이 나타날 수 있다.

③ 치료

탈수로 인한 고나트륨혈증은 목정맥, 혹은 구강을 통한 수분 섭취를 통해 치료한다. 고나트륨혈증 환자들은 특징적으로 혈류량이 심각하게 저하되어 있기 때문에 먼저 등장성 식염수를 주사하여 세포외액이 회복될 때까지 치료하고 그 이후에 충분한 전해질이 함유된 수분을 공급함으로써 콩팥기능을 정상화 시켜 농축된 소변을 생성하도록 도움으로써 고나트륨혈증을 교정한다. 단, 고나트륨혈증의 급격한 교정은 세포의 팽창을 가져와 뇌부종으로 인한 뇌 손상을 일으킬 수 있으므로 교정속도는 하루에 8mEq 이하가 되도록 한다. 중심성 요붕증(central DI)으로 인해 생기는 수분손실 및 고나트륨혈증은 합성 항이뇨 호르몬인 desmopressin을 투여하여 치료할 수 있다.

표 1-6 고나트륨혈증(혈청 나트륨=160mEq/L) 환자에서 수액 1L 주입 후 나트륨의 변화 예측치

$$\frac{[\mathrm{Na}^+]\text{ 농도의 변화}}{\mathrm{L}} = \frac{(\text{주입 약물의 }[\mathrm{Na}^+]\text{ 농도} - \text{혈정의 }[\mathrm{Na}^+]\text{ 농도})}{\text{체내 총 수분량}+1}$$

주입 약물	70세 여자 50kg×0.45=22.5L(체내 총 수분량)	20세 남자 80kg×0.60=48.0L(체내 총 수분량)
D5 W	$\frac{(0-160)}{22.5+1}=-6.8$	$\frac{(0-160)}{48+1}=-3.3$
D5 0.2% NaCl	$\frac{(34-160)}{22.5+1}=-5.3$	$\frac{(34-160)}{48+1}=-2.6$
D5 0.45% NaCl	$\frac{(77-160)}{22.5+1}=-3.5$	$\frac{(77-160)}{48+1}=-1.7$

심화학습

◆ **전해질**

1. 나트륨(sodium) : 정상 혈청 나트륨은 138~145mEq/L
2. 칼륨(potassium) : 정상치는 4.5mmol/L
3. 칼슘(calcium)
   - 고칼슘혈증 : 혈청 칼슘 농도가 10.5mg/dl 이상일 때
   - 저칼슘혈증 : 혈청 칼슘 농도가 8mg/dl 이하일 때

표 1-7 저나트륨혈증과 고나트륨혈증의 감별진단

	High	Normal	Low
Hyponatremia	Increased intake Postoperative ADH secretion Drugs	Hyperglycemia ↑Plasma lipids/proteins SIADH Water intoxication Diuretics	Decreased sodium intake GI losses Renal losses Diuretics Primary renal disease
Hypernatremia	Iatrogenic sodium administration Mineralocorticoid excess Aldosteronism Cushing's disease Congenital adrenal hyperplasia	Nonrenal water loss Skin GI Renal water loss Renal disease Diuretics Diabetes insipidus	Nonrenal water loss Skin GI Renal water loss Renal (tubular) disease Osmotic diuretics Diabetes insipidus Adrenal failure

2) 칼륨(potassium)

체내 칼륨 농도의 정상치는 4.5mmol/L이며 칼륨 농도가 3.0mmol/L 이상 증가하거나 감소하게 되면 치명적이기 때문에 칼륨 농도는 반드시 엄격하게 조절해야 한다.

98% 이상의 체내 칼륨은 세포내액에 존재하며 일일 산소 소비량의 상당량이 나트륨-칼륨 펌프를 유지하기 위해 사용된다.

체내 칼륨량은 콩팥에서 소변 내의 칼륨 농도를 조절함으로써 조절한다.

(1) 고칼륨혈증(hyperkalemia)

- 칼륨 농도가 5.0mmol/L 이상일 때를 말하며 칼륨 농도가 6mmol/L를 넘어가면 휴지 세포막 전위(resting cell membrane potential)의 변화를 가져오게 되어 세포막의 탈분극과 재분극에 손상을 주게 된다.
- 칼륨 농도가 6~7mmol/L일 때에는 심장 부정맥이 나타날 수 있으며 tall T wave를 보이는 심전도 변화가 나타난다.
- 칼륨 농도가 7mmol/L 이상이 되면 심전도 상의 P wave가 감소하고 PR segment가 증가하며 QRS widening이 생긴다.
- 칼륨 농도가 8mmol/L 이상으로 증가하게 되면 심장 무수축(asystole), 심실세동(ventricular fibrillation)과 같은 치명적인 부정맥이 생긴다.

① 원인

급성으로 생기는 고칼륨혈증의 가장 흔한 원인은 갑자기 생긴 콩팥기능의 저하 또는 신부전(renal failure)이다. 콩팥기능의 저하 시에는 적정량의 소변량이 유지되어 체내 칼륨을 소변을 통해 배설하여 고칼륨혈증이 생기지 않을 수 있으나, 핍뇨성 콩팥기능 저하(oliguric renal dysfunction) 또는 신부전의 경우에는 칼륨 농도가 급격히 상승할 수 있다. 또 다른 원인으로 재관류 손상(reperfusion injury)이 있다. 재관류 손상은 다리 근육과 같은 큰 골격근에 동맥혈 공급이 4~6시간 이상 차단되어 있다가 다시 관류될 때 발생하며, 이로 인해 횡문근융해증(rhabdomyolysis)이 발생하고 칼륨이 방출되어 고칼륨혈증을 유발하게 된다. 또 고칼륨혈증은 근마비제인 succinylcholine을 신경손상, 심한 화상, 근육의 직접적인 손상, 횡문근융해증, 무용성 근위축(disuse atrophy)과 같은 원인으로 인해 근육의 위축이 있는 환자에게 정맥 주사할 때 발생할 수 있다. 따라서 이러한 환자에서는 근마비제로 succinylcholine이 아닌 다른 약제를 사용해야 한다.

② 증상

오심, 구토, 복통, 설사와 같은 위장관계 증상 및 위축, 호흡근 마비와 같은 신경근육계 증상 및 앞서 기술한 심전도의 변화에서 심정지에 이르는 다양한 심혈관계 증상 나타낼 수 있다.

③ 치료

먼저 모든 칼륨 공급을 중단한다. 이후 심전도를 확인하여 심전도 소견 상 심장마비가 임박하면 즉각적이고 효과적인 치료가 필요한데, 먼저 칼슘을 즉시 정맥 투여한다. 칼슘은 칼륨의 탈분극 역할에 대해 길항작용을 하기 때문에 부정맥의 위험을 감소시킬 수 있다. 또한 중탄산나트륨($NaHCO_3$)은 세포외액의 양이온에 대해 완충작용을 하여 양전자를 세포 밖으로 내보내고 동시에 칼륨이 세포내액으로 유입되도록 하여 세포외액의 칼륨농도를 낮추는 작용을 하기 때문에 중탄산나트륨을 정맥 투여한다. 특히 중탄산나트륨은 대사성 산증 환자에서 가장 효과적인 치료법이다. 인슐린과 포도당을 동시에 주입하여 나트륨/칼륨 펌프를 활성화하여 세포내액의 나트륨을 세포외액으로 내보내고 세포외액의 칼륨을 세포내액으로 이동시켜 칼륨의 농도를 낮출 수 있다. 또한 신부전 환자에서 고칼륨혈증을 치료하는 가장 효과적인 방법으로 혈액투석이 있다. 만성 고칼륨혈증 환자에서는 경구 혹은 직장을 통해 양이온 교환수지(cation exchange resin)인 sodium polystyrene sulfonate를 투여할 수 있다. 특히나 직장을 통해서 양이온 교환 수지를 투여하는 것이 보다 더 효과적인데, 이는 결장의 점막을 통해 많은 양의 칼륨을 가지는 점액을 분비할 수 있기 때문이다. 또한 신세뇨관에 작용하는 고리이뇨제(loop diuretics)를 사용하여 콩팥에서의 칼륨의 재흡수를 감소시켜 혈중 칼륨 농도를 낮출 수 있다.

꼭 알아둡시다!!!

◆성인환자에서 고칼륨혈증의 치료 가이드라인

1. 가장 우선적으로 모든 칼륨의 공급을 중단한다.
2. 심전도상 심장마비의 소견을 보일 때(P wave가 감소하고 PR segment가 증가하며 QRS widening이 있을 때); 즉각적이고 효과적인 치료가 필요하다.
   - 칼슘염(calcium salts)의 정맥투여(부정맥의 예방)
     - 10mL의 10% 염화칼슘(calcium chloride)을 10분에 걸쳐 투여한다.
     - 10mL의 10% calcium gluconate를 35분에 걸쳐 투여한다.
   - 중탄산염나트륨(sodium bicarbonate)의 정맥투여
     - 50~100mEq의 중탄산염나트륨을 10~20분에 걸쳐 투여하며, 대사성 산증 환자에서 효과적인 치료가 된다.
3. 칼륨효과에 의한 심전도 변화가 보일 때(peaked T waves) : 즉시 치료가 필요하다.
   - 포도당과 인슐린 주입
     - 50mL의 D50W 용액과 regular insulin 10units를 함께 정맥을 통해 투여한다. 이후 혈당을 모니터한다.
   - 즉각적인 혈액투석을 시행한다.
4. 심전도 변화 없이 검사에서 고칼륨혈증 소견을 보일 때 : 몇 시간 안에 효과적인 치료가 필요하다.
   - 경구 또는 직장을 통한 양이온 교환 수지의 투여 : 20% sorbitol을 투여한다.
   - 고리이뇨제(loop diuretics)를 통한 신장의 칼륨 재흡수 감소 유도

꼭 알아둡시다!!!

◆ 고칼륨혈증의 치료

1. 칼륨 공급의 중단
2. 칼슘 투여
3. 중탄산나트륨 투여
4. 포도당과 인슐린의 동시 투여
5. 고리이뇨제
6. 혈액투석

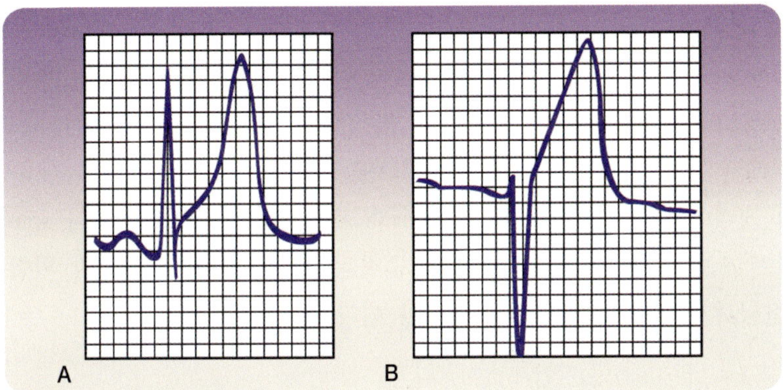

그림 1-1 심전도의 변화
A, 고칼륨혈증 : T wave는 tall, narrow, symmetrical한 모양을 보인다.
B, 급성심근경색 : T wave는 tall but broad-based & asymmetrical한 모양을 보인다.

(2) 저칼륨혈증(hypokalemia)

칼륨 농도가 3.5mmol/L 미만일 때를 말하며, 입원 중인 환자에서 비교적 흔하게 발생하는 문제이다.

① 증상

피로감(fatigue), 무력감(weakness), 장마비(ileus) 등의 증상이 있다.

- 칼륨 농도가 2.5mmol/L일 때 드물게 횡문근융해증이 일어날 수 있다.
- 칼륨 농도가 2.0mmol/L 이하로 감소하게 되면 이완성 마비(flaccid paralysis)가 일어나 호흡근의 마비가 오게 되어 사망할 수 있다. 또한 장기간 칼륨이 부족한 환자에서는 심장 리듬의 장애가 생겨 T wave의 감소(depressed T), U wave의 출현이 나타날 수 있으며, 심방성 빈맥, 방실해리(atrioventricular dissociation), 심실빈맥, 심실세동과 같은 부정맥이 발생할 수 있다. 특히 디곡신(digoxin)을 사용하는 환자에서는 비록 칼륨 농도가 정상 범위에서 유지됨에도 불구하고 이러한 저칼륨혈증과 동반된 부정맥이 발생할 위험도가 크다.

② 원인

콩팥 소실(이뇨제 치료), 위장관 소실(구토 비위관흡입, 설사, 대량 장샛길)이 흔하며,

베타 작용제(β-agonist)의 사용으로 인해 세포 내로 칼륨이 유입되거나, 저인산혈증, 저마그네슘혈증이 있는 알코올 중독자, 원발성 알도스테론증 환자에서 발생할 수 있다.

③ 치료

경구로 섭취하는 KCl 형태의 제제가 선호되며, 정맥을 통해 KCl을 주입하여 치료하기도 한다. 정맥으로 KCl을 주입할 때에는 주입 속도가 0.3mmol/kg/hr를 초과해서는 안 된다. 정맥을 통해 KCl을 주입하면 정맥을 자극하여 통증이 발생하기 때문에 중심 정맥관의 삽입이 필요한 경우도 있다. 산혈증이 동반된 경우에는 중탄산염(bicarbonate)의 주입 이전에 칼륨교정을 먼저 해야 하고, 당뇨병성 케톤 산증(diabetic ketoacidosis) 환자에서는 초기에 정상 칼륨 농도를 보일 수 있으나 고혈당 조절을 위해 인슐린을 투여하면 포도당이 세포 내로 유입되면서 급격하게 저칼륨혈증이 나타나게 된다. 따라서 이러한 경우에는 혈중 칼륨이 정상이더라도 칼륨공급이 필요하게 된다. 저칼륨혈증의 원인이 고리이뇨제에 있다면 aldosterone의 길항제인 triamterene이나 spironolactone을 추가하여 소변을 통한 칼륨의 소실을 줄일 수 있다. 한편 부정맥의 위험도를 줄이기 위해 칼륨과 함께 마그네슘을 투여해야 한다.

3) 칼슘(calcium)

(1) 고칼슘혈증(hypercalcemia)

혈청 칼슘 농도가 10.5mg/dl 이상일 때를 말한다.

① 원인

부갑상샘기능항진증(hyperparathyroidism), 종양의 골 전이(유방, 폐, 전립샘암)

② 임상증상

무기력, 구역/구토, 체중감소, 신경학적 변화가 나타난다.

③ 치료(15mg/dl 이상일 때는 응급)

식염수 주입, 고리이뇨제 주사, 혈액투석(Hemodialysis), bisphosphate, calcitonin의 투여한다.

(2) 저칼슘혈증(hypocalcemia)

혈청 칼슘 농도가 8mg/dl 이하일 때를 말한다.

① 원인

급성췌장염, 대량 연 조직 감염, 급/만성 신부전, 췌장/소장 샛길, 부갑상샘 기능저하증, 중증 알칼리증, 저단백혈증, 마그네슘 중증 감소가 있다.

② 임상증상

입술, 손/발가락의 저린 감, 근육의 과민성(irritability), 연축(spasm) 그리고 심전도 변화(QT 간격 연장, 드물게 complete heart block, 심실빈맥)를 보인다.

③ 치료

원인에 따른 교정과 칼슘 공급이며 칼슘공급의 적응증은 증상이 있고 심전도 변화가 있을 경우에 해당한다.

4) 인(phosphorus)

혈액내의 무기 인산 수치를 정상으로 유지하는 것은 세포 기능 및 골격계의 무기질화를 유지하는데 필수적이다. 칼슘과는 다르게 혈액 내의 인산 농도는 그리 엄격하게 조절되지는 않으며 나이, 성별, 식이 습관에 따라서 많은 영향을 받는다. 음식물로 공급되는 인산은 장으로 일정하게 흡수되며 혈중 비타민 D에 의해 흡수가 증가한다.

(1) 고인산혈증(hyperphosphatemia)

① 원인

고인산혈증은 소변을 통한 인산의 배출이 감소되거나, 인산 섭취가 증가하거나, 체내에서 인의 혈관 내로의 배출이 증가하는 상황에서 발생한다. 대부분의 경우에 환자들은 신장장애를 가지고 있으며, 부갑상샘기능저하증이나 갑상샘기능항진증에서도 소변으로의 배출이 감소되어 고인산혈증을 일으킨다. 또한 인이 포함된 설사제로 인하여 고인산혈증이 나타날 수도 있다.

② 임상증상

대부분의 고인산혈증은 무증상이나 고인산혈증이 계속되면 2차적으로 연부조직에 칼슘침착이 일어날 수 있다.

③ 치료

원인 질환의 치료가 우선이며 인의 섭취를 제한함으로서 예방이 가능하다.

(2) 저인산혈증(hypophosphatemia)

① 원인

저인산혈증은 호흡성 알칼리증, 알코올중독, 위장관에서의 흡수장애와 같은 체내 인산 농도의 저하 때문에 일어날 수 있으며, 또한 부갑상샘기능항진증에서와 같이 소변을 통한 인산의 배출 과다로 발생할 수 있다.

② 임상증상

근육의 위축과 기능저하가 일어나며 호흡근 장애로 호흡저하가 일어날 수 있다. 또한 혼돈, 치매 같은 의식저하 증상이 나타나기도 한다.

③ 치료

적절한 인의 공급이 중요하며, 정맥주사나 경구로 인을 공급한다.

5) 마그네슘(magnesium)

마그네슘은 칼륨이나 칼슘 때문에 그 중요성이 간과되나, 세포내액에 두 번째로 많은 양이온이다. 마그네슘은 혈장의 칼륨 및 칼슘과 밀접한 관계가 있으므로, 마그네슘을 교정하는 경우에는 이러한 전해질의 상관관계를 항상 고려해야 한다.

즉, 칼슘, 칼륨, 인산, 마그네슘 중의 1개라도 이상이 있으면 반드시 상기 전해질을 모두 측정하여야 한다.

(1) 고마그네슘혈증(hypermagnesemia)

① 원인

고마그네슘혈증은 혈장 마그네슘(serum magnesium)이 2.2mEq/L 이상인 경우로 정의된다. 고마그네슘혈증은 드물지만 심한 신장기능부전 환자에서 발생할 수 있다. 신기능 저하 환자에서 마그네슘이 포함된 제산제나 설사제를 복용할 때도 발생할 수 있다.

② 임상증상

임상적으로는 근력감소, 마비, 보행장애, 의식장애, 오심, 구토, 혈압저하 등의 증상이 발현하며, 중증인 경우에는 혼수, 서맥, 호흡저하, 심정지 등이 나타난다. 특히, 혈중농도가 10mEq/L 이상에서는 완전 방실차단증 등의 부정맥이 발생하며 더욱 악화되면 심정지를 초래한다.

③ 치료

가장 먼저 마그네슘의 주입을 가능한 빨리 멈추고 신경근육계와 심장기능에 있어 마그네슘의 길항제(antagonist)인 칼슘을 투여한다. 만일 심정지가 발생하면 calcium gluconate 1g을 2~3분에 걸쳐 천천히 정맥내로 주입한 후 최대한 빨리 혈액투석을 시행하도록 한다.

만일 신기능과 순환기능이 정상이라면 생리식염수를 다량 투여하면서 이뇨제(furosemide 40~80mg IV)를 함께 투여하여 강제이뇨 시키는 방법도 있는데, 이뇨작용에 의하여 칼슘이 소변으로 배출되면서 저칼슘혈증이 동반되어 증상을 더욱 악화시킬 수 있으므로 유의해야 한다. 결국, 신장기능이 저하되어 있거나 환자에게 증상이 이미 나타나기 시작했다면 투석이 가장 좋은 치료 방법이다.

(2) 저마그네슘혈증(hypomagnesemia)

① 원인

저마그네슘혈증은 입원 환자에서 매우 흔한 증상으로 일반병동 환자의 10~20% 중환자실 입원 환자의 60~65%정도에서 관찰된다. 마그네슘의 섭취 감소나 흡수 감소와 관련된 저마그네슘혈증의 원인이 되는 질병으로는 만성설사, 영양실조, 알코올 남용 등이 있다. 신장에서의 배설 증가와 관련된 원인 질병으로는 고알도스테론혈증, 부갑상샘기능항진증, 갑상성기능항진증 이뇨제의 사용 등이 있다. 한편 저마그네슘혈증은 당뇨, 급성심근경색, 대량수혈, 급성췌장염과 관련된 환자에서는 특별한 원인 없이 발생하기도 한다.

② 임상증상

대부분 무증상이나 혈청 마그네슘이 1.2mg/dL 이하일 때부터 증상이 발생한다. 전해질 이상이 생기며 부정맥 등의 심장증상, 근위축, 경련 등의 신경증상이 발생한다.

③ 치료

마그네슘의 결핍은 칼슘이나 칼륨의 결핍을 동반하는 경우가 많으며, 이때 마그네슘의 결핍을 치료하지 않으면 저칼슘혈증이나 저칼륨혈증이 교정되지 않는다. 정맥주사나 경구로 마그네슘을 보충한다.

표 1-8 칼륨, 마그네슘, 칼슘의 이상에 따른 임상증상

	장기	칼륨	마그네슘	칼슘
혈청 수치가 증가 될 때	위장관계	구역/구토, 설사	구역/구토	식욕부진, 구역/구토, 복통
	근신경계	근위축, 마비, 호흡마비	근위축, 반사 속도 감소	허약, 혼돈, 혼수, 뼈 통증
	심혈관계	부정맥, 심정지	저혈압, 심정지	고혈압, 부정맥, 다뇨
	신장계	–	–	다음
혈청 수치가 감소 될 때	위장관계	장마비, 변비	–	–
	근신경계	반응 속도 감소, 피로, 허약, 마비	과반응, 근육 진전, 경직, 경련	과반응, 이상감각, 경련
	심혈관계	심정지	부정맥	심부전

문제

1-2 3)

특징적인 심전도를 보이는 고칼륨혈증에서 부정맥의 위험을 줄이기 위해 즉시 투여해야 하는 것은?

1) kayexalate
2) furosemide
3) calcium gluconate
4) glucose and insulin
5) sodium bicarbonate

해설

칼슘은 칼륨의 탈분극 역할에 대해 길항작용을 하기 때문에 부정맥의 위험을 감소시킨다.

1.3 산-염기 평형

체내의 수소이온(H^+) 세포외액의 농도는 40nEq/L로 다른 양이온에 비하여 매우 낮지만, 반응성이 높아 나트륨이나 칼륨에 비하여 여러 효소단백 등의 음이온에 매우 강력히 결합하기 때문에, 정상적인 세포기능을 유지하기 위해서는 일정한 농도를 유지하여야 한다. 정상적으로는 16~160nEq/L(pH7.80~6.80) 사이에서 유지되고 있다.

체내에서는 여러 종류의 완충제(buffer system)에 의하여 조절되기 때문에 수소이온 농도는 40nEq/L에서 거의 변화가 없이 조절된다. 세포외액이나 세포내액에 있는 여러 종류의 완충제는 대부분이 약산과 그의 대응염이다. 세포외액에서 가장 중요한 완충제는 중탄산염이며 그 외 혈색소 및 단백, 인산염 등이 있다. 체내에 산이 들어오거나 축적되면 15~30분 이내에 중탄산염에 의한 완충작용이 일어난다. 그 외의 완충작용으로는 호흡 보상작용(~1시간), 세포내 완충제(2~4시간) 및 신성 보상작용(1~5일) 등이 있어 수소이온의 농도가 조절된다.

1) 대사성 산증(metabolic acidosis)

(1) 정의 및 원인

대사성 산증은 동맥혈의 pH의 감소(수소이온 농도의 증가), 혈중 중탄산염농도(HCO_3^-)의 감소와 이에 따른 보상성 과호흡에 의한 동맥혈 이산화탄소 분압(P_{CO2})의 감소가 특징적인 임상적 증후군이다.

혈중 중탄산염 농도의 감소 자체는 만성 호흡성 알칼리증이 있을 때도 낮아지므로 대사성 산증의 직접적인 기준이 되지 못하고 혈중 pH가 중요하다. 원인으로는 다음과 같은 것들이 있다.

표 1-9 대사성 산증의 원인과 기전

원 인	기 전
anion gap이 정상일 때(중탄산염의 소실로 발생)	
4L 이상의 설사, 장샛길(fistula)	HCO_3의 손실
근위 세뇨관 산증(proximal renal tubular acidosis)	신 세뇨관에서의 HCO_3 재흡수 감소
원위 세뇨관 산증(distal renal tubular acidosis)	산배설의 저하
산 주입(HCL, NH_4Cl)	산부하의 과다
희석성 산증(HCO_3이 희석되어 발생)	HCO_3가 포함되지 않은 용액 주입으로 발생
anion gap이 증가되었을 때(산의 축적으로 발생)	
쇼크	Lactic acid의 증가
당뇨, 굶주림, 알코올중독(모두 인슐린 감소가 발생)	Ketoic acid의 증가
요독증	sulforic acid와 phosphoric acid의 증가
메탄올, 에틸렌글리콜, 아스피린 복용	formic, oxalic, salicylic acid의 증가
음이온차(anion gap) = ($[Na^+]$) − ($[Cl^-]$+$[HCO_3^-]$)	

"참고하세요"

일반적으로 호흡성 알칼리증은 신성 보상작용에 의하여 혈중 중탄산염 농도가 10mEq/L 이하로 되는 경우가 드물기 때문에 혈중 중탄산염 농도가 10mEq/L 이하인 경우는 대사성 산증을 의미한다.

(2) 대사성 산증의 보상작용

① 세포외액 완충제

중탄산염이 가장 중요한 완충제의 역할을 하며, 거의 30분 이내에 완충 효과를 나타낸다.

② 세포내액 완충제

전체 부하된 수소이온의 55~60%가 세포내로 유입되어 세포내 단백, 인산, 골 탄산염과 같은 완충제에 의해 완충된다.

$$H^{+} + Pr^{-} \leftrightarrow HPr$$

이 과정에서 수소이온이 세포 내로 이동하며, 전기적 평형을 이루기 위하여 세포내 칼륨이 빠져나와 혈관으로 이동하여 혈중 칼륨의 농도가 증가하게 된다. 이러한 혈중 칼륨의 증가는 신부전에서 흔히 관찰되고, 케톤산증, 젖산 산혈증(lactic acidosis) 등 유기산증에서는 관찰하기 힘들다.

젖산 산혈증에서 고칼륨혈증이 있는 것은 대개 저산소증에 따르는 조직괴사, 신부전에 의한 것이지 산증 그 자체 때문은 아니다.

③ 호흡성 보상

대사성 산증이 있으면 중추성 및 호흡조절 화학 수용체를 자극하여 폐포 환기를 증가시키고 이에 따라 이산화탄소 분압을 감소시켜 세포외액의 pH를 정상화한다. 대개 산증이 발생한 후 1~2시간 후부터 시작하며 12~24시간에 최대로 되며, 호흡수 보다는 호흡용적(tidal volume)을 증가시키는 과환기의 형태를 띠며 산증이 심한 경우 정상의 5배까지 호흡용적이 증가되기도 한다(Kussmaul 호흡).

일반적으로 혈중 중탄산염의 농도가 1.0mEq/L 감소할 때마다 이산화탄소 분압은 1~1.2mmHg 감소하여 최소 15mmHg까지 내려가게 된다. 그러나 이산화탄소 분압이 15mmHg 미만으로 내려가는 경우는 호흡성 알칼리증이 동반된 것을 시사한다. 이러한 호흡성 보상에 의한 이산화탄소 분압의 감소는 신장에서 중탄산염의 재흡수를 저하시켜 실제로 요중 손실을 늘어나게 하므로 수일 동안만 효과적이다.

④ 신장에서 산 배설 증가와 중탄산염 재흡수 증가

산증이 있으면 신장에서는 근위 및 원위세관에서 중탄산염의 재흡수가 증가되며(90% 근위세관), 요중 산의 배설이 증가된다. 요중으로 산의 배설이 증가되면 요중 주요 완충제인 인산염과 결합하여 적정가능산(titratable acid) 또는 암모늄을 형성한다. 정상에서 산이 적정가능산으로 1일 10~40mEq, 암모늄으로 30~60mEq 배설되며, 산증이 있는 경우 적정가능산의 증가는 제한이 있지만, 암모늄은 1일 배설이 250~300mEq까지 증가되어 산증에 대한 요적응은 주로 요 암모늄 생성에 의존하게 된다.

(3) 대사성 산증의 증상

특별한 증상이 없는 경우가 많으며 특징적으로 다음과 같은 증상을 보일 수 있다.

① Kussmaul 호흡

대사성 산증을 호흡을 통해 교정하기 위해 나타나는 현상으로, 당뇨 환자에서도 관찰될 수 있으며 환자는 깊고 빠른 호흡 양상을 보인다. 흔히 $PaCO_2$가 20mmHg 이하인 경우가 많다.

② 피곤함 또는 식욕 부진의 비특이적 증상

(4) 젖산 산혈증(lactic acidosis)

① 정의

쇼크와 같은 상태에서 저산소 상태로 인해 혐기성 해당작용(ATP↓/ 세포 내 lactic acid↑)이 일어나게 됨으로써 발생하는 젖산의 축적상태를 말한다.

② 원인

출혈, 심장기능 저하(중증심근경색), 패혈증

③ 증상 및 진단

pH가 감소하고, 염기가 감소하며, 보상성 과환기가 발생한다. 혈청 젖산 농도를 측정하고, 음이온 차이(anion gap)의 증가를 확인함으로써 진단할 수 있다.

④ 치료 및 예후

산증의 교정을 위해 중탄산염을 주입할 경우 세포외의 수소이온과 중탄산염이 반응하여 (H_2 + HCO_3 = H_2O + CO_2) CO_2가 발생하게 된다. 중탄산염을 빠르게 주입하게 되면 과량의 CO_2가 발생하게 되고, 호흡을 통해 충분히 CO_2를 배출하지 못하는 경우에는 paradoxical acidemia가 발생하면 치명적일 수 있기 때문에 pH<7.20 경우에만 중탄산염을 천천히 주입하여 치료한다. 예후는 소생 후 혈장 젖산농도가 정상화 되는 정도에 의해 좌우된다.

(5) 소생 후 고염산혈증=희석 산혈증(dilutional acidemia)

생리식염수의 과다 투여로 생기며, 주로 심폐소생 과정에서 발생한다. 따라서 출혈성 쇼크 환자에서 대량의 수액 주입이 필요한 경우 생리식염수보다 균형 잡힌 전해질 수액(lactated Ringer's)을 사용하는 것이 바람직하다.

(6) 소화관을 통한 중탄산염 소실에 의한 산혈증

샘창자, 근위소장, 췌장 샛길, 설사를 통한 중탄산염 소실로 산혈증이 발생할 수 있다.

심화학습

◆ 대사성 산증에서 칼륨의 변화

세포내로 유입이 어려운 유기산증(젖산 산혈증, 당뇨병성 케톤산증)의 경우를 제외한 대사성 산증에서는 과잉으로 축적된 수소이온이 세포내로 유입되고 대신 전기적 평형을 유지하기 위하여 세포내의 칼륨이 세포외로 나오게 된다. 일반적으로 동맥혈 pH가 0.1 감소됨에 따라 혈청에서의 칼륨은 0.5~1.0mEq/L씩 증가된다.
산증이 있음에도 혈청 칼륨이 정상이거나 다소 낮은 경우는 칼륨결핍(예, 설사, 신세뇨관성 산증, 당뇨병성 케톤산증)이 있는 것으로 생각하여야 하며, 산증이 조절된 후 더욱 칼륨이 낮아질 수 있으므로 충분히 보충되도록 유의하여야 한다.

2) 대사성 알칼리증(metabolic alkalosis)

(1) 정의 및 원인

① 대사성 알칼리증은 동맥혈 pH의 증가, 혈중 중탄산염 농도의 증가와 이에 따른 호흡성 보상에 의한 이산화탄소 분압의 증가를 특징으로 한다. 혈중 중탄산염의 농도는 만성 호흡성 산증이 있을 때 신성 보상기전으로도 증가되므로 혈중 pH가 감별에 중요하다. 그러나 일반적으로 혈중 중탄산염, 농도가 40mEq/L이상인 경우는 대사성 알칼리증을 의미한다.

② 원인
산의 소실(구토, 비위관 흡인, 날문 협착, 이뇨제의 사용), 중탄산염의 대량 주입 등이 있다. 또한 인공호흡기(ventilator)에 의한 만성 저환기 환자에서 갑작스럽게 $PaCO_2$를 낮추게 되면 기존에 체내에 있던 과다한 중탄산염에 의해 알칼리증이 발생할 수 있다.

(2) 분류

① **염소 반응성 알칼리증**
소변 내 염소 농도가 10~20mEq/L 이하인 경우를 염소 반응성 알칼리증이라고 하며, 구토, 비위관 흡인, 이뇨제의 사용과 같은 세포외액의 감소로 인해 발생한다.

② **염소 저항성 알칼리증**
소변 내 염소 농도가 10~20mEq/L 이상인 경우를 염소 저항성 알칼리증이라고 하며, 중탄산염의 증가가 주된 원인이다.

심화학습

◆ Hypokalemic hypochloremic alklaosis의 병태생리

1. 지속적인 구토와 비위관 흡인에 의해 수분과 HCl, K의 손실이 발생한다. 한편, 탈수로 인해 aldosterone이 활성화되어 원위 세뇨관에서 H^+와 K^+를 배출하면서 Na이 흡수되는데, 이때 처음에는 K이 분비되다가 hypokalemia가 심해지면서 H^+이 K^+를 대신해 분비되어 신체는 알칼리증임에도 불구하고 소변이 산성화된다(paradoxical aciduria).
2. 등장성 수액과 KCl을 보충하여 치료하며, 세포외액과 KCl이 보충됨에 따라 aldsterone 분비가 감소하게 되어 소변이 알칼리화 된다.

(3) 호흡성 보상

체내에 알칼리증이 생기면 이는 호흡 화학수용체에 의하여 감지되어 환기를 줄이게 되어 혈중 이산화탄소 분압의 증가를 초래한다. 하지만 지속적으로 이산화탄소 분압이 증가하기만 하는 것은 아니고, 저산소증이 초래되고 동맥혈 산소분압이 50mmHg까지 낮아지게 되면 다시 호흡이 촉진된다. 이와 같이 호흡이 다시 촉진되는 기전으로 인해 호흡성 보상에 의하여 이산화탄소 분압이 55mmHg를 넘는 일은 발생하지 않는다.

(4) 치료

염소 반응성 알칼리증은 등장성 생리식염수로 부족한 세포외액을 보충해 주고, 칼륨을 보충해 주며, 염소 저항성 알칼리증은 원인 질환을 교정하도록 한다.

염류 코르티코이드가 과잉인 경우는 이의 차단제를 사용하거나 수술을 한다.

심화학습

◆ 대사성 알칼리증에서 칼륨의 변화

알칼리증의 경우 세포외액의 수소이온 농도를 유지하기 위하여 세포내에서 수소이온이 세포외액으로 유입되고 대신 전기적 평형을 유지하기위하여 칼륨이 세포내로 유입하게 된다. 대개 세포외액의 pH가 0.1씩 증가함에 따라 세포외액의 칼륨은 0.4mEq/L씩 감소하게 된다. 또한 대사성 알칼리증을 유발하는 질환 자체도 위장관, 신장, 및 세포로 칼륨을 소실하는 경우가 많아 대사성 알칼리증의 치료에 칼륨 공급이 중요하다. 역설적 산뇨증(paradoxical aciduria)은 심한 칼륨 결핍을 잘 반영한다.

3) 호흡성 산증(respiratory acidosis)

(1) 정의 및 원인

① 폐포의 저환기(decreased ventilation)로 인해 혈중 CO_2($PaCO_2$)가 비정상적으로 증가하여 산증을 나타내는 것을 의미한다.

② 원인

감소된 폐포 환기에 의한 탄산가스의 축적 현상, 마취제, 진정제에 의한 호흡조정중추 억제, COPD, 무기폐, 폐렴, 가슴막 삼출 등이 있다.

표 1-10 호흡성산증의 원인들

급성 호흡기 장애	기도 장애, 폐쇄, 흡인, 기관지 수축
약제유도성 신경장애	알코올제, GABA 독성약물, 최면, 정맥 진정제
호흡기 질환	폐렴, 폐색전증
근육 혹은 중추신경계	중증근무력증, 중추신경손상, Guillain-Barre syndrome
만성폐질환	만성기관지염, 만성폐쇄성폐질환
신경근육질환	소아마비, 중증근무력증

(2) 치료

신속하게 폐기능 장애를 교정하고, 적절한 환기를 시켜준다. 또한 과진정(oversedation)시키는 약물을 중지하고, 특히 수술 후라면 무기폐를 예방하는 것이 중요하다.

4) 호흡성 알칼리증(respiratory alkalosis)

(1) 정의 및 원인

① 폐포의 과환기로 인해 혈중 CO_2($PaCO_2$)가 비정상적으로 감소하여 알칼리증을 나타내는 것을 의미한다.

② 원인

통증, 불안, 공포, 스트레스, 패혈증, 발열, 기관 삽관 후 과도한 기계환기(mechanical ventilation), 급성 저산소증에 의한 과환기(hyperventilation), 중추신경계 손상 시 유발 과호흡(induced hyperventilation) 등이 있다.

(2) 증상 및 치료

호흡성 알칼리증 환자들은 감소된 혈중 CO_2로 인한 증상을 나타내며, 말초의 감각저하, 저칼슘혈증의 증상(경련 및 혼수)을 보일 수 있다. 그러나 실제로 체내 칼슘 농도의 저하가 발생하는 것은 아니다.

1.4 쇼 크

쇼크(shock)란 신체가 극심한 혈역학적 장애 및 대사 장애(hemodynamic and metabolic disturbance)를 겪는 현상으로, 신체 주요 기관(vital organ)에 적절한 관류를 유지할 수 있도록 유지시켜 주는 순환계의 부전(circulatory failure)으로 인해 발생한다.

쇼크는 혈액량의 부족(저혈량성 쇼크), 혈관운동 긴장도의 저하(신경인성, 패혈성 쇼크), 심기능의 저하(심장성 쇼크)로 인해 발생할 수 있다. 순환 허탈(circulatoty collapse)로 불리기도 한다.

1) 저혈량성 쇼크(hypovolemic shock)

(1) 정의 및 증상

① 혈액량의 감소로 인해 심박출량이 감소하여 조직에 산소공급이 부족하게 됨으로써 발생하는 쇼크를 말한다.

② 증상

혈액량이 감소하게 되면, 심장으로 순환되는 혈액량이 감소하여 우심실과 좌심실의 이완기말의 혈액량이 감소하게 된다. 이로 인해 일정량 이하로 심박출량이 감소하게 되면 저혈압이 발생하게 되고 결국 교감신경계의 활성도 증가, 발한이 생기며, 혈관수축으로 인해 환자가 창백해지고 초조(agitation) 및 의식저하가 생긴다. 빈맥이 생기기도 하지만 빈맥은 유의한 출혈에 대한 믿을 만한 징후는 아니다.

(2) 원인

외과 분야에서 저혈량성 쇼크의 원인 중 가장 흔한 것은 출혈이다.

또한 다량의 혈장액과 단백질이 염증 조직으로 이동할 때 저혈량성 쇼크가 발생할 수 있다. 예를 들어 체표면적의 20% 이상을 침범하는 2도 이상의 화상 환자에서는 수 리터의 혈장액이 피부와 피하조직으로 이동하게 되어 저혈량 쇼크가 발생할 수 있다.

또한 패혈성 쇼크(septic shock) 환자에서는 유효 혈액량이 감소하여 저혈압이 생길 수 있다. 한편 복막염 환자에서는 복강 내에 다량의 염증성 용액이 축적되게 되는데 이러한 용액은 주로 혈장 성분이며 따라서 저혈량성 쇼크의 원인이 될 수 있다.

(3) 분류

① **경증**

총 혈액량의 20% 이하의 출혈을 경증이라고 한다. 교감신경계의 활성도 증가로 인해 발한이 발생하고 말초혈관이 수축하면서 혈관저항이 증가함에 따라 사지가 차가워진다. 그러나 평균수축압(mean systemic pressure)이 유지되며, 뇌와 심장의 혈류량이 유지된다.

② **중등증**

중등증은 총 혈액량의 20~40%의 실혈로 발생하며, 빈맥, 빈호흡, 핍뇨가 발생한다. 저혈압, 혈관수축, 주요 장기에 대한 산소공급(vital organ O_2 delivery)의 감소가 일어날 수 있으며, 에너지 생산부전이 일어난다. 누운 자세에서는 정상 혈압이 유지되지만 기립성 저혈압(positional hypotension)이 발생한다.

③ **중증**

중증은 40% 이상의 출혈이 있을 때 생기며, 출혈로 심한 저혈압, 뇌 혈류 감소로 인한 실신 및 수 분 내에 심폐정지가 발생할 수 있다. 중등증에 비해 가만히 누운 상태에서도 저혈압 및 빈맥이 생긴다.

표 1-11 출혈의 정도에 따른 쇼크의 분류

기준	Class			
	Ⅰ	Ⅱ	Ⅲ	Ⅳ
출혈량(mL)	<750	750～1500	1500～2000	>2000
출혈량(%)	<15	15～30	30～40	>40
심박수(분당)	<100	>100	>120	>140
혈압	정상	기립성 저혈압	저혈압	심한저혈압
중추신경증상	정상	불안	혼란	의식저하

꼭 알아둡시다!!!

70kg가량의 성인 남성의 전체 혈액량은 약 5～6L이며, 급성 출혈로 인해 저혈압의 증상이 나타나려면 20% 이상의 실혈이 있어야 한다. 이것은 70kg의 성인 남자에서 약 1～2L에 해당한다.

심화학습

◆ **Lucas와 Ledgerwood는 출혈성 쇼크에서 적절한 치료가 시행 되었을 때 환자의 변화를 3단계로 나누어 설명하였다.**

- 1단계 : 환자가 손상 받은 시점부터 출혈이 지혈되는 시점이다. 체액의 이동으로 간질액이 혈관 내로 재흡수 된다.
- 2단계 : 수술이 끝나는 시점부터 수액을 보충하는 시기이다. 환자의 소변양이 적고 손실된 양보다 더 많은 양의 수액이 필요하며 이상적으로 보충되었을 때 체중이 10%정도 늘어난다.
- 3단계 : 회복기이다. 2단계에서 늘어난 수액이 소변으로 배출되기 시작한다.

(4) 보상기전

저혈량성 쇼크가 일어나면 인체는 아드레날린성 분비(카테콜아민)로 인한 혈관수축, 심근수축력 증가로 심박수 상승, 과호흡, 허탈, 혈관운동성 호르몬 분비(angiotensin, vasopressin), 간질(interstitium)에서 혈관 내로의 fluid 재흡수, 세포 내 공간에서 세포 외 공간으로 fluid 재흡수, 총 체내 수분과 전해질의 콩팥 보존을 통해 보상기전을 일으킨다.

(5) 치료

① 치료의 목표

저혈량성 쇼크에 있어 가장 중요한 치료는 혈장량의 회복이다. 따라서 제일 먼저 정맥로를 확보하여 어른에서는 2～4L, 소아에서는 20ml/kg의 등장성 전해질 용액(생리식염수 또는 하트만 용액)을 빠르게 주입한다.

② 수혈

일반적으로 등장성 전해질 용액을 주입한 이후에도 저혈압이 지속된다면 수혈이 필요하다. 수혈을 시작하는 동시에 반드시 출혈이 일어날 수 있는 원인을 확인하여야 하며 지혈 가능한 출혈 요인이 있다면 즉각적인 수술적 방법을 통해 지혈을 시행한다.

③ 치료의 적절성 평가

소생을 시행할 때 그 적절성을 평가하는 가이드로는 여러 가지가 있지만 소변량을 시간 당 몸무게 당 1cc(1cc/kg/hr) 이상으로 유지하는 것이 가장 중요하다. 또 중심 정맥관 삽입을 통해 측정한 중심 정맥압(Central Venous Pressure, CVP)과 폐동맥 카테터의 삽입을 통해 측정한 폐동맥 쐐기압(Pulmonary Capillary Wedge Pressure, PCWP)이 적절하게 유지될 때(14～18mmHg) 적절한 소생이 이루어졌다고 평가할 수 있다.

꼭 알아둡시다!!!

◆저혈량성 쇼크의 치료

1. 정맥로의 확보 이후 등장성 전해질 용액의 빠른 주입
2. 수혈
3. 수술적 지혈
4. 소변량의 유지

심화학습

◆등장성 용액

등장성 용액으로써 생리식염수가 가장 흔히 사용되지만, 생리식염수의 다량 주입 시 고염소산혈증(hyperchloremic acidosis)이 발생할 수 있어 Hartmann's solution을 선호하기도 한다.

2) 패혈성 쇼크(septic shock)

외과계 중환자실에서 발생하는 사망의 흔한 원인이며, 특히 노인 환자에서 해결하기 힘든 문제이다.

쇼크와 동반된 감염증이 있는 환자에서 의사는 적절한 수액 및 항생제의 공급과 더불어 패혈증의 원인이 되는 병소의 수술적 제거 요법에 대해 올바르게 대처해야 한다.

표 1-12 패혈성 쇼크의 원인

원인	예
감염의 전신적 반응	
비감염성 전신적 염증	췌장염, 화상
아나필락시스	
급성 부신 기능저하증	
지속된, 심한 저혈압	출혈성 쇼크, 심인성 쇼크, 심폐우회술
대사성	젖산혈증, 일산화탄소 중독

(1) 분류

인체는 감염에 대해 면역 반응을 나타내며 여러 매개체(mediator)가 관여한다. 이러한 매개체들은 환자의 면역 반응을 통해 감염원을 제거하는 역할을 한다. 한편 이들 매개체들로 인하여 환자가 과도한 전신적 염증반응을 일으킨다면 환자에 해를 입힐 수 있다.

1992년에 Bone은 이러한 염증반응으로 인해 생기는 장기 손상을 정리하였으며, 그 심한 정도에 따라 4가지로 분류하였고 〈표 1-13〉와 같다.

표 1-13 전신염증반응 증후군(Systemic Inflammatory Response Syndrome, SIRS)의 4가지 분류 기준

분류	기준
1. 전신염증반응 증후군	다음 중 2가지 이상 • 체온이 38℃ 이상이거나 36℃ 이하 • 심박수가 분당 90회 이상 • 호흡수가 분당 20회 이상이거나 동맥혈 탄산가스 분압($PaCO_2$)이 32mmHg 이하 • 백혈구수가 12,000/mm^3 이상이거나 4,000/mm^3 이하, 혹은 미성숙(밴드형) 세포가 10% 이상
2. 패혈증	전신염증반응 증후군+확실히 확립된 감염의 focus 동반될 때
3. 중증 패혈증	패혈증+장기 부전과 관류저하가 있을 때 • 관류저하의 지표 – 수축기압이 90mmHg 이하 – 정상 수축기압보다 40mmHg 이상의 혈압 저하 – 젖산혈증 – 소변 감소증 – 의식 상태의 급격한 변화
4. 패혈증 쇼크	중증 패혈증 +IV fluid resuscitation에 반응하지 않거나 혹은 수축기압을 유지하기 위해 수축 촉진제(inotropic agent) 또는 혈관 수축제(vasopressor) 필요할 때

(2) 증상

패혈성 쇼크 환자들 대부분에서는 저혈압이 나타나는데, 동맥의 혈관 확장이 가장 주된 원인이며, 간혹 부종이나 혈액 손실로 인한 저혈량이 원인이 되기도 한다.

상대적으로 중요하지 않은 장기인 피부와 골격근에는 모세혈관이 많이 분포하는데, 패혈성 쇼크 상태에서는 피부와 골격근의 모세혈관이 확장되어 전신혈관저항이 감소하게 되고 따라서 저혈압이 발생한다.

혈관 확장으로 인한 패혈성 쇼크 환자의 경우, 전신혈관저항이 감소해 있기 때문에 특징적으로 심박출량은 정상에 비해 2배 이상 증가해 있으나 평균 동맥압은 65mmHg 이하이다.

심화학습

◆ 패혈증이 의심되는 저혈압 환자의 소생 프로토콜

1. 혈액 배양 및 체액 배양
2. 15분당 500ml의 속도로 균형된 전해질 수액 공급 및 수축기압 모니터링
3. 중심 정맥관이나 폐동맥관 삽입
   - 500ml의 생리식염수(normal saline)를 bolus로 준 후에도, 환자가 저혈압 상태이고 중심정맥압(CVP)이 8～12mmHg 미만이거나 폐동맥 쐐기압(PAWP)이 8～12mmHg 미만이면, 생리식염수 500ml 주입을 반복한다.
   - CVP가 15 이상이거나 PAWP가 15～20 이상이면서도 환자가 저혈압이면(<65mmHg), inotropes(dopamine or dobutamine)를 주입하기 시작한다.
   - 치료의 목표는 수축기압이 65mmHg이고 맥박이 분당 120회 이하가 되는 것이다.
4. 심장박출 계수(cardiac index)와 전신혈관저항(systemic vascular resistance) 측정
   - 수액과 inotropes 주입 후 전신혈관저항(SVR)이 600 미만이면, SVR을 상승시키기 위해 norepinephrine 혹은 vasopressin 등의 vasopressor를 주입한다.
5. 치료가 관류를 개선시켰는지 혼합정맥혈 산소포화도(mixed venous oxygen saturation)와 소변량을 모니터링한다.

꼭 알아둡시다!!!

패혈증 쇼크의 치료는 반드시 적절한 수액공급이 선행되어야 한다. 즉 수액공급 후 중심정맥압의 측정을 통해 혈관 내 수액량의 적절성을 평가하고 적절한 수액이 공급되지 않았다면 수액공급을 지속해야 한다. 적절한 수액이 공급되었음에도 불구하고 혈압이 낮을 경우에만 vasoactive agents 주입이 필요하다. 즉 vasoactive agent의 주입에는 반드시 적절한 수액공급이 선행되어야 한다.

표 1-14 Vasoactive Drugs의 종류와 용량

약물(drug)	용량의 범위(range of dose)	주요 기전(principal mechanism)
Dobutamine Dopamine(low dose) Epinephrine(low dose)	2~20㎍/kg/min 5~10㎍/kg/min 0.06~0.20㎍/kg/min	β_1-adrenergic β_1-adrenergic: dopaminergic β_1 and β_2-adrenergic: less α
VASOCONSTRICTOR AND INOTROPIC AGENT		
Dopamine(high dose) Epinephrine(high dose) Norepinephrine	>10㎍/kg/min 0.21~0.42㎍/kg/min 0.02~0.25㎍/kg/min	α-adrenergic: less dopaminergic α-adrenergic: less β_1 and β_2 α-adrenergic: less β_1 and β_2
VASOCONSTRICTOR		
Phenylephrine Vasopressin	0.2~2.5㎍/kg/min 0.4~0.10units/min	α-adrenergic V_1 receptor
VASODILATOR		
Milrinone Dopamine(very low dose)	0.4~0.6㎍/kg/min 1~4㎍/kg/min	Phosphodiesterase inhibitor Dopaminergic

(3) 치료

지속적으로 혈압이 낮은 환자는 침습적인 혈역학적 감시가 필요하다.

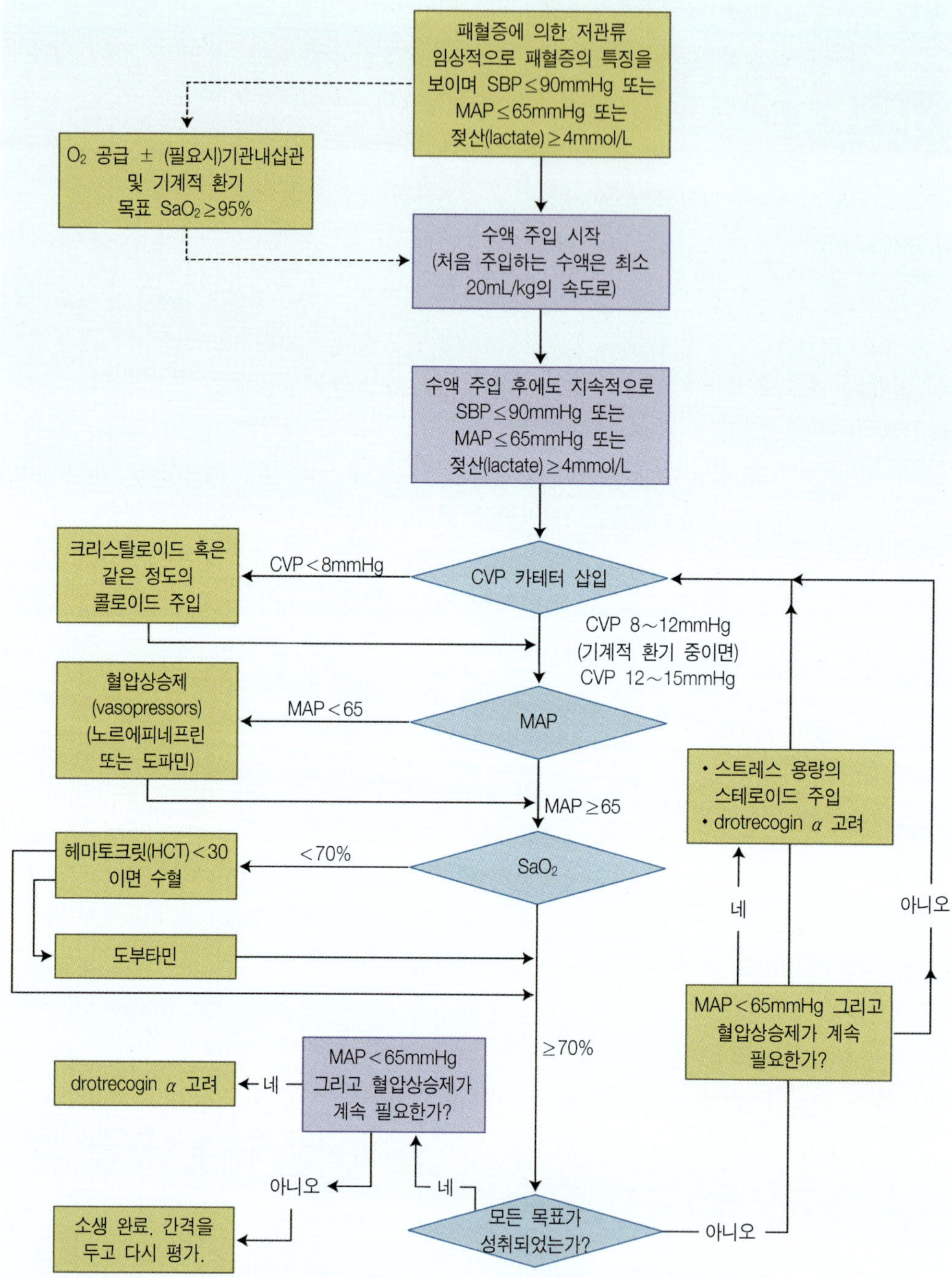

MAP가 치명적으로 낮다고 판단될 때에는 알고리즘의 언제든 혈압상승제를 쓸 수 있다.
폐동맥카테터가 사용 되고 있다면 혼합 정맥혈 O_2(mixed venous O_2)의 수치 사용이 가능하고 목표는 65%이다.

그림 1-2 치료 프로토콜

3) 심장성 쇼크(cardiogenic shock)

심실이 혈액을 적절히 짜내지 못하여 신체의 관류 압력을 유지하지 못하게 되어 발생한다. 폐동맥쐐기압(PCWP)이 18mmHg 이상이고 심박출계수가 2.2L/min/m^2 이하일 때 진단할 수 있다.

(1) 급성 심근경색에 의한 쇼크(shock from AMI)

① 원인

심장성 쇼크의 가장 흔한 원인은 관상동맥의 폐색이다. 관상동맥의 폐쇄 인해 심근의 허혈이 발생하면 심근 수축력이 약화되고 수시간 내에 심근경색(myocardial infarction)이 초래되어 심장성 쇼크가 발생할 수 있으며, 그 빈도는 7~10%이다. 심장성 쇼크는 치명적이어서 심장성 쇼크가 발생하면 그 중 40~70%는 사망하게 된다. 급성 심근경색 후 심장성 쇼크가 발생할 때까지 걸리는 평균 시간은 약 6시간으로 알려져 있다.

② 혈역학적 특성

일반적인 특징 및 증상으로 평균 수축기압이 90mmHg 이하이고, 목정맥 확장, 호흡곤란, 청색증, 발한, 말초맥박감소, 의식저하가 발생하고 검사 상 폐동맥 쐐기압>20mmHg, 심박출 계수 <2.0L/min/m^2의 특징을 보인다. 평균적으로는 최저 평균 수축기압 88mmHg, 평균 심박수 분당 102회, 평균 폐동맥 쐐기압 24mmHg, 평균 심박출계수 1.75L/min/m^2, 평균 심박출률 31%이다.

③ 치료

환자의 생존율을 높이기 위해 가장 중요한 것은 관상동맥 폐쇄 부위의 혈류 및 산소공급을 재개하는 것이며 이를 위해 산소, 아스피린, 니트로글리세린(NTG), 정맥을 통한 모르핀 투여, 대동맥 내 풍선펌프(Intraaortic Balloon Pump, IABP), 항섬유소 용해, 항혈소판 투여, 응급(Percutaneous Coronary Intervention, PCI) 또는 관상동맥 우회술(Coronary Artery Bypass Graft, CABG)이 필요하다.

(2) 심장좌상(cardiac contusion)에 의한 쇼크

① 교통사고와 같은 큰 충격을 흉곽 앞면에 받는 상황에서의 흔한 사망의 원인이다.

② 심장좌상이 생기면 상당량의 충격이 심근에 전해져 심근의 출혈 및 심근 조직의 부종이 초래되어 이로 인해 심장성 쇼크가 발생할 수 있다.

③ 진단

심장 초음파가 가장 정확하며 외상 환자에서 심근 수축력이 저하되어 있으면서 심실이 확장되어 있을 때 진단 가능하다.

④ 치료

inotropic agent를 사용하며, 대동맥 내 풍선펌프를 사용할 수 있다.

(3) 심장압전(cardiac tamponade)에 의한 쇼크

① 정의

심낭막(pericardium)과 심장 사이의 공간에 액체나 혈액이 고여 그 액체나 혈액이 이완기 동안에 심실을 압박함으로써 심장이 충분한 양의 혈액을 박출하지 못하는 현상을 말한다.

② 원인 및 증상

- **급성 심장압전**

  심장으로 직접적인 관통상이 발생하거나 외상으로 심근이 파열되거나 경색된 심실벽이 파열될 때 발생한다. 증상으로는 저혈압, 목정맥 확장(distended neck vein)이 나타나며 흡기(inspiration)시에 수축기압이 10mmHg 이상 감소하는 기이맥박(pulsus paradoxus)을 보인다.

- **만성 심장압전**

  삼출물(exudate)이나 누출액(transudate)이 심낭막에 고일 때 발생한다. 원인으로는 심낭염(pericarditis), 요독증(uremia) 등이 있다. 급성 심장압전에서는 심낭막이 충분히 확장되지 않기 때문에 적은 양의 혈액이나 액체로도 환자가 위태로워질 수 있지만, 만성 심장압전에서는 수일에 걸쳐 액체가 고이기 때문에 심각한 혈역학적 합병증 없이 1리터 이상의 액체가 고이기도 한다. 증상은 호흡곤란, 피로, 만성 기침 등이 있으며, 이학적 검사 상 목정맥 확장이 나타날 수 있다.

③ 진단

심장초음파와 나선형 CT가 좋으며 심장압전의 진단뿐만 아니라 심장이 눌리는 정도까지 파악할 수 있다.

④ 치료

- 급성 심장압전에서는 즉시 수술을 시행하여 심낭과 심장 사이에 고인 액체를 제거하여 심정지를 예방하고, 관통상에 의해 생긴 심장의 창상 또한 치유하도록 한다.
- 만성 심장압전에서는 세침을 이용하여 심장막 천자(pericardial aspiration)를 시행하여 저류된 액체나 혈액을 제거하여 심장의 눌림을 해소하고 수축기압의 증가를 가져올 수 있다.

4) 신경성 쇼크(neurogenic shock)

① 원인

두부 또는 척추에 치명적인 손상을 입어 신경자극의 전달이 단절되어 발생한다. 쇼크에 대한 신체의 보정기능 상실로 말초신경계의 확장으로 인해 발생하며 말초혈관의 확장고 혈액의 저류가 일어난다.

"참고하세요"

◆신경성 쇼크의 원인

- 척수 외상(spinal cord injury)
- 척수 종양(spinal cord neoplasm)
- 척추, 경막외 마취

② 증상 및 발생기전

어떤 부상에 의해 두부 또는 척추에 손상이 발생하면 환자가 팔과 다리를 움직이지 못하고 환자의 의식이 변화면서 서맥이 발생하고 피부가 따뜻하고 발한증상이 없어진다. 피부가 창백해지거나 반점이 보이고 저혈압 증상이 나타나면서 호흡장애가 일어난다.

③ 치료

Trendelenburg's 자세를 취하고, 수액을 주입하고 필요시 혈관 수축제를 사용한다.

문제

1-3 3)

출혈성 쇼크일 때 제일 먼저 써야 할 것은?

1) 20% 알부민 2) pRBC 수혈
3) lactated Ringer's solution 4) FFP
5) 동결침전물

해설

출혈성 쇼크일 때 가장 먼저 사용할 수 있는 수액 제제는 normal saline과 lactated Ringer's solution이지만 대량의 수액 공급을 위해서는 lactated Ringer's solution이 보다 바람직하다. 수혈은 crystalloid를 2~4L 주입한 후에도 환자의 상태가 호전되지 않을 때 고려한다. 일반적으로 colloid는 쇼크일 때 사용하지 않는다.

1-4 1)

교통사고로 25세 남자 환자가 응급실로 내원하였다. 혈압은 90/60, 맥박수 105/분, 호흡수 28회/분, Hb 9.5g/dl이다. 치료로 가장 적합한 것은?

1) 0.9% normal saline 2) 10% 포도당액
3) 20% 알부민 4) FFP
5) 농축적혈구

해설

저혈압, 빈맥, 빈호흡, 감소된 혈색소 수치를 보이는 저혈량성 쇼크 소견이다. 성인의 경우 normal saline 또는 lactated Ringer's solution을 2~4L 주입한다.

1-5 3)

혈량 저하 소견의 병태생리에 대한 설명 중 옳은 것은?

가. 전신혈관저항(systemic vascular resistance)이 감소된다.
나. 레닌-안지오텐신-알도스테론 시스템이 활성화된다.
다. 10~20% 혈액 소실 시 뇌 혈류는 감소한다.
라. 10~20% 혈액 소실 시 누운 상태에서는 정상혈압을 유지할 수 있다.

1) 가, 나, 다 2) 가, 다 3) 나, 라
4) 라 5) 가, 나, 다, 라

해설
저혈량성 쇼크가 일어나면 보상기전으로 전신혈관저항이 증가하고 angiotension 분비가 활성화 된다. 뇌혈류의 감소는 40% 이상의 혈액량 손실이 있어야 발생한다.

1-6 5)

40세 남자가 피를 토한 후 응급실로 왔다. 신체검사에서 창백하고 불안해 보였으며 혈압 80/50, 맥박 120/분, 직장 검사에서 빨간 혈액이 발견되었다. 우선 시행할 조치는?

1) 혈관 조영술
2) 비위관 삽입 및 위세척
3) 소화성 궤양 치료제
4) 응급 상부위장관 내시경
5) 정맥 주사선 확보 및 수액공급

해설
모든 환자에 있어서 치료는 반드시 ABC 순서로 하는 것을 기억해야 한다. 혈압저하 및 빈맥이 있는 출혈환자이다. 호흡기계 증상이 없으므로 circulation을 확보한 이후에 근본적인 치료를 시행하도록 한다.

1-7 3)

저혈량성 쇼크에서 수액요법의 적절성을 평가하는 지표 중 가장 신빙성 있는 것은?

1) 혈압의 상승 2) 맥박수 정상으로 환원
3) 소변량 증가 4) 동맥혈의 산소 농도 증가
5) 갈증 해소

해설
쇼크 환자에서 도뇨관을 삽입하고 소변이 1ml/kg/hr 이상 나오면 수액요법이 적절하다고 평가할 수 있다.

1-8 4)

혈액량 감소(hypovolemia)에서 가장 빨리 나타나는 증상 또는 징후는?

1) 저혈압 2) 초조
3) 발열 4) 말초혈관 수축
5) 소변량 감소

해설
신체는 혈액량 감소가 발생하면 교감신경 활성도를 증가시키고 말초혈관을 수축시켜 중요 장기로 보내는 혈류량을 유지시킨다.

1-9 5)

다발성 외상을 받은 25세 남자가 호흡곤란과 빈호흡이 있으면서 쇼크상태이고 의식이 혼미하였다. 산소 투여와 함께 우선적으로 취할 조치는?

1) 복부 초음파검사
2) 두부 전산화 단층촬영
3) 두부 및 흉부 단순 방사선 검사
4) 수액을 과량 신속 투여하면서 응급수혈
5) 진찰로 긴장성 기흉과 심장압전의 유무 판단

해설

환자의 소생 시 ABC에서 가장 중요한 airway와 breathing을 먼저 확인해야 한다. 문제에서와 같이 다발성 외상 쇼크 환자이고 주증상이 호흡곤란과 빈호흡이라면 출혈에 의한 쇼크보다는 airway와 breathing에 해당하는 폐와 심장의 문제를 먼저 생각해야 한다. 따라서 흉부 단순촬영으로 긴장성 기흉을 감별하고 신속하게 초음파를 시행하여 심장압전을 감별해야 한다. 출혈성 쇼크에 비해 긴장성 기흉과 심장압전은 초응급질환이다.

1-10 4)

34세 여자가 교통사고로 응급실에 내원하였다. 혈압은 80/50mmHg, 맥박수는 110회/분이고 중심정맥압은 3cm H_2O였다. 결막은 창백하였으며, 좌상복부 압통이 있고, 복부팽만이 있었다. 반동압통은 없었으며 흉부 X선 검사에서 왼쪽 11, 12번째 갈비뼈 골절이 관찰되었다. 다음 중 맞는 것은?

1) 신경성 쇼크
2) 심장성 쇼크
3) 패혈성 쇼크
4) 저혈량성 쇼크
5) 아나필락시스성 쇼크

해설

저혈압, 빈맥, 낮은 중심정맥압, 창백한 결막 모두 출혈성 쇼크의 대표적인 소견이다. 여기에 덧붙여 교통사고, 왼쪽 11, 12번째 갈비뼈 골절, 좌상복부 압통, 복부팽만은 복강 내 장기 중에서도 비장 손상을 강하게 시사한다.

1-11 1)

72세 여자가 3일간 고열, 오한 있었다. 2시간 전부터 의식이 혼미해지고 혈압 80/60, 맥박 130, 호흡수 28, 오른쪽 상복부에 압통 있고, 백혈구 12,000/mm^3, 미숙백혈구 5%였다. 1시간동안 2L수액을 주니 혈압이 70/50이였다. 진단은?

1) 패혈성 쇼크
2) 심장성 쇼크
3) 신경성 쇼크
4) 저혈량성 쇼크
5) 아나필락시스 쇼크

해설

쇼크 환자에서 발열, 오한과 함께 백혈구 증가증이 있다면 패혈성 쇼크를 먼저 의심해야 한다. 이 환자는 특히 우상복부에 압통이 있는 것으로 보아 담도계 감염이 의심된다. 이 환자에서와 같이 충분한 양의 수액 공급 후에도 저혈압이 지속되면 혈관 수축제인 norepinephrine을 주입해야 한다.

1-12 4)

환자의 피부는 따뜻하고 맥압이 크고 심박출량이 크지만 혈압이 낮은 경우 생각할 수 있는 쇼크의 형태는?

1) 혈액량 감소성 쇼크
2) 신경성 쇼크
3) 심장성 쇼크
4) 패혈성 쇼크
5) 외상성 쇼크

해설

패혈성 쇼크의 전형적인 증상 및 징후이다. 말초 혈관확장으로 인해 피부가 따뜻해지고, 전신혈관저항의 감소로 인해 맥압이 크고 심박출량이 커지고 혈압이 감소한다.

1-13 1)

60세 여자가 7일전부터 오한과 옆구리 통증이 있던 중 2시간 전부터 고열이 나고 의식이 혼미해져서 응급실에 왔다. 혈압은 70/40mmHg 맥박은 120회/분이었다. 올바른 초기 조치는?

가. 혈액배양
나. 등장성 식염수 주사
다. 광범위 항생제 정맥주사
라. 에피네프린(epinephrine) 투여

1) 가, 나, 다　　2) 가, 다　　3) 나, 라
4) 라　　5) 가, 나, 다, 라

해설
옆구리 통증을 동반한 패혈성 쇼크 환자는 급성 신우신염을 의심해야 한다. 혈관 수축제는 반드시 충분한 양의 수액공급이 이루어진 후에도 혈압 유지가 되지 않는 경우 사용한다.

1-14 5)

그람음성균 패혈증환자에서 항생제 치료를 하던 중 혈압이 70/50 mmHg, Hb 11g/dl이었다. 이때 CVP 16cmH_2O, cardiac index 4.8이었다. 치료는?

1) 전혈 수혈　　2) 알부민 IV
3) N/S 500ml IV　　4) Dobutamine IV
5) Norepinephrine IV

해설
패혈성 쇼크 환자 소생에 관련된 문제이다. 혈색소(Hb 11; 정상 12~15), 혈액량(CVP 16; 정상 5~10), 심박출계수(CI 4.8; 정상 2.5~4.5L/min/m^2)는 정상인 상태에서 발생한 저혈압이다. 패혈성 쇼크는 동맥혈 확장으로 인해 생기는 경우가 대부분이기 때문에 혈관 수축제인 norepinephrine을 투여하는 것이 바람직하다. 만일 CVP가 주어지지 않았거나 CVP가 5 이하로 낮게 주어져 있다면 normal saline의 빠른 주입이 답이 된다.

1-15 3)

56세 남자환자가 6시간 전부터 시작된 심한 흉통을 주소로 응급실을 방문하였다. 혈압은 70/50mmHg이고, 심전도는 전벽 경색의 소견을 보였으며, Swan-Ganz catheterization에서 평균 폐동맥쐐기압이 25mmHg, 열희석법에 의한 심박출계수가 1.5L/min/m^2이었다. 상기환자의 치료 방침으로 올바른 조합은?

가. 수액 정맥 내 주입
나. dopamine 정맥 내 주입
다. digitalis 투여
라. intra-aortic balloon pumping system 적용

1) 가, 나, 다　　2) 가, 다　　3) 나, 라
4) 라　　5) 가, 나, 다, 라

해설
PCWP가 18mmHg 이상이고 심박출계수는 2.2L/min/m^2 이하이기 때문에 심장성 쇼크 상태이다. 심장의 펌프 기능이 저하되어 있어 lPCWP가 증가되어 있으므로 심장의 펌프기능을 도와주는 약물을 사용한다. 혈액량이 과도한 상태이므로 수액공급은 제한한다.

PACIFIC Surgery

2

외과에서의 혈액학

Hematologic Principles in Surgery

2.1 지혈과 응고

1) 응고과정에 대한 전통적 개념

내인성 경로(intrinsic pathway)와 외인성 경로(extrinsic pathway)로 구분하고 다음과 같은 연속단계를 거쳐 응고된다.

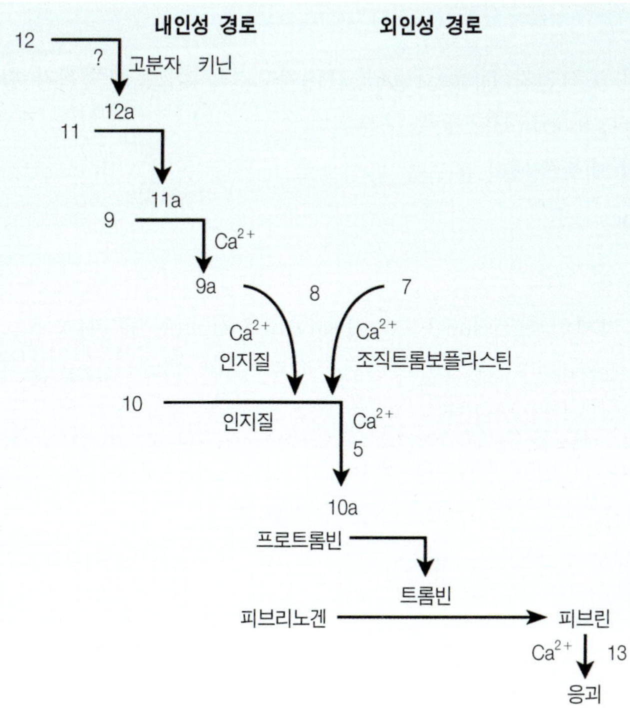

그림 2-1 응고계의 전통적인 모식도

2) 응고에 대한 세포개념 모델(cell-based model)

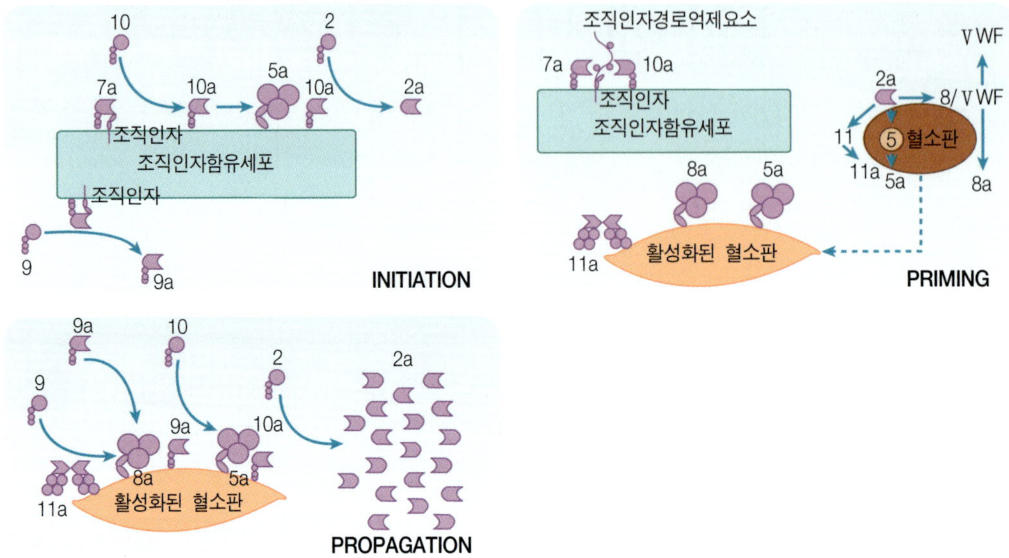

그림 2-2 세포개념의 응고에 관한 모식도

(1) 조직인자

혈관벽이 파괴되면 조직인자(Tissue Factor, TF)가 노출되어 응고체계가 활성화되는데 initiation, priming, propagation의 3단계로 구분된다.

조직인자는 고도의 세포특이적 분포를 특성으로 하는데 혈관외막(adventitia), 표피의 바깥층, 편평세포(squamous cell), 근육상피세포(myoepithelial cell) 등에 주로 위치한다.

(2) 응고과정의 조절 요소

① **조직인자경로 억제인자**(Tissue Factor Pathway Inhibitor, TFPI)

10a번 인자에 결합하면서 조직인자·7a번 인자·5a번 인자·10a번 인자 복합체의 작용을 억제한다.

② **항트롬빈 Ⅲ**(antithrombin Ⅲ, AT Ⅲ)

TF/8a번인자 복합체에 대해 약한 억제 작용을 한다.

③ **헤파린**

트롬빈을 억제한다.

④ **단백질 C**

5a번 인자, 8a번 인자와 결합하여 10a번 인자, 트롬빈의 생산을 억제한다.

3) 혈관과 혈관내피세포

혈관이 손상을 받으면 조직인자와 콜라겐이 노출되고 여기에 혈소판이 달라붙어 덩어리를 형성한다. 또한 혈소판에서 분비되는 트롬복산 A2(TxA2)와 세로토닌, 내피세포에서 분비되는 엔도텔린에 의해 혈관이 수축되는데 대혈관의 경우 노르에피네프린, 중소혈관의 경우 트롬복산이 주된 역할을 한다.

혈관내피세포 손상 시 트롬보모듈린(thrombomodulin)의 효용이 감소되고 인지질이 결합할 수 있는 곳이 증가된다.

4) 혈소판

손상부위에 결합한 후 알파과립(α-granule), 치밀과립(dense granule)의 내용물을 분비하여 덩어리를 형성한다.

내피세포에서 분비되는 프로스타사이클린(prostacyclin)은 혈소판의 결합을 억제하고 잠재적인 혈관확장 효과를 갖고 있다.

5) 섬유소용해(fibrinolysis)

유로키나아제 또는 조직 플라스미노겐 활성인자(tissue plasminogen activator)를 매개로 하여 플라스미노겐을 플라스민으로 활성화시킨다.

심화학습

◆응고과정의 조절 요소

1. 조직인자경로 억제인자
2. 항트롬빈 Ⅲ
3. 헤파린
4. 단백질 C

2.2 지혈 및 응고장애의 평가

1) 출혈성 질환에 대한 선별검사

(1) 프로트롬빈 시간(Prothrombin Time, PT) : 7번 혈액응고인자와 외인성 및 공통경로의 기능을 평가하는 검사로 5, 7, 10번 인자가 50% 미만으로 감소하였을 때 연장되고 와파린 복용 시에도 프로트롬빈 시간이 연장된다.

(2) 활성화부분트롬보플라스틴 시간(activated Partial Thromboplastin Time, aPTT) : 내인성 및 공통경로의 기능을 평가하고 헤파린 투여 시 연장된다.

(3) 혈소판수 : 저혈소판증은 수술 환자에서 가장 흔한 지혈 이상이다.

(4) 출혈 시간(bleeding time) : 혈소판의 질적 기능을 평가하는 검사로 아스피린을 복용한 지 1주 이내거나 저혈소판증, 폰빌레브란트병(von Willebrand's disease)시 비정상 소견을 보인다.

(5) 기타 : 그 외에 피브리노겐 수치, 트롬빈 시간, 혈소판 기능검사 등이 있다.

2) Thromboelastography(TEG)

전혈을 이용해 혈소판 기능, 효소 활성도 및 응고체계 전반에 대한 정보를 얻을 수 있다. 간이식 또는 심혈관계 수술 환자에서 이용할 수 있다.

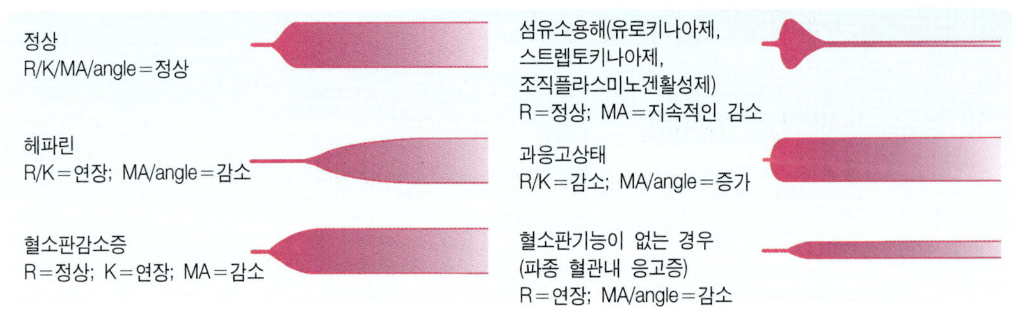

그림 2-3 TEG의 정성분석
R: 반응시간; angle: 첫응고가 이루어지는 시간; MA: 최대진폭; K: 20mm까지 전진하는 시간

2.3 선천성 출혈성 질환

1) 혈우병 A(Hemophilia A)

8번인자의 부족 또는 이상으로 인해 생기는 병으로 엑스연관열성유전이다. 심부조직 또는 관절의 출혈 및 혈종을 주증상으로 하며, 검사 상 활성화 부분트롬보플라스틴(aPTT) 시간이 증가하고 8번 인자는 감소되어 있는 반면에 프로트롬빈시간, 출혈시간, 8번 인자 수용체는 정상이다.

치료는 주로 8번 인자 농축액을 사용하고 농축액이 없을 경우 한랭침전물(cryoprecipitate)을 사용한다. 경한 혈우병의 경우 데스모프레신(DDAVP)이 효과적이다. 신선동결혈장(FFP)은 혈장교환을 하지 않는 한 비효과적이어서 사용하지 않는다.

2) 혈우병 B(Christmas disease, 크리스마스병)

9번 인자가 부족해서 생기는 병이며 엑스연관유전이다. 검사 상 활성화 부분트롬보플라스틴 시간이 증가되어 있고 9번 인자가 감소된 것이 특징이다.

치료는 프로트롬빈복합체 농축액(prothrombin complex concentrate)이다.

3) 폰빌레브란트병(von Willebrand's disease)

가장 흔한 선천성 출혈 질환으로서 혈소판 부착에 관계하는 단백질인 von Willebrand factor의 양적 결핍 또는 기능적 이상으로 인해 발생한다.

(1) 분류

① **1형** : 상염색체우성유전을 하고 정상 기능을 하는 vWF의 양적 감소가 원인이다(von Willebrand factor는 혈소판 응집 및 8번 인자를 운반하는 역할을 한다).

② **2형** : 다양한 방식으로 유전되며 vWF의 기능적 이상으로 인해 발생한다.

③ **3형** : 상염색체열성유전이며 vWF가 전혀 없어서 매우 심한 출혈을 일으킨다.

(2) 증상

점막의 출혈, 점상출혈(petechiae), 코피, 월경출혈 등이 주증상이다. 혈액 검사 상 활성화 부분트롬보플라스틴 시간과 출혈 시간이 증가되어 있고 혈소판 수치는 정상이다.

(3) 치료

폰빌레브란트병 환자들은 항상 출혈의 위험을 가지고 있지만 일반적으로 특별한 치료를 필요로 하는 경우는 드물다. 월경과다 여성인 경우에는 경구 피임약을 복용하여 출혈량을 줄이고 월경기간을 단축시킬 수 있다.

일반적인 치료제로는 vasopressin의 일종인 desmopressin(DDAVP)을 사용한다.

문제

2-1 3)

A형 혈우병환자가 응급수술이 필요하나 8번 인자 농축액이 준비되지 않았을 때 응급으로 줄 수 있는 혈액 성분은?

1) 전혈
2) 신선동결혈장
3) 한랭침전물
4) 혈소판
5) 농축 적혈구

해설

치료는 8번 인자 농축액을 사용하나 농축액이 없을 경우에는 한랭침전물을 사용한다.

2.4 후천성 출혈성 질환의 원인

1) 비타민 K 결핍증

(1) 원인

① 비타민 K 의존성 응고인자는 2, 7, 9, 10번 인자와 단백질 C, S이다.

② 비타민 K 섭취가 불충분하거나 쓸개즙염이 부족한 경우, 폐쇄성 황달, 담도루, 완전비경구영양법 시에 비타민 K 결핍증이 생길 수 있다.

(2) 치료

① 빠른 교정이 필요한 중증 환자에게는 신선동결혈장을 투여한다.

② 비타민 K 주사는 6∼12시간 지나야 교정이 이루어지기 때문에 경증의 환자에서 사용한다.

2) 항응고제의 사용

(1) 와파린

① 비타민 K 의존성 인자의 합성을 억제하고 반감기는 40시간이다.

② 프로트롬빈시간으로 혈중 농도와 출혈 위험을 추정한다.

③ 치료는 비타민 K 또는 신선동결혈장의 투여이다.

(2) 헤파린

① 항트롬빈 Ⅲ, 트롬빈과 결합하여 10번 인자의 활성화를 억제하고 반감기는 6시간이다.

② 활성화 부분트롬보플라스틴 시간으로 혈중 농도와 출혈 위험을 추정한다.

③ 길항제는 프로타민(protamine)이다.

(3) 저분자량 헤파린(Low Molecular Weight Heparin, LMWH)

기존의 헤파린보다 10번 인자에 대한 항활성도(anti-Xa activity)가 더 선택적이고 출혈로 인한 합병증이 적어서 심부정맥혈전증의 예방 및 치료, 급성 관상동맥질환의 첫 번째 치료제로 사용되고 있다.

3) 간부전

간은 8번 인자를 제외한 응고인자를 생산하는 주된 장소로 간부전시 응고인자 결핍으로 인한 응고장애가 생길 수 있다.

또한 혈소판의 생산이 감소하고 비장비대로 혈소판의 파괴가 증가되어 저혈소판증이 발생할 수 있다. 치료는 다량의 신선동결혈장을 투여하는 것이다.

4) 신부전

신부전시에도 혈소판의 기능 이상 및 흡수 장애, 소변을 통한 손실로 출혈성 경향이 발생하며 데스모프레신, 한랭침전물, 접합 에스트로겐(conjugated estrogen)으로 치료한다.

5) 저혈소판증

혈소판 수치가 100,000 이하인 경우를 저혈소판증으로 정의한다. 수치가 4~100,000인 경우 자발적인 출혈은 드물고 1~20,000인 경우 자발적 출혈이 발생한다.

혈소판 생산 감소, 비장에서의 파괴증가, 약제(퀴닌, 설파제, 제산제, 리팜핀 등) 등에 의해 혈소판 수치가 감소할 수 있다.

저혈소판증으로 인한 증상은 주로 점막출혈, 수술 후 출혈, 점상출혈, 자색반증(purpura) 등으로 심부조직 출혈, 혈종형성을 일으키는 혈우병과 구분된다.

6) 혈소판병증(thrombocytopathy)

대부분 약제 특히 아스피린, 비스테로이드성 항염증제(NSAIDs)에 의해 유발된다.

아스피린과 비스테로이드성 항염증제는 각각 7일, 3~4일간 혈소판의 기능이상을 일으키고 데스모프레신은 출혈시간을 정상화시킬 수 있다.

7) 저체온증

섬유소 용해작용이 증가하고 혈소판감소증 및 혈소판 기능이상을 일으킨다. 또한 간기능 장애 및 부정맥을 유발할 수 있다.

문제

2-2 4)

1년 전부터 심장질환으로 와파린을 복용하고 있는 환자의 응급 수술을 준비하고 있다. 수술 전 가장 중요한 검사는?

1) 혈액 혈소판 2) 출혈시간(BT)
3) 트롬빈 시간(TT) 4) 프로트롬빈 시간(PT)
5) 활성 부분 트롬보플라스틴 시간(aPTT)

해설

와파린의 감시는 프로트롬빈 시간으로 한다.

2-3 1)

36세 여자가 직경 1.5cm 크기의 유방덩이에 대해 절제생검을 받을 예정이다. 이 사람에게서 출혈 위험성을 예측하는데 가장 가치 있는 것은?

1) 문진 및 신체검사
2) 혈액전체혈구계산(CBC)
3) 간기능검사
4) 혈액응고검사
5) 혈액응고인자검사

해설
문진을 통해 약 복용력, 기왕력 등을 확인하고 신체검진을 통해 피하혈종, 멍든 상처 등을 확인한 후에 필요한 혈액검사를 시행한다.

2-4 4)

깊은정맥혈전증(deep vein thrombosis)을 예방하기 위한 분획 저분자량헤파린(fractionated low molecular weight heparin)과 미분획 헤파린(unfractionated heparin)을 비교한 다음 보기 중 옳은 것은?

	저분자량 헤파린	미분획 헤파린
1) 반감기	짧 다	길 다
2) 깊은정맥혈전증 예방효과	덜 좋다	더 좋다
3) 대상 응고인자	Ⅶ	X
4) 출혈 부작용	적 다	많 다
5) aPTT 감시	필요하다	필요하지 않다

해설
미분획헤파린이 출혈 경향성이 적다.

2-5 3)

고혈압으로 치료 중인 60세 남자가 2년 전부터 매일 aspirin 100mg을 복용해왔다. 이 환자가 수술을 받으려 할 때, 수술 준비에 대해 맞는 것은?

1) 수술 전날까지 aspirin을 복용시킨다.
2) aspirin을 끊고 warfarin을 복용한다.
3) 수술 7일전부터 aspirin을 끊는다.
4) 수술 전날 Vitamin K를 투여한다.
5) 수술 전날 프로타민 설페이트를 투여한다.

해설
아스피린은 혈소판의 평균 생존기간인 7일 동안 작용한다.

2-6 2)

54세 남자가 심부정맥 혈전증으로 매일 와파린(warfarin)을 복용 중인데 급성 복증으로 응급 수술을 받게 되었다. 적절한 조치는?

가. 와파린 복용금지	나. 헤파린 투여
다. vitamin K 투여	라. protamine sulfate 투여

1) 가, 나, 다
2) 가, 다
3) 나, 라
4) 라
5) 가, 나, 다, 라

해설
와파린의 사용으로 인해 프로트롬빈 시간이 증가한다. 프로트롬빈 시간을 정상화시키기 위해서는 FFP와 vitamin K를 정맥을 통해 투여한다.

2.5 파종 혈관내 응고증(DIC)

1) 정의

파종 혈관내 응고증(Disseminated Intravascular Coagulation, DIC)이란 혈관 내에서 광범위하게 혈액이 응고되면서 그에 필요한 응고 인자가 고갈되는 현상을 말한다. 따라서 파종 혈관내 응고가 지속되면 결국 시간이 지남에 따라 심각한 출혈을 일으키게 된다.

2) 원인 및 주증상

파종 혈관내 응고증의 원인으로는 대량수혈, 양수색전증, 태반파열, 잔류태아(retained fetus), 패혈증, 화상, 악성종양 등이 있으며, 주된 증상으로는 다발성 출혈 및 혈전으로 인한 종말기관부전, 손발가락의 허혈 등이 있다.

3) 진단

응고 장애로 인해 프로트롬빈시간(PT), 활성화부분트롬보플라스틴시간(aPTT)이 증가되어 있고, 이미 형성된 섬유소의 분해가 생기면서 섬유소분해산물(Fibrin Degradation Product, FDP), D-이합체(D-dimer)가 증가되어 있다.

반면에 응고 인자의 고갈이 발생하여 혈소판, 피브리노겐, 트롬빈/항트롬빈 결합체, 항트롬빈 Ⅲ, 플라스미노겐 등은 감소되어 있다.

4) 치료

가장 먼저 기저질환의 치료가 이루어져야 한다. 또한 혈관 내 혈전생성을 억제하기 위해 헤파린을 사용하여 혈액응고인자가 소모되지 않도록 한다.

헤파린 대신 감마아미노카프론산(γ-aminocarproic acid)을 사용할 수 있으며, 항트롬빈 Ⅲ가 도움이 된다.

심화학습

◆ 파종 혈관내 응고증의 진단 기준

1) 혈청 항트롬빈 Ⅲ < 20mg/dl
2) 혈소판 < 100,000/ul
3) 포로트롬빈 시간이 3초 이상 지연되거나, 활성화부분트롬보플라스틴 시간이 5초 이상 지연된 경우
4) 섬유소분해산물 또는 D-이합체 양성
5) 섬유소원 < 150mg/dl

5가지 가운데 1)을 포함하고 나머지 2)~5) 가운데 2개 이상에 해당하면 진단 가능

2.6 혈액제제의 준비 및 종류

1) 혈액제제의 준비

공여자에서 채집된 혈액이 칼슘과 반응하여 응고되는 것을 막기 위해 구연산 용액(citrate solution)이 포함된 용액을 보존액으로서 사용한다.

가장 일반적인 보존액은 CPDA이며 citrate, phosphate, dextrose, adenine이 첨가되어 있다. citrate는 혈액의 응고를 막아주며, 나머지 세 가지 물질은 혈액에 필요한 영양소 역할을 하여 적혈구의 보관 시간을 연장시켜주는 역할을 한다.

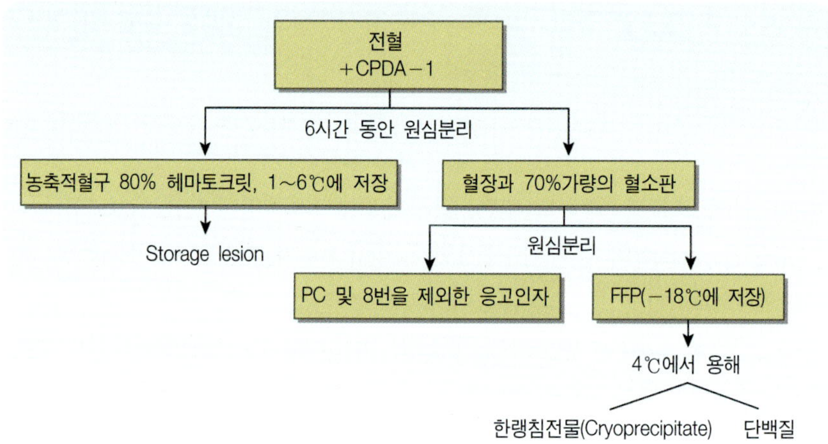

그림 2-4 혈액제제의 준비
CPDA: citrate phosphate dextrose adenine, PC: platelet concentrate(농축혈소판), FFP: 신선동결혈장

2) 저장혈의 손상(storage lesion)

충전적혈구(packed RBC)를 오랜 시간 동안 냉장 저장하여 생기는 변화를 뜻한다.

헤모글로빈-산소 친화도 증가, 수소이온농도지수(pH) 감소, 용혈, 포타슘/인/암모니아 증가, 단백질 변성, 락트산 증가, 미세응집괴(microaggregate) 형성, 삼인산아데노신(ATP) 및 2,3-DPG 감소를 특징으로 한다.

3) 전혈

산소운반은 충전적혈구, 부족한 혈장의 공급은 정질액(crystalloid solution)으로 대체할 수 있기 때문에 전혈은 open heart surgery 또는 신생아의 교환수혈 용도 외에는 거의 쓰이지 않는다.

4) 농축 적혈구(packed red blood cells)

산소운반능이 뛰어나며 지속되는 출혈과 함께 심박수 증가, 소변량 감소, 락트산혈증이 있을 경우 사용할 수 있다.

1단위를 수혈하면 헤모글로빈 수치가 1만큼 상승한다.

(1) 농축 적혈구 수혈의 적응증

① Hb < 8g/dl 혹은 급성 실혈 환자에서 다음 중 2가지 이상에 해당할 때
- 전체 혈액량의 15%(약 750ml) 이상의 실혈이 있거나 예상되는 경우
- 이완기 혈압이 60mmHg 이하인 경우
- 수축기 혈압이 기저혈압보다 30mmHg 이상 감소한 경우
- 분당 100회 이상의 빈맥
- 핍뇨 혹은 무뇨
- 의식 상태의 변화

② Hb < 10g/dl이면서 실혈이 예상되는 환자 중 심혈관 위험인자가 있거나 폐기능 부전 환자

③ 다음과 같은 증상이 있는 빈혈 환자
- 100회 이상의 빈맥
- 의식 상태의 변화
- 협심증과 같은 심근 허혈의 증상
- 경한 운동에도 숨이 차거나 어지럼증이 있는 환자
- 기립성 저혈압

④ 다음과 같은 경우는 수혈의 적응증이 되는지 입증되지 않았다.
- 창상 치유의 촉진
- 환자의 well-being sense를 위해
- Hb이 7~10g/dl 사이에 유지되면서 증상이 없는 환자
- 예치해 놓은 자가 혈액을 특별한 적응증 없이 수혈받고자 할 때

5) 백혈구제거 적혈구(Leukocyte-depleted RBCs)

(1) 적응증

① 혈소판 수혈에 대한 저항성을 낮추기 위해(반복수혈로 인한 항체생성을 막기 위함)

② 수혈로 인한 거대세포바이러스의 감염위험을 줄이기 위해

③ 비용혈성 수혈 발열반응이 있던 환자에서의 재발 예방

④ 고형장기이식 예정인 환자에서 인체조직적합항원 동종면역(HLA alloimmunization)의 예방

6) 혈소판

저혈소판증 또는 혈소판 기능이상으로 인해 출혈의 위험이 클 경우 혈소판 수혈을 하고 1 단위 수혈 후 혈소판 수치가 약 5,000 증가한다.

반복된 수혈, 동종면역, 고열, 패혈증, 비장비대 등의 경우 혈소판 수혈 반응도가 감소한다.

(1) 혈소판 수혈의 적응증

- 최근 24시간 내의 혈소판 수치가 10,000/mm^3 미만인 경우 예방적으로 사용
- 최근 24시간 내의 혈소판 수치가 50,000/mm^3 미만이면서 미세혈관출혈(microvascular bleeding)이 관찰되거나 수술 또는 침습적 시술 예정인 경우
- 미세혈관출혈이 있고 향후 혈소판 수치의 감소가 예상되는 경우
- 수술 받는 환자 가운데 미세혈관출혈이 있고 복잡한 시술이 필요하거나 10단위 이상의 수혈이 필요한 경우
- 혈소판 기능 감소가 확인된 환자 중 점출혈(petechia), 자반(purpura), 미세혈관출혈이 있거나 수술 혹은 침습적 시술 예정인 경우

(2) 혈소판 수혈이 바람직하지 않은 경우

- 미세혈관출혈이 관찰되지 않는 환자에서 대량수혈 시 경험적인 사용
- 혈전성 혈소판감소성 자반증(Thrombotic Thrombocytopenic Purpura, TTP), 용혈성 요독증후군, 특발성 혈소판감소 자반증(Idiopathic Thrombocytopenic Purpura, ITP) 환자에서의 예방적 사용
- 외부 요인으로 인한 혈소판 기능부전(신부전, von Willenbrand's disease)

7) 백혈구 농축액(Leukocyte concentrate)

과립구감소증(백혈구 < 500/mm^3)과 함께 감염의 증거가 있는 경우 투여하고 감염이 조절되거나 백혈구가 1,000 이상이 될 때까지 투여한다.

8) 신선동결혈장(FFP)

간기능 장애, 선천성 혈액응고인자결핍, 혈액응고인자가 결핍된 혈액의 수혈로 인해 혈액응고의 장애가 일어날 수 있으며 이러한 경우 신선동결혈장의 수혈 적응증이 된다.

신선동결혈장은 거의 모든 혈액응고인자를 포함하고 있으며, 1단위의 신선동결혈장은 혈액응고인자의 양을 약 3%가량 증가시킨다. 정상적인 혈액응고는 혈액응고인자가 30% 이상으로 존재할 때 가능하다.

(1) 신선동결혈장 수혈의 적응증

- 항트롬빈 Ⅲ(antithrombin Ⅲ); 프로트롬빈; factor 5, 7, 9, 10; protein C, protein S; 플라스미노겐; 안티플라스민의 유전적 결핍

- 와파린 복용, 비타민 K 결핍, 간질환, 대량수혈, 파종 혈관내 응고증과 같은 원인으로 인한 혈액응고장애

(2) 신선동결혈장 수혈이 바람직하지 않은 경우

- 대량수혈 시 환자가 임상적으로 응고장애를 보이지 않는 경우의 경험적 사용
- 혈장량 보충
- 영양 공급
- 저알부민혈증

9) 한랭침전물

신선동결혈장을 4℃에서 녹인 후에 상층 혈장을 저거한 뒤 남은 침전 물질을 −18℃ 이하에서 동결시킨 것으로 혈우병 A, 폰빌레브란트병(von Willebrand's disease), 저섬유소원혈증, 요독성(uremic) 출혈 시 사용한다.

문제

2-7 3)

24세 남자가 1시간 전 교통사고 당하여 응급실에 내원하였다. 혈압 80/50 PR 150 혈액복막(hemoperitoneum)으로 수술하려 한다.(한 가지)

Hb 6, WBC 7,800, Plt 160,000, BT 정상, PT 14(11~16)

1) 전혈
2) Plt
3) 농축적혈구
4) 농축백혈구
5) FFP
6) cryoprecipitate
7) anti−thrombin Ⅲ
8) factor Ⅷ

해설

Hb이 8 이하이고 급성실혈이 예상되며, 빈맥을 보이는 환자로 농축적혈구의 수혈 적응증에 해당한다.

2-8 1)

FFP를 사용 적응증에 해당하는 경우는?

가. 간질환 환자가 출혈성 경향이 있을 때
나. 와파린 사용 중 출혈성 쇼크가 발생했을 때
다. 혈액응고인자의 선천성 결핍환자
라. 혈장량 보충의 목적

1) 가, 나, 다
2) 가, 다
3) 나, 라
4) 라
5) 가, 나, 다, 라

해설

혈장량 보충을 위해 사용하면 안 된다.

2-9 3)

32세 여자 환자가 호흡곤란 때문에 왔다. 체온은 정상이며 출혈소견은 없었다. 수혈 병력은 없었다. 혈색소 4.5g/dl, 백혈구 1,700/mm^3, 혈소판 17,000/mm^{3}이었다. 가장 먼저 해야 할 것은?

1) 신선 전혈
2) 전혈
3) 농축 적혈구
4) 백혈구
5) 농축 혈소판

해설
혈소판 수치가 낮긴 하지만 미세혈관 출혈이 확인되지 않았기 때문에 적응증에는 해당하지 않는다.

2.7 수혈의 기본원칙

1) 필터의 사용 목적

모든 종류의 혈액을 수혈할 때에는 필터를 사용해야 한다.

(1) 백혈구 제거

혈액제제 내에는 원하는 성분뿐만 아니라 여러 헌혈자의 전혈로부터 채집된 상당량의 백혈구가 포함되게 된다(예, 전혈 3L가 있어야 혈소판 1단위를 채집할 수 있다). 백혈구는 여러 병원균을 포식하기 때문에 다른 혈액성분에 비해 많은 병원균을 지니고 있어서 백혈구가 수혈되는 경우 여러 기전에 의해 수혈자에게 부작용을 일으키게 된다. 또한 공혈자의 백혈구가 수혈자의 면역체계를 약화시키는 작용을 한다.

따라서 모든 혈액제제를 수혈할 때에는 필터를 사용하여 백혈구의 양을 줄여주어야 한다. 이 과정을 leukoreduction이라고 한다.

(2) fibrin strand 제거

저장혈액 내에 fibrin이나 미세한 clot이 생길 수 있으므로 혈액 필터를 통해 제거한다.

2) 혈액성분 제제

(1) 혈액성분 제제와 함께 사용할 수 있는 수액

① 생리식염수

- 등장성인 생리식염수만이 가능하다.
- lactated Ringer's solution은 등장성이긴 하지만 칼슘을 함유하고 있어 구연산이 첨가된 혈액과 반응하여 혈액을 응고시킨다.

② 저장성 용액 및 고장성 용액

- 저장성 용액은 적혈구를 팽창시켜 용혈을 유발한다.
- 고장성 용액은 적혈구를 수축시켜 파괴시킨다.

(2) 혈액성분 제제에 약제를 첨가하면 안 된다.

① 약제가 등장성이 아닌 경우가 많기 때문이다.

② 약제를 첨가한 혈액이 수혈부작용에 의해 폐기되어야 할 때 약제도 더 이상 투여할 수 없기 때문이다.

③ 수혈 중 부작용이 나타날 때 약제부작용인지 수혈부작용인지 알 수 없기 때문이다.

3) 혈액 가온기의 사용

차가운 혈액이 대량수혈되면 저체온증 및 산혈증을 일으킬 수 있기 때문에 이를 예방하기 위해 혈액 가온기를 사용한다.

40℃ 이상에서는 혈액 내 단백질 변성이 일어날 수 있기 때문에 38℃ 이하로 가온한다.

문제

2-10 4)

링거젖산용액(lactated Ringer's solution)을 주입하고 있는 수액관에 농축적혈구를 함께 연결하여 주입 중 수액관이 핏덩이로 막혔다. 이는 어느 이온 때문인가?

1) 나트륨
2) 칼륨
3) 염소
4) 칼슘
5) 중탄산염

해설

링거젖산용액의 칼슘과 혈액 내의 구연산이 반응하여 혈액 응고가 일어난다. 따라서 수혈을 단독으로 하거나 수액에 연결 시 반드시 칼슘이 포함되지 않은 생리식염수에 연결하도록 한다.

2-11 1)

혈액성분제제의 수혈 시 주의해야 할 설명으로 옳은 것은?

1) 혈소판 수혈 시 필터 등 미세 여과기를 사용하여 불순물의 첨가를 막는다.
2) 혈액제제와 같이 사용할 수 있는 수액제제는 lactated Ringer's solution이다.
3) 생리식염수 용액과 혈액제제가 혼합되면 용혈이 일어난다.
4) 4시간 이내 수혈을 완료하여야 세균증식의 가능성을 배제한다.
5) 혈액 가온 시 온도가 42℃를 유지하도록 유의한다.

해설

모든 혈액제제의 수혈 시 필터를 사용한다. 세균 감염을 최소화하기 위하여 수혈은 가능하면 4시간 이내에 마치도록 한다. 혈액 가온 시 38℃ 이하로 가온한다.

2.8 수혈의 위험성

1) 용혈성 수혈반응

수혈되는 적혈구가 기존에 존재하던 항체와 보체매개성 반응에 의해 파괴되는 현상을 뜻한다.

(1) 급성 용혈반응(hemolytic transfusion reaction)

① 원인

- ABO 부적합이 원인이다.
- 검사실에서 교차적합시험을 잘못하여 생기는 오류라기보다는 라벨을 잘못 붙이는 것과 같은 사무적인 오류(clerical error)에 의해 발생한다. 기증자의 적혈구와 수혜자의 혈청에 존재하는 항체가 반응하여 혈관 내에서 용혈반응이 일어난다.

② 증상

- 혈액이 주입되는 부위를 따라 통증, 발적이 생긴다.
- 흉부압박감 또는 흉통, 저혈압, 핍뇨, 열, 오한 등이 발생한다.
- 정맥주입부위로부터의 삼출(oozing), 헤모글로빈뇨증, 헤모글로빈혈증 등이 생길 수 있다.
- 수술 중 설명되지 않는 출혈이나 저혈압, 삼출이 일어나면 급성 용혈반응을 의심해야 한다.

③ 치료

- 수혈을 즉시 중지하고 교차적합시험(crossmatching)을 재확인한다.
- 충분한 수액을 공급하여 저혈압 및 신혈류를 교정한다.
- sodium bicarbonate를 투여하여 소변을 알칼리화시킨다.
- 경우에 따라 이뇨제, 만니톨의 사용을 고려해야 한다.

꼭 알아둡시다!!!

◆급성 용혈반응의 원인과 치료

치료의 첫 번째 단계는 수혈의 즉각적인 중지와 충분한 수액공급이다.

(2) 알레르기성 비용혈성 반응(allergic nonhemolytic reaction)

① 원인 : 공여자 혈장에 대한 수여자의 항체가 원인이다.

② 증상 : 수혈 시 두드러기, 발적, 기관지연축 및 아나필락시스까지 발생할 수 있다.

③ 치료 : 증상에 맞는 대증적 치료를 시행한다. 경증인 경우 항히스타민으로 충분하며, 아나필락시스 반응이 생기면 에피네프린과 스테로이드를 사용한다.

④ 예방 : 수혈 전 항히스타민 제제를 미리 투여하여 예방할 수 있다.

(3) 비용혈성 발열반응(febrile nonhemolytic reaction)

① 원인 : 공여자 백혈구나 혈소판에 대한 수여자의 항체가 원인이다.

② 증상 : 수혈 후 발열, 오한을 호소한다.

③ 치료 : 증상 발생 시 해열제를 투여하고 백혈구제거혈액을 수혈한다.

꼭 알아둡시다!!!

급성용혈반응과 비용혈성 발열반응의 원인, 증상, 치료를 구분해야 한다.
비용혈성 발열반응은 발열, 오한의 가벼운 증상만 있기 때문에 해열제 투여로 충분한 치료가 가능하며 백혈구 제거혈액을 수혈하면 예방이 가능하다.

(4) 감염의 전파

바이러스로는 엡스타인 바(Epstein Barr) 바이러스, 거대세포바이러스, 인간면역결핍바이러스, 간염 바이러스, 사람 T세포 백혈병 바이러스(Human T-cell leukemia virus) 등이 혈액을 통해 감염될 수 있다. 매독, 말라리아, 페스트균(Yersinia)도 전파가 가능하다.

(5) 세균감염

수혈 후 발열, 오한, 저혈압, 빈맥, 쇼크(shock) 등이 발생하고 *E. coli*, *Pseudomonas*가 4℃에서 잘 자란다.

(6) 수혈관련 급성 폐손상

수혈 4시간 이내 발생하는 호흡곤란, 저혈압, 저산소증, 발열 및 폐부종을 주증상으로 하고 공여자 항체가 수여자의 백혈구와 반응해서 폐손상을 일으킨다. 보존적 치료를 시행한다.

문제

2-12 1)

packed RBC 수혈 한시간 후부터 열감과 두통을 호소하는 환자가 있다. 재확인(crossmatch) 결과 혈액형은 일치했다. 치료는?

1) 해열제
2) 수혈중단
3) 항히스타민제
4) FFP
5) 스테로이드

해설

비용혈성 발열반응에 해당한다. 혈액형이 일치하므로 증상치료를 시행한다. 백혈구 제거 필터를 사용하면 예방이 가능하다.

2-13 4)

활력징후가 안정적인 환자가 농축 적혈구 수혈 후 갑자기 두통, 가슴 불편감, 구토, 고열, 저혈압이 생겼다. 가장 먼저 취할 조치는?

1) 해열제를 투여한다.
2) 수혈 속도 늦춘다.
3) steroid를 주사한다.
4) 수혈을 중단하고 등장액 식염수를 투여한다.
5) 환자 혈액 채취하여 혈액형 확인, 공혈과 교차 시험 실시한다.

해설

수혈을 중단하고 수액공급을 시행하는 것이 가장 중요하다.

2-14 3)

간경변과 식도 정맥류를 앓고 있는 52세 남자가 전혈 수혈을 받던 중 오한, 강직과 함께 발열이 발생하였다. 수혈 전 체온이 36.8℃였고, 수혈 도중에 39.2℃까지 상승하였다. 그러나 다른 활력 징후 변화는 없었다. 피부발진, 옆구리 통증, 혈뇨도 없었다. 이러한 반응을 일으키는 요인은?

1) 공여 혈액 내 IgA
2) 공여 혈액 내 혈장 단백
3) 공혈자 백혈구에 대한 수혈자 항체
4) 공혈자 적혈구 항원에 대한 수혈자 ABO 동종응집소 (isoagglutinin)
5) 수혈자 백혈구에 결합하는 공여 혈액내 항HLA 항체

해설

급성용혈반응, 알레르기성 비용혈성 반응, 비용혈성 발열반응의 원인 차이를 알아두어야 한다.

2-15 1)

건강하던 40세 남자가 교통사고로 인한 간 손상으로 혈액복막이 발생하여 개복수술 등 수혈을 받았다. 이때 갑자기 박리하지 않은 주위조직을 포함해서 전체 수술창에서 미만성 출혈이 발생하였고 붉은 색 소변이 나오며 혈압이 급격히 하강하였다. 이 환자에게 가장 먼저 하여야 할 조치는?

1) 수혈중지
2) 항생제 투여
3) 만니톨 투여
4) 중탄산염 투여
5) 추가의 중심정맥 확보

해설

급성용혈반응이 생기 통증 및 발적이 생기고, 심한 경우 흉부압박감, 흉통, 저혈압, 핍뇨, 열, 오한 등이 발생한다. 따라서 비교적 빨리 진단이 가능하기 때문에 생명이 위태로울 정도의 부작용이 생기는 경우는 드물다. 반면 수술 중에는 환자의 의식이 없기 때문에 급성용혈반응이 일어나더라도 진단이 늦어지게 되어 치명적일 수 있다. 따라서 수술 중 설명되지 않는 출혈이나 저혈압, 삼출이 생기면 급성용혈반응을 의심하여 수혈을 중단하는 것이 특히 중요하다.

2.9 대량수혈

1) 정의

대량수혈(massive transfusion)은 24시간 이내 환자의 전체 혈액량을 충전적혈구로 대체하는 경우, 또는 수시간 동안 10단위 이상의 혈액을 수혈하는 경우를 말한다.

2) 합병증

(1) 산-염기 평형 장애

저장혈의 pH는 적혈구의 대사물인 lactate, pyruvic acid, 이산화탄소의 영향으로 6.3 정도로 산성화 되어 있고, 대량수혈로 인한 저체온증 때문에 산혈증을 일으킬 수 있다. 그러나 혈액 보존액 내의 구연산(citrate)이 간에서 중탄산염($NaHCO_3$, sodium bicarbonate)으로 전환되어 알칼리혈증 또한 발생할 수 있어 수혈 후 혈중 pH는 오히려 7.48~7.50가량으로 상승하기도 한다. 따라서 대량수혈 후 경험적으로 중탄산염을 투여하면 오히려 심각한 알칼리혈증을 야기할 수 있기 때문에 반드시 동맥혈 가스분석 후 산-염기 평형상태를 확인하고 중탄산염의 투여여부를 결정하여야 한다.

(2) 2,3-DPG의 감소

3주 이상 저장한 혈액에는 2,3-DPG가 감소되어 있어 저장혈을 수혈하면 산소 운반능이 감소하게 된다.

(3) 칼륨농도의 변화

3주가량 혈액을 저장하면 적혈구 내의 칼륨이 빠져나와 저장혈의 칼륨 농도가 30~40mEq/L 상승하게 된다. 그러나 수혈 속도가 100~150ml/min을 넘지 않으면 칼륨 농도가 높아진 저장혈을 수혈한다고 해도 정상 신기능을 가진 성인에서는 고칼륨혈증은 일반적으로 발생하지 않는다. 오히려 쇼크 환자에서는 칼륨을 배설하는 기능을 하는 aldosterone, ADH, permissive steroid hormone이 증가되어 있어 빨리 수혈하게 되면 저칼륨혈증이 생길 수 있다.

(4) 저칼슘혈증

대량수혈 시 혈액 내의 구연산에 의해 일시적으로 저칼슘혈증이 발생할 수 있다.

증상으로는 저혈압, 감소된 맥박압(pulse pressure; 수축기압과 이완기압의 차이), 좌심실 확장기말 폐동맥압과 중심정맥압의 증가, 증가된 QT interval 등이 있다.

(5) 응고장애

저장혈에서는 24시간이면 혈소판이 모두 기능을 잃게 되며, 대량수혈 시에는 희석에 의한 혈소판 감소증(dilutional thrombocytopenia)이 발생한다. 하지만 혈소판의 부족만으로 모든 출혈을 설명할 수는 없기 때문에 대량수혈 환자에서 예방적으로 혈소판을 수혈하지는 않는다.

꼭 알아둡시다!!!

1. 대량수혈의 정의
   24시간 이내 환자의 전체 혈액량을 충전적혈구로 대체하는 경우 또는 수시간 동안 10단위 이상의 혈액을 수혈하는 경우
2. 합병증
   - 희석으로 인한 저혈소판증, 지혈 기능 손상
   - 산소운반 장애, 헤모글로빈 – 산소 친화도 증가
   - 산혈증 또는 알칼리증
   - 고칼륨혈증 또는 저칼륨혈증 모두 가능하다.
   - 저칼슘혈증
   - 저체온증
   - 폐부전
   - 2,3-DPG의 감소

“참고하세요”

◆ 수혈과 고칼륨혈증

저장혈에서는 적혈구에서 칼륨이 빠져나오기 때문에 칼륨 농도가 증가되어 있다. 그러나 실제 칼륨 농도가 증가되어 있는 저장혈을 수혈했을 때 수혈 받은 환자의 혈청 칼륨 농도는 일반적으로 변함이 없는데, 이는 칼륨의 세포내 이동, 소변 배출, 희석이 일어나기 때문이다. 그러나 유아 또는 신부전 환자에서는 고칼륨혈증이 발생할 수 있다. 고칼륨혈증의 예방을 위해서는 채집된 지 5일 내의 혈액을 사용하거나 혈액을 세척하여 세포외액의 칼륨을 제거하는 것이 중요하다.

심화학습

◆ 인공혈액(artificial blood)

- 최근 수술의 난이도가 점점 높아짐에 따라서 수혈의 요구량은 점점 높아져 가는 추세이다. 하지만 제한된 헌혈량에서 그 필요를 충족시키기 어려운 상황이다. 또한 동종혈액(homologous blood)은 여러 가지 문제점 및 보관에 한계가 있다. 이러한 문제들 때문에 연구 중인 과제가 인공혈액이다. 면역학적인 문제들 뿐 아니라 감염의 위험을 피할 수 있고 또한 대량생산이 가능하다는 매우 중요한 장점이 있다.
- 인공혈액은 여러 방향에서 연구되고 있지만 가장 발전적인 연구결과를 내놓고 있는 것은 인공 적혈구이다. 정상 적혈구가 가진 모든 기능을 갖춘 인공 적혈구를 만드는 것이 최종 연구 목표이지만 현재는 산소의 운반에 초점을 맞추어 연구되고 있다.
- Polyheme®, Hemopure®, Hemospan® 등이 유망한 산소운반체제제로서 개발되어 임상시험 중에 있거나 또는 임상시험을 마치고 환자에의 실제 적용을 위한 평가를 기다리고 있다.
- 현재까지 연구된 적혈구 대용 제제

혈색소를 바탕으로 한 산소운반체 (Hemoglobin based O_2 carriers)	• Diaspirin cross-linked hemoglobin(DCLHb, HemAssist®) • Human recombinant hemoglobin version 1.1(rHb1.1) • Human recombinant hemoglobin version 2.0(rHb2.0) • Polymerized bovine hemoglobin(HBOC-201, Hemopure®) • Human polymerized hemoglobin(PolyHeme®) • Hemoglobin raffimer(HemolinkTM) • Maleimide-activated polyethylene glycol-modified hemoglobin(MP4, Hemospan®) • Enzyme cross-linked polyhemoglobin
과불화화학물질 (Perfluorocarbon emulsions)	• Perflubron emulsion(OxygentTM)
Nano-dimension artificial red blood cells	
Allosteric modifier(RSR13)	

김종훈, 이기영. 인공혈액의 현재와 전망-적혈구 대용제제를 중심으로. J Korean Med Assoc 2009; 52(2): 168~181

심화학습

◆ 대량수혈이 필요한 환자에서

- 충전적혈구 : 산소공급역할
- 혈소판 : 체온이 정상인 환자에서 미세혈관출혈이 있는 경우
- 정질액(crystalloid) : 혈관 내 용적의 회복
- 중탄산염(bicarbonate), 칼슘의 투여, 신선동결혈장의 예방적 투여는 필요 없다.

문제

2-16 1)

다음은 대량수혈의 합병증이다. 옳은 것은?

가. 출혈성향	나. 저체온증
다. 저칼슘혈증	라. 저칼륨혈증

1) 가, 나, 다　　2) 가, 다　　3) 나, 라
4) 라　　5) 가, 나, 다, 라

해설
대량수혈 시 일반적으로 혈청 칼륨 농도는 변함이 없다.

2-17 5)

대량수혈 시 생길 수 있는 부작용이다. 옳은 것이 모두 조합된 것은?

가. 지혈 부전(hemostatic failure)
나. 대사성 산혈증(metabolic acidosis)
다. 고칼륨혈증(hyperkalemia)
라. 폐기능 부전(pulmonary insufficiency)

1) 가, 나, 다　　2) 가, 다　　3) 나, 라
4) 라　　5) 가, 나, 다, 라

해설
저장혈 내의 산성 pH와 대량수혈 환자의 저체온증 때문에 산혈증이 발생할 수도 있으며, 저장혈에 첨가된 구연산 때문에 알칼리혈증이 발생할 수도 있다. 고칼륨혈증은 일반적으로 발생하지 않으나 발생 가능하다. 용적 과부하로 인해 폐고혈압이 발생하여 폐기능 부전이 발생할 수 있다.

2-18 3)

25세 남자환자가 교통사고에 의한 쇼크 상태로 응급실에 왔다. 응급소생술 후 비장절제술과 간 구역절제술을 받았는데, 수술 동안 15unit의 저장혈, 4unit의 신선동결혈장의 수혈과 8L의 하트만액이 주입되었다. 수술창을 닫을 때 광범위한 울혈이 있었다. 이 환자에서 울혈의 원인으로 가장 타당한 것은?

1) 간부전증　　2) 용혈작용
3) 혈소판 부족증　　4) 비장기능항진증
5) 혈청 프로트롬빈 부족증

해설
10단위 이상의 수혈이기 때문에 대량수혈이다. 대량수혈 시 혈소판 부족으로 인한 울혈 및 미세출혈이 발생할 수 있다.

2.10 대체혈액과 수혈대체방법

1) 자가수혈(autotransfusion)

다른 사람의 피를 수혈함으로써 생길 수 있는 다양한 부작용을 예방하기 위해 자신의 혈액을 미리 채취해 보관해 두었다가 수술 시 또는 수술 후에 수혈 받는 방법을 말한다.

자가 수혈은 신체 상태가 건강한 환자이면서 헤모글로빈 수치가 11g/dl 이상, 헤마토크릿이 34% 이상인 경우 시행할 수 있다. 채혈 간격은 최소 3일 이상(단백질합성에 72시간 소요)이어야 하고 최대 5단위까지 예치할 수 있다. 마지막 채혈은 수술 3일 전 시행한다. 일반수혈에 비해 감염성 질환의 전파를 방지하고 동종면역의 위험이 없으며 수혈 부작용이 적다는 장점이 있다. 또한 이식편대숙주질환(graft versus host disease)을 방지할 수 있고 적합한 혈액을 빠르게 공급받을 수 있다. 반면에 비용이 많이 들고 수술 후 일시적인 빈혈 상태가 되는 단점이 있다.

2) 급성 정상혈량 혈액희석법(acute normovolemic hemodilution)

수술 직전 1~3단위의 혈액을 채취하고 정질액으로 혈관 내 용적(intravscular volume)을 보충한 후 수술 이후 적당한 시기에 채취해 두었던 혈액을 다시 수혈받는 방법을 말한다. 이와 같은 방법을 이용하여 수술을 시행하게 되면 수술 중 손실되는 혈액은 희석된 혈액이기 때문에 혈액성분의 손실이 비교적 적게 발생한다는 장점이 있다. 또한 실온에서 4시간 보관할 수 있고 저렴하다는 장점이 있다.

3) 자가 혈구회수(autologous cell salvage)

수술 중 출혈된 혈액을 혈구회수기(cell saver)라는 기구를 이용하여 다시 수집 후 재수혈하는 방법으로 육안적인 오염이 있거나 종양 환자에서는 금기이다.

“참고하세요”

◆ 기타

1. 철분공급
2. 에리트로포이에틴(erythropoietin)
3. 적혈구 대체물

꼭 알아둡시다!!!

◆출혈성 질환의 선별검사의 종류

1. 프로트롬빈시간 – 와파린 – 외인성경로 – 비타민 K/신선동결혈장
2. 활성화부분트롬보플라스틴시간 – 헤파린 – 내인성경로 – 프로타민
3. 출혈시간 – 아스피린, 비스테로이드성 항염증제 – 데스모프레신
   - 혈우병 A, von Willebrand's disease의 원인 및 증상, 치료
   - 파종 혈관내 응고증의 원인질환 및 검사결과, 치료
   - 저장혈의 변화
   - 대량수혈의 합병증(저장혈의 변화와 구분)
   - 각 혈액제제의 특성 및 적응증
   - 수혈로 인한 반응의 원인, 증상과 치료
   - 자가수혈의 방법 및 장단점

문제

2-19 1)

자가수혈(autologous transfusion)에 대한 설명 중 옳은 것은?

가. 5~6 단위까지 가능하다.
나. Hb 11, Hct 34% 이상 되어야 가능하다.
다. 채혈은 4~5일 간격으로 할 수 있다.
라. 마지막 채혈은 수술 전일까지 할 수 있다.

1) 가, 나, 다　　2) 가, 다　　3) 나, 라
4) 라　　5) 가, 나, 다, 라

해설
마지막 채혈은 3일 전까지만 시행함으로써 혈액량이 보충될 시간 여유를 갖도록 한다.

3

수술환자의 신진대사

Metabolism in Surgical Patients

3.1 이화상태에 대한 대사적응

1) 아미노산

(1) 필수 아미노산

발린(valine), 류신(leucine), 이소류신(isoleucine), 라이신(lysine), 메티오닌(methionine), 페닐알라닌(phenylalanine), 트레오닌(threonine), 트립토판(tryptophan)이 여기에 속한다(시스테인, 티로신은 메티오닌, 페닐알라닌으로부터 합성된다).

- 분지 아미노산 : 발린, 류신, 이소류신
- 방향성 아미노산 : 페닐알라닌, 티로신, 트립토판

(2) 기능

아미노산은 단백질을 합성하고 삼카르복실산회로(TCA cycle)를 통해 에너지를 생산하며 탄수화물 및 지방으로 저장된다.

비필수아미노산 및 각종 소분자의 합성에도 사용된다.

(3) 근육에서의 대사

골격근과 심근은 신체에서 아미노산의 이화작용(catabolism)과 동화작용(anabolism)이 일어나는 주된 장기이다. 특히 류신, 이소류신, 발린의 이화작용과 알라닌과 글루타민의 합성작용이 일어난다.

① **분지아미노산**(branched chain amino acid)

- 간에서 보다 근육에서의 분지아미노산의 분해속도가 빠르고, 근육이 체중의 약 40%를 차지하기 때문에 근육은 분지아미노산이 분해되는 주된 장기이다.
- 금식, 당뇨, 외상과 같은 이화상태의 환경에서는 골격근과 심근, 콩팥에서 분지아미노산이 보다 더 빠르게 분해되는데, 간과 뇌에서는 그러한 효과가 없다.
- 금식기간 동안에 근육에서는 당(glucose)의 이용을 감소시키고 류신이 대체에너지로서의 역할을 하게 된다.

- 따라서 금식기간 동안 혈중 류신 농도가 올라가면 근육에서는 대체 에너지로서의 류신의 분해를 증가시키고, 피루브산염(pyruvate)과 같은 당생성을 위한 전구물질은 보존시키게 된다.

② **알라닌**(alanine)

- 금식기간 동안 분지아미노산이 근육에서 분해되어 생기는 아미노기들은 축적되게 되면 독성을 가진다. 이러한 아미노기들은 알라닌과 글루타민의 합성을 증가시키게 되고, 간과 달리 근육에서는 암모니아를 요소로 바꾸는 효소가 없기 때문에 근육에서는 대신 많은 양의 알라닌과 글루타민을 배출시킴으로써 독성을 제거한다. 이렇게 생긴 알라닌은 금식기간 동안의 혈당 유지에 중요한 역할을 한다.
- 간은 혈액 속의 알라닌을 아주 능동적으로 추출하며, 알라닌은 간에서 포도당신합성을 위한 가장 중요한 아미노산으로 사용된다.

③ **글루타민**(glutamine)

- 골격근과 심근은 알라닌과 비슷하거나 더 많은 양의 글루타민을 합성하고 배출한다. 근육에서 배출된 글루타민은 많은 세포에서 중요한 에너지원으로 사용된다.
- 글루타민은 콩팥에서 흡수되어 소변의 암모니아의 전구물질 역할을 하기도 하고 포도당신합성, 에너지 생산 역할을 하며, 알라닌으로 전환되기도 한다.
- 글루타민의 합성은 폐와 근육의 스테로이드에 의해 활성화되며, 금식, 패혈증 및 혈중 스테로이드가 높아지는 병적인 환경에서 글루타민의 합성이 증가하게 되는데, 이러한 상황에서 글루타민은 장점막의 방어벽 기능을 호전시키는 역할을 한다.

꼭 알아둡시다!!!

패혈증, 수술, 외상 등의 이화작용 상태에서는 분지아미노산의 분해가 촉진되고 알라닌과 글루타민의 합성이 증가되어 혈중으로 배출된다.

심화학습

◆아미노산의 근육에서의 대사

1. 이화작용(catabolism)
2. 동화작용(anabolism)

(4) 콩팥에서의 대사

요소와 암모니아를 만들고 다른 아미노산의 대사에 관여하며 포도당을 신생합성 한다.

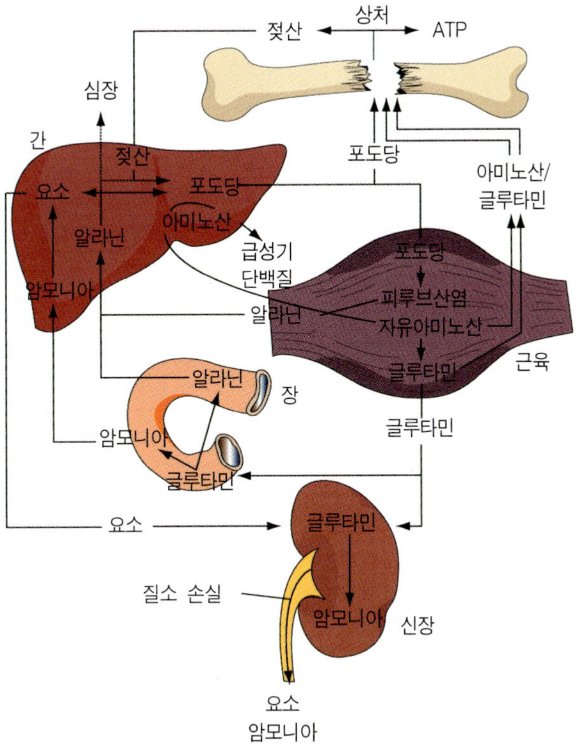

그림 3-1 외상환자에서 아미노상의 대사반응

(5) 에너지 사용과 질소평형에 영향을 미치는 호르몬

표 3-1 에너지 사용과 질소평형에 영향을 미치는 호르몬

호르몬	근육 단백질분해	근육 단백질합성	포도당 합성	성장에 미치는 영향
인슐린	감소	증가	증가	동화작용
당류코르티코이드	증가	감소	감소	이화작용
사이토카인	증가	감소	감소	이화작용
인슐린 유사 성장인자-1	감소	증가	증가	동화작용
성장호르몬	변화없음	증가	감소	동화작용
갑상샘호르몬	증가	증가	증가	동화작용
류신	감소	증가	감소	동화작용
금식	증가	감소	감소	이화작용
장기간 금식	감소	감소	감소	이화작용
단백질 결핍	감소	감소	알려지지 않음	이화작용

(6) 염증, 패혈증, 외상 상태에서 증가하는 호르몬

- 카테콜아민
- 글루카곤
- 코르티솔
- 알도스테론
- 바소프레신
- 레닌
- 부신피질자극호르몬

→ 인슐린, 성장호르몬은 감소된다.

2) 금식 시의 생리학적 적응기전

(1) 단기간의 금식

완전한 금식이 이루어지게 되면 인체의 단백질들이 에너지 공급을 위해 쓰이게 된다. 금식 초기에는 단백질합성의 감소와 단백질분해(proteolysis)의 증가로 인해 골격근으로부터 아미노산의 배출이 증가한다. 근육 단백질의 대사에 이러한 변화가 나타나는 것은 혈중 인슐린의 농도가 낮기 때문이다. 인슐린이 낮고 글루카곤이 높기 때문에 간에서의 칼로리 생성은 낮은 반면, 지방 분해로 인한 지방산의 배출로 많은 양의 칼로리를 생성한다.

금식 시 말초 조직에서는 ATP 생성을 위해 지방산과 케톤을 보다 더 많이 사용하고 당을 보다 더 적게 사용한다. 앞에 언급한 바와 같이 분지아미노산의 활용이 증가하면 당을 절약할 수 있으며, 알라닌과 글루타민을 통한 간과 콩팥에서의 포도당신합성이 활성화 된다.

(2) 장기간의 금식

금식이 지속되면 체내에서 인슐린이 감소하고 당의 필요성을 저하시킴으로써 체내 단백질을 이용한 포도당신합성이 감소하며, 따라서 근육의 감소 속도도 완만해진다.

당의 필요성이 감소하는 가장 큰 이유는 뇌에서의 당의 요구가 감소하고 뇌에서의 에너지 생성을 위해 케톤체가 사용되기 때문이다. 당 대체 연료의 사용이 증가함에 따라 근육의 단백질분해는 초기 금식 때보다 더 감소하게 되고 결국에는 음식을 섭취할 때보다도 단백질분해속도가 오히려 더 낮은 상태가 된다. 이러한 적응 상태가 이루어지기 위해서는 약 1주의 시간이 필요하다.

꼭 알아둡시다!!!

금식 초기 : proteolysis, lipolysis, gluconeogenesis, glycogenolysis 증가
금식 후기 : proteolysis가 평상시보다도 감소

심화학습

◆ 세균 전위(bacterial translocation)

장 점막층의 약화로 세균 및 진균이 점막을 통해 흡수되어 전신 혈류를 타고 순환하다가 다른 부위로 전이되어 그 부위를 지배하는 현상이 세균 전위이다. 장내 세균총이 파괴되어 세균의 과잉 발육으로 면역기능이 낮아질 때 발생한다. 세균 전위는 정상 상태에서도 인체의 면역을 자극하기 위해 조금씩 일어나고 있다.

문제

3-1 3)

외상시에 근육에서 분비되는 아미노산은?

1) 발린 2) 티로신
3) 글루타민 4) 이소류신
5) 페닐알라닌

해설
신체가 이화상태일 때 포도당신합성(gluconeogenesis)을 위해 아미노산이 근육에서 분해되는데 대표적인 것이 알라닌과 글루타민이다.

3-2 3)

선택적 위절제술 후 대사반응은?

1) 단백질 합성 증가 2) 지방 합성 증가
3) 포도당 합성 증가 4) 혈중 코르티솔 감소
5) 소변으로 질소 배설 감소

해설
포도당 합성 증가는 이화상태에서의 반응이고 다른 보기는 동화상태에서의 대사반응이다.

3-3 2)

수술 혹은 외상 직후에 감소하는 호르몬은?

1) 코르티솔 2) 성장호르몬
3) 알도스테론 4) 에피네프린
5) 글루카곤

해설
인슐린, 성장호르몬을 제외한 나머지 호르몬은 외상 직후 증가하는 호르몬이다. 스트레스에 대한 반응으로 steroid(cortisol)가 증가하게 되고 수분 유지를 위해 알도스테론이 증가한다. 인슐린이 감소하면서 단백질 분해가 촉진된다.

3-4 1)

장기간 금식 시 지방분해(lipolysis)를 촉진하는 것은?

가. 카테콜아민	나. 글루코코르티코이드
다. 글루카곤	라. 인슐린

1) 가, 나, 다 2) 가, 다 3) 나, 라
4) 라 5) 가, 나, 다, 라

해설
카테콜아민, 스테로이드, 글루카곤은 금식 시 같은 역할을 하고 인슐린은 반대 역할을 한다고 알아두는 것이 좋다.

3-5 1)

기아(starvation) 시 항상성의 유지(homeostasis)에 대한 설명 중 옳은 것은?

가. 지방 산화(fat oxidation)가 증가
나. 에너지 소비의 감소
다. ketone 증가와 ketogenesis증가
라. 포도당신합성(gluconeogenesis)의 감소

1) 가, 나, 다　2) 가, 다　3) 나, 라
4) 라　5) 가, 나, 다, 라

해설
gluconeogenesis는 증가

3-6 3)

장기간의 TPN시 장내세균의 세균전위(translocation) 방지에 가장 유용하다고 알려진 물질은?

1) 지방　2) 아르기닌
3) 글루타민　4) 글루코코르티코이드
5) 비타민과 미네랄

해설
장기간 금식시 글루타민은 장점막의 방어벽 기능을 호전시킨다.

3.2 인공영양법의 기초

1) 영양상태 평가

(1) 임상병력 청취

(2) 신체 구성요소 분석

- 생체전기 교류저항(bioelectrical impedance) : 체내 수분과 근육량을 측정한다.
- 표지이온(labeled ion)의 교환
- 중성자 활성화 분석
- CT, MRI

(3) 신체측정

- 크레아티닌－콩팥지수
- 삼두박근의 피부주름 두께

- 팔둘레
- 이상체중

(4) 생화학적 측정

- 알부민
- 전알부민(prealbumin)
- 트랜스페린(transferrin)

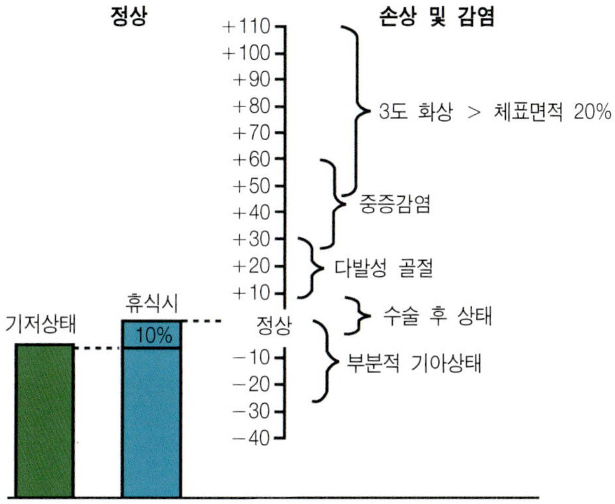

그림 3-2 환자상태에 따른 기저에너지 소비의 변화

(5) 열량측정법(calorimetry)

호흡지수(RQ, Respiratory Quotient, $\dot{V}CO_2/\dot{V}O_2$)를 이용하여 측정하고 수치에 따른 해석은 다음과 같다.

$<$ 0.7 케톤생성
0.7 지질의 사용
0.8 단백질의 산화
1.0 순수하게 탄수화물만 사용
$>$ 1.0 영양과다

2) 스트레스 인자

- 합병증이 없는 수술 후 환자 : 1.1
- 복막염 : 1.1～1.3
- 패혈증, 호흡부전, 외상 : 1.3～1.5
- 화상 : 1.5～2.0

3) 영양소 구성

일일 25～35kcal/kg가 필요하다.

(1) 탄수화물(3.4kcal/g)

포도당을 매일 최소한 100g씩 공급해서 단백질의 분해를 막는다(단백질절약효과, protein sparing effect). 탄수화물이 과다하게 공급되면 지방간이 형성되고 호흡지수의 상승으로 VCO_2가 상승하여 호흡기능이 감소한다. 또한 면역억제 및 병원내감염이 증가하므로 혈당을 80～110으로 조절하는 것이 중요하다.

(2) 지방(9kcal/g)

스테로이드, 카테콜아민, 글루카곤은 지방분해를 촉진하는 반면에 인슐린은 억제한다. 필수지방산의 공급이 중요한데 리놀레산(linoleic acid)은 아라키돈산으로, 알파리놀레산은 EPA(Eicosapentaenoic Acid)와 DHA로 변환되고 그 외에도 프로스타글란딘, 트롬복산, 류코트리엔의 전구체 역할을 한다.

(3) 단백질(4kcal/g)

하루에 0.8～1.5g/kg이 필요하다. 간부전시에는 분지아미노산의 공급을 늘리고 방향성아미노산의 공급을 감소시켜야 하며 신부전시에는 필수아미노산의 공급과 함께 고장성 포도당을 투여하는 것이 좋다.

(4) 전해질

매일 나트륨, 칼륨을 각각 50mEq, 20～40mEq 공급해야 하고 칼슘, 마그네슘, 인 등도 필수적으로 공급해야 하는 전해질이다.

(5) 비타민과 미세영양소

비타민, 미세영양소 결핍시 발생할 수 있는 증상은 다음과 같다.

- 티아민(thiamine) : 의식변화, 요붕증, 황달, 락트산증
- 비타민 D : 골다공증
- 비타민 K
- 아연 : 심한 이화상태 또는 설사 시 아연결핍이 발생할 수 있고 탈모, 창상치유 지연, 면역결핍, 야맹증을 일으킨다.
- 구리 : 빈혈, 범혈구감소증(pancytopenia), 탈색소
- 크롬 : 갑작스럽게 당뇨가 발생할 수 있다.
- 철 : 피부 및 점막의 탈상피화, 빈혈

심화학습

◆경정맥 영양 공급을 고려해야하는 상황

1. 경구 섭취량이 필요 열량의 50% 이하인 영양결핍상황
2. 이화 상태(화상, 패혈증), 췌장염
3. 10% 이상의 체중 감소
4. 7일 이상의 인공영양법이 필요할 것으로 예상되는 경우
5. 7일 이상 영양섭취를 못한 사람
6. 위장관 기능이 없는 사람
7. 염증이 있는 상태이면서 알부민이 <3g/dl 이하인 사람

문제

3-7 3)

경정맥영양의 필요에 대한 설명 중 옳은 것은?

1) 예상금식기간 5일
2) 체중 감소 8%
3) 경구 섭취량이 필요열량의 40%
4) 주입 항원에 대한 면역 반응 지연
5) 염증은 없고, 알부민 3.1g/dl

해설

1) 7일
2) 10%
3) 50% 이하일 때
4) 면역 반응 지연과 관련 없음
5) 염증이 있고, 알부민 < 3g/dl 일 때

3.3 총정맥영양법

총정맥영양법(Total Parenteral Nutrition, TPN)이란 여러 가지 원인에 의해 위장관을 통한 음식 투여가 불가능한 환자에게 필요한 모든 영양소를 정맥을 통해 공급하는 방식을 의미한다. 총정맥영양법에서는 일반적인 수액 대신 체액 삼투압의 5~6배가 되는 고농도의 포도당, 단백질, 지방 용액을 사용하고, 일반적인 정맥 대신 대정맥을 정맥로로 이용한다. 이는 일일 필요 열량이 성인 기준 최소 2000kcal라 했을 때 이처럼 많은 열량을 일반수액요법을 통해 취한다는 것은 과다한 수분량 때문에 사실상 불가능하기 때문이다.

총정맥영양법의 영양소를 구성하는 기본적인 요소는 단백질, 아미노산, 단당류, 전해질 등이다. 각 영양 요소들은 이화작용을 억제하고 동화작용을 촉진하며 구조단백질(structural protein)의 합성을 원활히 할 수 있도록 환자의 상태에 따라 조합하여 사용한다. 적절한 영양 공급이 이루어져야 면역능력, 정상세포의 유지 및 재생이 가능하므로 영양저하 상태는 환자의 회복속도를 저해하며 세균감염 등 합병증 발생률과 사망률을 증가시킨다. 따라서 치료적

인 차원에서 정맥으로 영양공급을 하는데, 특히 위장관 수술 및 질환에 의해 경장섭취가 불가능한 환자의 경우 질환 자체에 의한 스트레스로 인해 영양공급이 정상인 보다 더 많이 필요하다. 이때 정맥영양법이 적절하게 공급되지 못할 경우 환자의 사망률 및 합병증이 증가되고 회복 속도가 지연되어 입원기간 및 치료비가 증가될 수 있다.

1) 적응증

(1) 일차적 치료법으로 사용할 때

① 효과가 입증된 경우

- 피부－위장관 샛길 : 영양 공급을 개선함으로써 샛길의 자연치유를 촉진시키며, 샛길로 인한 사망률을 감소시킨다.
- 신부전(특히 급성 세뇨관 괴사)
- 짧은창자증후군(short bowel syndrome) : 경구 투여만으로 충분한 영양공급이 이루어지지 않기 때문에 짧아진 창자의 융모가 증식되어 적응할 때까지 충분한 기간 동안 총정맥영양법을 시행한다.
- 급성 화상 : 장폐색 및 패혈증이 발생하기 쉬우며, 이러한 환자에서 고단백 총정맥영양법을 시행하여 생존율을 향상 시킨다.
- 간부전

② 효과가 입증되지 않은 경우

- 크론병
- 신경성식욕부진(anorexia nervosa)

(2) 보조적 치료법으로 사용할 때

① 효과가 입증된 경우

- 방사선에 의한 급성장염
- 항암제 독성에 의한 급성증상
- 장기간 지속되는 장폐색증
- 주요수술에 앞서 체중이 감소되는 경우

② 효과가 입증되지 않은 경우

- 심장수술 전
- 장기간의 호흡보조치료
- 창상이 큰 경우

“참고하세요”

총정맥영양법이 일차적 치료법으로 사용되는 경우는 총정맥영양법 자체가 치료효과가 있는 것인데 비해, 보조적 치료법으로 사용되는 경우에는 그 자체로 치료효과가 있는 것은 아니기 때문에 두 가지 적응증을 구별해야 한다.

2) 합병증

(1) 카테터 관련 합병증

① **패혈증**

가장 치명적인 합병증으로 포도상구균이 가장 흔한 원인균이다. 영양실조, 스테로이드, 최근의 항생제 사용력, 심한 호중구감소증(neutropenia)이 있는 경우 호발한다. 패혈증 발생시 수액을 바꾸고 중심정맥 및 말초정맥으로부터 혈액배양검사를 시행하며 카테터 제거 후 카테터 말단부 배양검사도 함께 실시한다.

② **혈전증**

카테터 내의 혈전은 조직플라스미노겐활성제(tissue Plasminogen Activator, tPA), 유로키나아제 등으로 용해시킨다. 반면 정맥 내 혈전으로 인해 부종이 있을 경우 헤파린을 사용하고 와파린으로 전환한다.

③ 기타 합병증

카테터의 삽입 시에 기흉이 생길 수 있기 때문에 시술 후 반드시 흉부 X선검사를 시행한다. 또한 혈관손상 및 색전증이 발생할 수 있다.

“참고하세요”

◆총정맥영양법의 투여 경로

• 말초 정맥

10일 미만으로, 공급할 열량 및 단백이 적은 환자인 경우 말초정맥을 이용하여 영양을 공급한다. 말초정맥을 이용하기 위해서는 말초정맥 line을 잡는 것이 가능하고 large volume의 수액을 견딜 수 있어야 한다. 말초 정맥용 영양수액의 삼투압은 보통 600～900mOsm/L로 삼투압이 높을 경우 정맥염을 일으킬 수 있고 적어도 48～72시간마다 혈관주사 장소를 교체하여야 한다. 지방성분을 같이 투여하는 경우 volume당 열량은 증가시키는데 비해 삼투압은 증가시키지 않는 장점을 가지고 있다. 또한 지방성분은 정맥자극을 완화시키는 효과를 가지고 있다.

• 중심 정맥

5～7일 이상 경장섭취가 불가능한 환자로 말초정맥 line을 잡기 어렵거나 말초정맥 투여로 충분한 열량과 단백을 공급받지 못하는 경우 중심정맥을 이용하여 영양을 공급한다. 중심정맥 카테터는 빗장밑정맥(subclavian vein)에 설치하여 그 tip이 상대정맥의 윗부분에 위치하도록 한다. 상대정맥은 혈류가 빨라 삼투압이 높은 영양수액을 희석하는 효과가 있어 정맥염이나 혈전을 감소시킬 수 있다. 말초정맥과 달리 자주 주사부위를 교체할 필요가 없다. 실제로 감염만 없으면 수개월 유지할 수 있다. 삼투압이 2000mOsm/L의 용액도 투여가 가능하다.

(2) 대사관련 합병증

① 간질환 : 단순한 간수치 이상으로부터 간경화증까지 다양하게 존재한다.

② 대사성 골질환 : 골밀도와 부갑상샘호르몬이 감소하고 소변 내 칼슘, 인은 증가한다.

(3) 미량원소 결핍

• 아연
• 구리
• 크롬
• 셀레늄

(4) 당대사 장애

고혈당 또는 저혈당증, 케톤산증, 고삼투압 비케톤성 혼수, 삼투압에 의한 이뇨 등이 생길 수 있다.

심화학습

◆ 미량원소 결핍

1. 아연 결핍 : 탈모, 창상치유 지연, 설사, 기억력 장애, 면역저하, 야맹증, 눈부심(photophobia), 미각장애, 후각장애, 신경염, 피부병 등이 발생한다.
2. 구리 결핍 : 빈혈, 온혈구감소증(pancytopenia), 조화운동불능(ataxia), 경직(spasticity)이 발생한다.
3. 크롬 결핍 : 혈당조절장애, 체중감소, 혼돈(cofusion), 말초신경장애가 발생한다.

3) 질환별 총정맥영양의 조성변화

(1) 심부전, 간기능부전

체액량의 증가를 막기 위해 정식 조성에서 나트륨의 농도를 낮추어 공급한다.

(2) 신장 기능이 저하되어 있는 환자 또는 노인 환자

고칼륨혈증이 발생할 수 있기 때문에 칼륨을 감소시키거나 일시적으로 생략한다.

(3) 심각한 신장장애, 간기능장애

단백질을 제한하여 BUN, ammonia 수치를 저하시키도록 한다.

4) 소아에서의 총정맥영양법

(1) 성인과의 차이점

소아에서는 성장속도가 빠르고 골격근이 극히 적다. 효소가 불안정한 상태이고 어떤 아미노산은 과량 투여 시 뇌와 내장에 독성 아미노산이 비정상적으로 많이 축적될 수 있다. 또한 일부 아미노산 대사의 미성숙으로 인하여 성인에게는 비필수아미노산이지만 필수아미노산으로 취급되어야(상대적 필수 아미노산) 하는 taurine, cysteine 및 tyrosine 등이 포함되어야 한다.

(2) 단백질 및 열량요구량

소아에서는 성인에 비해 열손실이 많아 단백질 및 열량이 더 많이 요구된다. 열손실에 주의하고 적절한 외부온도를 유지하면 그 요구량의 증가를 최소화할 수 있다. 신생아의 경우 하루에 15% 정도의 열량을 단백질에서 보충한다.

(3) 지방투여 가능량

어린이의 지질 투여량은(4g/kg/d 이하)은 체중 대비 망상내피계(reticuloendothelial system)가 크기 때문에 지질 청소율(lipid clearance)이 좋아 성인(2g/kg/d 이하)보다 한계치가 높다.

(4) 비타민과 미량원소들

저장능력이 제한되어 있고 독성의 가능성이 많다.

(5) 소아에서 총정맥영양법의 적응증

① 효과가 증명된 경우 : 태변장폐색증(meconium ileus), 배벽갈림증(gastroschisis), 신생아 소장결장염(neonatal enterocolitis)

② 효과가 증명되지 않은 상태 : 저체중출생

(6) 총정맥영양의 주입로

혈관이 굵고 단위시간당 혈류량이 커야 정맥염 및 혈전증 발생위험이 적어지기 때문에 원칙적으로 중심정맥을 이용한다. 말초정맥을 통한 중심정맥로(PICC, peripherally inserted central catheter)는 신생아에서 많이 이용되기는 하나 카테터가 워낙 가늘어 체중이 증가하면 수액 공급량에 한계가 있다. 빗장밑정맥(subclavian vein)이 가장 보편적으로 이용되는 중심정맥천자 위치이며, 우측이 선호되지만 좌측 혈관의 직선 부위가 더 길어 천자가 쉽다. 패혈증의 위험이 있어 배꼽정맥은 사용하면 안된다.

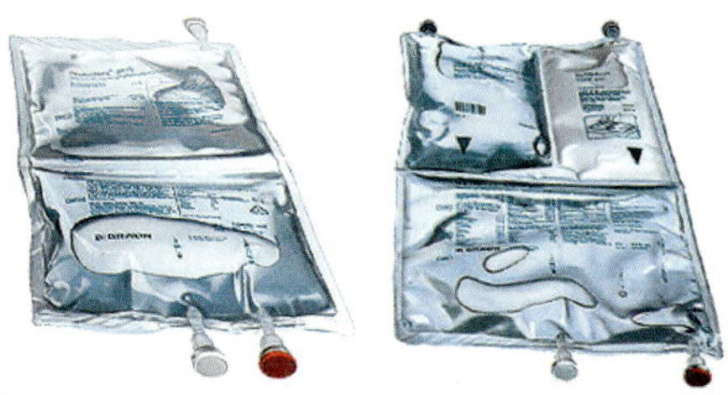

그림 3-3 제품으로 판매되는 2-in-1 solution(2 chamber system)과 3-in-1 solution(3 chamber system)

심화학습

◆총정맥영양 수액 조성의 계산법

70kg의 환자를 대상으로 모든 열량(칼로리) 및 수액을 총정맥영양을 통해 공급한다고 할 때 1일 동안 필요한 탄수화물, 단백질, 지방, 수액의 양을 계산해보자

- 일반적으로 1일 동안 인체에 필요한 총 열량은 위장관 손실이 없다고 할 때 25~35kcal/kg
- 1일 동안 필요한 수액의 volumne은 25~35mL/kg
- 1일 동안 필요한 단백질의 양은 1.5g/kg
- 총정맥영양수액 내의 영양소 당 열량은 탄수화물 3.4kcal/g, 단백질 4kcal/g 그리고 지방 9kcal/g이다.

먼저 70kg의 환자에게 1일 동안 필요한 총 칼로리 및 필요한 단백질의 양을 계산한다.

1. 필요 칼로리를 먼저 계산한다.
   1일 당 30kcal가 필요하다고 하면 30kcal/kg × 70kg = 2100kcal
2. 필요 단백질을 계산한다.
   1.5g/kg × 70kg = 105g
   1) 지방이 포함되지 않는 총정맥영양법(2-in-1 solution)
   - 총 필요 칼로리 = 2100kcal, 아미노산으로부터의 칼로리 = 105g × 4kcal/g = 420kcal
   - 추가로 필요한 칼로리 = 탄수화물(포도당)로 채워야할 칼로리 = 2100kcal − 420kcal = 1680kcal
   - 필요한 포도당의 양 = 1680kcal ÷ 3.4kcal/g = 494g

   따라서 필요한 아미노산, 포도당의 양은 각각 105g, 494g이다.
   하지만 24시간 동안 400g 이상의 포도당(탄수화물)이 주입되면 지방간이 형성되고 호흡지수의 상승으로 VCO2가 상승하여 호흡기능이 감소하는 부작용이 있기 때문에 이와 같은 총정맥영양법을 장기간 사용하는 것은 바람직하지 않다.
   2) 지방이 포함된 총정맥영양법(3-in-1 solution)
   - 총필요 칼로리 = 2100kcal
     아미노산으로부터의 칼로리 = 105g × 4kcal/g=420kcal
   - 총 칼로리의 20%를 지방으로 공급한다고 하면 필요한 지방의 칼로리 = 2100kcal × 0.2 = 420kcal
   - 필요한 지방의 양 = 420kcal ÷ 9kcal/g = 47g
   - 추가로 필요한 칼로리 = 탄수화물(포도당)로 채워야할 칼로리 = 2100kcal − 420kcal(아미노산) − 420kcal(지방) = 1260kcal
   - 필요한 포도당의 양 = 1260kcal ÷ 3.4kcal/g = 370g

   따라서 필요한 아미노산, 포도당, 지방의 양은 각각 105g, 370g, 47g 이다
   마지막으로 volume(for 3-in-1, maximally concentrated) :
   아미노산(10% stock solution) : 105g = 1050mL
   포도당(70% stock solution) : 370g = 528mL
   지방(20% stock solution) : 47g = 235mL
   총 volume = 1813 mL/day

표 3-2 TPN시판품 제제

투여경로		말초정맥								
상품명		Combiflex Peri	Nutriflex Peri 40	Kabiven Peri 1920	MG combi Peri	Kabiven Peri 1440	Nutriflex Lipid peri	Nutriflex Lipid peri	MG TNA-Peri 960	Oli-Clinom el N4-550
원내약품코드		CBFXPI	NTFP 40	KBP2	MGCP1	KBP15	NTFLP12	NTFLP18	TNA9p	TNA9p
Type		Twin bag	Twin bag	3-Cham ber bag	Twin bag	3-Cham ber bag	3-Cham ber bag	3-Cham ber bag	3-Cham ber bag	3-Cham ber bag
DW(g/bag)		120	80	130	120	97	80	120	65	80
Lipid(g/bag)		-	-	68	-	51	50	75	34	20
Amino Acid (g/bag)	L-isoleucine	1.48	2.34	2.304	1.725	1.728	2.34	3.51	1.152	1.32
	L-leucine	1.93	3.13	3.072	2.275	2.304	3.13	4.695	1.536	1.61
	L-valine	1.4	2.6	2.88	1.65	2.16	52.9	3.9	1.44	1.28
	L-lysine	1.546	2.273	3.688	1.8125	3.991	2.273	3.41	1.824	1.28
	L-lysine HCl	-	*(2.84)*	*(4.608)*	-	*(3.456)*	*(2.84)*	*(4.26)*	*(2.304)*	*(1.6)*
	L-lysine acetate	*(2.18)*	-	-	*(2.55)*	*(1.728)*	-	-	-	-
	L-methionone	1.13	1.96	2.304	1.325	1.728	1.96	2.94	1.152	0.88
	L-phenylalanine	1.2	3.51	3.072	1.4	2.304	3.51	5.265	1.536	1.23
	L-threonine	0.85	1.82	2.304	1.0	2.016	1.82	2.73	1.152	0.92
	L-tryptophan	0.33	0.57	0.768	0.375	-	0.57	0.855	0.384	0.4
	L-arginine	2.03	2.7	1.608	2.375	3.456	2.7	4.05	2.304	2.53
	L-histidine	0.6	1.25	2.688	0.7	2.016	1.25	1.875	1.344	1.06
	L-histidine	-	*(1.69)*	-	-	-	-	-	-	-
	L-proline	2.38	3.4	2.688	2.8	2.016	3.4	5.1	1.344	1.5
	L-alanine	1.5	4.85	6.336	1.775	4.752	4.85	7.275	3.168	4.56
	L-glutamic acid	-	3.5	2.304	-	1.728	3.5	5.25	1.152	-
	Glycine	2.98	1.65	3.072	3.5	2.304	1.65	2.475	1.536	2.27
	L-cysteine	0.038	-	-	0.041	-	-	-	-	-
	L-cysteine HCl	*(0.05)*	-	-	*(0.06)*	-	-	-	-	-
	L-tyrosine	-	-	0.01	-	0.072	-	-	0.048	0.09
	L-asparagnic acid	-	1.5	1.363	-	1.022	1.5	2.25	0.682	-
	L-serine	1.25	3	1.805	1.475	1.354	3	4.5	0.902	1.1
Electrolyte (mEq/bag)	NA^+	37.5	27	43	34	32	50	75	21	21
	K^+	25	15	32	20.9	24	30	45	16	16
	Mg^{++}	5	8	10.6	4.54	8	6	9	5	4.4
	Ca^{++}	4.5	5	5.4	4.1	4	6	9	3	4
	Cl^-	43.5	31.6	62	32.1	49	48	72	31	33
	Acetate	47	19.5	52	17.9	39	40	60	26	30
	Phosphate(mM)	73.5	5.7	14	2.73	11	7.5	11.25	7	8.5
	SO_4^-(mM)	-	-	5.3	-	4	-	-	-	-
	Zn^{++}(mM)	-	-	-	-	-	0.03	0.045	-	-
Total Volume(ml)		1100	1000	1920	1100	1440	1250	1875	960	1000
Total Calorie(Kcal)		545	480	1380	577	1034	955	1432.5	692	608
Total Protein(g)		20.7	40	45	24.23	34	40	60	23	22
Non Protein(Kcal/N)		140	53	167	21	167	139	140	167	144
삼투압(mOsm/L)		998	9000	750	931	750	840	840	750	750
Cost(원/bag)		14,400	26,351	45,076	14,752	38,615	31,733	45,324	29,034	28,981
calorie 산출 기준		glucose nahydrate 3.85kcal/g protein 4kcal/g	glucose 4kcal/g protein 4kcal/g	glucose 4kcal/g protein 4kcal/g lipid 10kcal/g	glucose 4kcal/g protein 4kcal/g	glucose 4kcal/g protein 4kcal/g lipid 10kcal/g	glucose 4kcal/g protein 4kcal/g lipid 9.5kcal/g	glucose 4kcal/g protein 4kcal/g lipid 9.5kcal/g	glucose 4kcal/g protein 4kcal/g lipid 10kcal/g	glucose 4kcal/g protein 4kcal/g lipid 10kcal/g

표 3-2 TPN시판품 제제 *(계속)*

투여경로		중심정맥								
상품명		Combiflex	Nutrflex 48	Kabiven central 2053	MG combi central	Kabiven central 1540	Nutriflex Lipid plus 1875ml	Combiflex Lipid 1000	Combiflex lipid 1450	Oli-ClinomelN7-1000E
원내약품코드		CBFXCI	NTFP 48	KBC2	MGCC1	KBC15	NTFLC18	TNAIC	TNA14C	TNA15C
Type		Twin bag	Twin bag	3-Chamber bag	Twin bag	3-Chamber bag	3-Chamber bag	3-Chamber bag	3-Chamber bag	3-Chamber bag
DW(g/bag)		250	300	200	250	150	225	160	232	240
Lipid(g/bag)		–	–	80	–	60	75	40	58	60
Amino Acid (g/bag)	L-isoleucine	2.8	2.82	3.285	2.95	2.464	4.23	2.4	3.48	3.6
	L-leucine	6.25	3.76	4.887	3.85	3.665	5.64	2.92	43234	4.38
	L-valine	2.25	3.12	4.312	2.8	3.234	4.68	2.32	3.3694	3.48
	L-lysine	4.396	2.729	5.432	3.1	4.068	4.094	2.321	3.366	3.48
	L-lysine HCl	–	*(3.41)*	*(6.776)*	–	*(5.082)*	*(5.115)*	*(2.9)*	*(4.205)*	*(4.35)*
	L-lysine acetate	*(6.2)*	–	–	*(4.35)*	–	–	–	–	–
	L-methionone	1.75	2.35	3.285	2.25	2.464	3.525	1.6	2.32	2.4
	L-phenylalanine	4.68	4.21	4.723	2.4	3.542	6.315	2.24	3.248	3.36
	L-threonine	3.25	2.18	3.45	1.7	2.587	3.27	1.68	2.436	2.52
	L-tryptophan	0.65	0.68	1.15	0.65	0.862	1.02	0.72	1.044	1.08
	L-arginine	3.1	5.82	9.651	3.0	7.238	8.73	8.28	12.006	12.42
	L-histidine	3.95	3.24	6.776	4.05	5.082	4.86	4.6	6.67	6.9.
	L-histidine	3.0	1.5	4.107	1.2	3.08	2.25	1.92	2.784	2.88
	L-proline	–	*(2.03)*	–	–	–	–	–	–	–
	L-alanine	1.65	4.08	4.107	4.75	3.08	6.12	2.72	3.944	4.08
	L-glutamic acid	1.1	3.6	2.669	2.5	2.002	5.4	2.0	2.9	3
	Glycine	5.35	1.98	4.723	5.95	3.542	2.97	4.12	5.97	6.18
	L-cysteine	0.5	–	–	0.069	–	–	–	–	–
	L-cysteine HCl	–	–	–	*(0.1)*	–	–	–	–	–
	L-tyrosine	3.25	4.21	3.285	–	2.464	6.315	–	–	–
	L-asparagnic acid	0.18	–	0.144	–	0.108	–	0.16	0.232	0.24
	L-serine	1.9	1.8	2.033	–	1.525	2.7	–	–	–
Electrolyte (mEq/bag)	NA^{+}	52.5	37.2	64	46.2	48	75	28	42	48
	K^{+}	45	25	48	35	36	52.5	24	36	36
	Mg^{++}	7.5	11.4	16	6.3	12	12	4	6	6.6
	Ca^{++}	6.8	7.2	8	5.6	69	12	3.6	5.4	6
	Cl^{-}	52.5	35.5	93	44.3	70	67.5	32	48	72
	Acetate	47	22.9	78	80.7	58	67.5	60	90	86
	Phosphate(mM)	15	20	20	10	15	22.5	12	18	15
	SO_4^{-}(mM)	–	–	8	–	6	–	–	–	–
	Zn^{++}(mM)	–	–	–	–	–	0.045	–	–	–
Total Volume(ml)		1000	1000	2053	1000	1540	1875	1000	1450	1500
Total Calorie(Kcal)		1162.5	1392	1872	1165	1404	1900.5	1200	1740	1800
Total Protein(g)		50	48	68	41.22	51	72	40	58	60
Non Protein(Kcal/N)		120	165	148	152	148	158	158	158	158
삼투압(mOsm/L)		1985	2300	1060	1945	1060	1215	1470	1470	1450
Cost(원/bag)		22,723	29,220	61,782	19,592	51,485	46,364	28,803	39,427	47,741
calorie 산출 기준		glucose nahydrate 3.85kcal/g protein 4kcal/g	glucose 4kcal/g protein 4kcal/g	glucose 4kcal/g protein 4kcal/g lipid 10kcal/g	glucose 4kcal/g protein 4kcal/g	glucose 4kcal/g protein 4kcal/g lipid 10kcal/g	glucose 4kcal/g protein 4kcal/g lipid 9.5kcal/g	glucose 4kcal/g protein 4kcal/g lipid 10kcal/g	glucose 4kcal/g protein 4kcal/g lipid 10kcal/g	glucose 4kcal/g protein 4kcal/g lipid 10kcal/g

문제

3-8 2)

총정맥영양(TPN)의 치료효과가 증명된 것은?

1) 암에 의한 악액질
2) 창자피부샛길
3) 신경성식욕부진(anorexia nervosa)
4) 궤양성 결장염(ulcerative colitis)
5) 허혈성 결장염(ischemic colitis)

해설

TPN의 효과가 입증된 질환은 gastrointestinal cutaneous fistula, renal failure(acute tubular necrosis), short bowel syndrome, acute burns, hepatic failure 등이다. anorexia nervosa와 궤양성 결장염, 호흡 부전에서는 효과가 입증되지 않았다.

3-9 5)

총정맥영양 시 치료 효과가 가장 좋은 것은?

1) 호흡 부전
2) 악성 종양
3) Anorexia nervosa
4) 궤양성 결장염
5) Enterocutaneous fistula

해설

치료효과가 입증된 것은 창자피부샛길, 신부전, 짧은창자증후군, 급성 화상, 간부전의 다섯 가지 질환뿐이다.

3-10 3)

55세 남자가 총정맥영양을 받고 있다. 5일 전부터 설사 하루 5~6회, 눈이 부시고 원형탈모증, 입 주위 화농성 염증이 생겼을 때 결핍인자는?

1) 철
2) 구리
3) 아연
4) 마그네슘
5) 셀레늄

해설

Zinc deficiency는 심한 catabolic state나 설사 시 발생한다. 다양한 임상양상으로 탈모, 창상치유 저하, 면역저하, 야맹증, photophobia, impaired taste or smell(anosmia), neuritis, variety of skin disorders(generalized eruptions, perioral pustular rash, darkening of the skin creases)를 나타낸다.

3-11 5)

총정맥영양요법에 의해 발생할 수 있는 합병증은?

가. 고혈당	나. 간기능 장애
다. 패혈증	라. 삼투성 이뇨

1) 가, 나, 다
2) 가, 다
3) 나, 라
4) 라
5) 가, 나, 다, 라

해설

가, 나, 라. 대사성 합병증
다. 카테터로 인한 상행감염으로 발생하는 기계적 합병증

3-12 3)

오른쪽 빗장뼈밑정맥 천자에 의한 경정맥 고영양법을 시행받던 40세 여자가 오른팔 부종과 경부 기저부의 통증을 호소할 때 가장 가능성이 있는 진단은?

1) 오른쪽 기흉
2) 오른빗장뼈밑정맥의 혈액누출
3) 오른빗장뼈밑정맥 혈전
4) 카테터 색전
5) 우상완 신경총 손상

해설
오른팔 부종이 있다는 것은 혈전으로 인해 빗장뼈밑정맥이 막혔다는 것을 의미한다.

3-13 1)

오른쪽 빗장뼈밑정맥에 중심 정맥관 삽관 후 흉통 및 호흡곤란을 호소하였다. 가장 가능성 있는 진단은?

1) 기흉
2) 기도흡입
3) 공기색전증
4) 빗장뼈밑동맥 손상

해설
빗장뼈밑정맥 카테터 삽입 시 합병증으로 기흉이 약 5~10%에서 발생한다. 그 밖에도 부정맥, 동맥천자, 공기색전이 생길 수 있다.

3.4 경장관영양법(enteral feeding)

총정맥영양법과 같이 음식물의 경구 투여가 불가능한 환자에게 다양한 방법을 이용하여 장관을 통해 영양을 공급하는 방법을 말한다.

1) 일반적으로 사용되는 경로

비위장관(nasoenteric), 날문후(postpyloric) 영양, 위루술(gastrostomy), 공장술 등을 이용할 수 있다.

(1) 비위장관영양

① 방법

내경이 큰 비위관(nasogastric tube)을 코를 통해 삽입하여 위 또는 샘창자에 거치시킨 후 관을 통해 액상의 음식을 공급한다.

적절한 시간 간격을 두고 음식을 공급하며, 음식 공급 직전에 비위관을 흡인하여 잔유음식이 있는 지를 확인하고 없는 경우에 식이를 진행하고 그렇지 않으면 음식 공급 간격을 임의대로 늘리거나 잔유음식을 버린 후 식이를 진행한다.

② 장점 및 단점

위에 비위관을 거치시키고 영양 공급을 하는 것은 비교적 고삼투압의 음식을 공급할 수 있다는 장점이 있으나 흡인의 위험이 있다.

반면 샘창자에 비위관을 거치시키면 흡인의 위험은 매우 적지만 고삼투압의 음식을 주입할 경우 설사, 탈수, 전해질 이상 등의 합병증이 발생할 수 있다.

(2) 위루술

위에 구멍을 내어 피부와 연결하여 외부에서 직접 위 안으로 음식물을 공급하는 방법이다. 수술적인 방법으로 시행하기도 하지만, 최근에는 대부분 내시경을 이용한 위루술(Percutaneous Endoscopic Gastrostomy, PEG)을 시행한다.

(3) 공장술

위무력증이나 위배출부의 폐색이 있는 경우에는 당연히 위루술의 금기가 되며 이러한 경우에는 폐색부 원위부에 공장술을 시행한다.

공장술은 수술 또는 내시경을 이용하여 시행하며 공장에 구멍을 내어 피부와 봉합하고 그 샛길에 튜브를 삽입하여 시행한다.

2) 경장관영양법의 장점

경장관영양법을 시행할 경우 글루타민에 의해 장점막이 잘 유지되고, 상대적으로 비용이 저렴하며, 간기능 증진 및 면역글로불린 A에 의한 점막면역 증강 효과 및 기회감염 빈도의 저하라는 장점이 있다.

3) 경장관영양법의 합병증

과용질의 투여로 인해 설사, 탈수, 전해질 불균형 등이 발생할 수 있고 카테터 위치이상, 흡인 등의 합병증이 생길 수 있다.

✤ 이 것 만 알 아 두 세 요 ✤

- 분지 아미노산의 종류 및 기능
- 알라닌－글루타민
- 근육, 콩팥에서의 아미노산 대사
- 금식 및 이화상태(catabolic state)에서의 스트레스 호르몬 및 인슐린의 변화
- 신체계측을 통한 영양상태 평가법 및 스트레스 인자
- 간, 신부전시 아미노산공급 조성의 변화
- 총정맥영양법의 일차적 치료로서 효과가 입증된 적응증
- 총정맥영양법의 합병증
- 장관영양법(enteral feeding)의 장점

문제

3-14 5)

수술 후 조기 경구 영양의 장점은?

가. 병원 감염 빈도를 낮춘다.	나. 장 점막 보호
다. 저렴한 치료 비용	라. 간기능 보호

1) 가, 나, 다　　2) 가, 다　　3) 나, 라
4) 라　　5) 가, 나, 다, 라

해설

가. 카테터 감염 및 세균전이의 위험이 없으므로 병원감염 빈도가 낮다.
나. 위장관 점막을 보호하고 흡수기능, 정상 상재균을 보호한다.
다. 간단하고 생리적이며, 저렴하다.
라. TPN을 장기간 시행하면 쓸개즙 정체, 간의 염증성 변화 등이 발생한다. 쓸개즙 정체로 인해 ALP가 상승하며, 간의 염증으로 인해 간세포가 파괴되고 지방간이 생긴다. 6개월 이상의 장기간 TPN을 시행하면 진행성 간손상이 발생하여 만성 간질환 및 간부전이 발생하여 사망할 수도 있다.

3-15 5)

소화관 고영양의 합병증이다 옳은 것은?

가. 고삼투비케톤 혼수	나. 흡인
다. 설사	라. 탈수 및 전해질 소실

1) 가, 나, 다　　2) 가, 다　　3) 나, 라
4) 라　　5) 가, 나, 다, 라

해설

Enteral feeding의 흔한 3가지 합병증

① 카테터 위치 이상
② 갑작스런 위 운동성의 변화 및 음식물의 과부하로 인한 흡인
③ 용질의 과부하로 인한 설사, 탈수, 전해질 불균형

PACIFIC SURGERY

4 창상치유
Wound Healing

4.1 조직 손상 및 반응

1) 창상봉합의 유형

(1) 1차 봉합(primary, 1st intention closure)

즉각적인 봉합, 수술 후 시행하는 일반적인 봉합을 뜻한다.

개복, 개흉 수술 후의 closure, 일반적인 열상 등 대부분의 clean wound는 일차봉합한다.

(2) 2차 봉합(secondary spontaneous closure)

① 인위적으로 창상을 봉합하지 않고 개방시켜 놓은 후 육아조직이 저절로 창상을 메우도록 하는 방법이다.

② 재상피화와 수축(contraction)에 의해 자발적 봉합이 일어나며, 고도로 감염된 창상에서 치유가 이루어지도록 하는 방법이다.

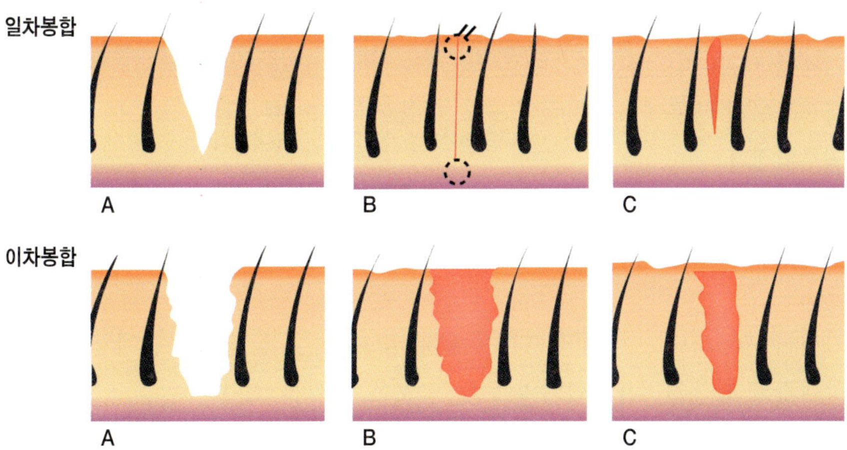

그림 4-1 창상봉합의 유형

(3) 3차 봉합(tertiary, delayed primary closure)

감염된 창상에서 반복적인 변연절제술(debridement)과 감염 치료 후 시간이 지난 후에 봉합하는 방법이다.

근막(fascia)까지는 봉합을 시행하여 복부의 장기가 보호될 수 있게 하고 피하지방층과 피부는 봉합하지 않고 열어둔다.

복부 장기 천공으로 인한 복막염이 있었던 환자의 창상봉합 시 3차 봉합을 시행한다.

2) 봉합사

(1) 봉합사의 종류(괄호안은 상품명)

① 흡수성 단선사(absorbable monofilament) : Catgut, polydioxanone(PDS), polyglyconate(Maxon)

② 비흡수성 단선사(nonabsorbable monofilament) : nylon(Ethilon), polypropylene(Prolene)

③ 흡수성 다선사(absorbable multifilament) : polyglactin(Vicryl), polyglycolic acid(Dexon)

④ 비흡수성 다선사(nonabsorbable multifilament) : silk

> **“참고하세요”**
>
> 봉합사 외에도 스테플러와 같은 metal도 봉합에 흔히 쓰인다. 비흡수성 실이라고 해서 영원히 녹지 않는 것은 아니고 수년에 걸쳐서 서서히 녹는다.

(2) 각 봉합사의 장단점

① **silk**

- 가격이 매우 저렴하다.
- 다선사이기 때문에 handling이 좋고 매듭이 견고하여 3번의 tie로도 안정적인 결찰이 이루어진다.
- 쉽게 끊어지는 단점이 있으며, 조직과의 반응성이 높아 감염의 기회가 높은 단점이 있다.

② **nylon**

- 가격이 저렴하다. 비흡수성 단선사로써 주로 외부 창상의 봉합에 사용된다.
- 조직과의 반응이 적어 감염의 위험이 낮은 장점이 있다.
- 실이 쉽게 미끄러지기 때문에 handling이 어렵고, 펴지는 성질이 있어 매듭이 견고하지 않다.
- nylon으로 결찰 시 매듭을 5차례 이상 시행하는 것이 바람직하다.

③ **Prolene**

- 비교적 가격이 비싸다.
- 흡수성 단선사로 복강 내 조직의 봉합, 혈관 결찰, 혈관 연결 등에 주로 사용되며, 얼굴 피부의 봉합에도 사용된다.
- handling이 어렵고 매듭이 견고하지 않기 때문에 매듭을 여러 차례 해야 한다.

④ **Dexon, Vicryl**

- 흡수성 다선사로 복강 내 조직의 문합, 폐복 시 복막, 피하지방층의 봉합에 사용된다.
- handling이 쉽고 매듭이 비교적 견고하며 잘 끊어지지 않는 장점이 있다.

(3) 봉합사의 제거시기

- 눈꺼풀 : 2~3일
- 얼굴 : 4~5일
- 목 부위 : 3~5일
- 두피 : 7일
- 앞가슴 : 7~10일
- 등 : 10~14일
- 사지 : 10~14일
- 관절부위 : 14일

3) 창상치유 과정

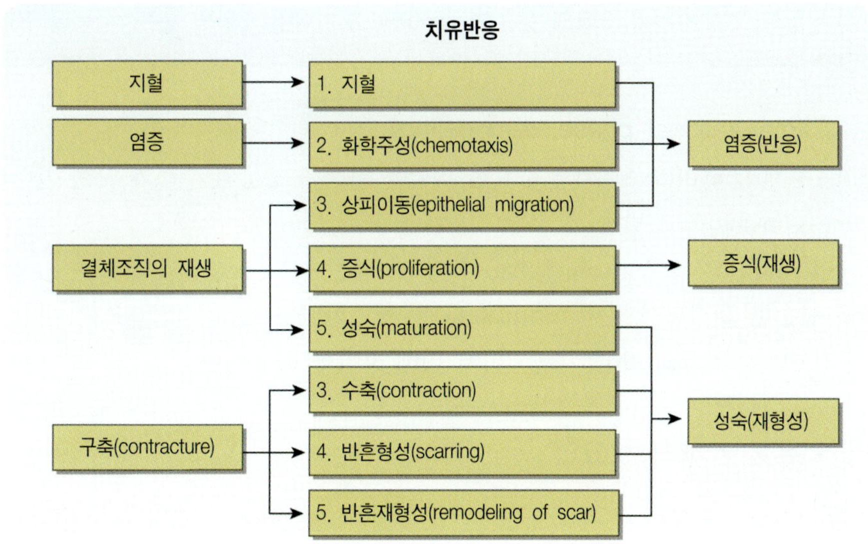

그림 4-2 창상치유 과정의 모식도

(1) 염증기(inflammatory phase)

① 혈관투과성 증가, 화학주성(chemotaxis)에 의한 세포 유입, 시토카인 및 성장인자의 분비, 유입된 세포의 활성화를 특징으로 한다.

② 혈소판이 응집되고 혈관이 수축되어 창상의 지혈이 이루어지고 혈관 투과성이 증가한다. 다형핵세포 가운데 중성구(neutrophil)가 처음 24시간 동안 주를 이루며 창상치유에 필수적인 세포는 아니다.

→ 감염에 대한 방어 및 포식작용은 주로 대식세포가 담당한다.

③ 대식세포는 창상치유에 가장 중심적인 역할을 하는데 각종 시토카인의 분비를 조절하고 여러 염증반응을 촉진하며 다형핵세포의 자멸사(apoptosis)를 유도한다.

④ 혈관생성 및 섬유화를 촉진한다.

(2) 증식기(proliferative phase)

① 재상피화(re-epithelialization), 기질(matrix) 합성, 신생혈관증식을 특징으로 한다.

② 신생혈관은 분해된 기저막 사이로 혈관내피세포가 유입되어 모세혈관튜브(capillary tube)가 형성되고 대식세포, 혈소판이 혈관생성과 관련한 시토카인을 생산한다(TNF-α, heparin, VEGF, FGF-2, TGF-β).

③ 섬유증식(fibroplasias)은 섬유모세포의 증식에 의해 일어나며 콜라겐 합성능력은 4주 후 감소한다.

④ 상피화는 EGF, TGF-α, KGF에 의해 촉진된다.

⑤ 콜라겐은 1형이 가장 흔하며 피부, 뼈를 구성하는 주된 콜라겐으로 성인에서 콜라겐의 80%가 1형이고, 3형이 20%를 구성한다. 신생아의 피부는 상대적으로 3형이 많다. 창상치유시 초기에는 2, 3형의 농도가 높지만, 후기에는 1형의 농도가 높은 특징을 보인다.

(3) 성숙기(maturational phase, remodeling)

① 근섬유모세포(myofibroblast)가 중요한 역할을 하는데 창상의 수축과 함께 콜라겐의 엮임(cross-linking)을 유발한다.

② 부종이 사라지고 재형성(remodeling)이 이루어지는 시기로 창상의 강도는 1~6주에 급격히 상승한 후 1년까지 고조기(plateau)를 형성한다.

③ 신장강도(tensile strength)는 수술 전에 비해 30%에 불과하다.

4) 창상치유를 저해하는 요인

(1) 감염

창상치유 지연의 가장 흔한 원인이다. 특히 균주의 수가 10,000/mm^3일 때 창상치유가 지연되며, 이러한 경우에는 즉시 창상을 개방하고, 예전에 봉합을 시행하였다면 봉합사를 제거하여 창상을 개방하고 괴사조직을 절제하여 육아조직이 차오르도록 기다려 3차 봉합을 시행한다.

(2) 저산소증

산소분압이 40mmHg 이하이면 콜라겐 결합의 장애가 생긴다. 빈혈, 흡연은 산소공급을 저해하는 요인이다.

(3) 당뇨

당뇨환자에서는 미세순환이 저해되어 조직 내 허혈이 생기고 따라서 감염의 위험성이 높아지게 된다.

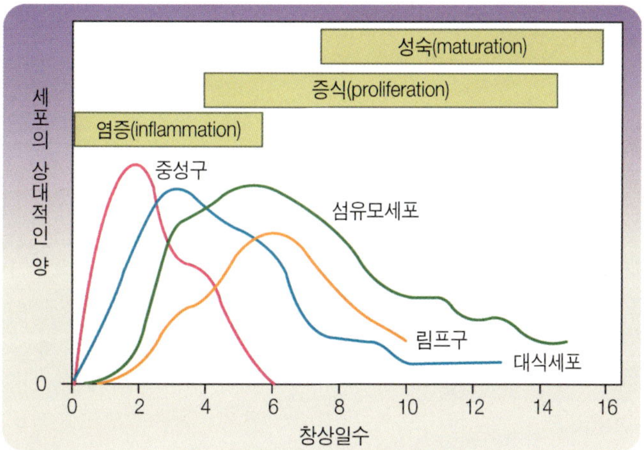

그림 4-3 창상치유 과정 동안 나타나는 세포의 유형
대식세포와 중성구가 염증기에 가장 우세하다.

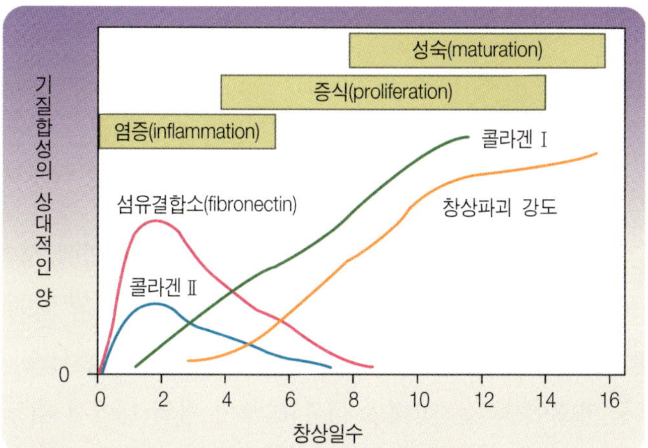

그림 4-4 시간에 따라 창상에 축적되는 기질
콜라겐3형과 섬유결합소가 초기에 축적되고 콜라겐1형이 후기에 축적된다.

(4) 이온화 방사선

혈관내피세포에 동맥내막염(endarteritis)을 일으켜 신생혈관 생성을 저해하게 되어 창상의 치유를 저해시킨다.

(5) 영양실조

알부민 수치가 2.0 미만이면 치유가 저해되거나 창상이 벌어지는 빈도가 높아진다. 비타민 C, A, K, 아연도 중요한 요소이다.

(6) 약제

항암제, 타목시펜, 스테로이드 등은 창상치유를 더디게 한다.

표 4-1 창상치유를 방해하는 원인

감 염	
저산소증	순환부전, 호흡저하, 국소적 긴장증기(local tension)
당 뇨	
방사선 조사	
고 령	
영양결핍	비타민 결핍증 : 비타민 C, 비타민 A 무기질 부족 : 아연, 철
약 제	Doxorubicin(Adriamycin), 스테로이드

5) 켈로이드(Keloid)와 비후성 반흔(hypertrophic scar)

창상치유 시 콜라겐이 과도하게 침착되어 흉터를 남기는 예로는 켈로이드와 비후성 반흔이 있다.

(1) 켈로이드

① 켈로이드는 기존 창상의 범위를 넘어서 자라는 흉터를 의미하며, 자연히 사라지는 경우는 매우 드물다.

② 피부가 검은 인종에서 더 흔하게 발생하며, 흑인의 15~20%에서 발생한다.

③ 켈로이드는 유전성 경향을 가지며 빗장뼈 위, 팔, 상체, 안면에 생기는 경향이 있다.

④ 현재로서는 예방법이 없으며 내과적으로나 외과적으로 치료법이 없다.

(2) 비후성 반흔

① 비후성 반흔은 켈로이드와는 반대로 기존 창상의 범위 내에서 과도한 흉터를 보이는 경우를 의미하며 몸의 어느 곳에도 생길 수 있다.

② 대부분의 경우, 예방이 가능한데, 콜라겐의 침착을 최소화하기 위해 근육의 수축 방향과 수직으로 절개(주름살 방향)하면 흉터를 최소화할 수 있다. 근육의 수축 방향과 수

직으로 절개를 하게 되면 근섬유가 수축함에 따라 창상의 양 끝이 모아져 흉터가 최소화되며, 반대로 근육의 수축 방향과 평행하게 절개를 하면 근육이 수축함에 따라 창상의 양 끝이 벌어지게 되어 긴장도가 증가해서 흉터가 크게 남게 된다.

표 4-2 켈로이드와 비후성 반흔의 차이

켈로이드	비후성 반흔
빗장뼈 윗부분, 안면, 팔에 발생한다.	몸 전체 발생할 수 있다.
창상범위를 벗어난다.	창상범위 내에 국한된다.
자연히 사라지지 않는다.	자연히 사라진다.
중심부에 세포가 없다.	중심부에 섬유모세포, 혈관, 콜라겐이 섬을 형성한다.
유전성이며 예방이 불가능하다.	예방이 가능하다.

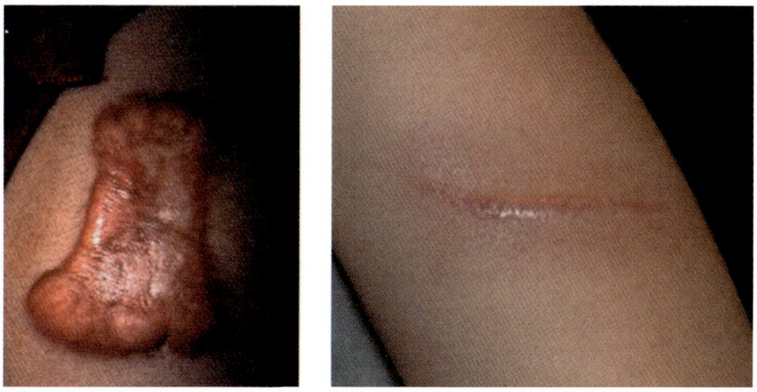
A B

그림 4-5 A. 켈로이드, B. 비후성 반흔

6) 태아 창상치유

임신 3기 이전의 태아에서는 성인에 비해 창상치유가 매우 빠르며 흉터나 염증이 없는 특징을 가진다. 이러한 특징은 태아의 창상에서는 산소분압이 낮고 헤모글로빈－산소 친화도가 높으며 3형 콜라겐이 상대적으로 많다는 점과 히알루론산(hyaluronic acid)이 풍부한 양수에 싸여 있기 때문에 나타나는 현상이다. 또한 태아의 상처치유 작용에는 성장인자인 TGF-β가 없다. TGF-β는 상처치유에서 흉터에 관여하는 인자이다. 이를 이용하여 성인에서도 TGF를 차단하는 약제를 사용함으로서 흉터를 줄일 수 있다.

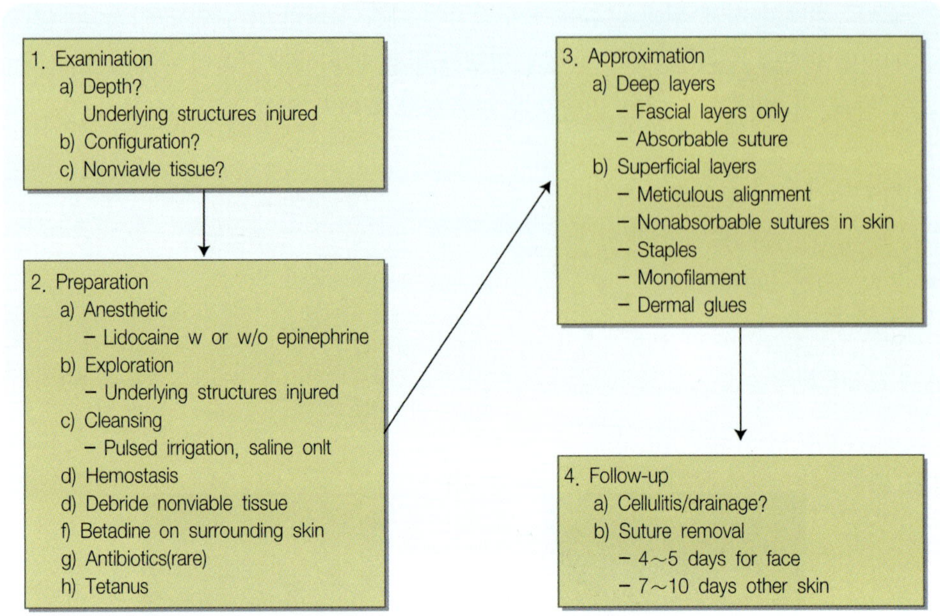

그림 4-6 Management of acute wounds

꼭 알아둡시다!!!

1. 창상봉합의 유형
2. 각 창상치유 과정의 특성
3. 대식세포 : 창상치유의 중심역할
4. 창상치유를 저해하는 요인
5. 비후성 반흔 vs. 켈로이드
6. 태아 창상치유의 특성

문제

4-1 2)

상처가 발생한 즉시 봉합할 수 있는 경우는?

1) 녹슨 톱에 벤 상처
2) 암이 의심되는 병소(lesion)의 절제 생검 상처
3) 항문주위 고름집의 배농 수술 상처
4) 압착손상(crushing injury)에 의한 상처
5) 팔의 총상

해설

녹슨 톱에 베인 상처, 압착 손상, 팔의 총상은 창상의 경과를 보아 2차 또는 3차 봉합을 시행하며, 배농 수술 상처는 이차봉합을 시행한다. 암이 있다고 해서 오염된 상처는 아니다.

4-2 4)

충수돌기염 천공으로 인한 복막염 환자의 수술 도중 절개창상 처치의 가장 올바른 방법은?

1) 창상을 세척한 후 봉합한다.
2) 광범위 항생제를 투여한 후 봉합한다.
3) 피하지방층만 봉합하고 배액관을 설치한다.
4) 피하지방층과 피부를 봉합하지 않는다.
5) 복막만 봉합하고 배액관을 설치한다.

해설

3차 봉합을 시행한다. 복막 및 근막을 봉합하고 피하지방층과 피부를 봉합하지 않는다.

4-3 3)

피부봉합사를 가장 먼저 제거하는 수술은?

1) 대퇴부 열상수술
2) 복부대동맥류 수술
3) 갑상샘절제술
4) 서혜부탈장 수술
5) 엉덩관절 교환술

해설

stitch out하는 시기
① 눈꺼풀 : 2~3days
② 얼굴 : 4~5days
③ 목 부위 : 3~5days
④ 두피 : 7days
⑤ 앞가슴 : 7~10days
⑥ 등 : 10~14days
⑦ 사지 : 10~21days
⑧ 관절 부위 : 14days

4-4 5)

각 수술부위 마다 피부 봉합사를 제거 하는 시기가 다르다. 옳은 것은?

가. 안면 : 4~5일	나. 머리 및 복부 : 7일
다. 다리 : 10~14일	라. 관절부위 : 14일

1) 가, 나, 다
2) 가, 다
3) 나, 라
4) 라
5) 가, 나, 다, 라

해설

미용적으로 중요한 부위의 봉합사는 되도록 빠른 기간 내에 제거하는 것이 좋다.

4-5 4)

수술 후 상처회복 시 성숙기에 일어나는 것은?

1) 지혈
2) chemotaxis
3) 혈관 형성
4) 재형성
5) 상피화

해설

성숙기에 성숙(maturation), 수축(contraction), 반흔형성(scarring), 반흔재형성(scar remodeling) 등이 일어난다.

4-6 3)

창상치유에서 신생혈관증식이 가장 활발히 일어나는 단계는?

1) 지혈기
2) 염증기
3) 증식기
4) 초기성숙기
5) 후기성숙기

해설
증식기는 재상피화, 기질 합성, 신생혈관 증식을 특징으로 한다.

4-7 5)

태아 상처치유가 성인과 다른 점은?

1) 신생혈관증식이 많다.
2) 창상치유의 기간이 길어진다.
3) 창상이 느리게 치유된다.
4) TGFb가 많아서 염증반응이 심하다.
5) 재태기간에 따라서 흉터의 형성정도가 다르다.

해설
태아의 창상치유는 재태기간과 상처의 크기에 따라 결정된다.
창상의 치유가 빠르며 염증이 없는 것이 특징이다.

5

수술 전후 처치

Perioperative Management

5.1 수술 전 환자의 평가

수술 전 환자의 평가는 진단되지 않는 병을 미리 검진하는 것이 목적이 아니고 수술결과에 영향을 미칠 환자의 상태를 파악하고 구별하여 적절한 처치를 하는 것이 목적이다.

1) 심혈관계

심혈관계 질환은 세계적으로 사망의 중요 원인이며, 심장 수술이 아닌 수술에서 수술 전후 사망률에 가장 중요한 부분을 차지하고 있다. 미국에서는 수술 받는 환자의 30% 정도가 관상동맥 질환이 있거나 다른 심장 질환을 가지고 있다. 따라서 수술 전에 하는 많은 검사들이 심혈관계 질환과 관련이 있다. 환자가 급성 심근경색으로 진단받았거나 경피적 관상동맥 성형술을 받은 환자라면 4~6주후에 수술을 하는 것이 권장된다.

ASA(American society of anesthesiologists) classification는 객관적이지 않은 것처럼 보여도 가장 중요한 사망률 지표의 하나이다.

Ⅰ－건강한 사람(0%)

Ⅱ－경한 전신적 질환을 가지고 있는 환자(0.17%)

Ⅲ－심한 전신적 질환을 가지고 있는 사람으로 활동에 제한은 있으나 무능력하지는 않은 환자(0.6%)

Ⅳ－삶을 위협하는 정도의 질병을 가진 무능력한 환자(4.3%)

Ⅴ－빈사의 환자로 수술을 하거나 하지 않더라도 24시간 이상 생존을 기대할 수 없는 환자(10.0%)

그 밖에 객관적으로 수술 전에 심혈관계 위험도를 평가하는 방법으로 Goldman Cardiac Risk Index, Detsky Modified Multifactorial Index, Eagle's Criteria for Cardiac Risk Assessment, Revised Cardiac Risk Index 등이 있다.

2) 호흡기계

폐기능검사가 필요한 환자들은 모든 폐절제 환자, 폐수술로 인한 단일폐환기가 필요한 경우, 복부 주요 수술 환자로 60세 이상이거나, 담배를 피우고 있거나, 중요한 기저질환이 있거나, 다른 호흡기계 질환이 있는 경우이다. 검사 시 측정하는 항목은 FEV_1, FVC, DCO(diffuse capacity of CO) 등이 있으며 $FEV_1 < 0.8L/sec$ 이거나 예상치의 30% 이하일 때 고위험군 환자에 속한다.

(1) 전통적으로 폐합병증을 줄이는 방법

① 최소한 시술 2주 전에 담배를 끊는다.
② 천식이 있는 환자에서 미리 스테로이드를 사용한다.
③ 흡입기를 사용하여 수술 후 무기폐를 방지한다.
④ 이전에 감염이 있는 환자는 항생제로 적절히 치료한다.

(2) 수술 전후 처치로 합병증을 줄이는 방법

① 가능하면 전신마취가 아닌 경막외 마취를 사용한다.
② 가래를 열심히 뱉어 낸다.
③ 빠른 재활을 한다.
④ 지속적으로 기관지 확장치료를 한다.

3) 비뇨기계

성인들 중 대략 5%에서는 어느 정도의 신장기능 저하가 있으며, 이는 여러 장기에 영향을 미치고 수술 전후 환자의 이환율에 영향을 미친다. 실제로 크레아티닌 수치가 2.0mg/dL 이상이라는 것은 독립적인 신장합병증의 위험인자이다.

신장의 기능저하를 검사하기 위해서는 심전도, 일반혈액검사, 일반화학검사가 필요하고 신체 검진에서 심부전이 의심되면 단순흉부 촬영이 도움이 된다. 소변 검사는 새로 발견된 신장 기능저하의 진단에서 도움이 된다.

(1) 신장 기능저하로 발견된 검사이상

- 빈혈 : erythropoietin으로 치료하지 않은 경우 수술 전 수혈이 필요할 수도 있다.
- 혈액응고 이상의 병력과 PT, aPTT, BT 지연 : 요독증으로 인한 혈소판 장애를 의심한다.

(2) 수술 전후 처치

- 고칼륨혈증 : 약으로 조절
- 증상이 동반된 저칼슘혈증 : 칼슘의 보충
- 고인산혈증 : 인산과 결합하는 제산제 사용
- 저나트륨혈증 : 수분제한

• 필요시 수술 전 투석으로 적절한 volume의 조절

4) 간담도계

(1) 검사

병력청취 및 신체검진, 간기능검사, 혈액응고검사, 일반화학검사, 일반혈액검사, 혈액형 및 교차시험을 시행한다.

(2) 처치

증상이 없으면서 간기능 검사에서 이상 소견이 있을 경우엔 정규 수술인 경우 수술에 앞서 정밀검사를 시행하고, 응급 수술인 경우 매우 주의하면서 수술한다.

① 급성간염 : 가능하면 검사수치가 정상화 되는 수 주 뒤로 수술 연기

② 만성간염 : 대체로 안전하게 수술가능

③ 간경화 : Child classification A(수술), B(필요하면 주의하면서 수술), C(수술 불가, TPL 고려, 수술 이외 방법으로 치료)

5) 내분비계

당뇨, 갑상샘기능항진증, 갑상샘기능저하증, 부신기능저하증 등의 내분비계 질환을 가지고 있는 환자는 수술과정 동안에 추가적인 스트레스를 받게 된다. 따라서 수술 전에 이런 내분비 질환을 감별해 내고 질환의 정도를 평가하여 적절하게 교정해 주는 것이 필요하다.

(1) 당뇨

① 필수검사 : 공복혈당 및 식후혈당, HbA1c, 일반화학검사, 소변검사, 심전도

② 당뇨 합병증의 확인 : 망막병증, 신경병증, 신장병증

③ 인슐린 비 의존성 당뇨

- 지속성의 sulfonylurea를 중단한다(수술 중에 저혈당의 위험이 증가한다).
- metformin을 중단한다(신장 기능저하 시에 lactic acidosis가 일어날 수 있다).
- 식사조절과 경구용 혈당강하제로 조절이 잘 되던 환자는 인슐린이 꼭 필요하지 않다.

④ 인슐린 의존성 당뇨

- 지속인슐린(long acting insulin)은 수술 당일 아침 중간작용인슐린(intermediated-acting insulin)으로 대치하고 되도록 아침 일찍 수술한다.
- 수술 중에는 5% or 10% dextrose와 단기작용인슐린(short-acting insulin) 또는 인슐린 정주로 혈당을 조절한다.

⑤ 수술 후 관리

- 적절한 수분공급으로 저혈량증을 막는다.
- 식사가 가능하고 이전에 혈당조절 방법으로 돌아갈 수 있을 때까지 인슐린으로 조절

을 한다.

- 심근경색을 확인하기 위하여 심전도를 시행한다.
- 혈장 전해질 수치를 매일 확인한다.
- 수술 전후의 혈당조절은 창상치유 및 외과적 감염에 매우 중요한 인자이다. 수술 전후 혈당조절의 목표는 80～150mg/dL로 한다.

(2) 갑상샘기능항진증

- 갑상샘 기능검사, 심전도, 전해질 수치 검사
- 감상샘의 기능이 항진되어 있을 때는 정상갑상샘기능이 될 때까지 수술을 연기한다.
- 수술당일 까지 기존의 항갑상샘약제, β-blocker, digoxin은 지속 복용한다.
- 갑상샘중독발작의 위험이 있는 응급수술 환자에서는 스테로이드제제와 아드레날린 차단제를 복합적으로 사용하고 내분비 전문의에게 자문을 구한다.

(3) 갑상샘기능저하증

- 새롭게 진단된 갑상샘기능저하증 환자는 대개 특별한 처치가 필요하지 않다.
- 심한 갑상샘저하증에서는 심장이상, 혈액응고장애, 전해질 불균형, 저혈당증의 동반이 가능하다.

(4) 부신기능저하증

- 지난 1년 이내에 3주 이상을 Pd 5mg(or eqivalent) 이상을 복용한 경우에 주요 수술 시 위험이 증가한다.
- 저용량 ACTH 자극검사(low-dose ACTH stimulation)에서 이상소견이 보이면 수술 전후로 스테로이드 보충이 필요하다.
  - 소수술(국소마취 하에서의 탈장 수술) : 필요 없음
  - 중수술(개복담낭절제술, 하지혈관재개통술) : 1일～2일 동안 50～75mg
  - 대수술(대장절제술이나 심장수술) : 2일～3일 동안 100～150mg

(5) 악성 갈색세포종

- 수술전에 α-adrenergic과 β-adrenergic 차단이 필요하다.
- α-blockade는 1～2주간의 치료가 필요하다.
  (비선택적 α-blocker : phenoxybenzamine, 선택적 α1-blocker : prazocin)
- β-blokade ; α-blokade 시작하고 며칠 후에 시작하며 비선택적 α-blockade에 의한 빈맥의 예방 및 부정맥의 조절 위해 사용한다.
- 혈압조절을 위하여 염분을 제한한다.

5.2 추가적으로 수술 전에 고려해야할 상황

1) 나이

나이는 수술 후 사망률에 영향을 미치는 독립적인 위험인자이다. 하지만 고령만을 기준으로 환자를 수술에서 배제하는 것은 옳지 않다. 고령의 환자들은 수술 전 평가를 위해 심전도, 흉부 단순촬영, 일반혈액검사, 혈당, BUN, 알부민 수치의 검사가 필요하다. 노인 환자에 있어서 수술 후 섬망은 흔히 있는 증상이다. 다음 나열된 것들 중에 3개 이상이 해당한다면 섬망이 발생할 확률이 50% 이상이다.

① 70세 이상
② 알코올 중독
③ 인지장애
④ 기능장애
⑤ 전해질 수치나 혈당의 현저한 이상
⑥ 비심장성 흉부 수술
⑦ 대동맥류 수술

섬망이 발생하면 대사성 질환이나 감염성 질환과 감별해야 한다.

2) 영양상태

수술 전에 환자의 영양상태를 파악하는 것도 수술 전 평가의 중요한 부분이다. 6개월간 10%이상의 체중감소가 있거나 1개월 동안 5%이상의 체중감소가 있었다면 영양실조 상태에 있다고 봐야한다.

알부민 수치와 면역상태(delayed hypersensitivity reaction로 평가)를 검사함으로서 영양상태의 일부 평가가 가능하다. 영양상태의 평가요소는 체중감소, 동반질환, 정신상태가 있다.

심각한 영양 장애가 있는 사람은 수술 전에 7~10일 동안 비경구적영양법으로 수술 후 합병증 발생율을 낮출 수 있다. 수술 후에 5~10일 동안 정상식이가 되지 않으면 모든 환자에서 영양 공급이 필요하다.

3) 비만

심각한 비만(BMI >40kg/m^2 또는 BMI > 35kg/m^2)을 가진 환자는 수술 전후 사망율을 높인다. 임상적으로 심각한 비만이 있는 환자들은 본태성 고혈압, 폐동맥 고혈압, 좌심실 비대, 울혈성 심부전 그리고 허혈성 심질환이 더 잘 발생한다.

비만은 수술 후 창상감염의 위험인자이며 심부정맥혈전증(DVT)과 폐색전증의 위험인자로 적절한 예방조치가 필요하다.

문제

5-1 3)

수술 전후 영양 상태의 관리 중 맞는 것은?

1) 면역상태는 체액성 면역으로 평가는 것이 좋다.
2) 6개월 이상 5%의 체중감소가 있는 경우에는 영양보충이 필요하다.
3) 영양상태가 좋더라도 수술 5~10일간 정상 식이가 불가능하면 영양공급이 필요하다.
4) 심한 영양실조에서 수술 전 보다 수술 후 영양공급이 중요하다.
5) 영양상태 평가요소는 체중감소, 동반질환, 정신상태가 있다.

해설

1) 면역상태는 지연성 과민반응으로 평가
2) 6개월 이상 체중의 10%이상의 감소 또는 1개월 이상 5% 이상의 감소
4) 수술 후보다 수술 전 영양공급이 더 중요
5) 영양상태 평가요소는 체중감소, physical findings, plasma protein assess

6

외과적 감염 및 항생제의 선택

Surgical Infections and Choice of Antibiotics

6.1 외과적 감염

외과적 감염(Surgical Site Infections, SSI)은 수술 후에 수술 부위를 따라 생기는 모든 감염을 의미한다. 창상감염(wound infection)이 절개창에 생기는 감염에 국한된 개념이라면 SSI는 절개창을 포함하여 심부의 감염을 포함하는 개념이다. SSI는 깊이에 따라 표재 창상감염(incisional superficial SSI), 심부 창상감염(incisional deep SSI), 장기 관련 감염(organ/space SSI)으로 나눌 수 있고, 장기 관련 감염의 예로는 복강 내 농양이나 농흉, 종격동염과 같은 것들이 있다.

SSI는 가장 흔한 원내 감염의 원인이며 외과 환자의 모든 감염 가운데 38%를 차지한다. 창상감염이 가장 흔한 형태의 SSI로써 약 60~80%를 차지하며 가장 예후가 좋은 반면, 장기 관련 감염은 SSI로 인한 사망의 93%를 차지할 정도로 예후가 좋지 않다.

SSI(Surgical Site Infections)의 가장 흔한 원인균은 *S. aureus*이고, 그 다음으로 *CNS*(Coagulase Negative Straphylococci), *Enterococci*, *E. coli* 등이 있다.

심화학습

◆ 외과적 감염(Surgical Site Infections, SSI)의 분류

1. 표재 절개창(incisional superficial)
2. 심부 절개창(incisional deep)
3. 장기 관련 감염 : 복강 내 농양, 농흉, 종격동염
4. 원인균
    - *S. aureus*
    - *CNS*(Coagulase Negative Straphylococci)
    - *Enterococci*
    - *E. coli*

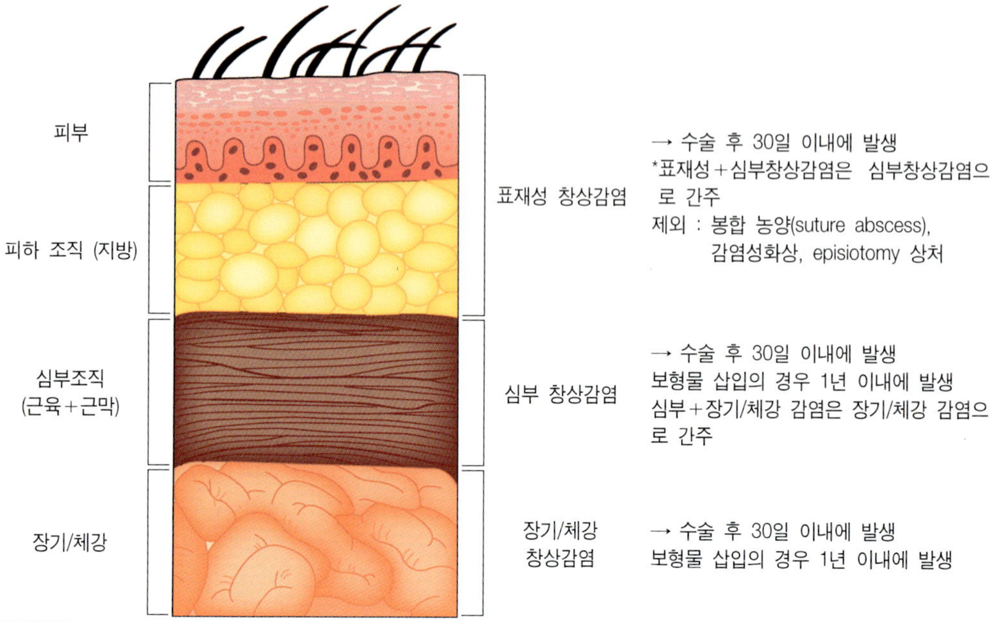

그림 6-1 창상감염의 분류

1) 원인과 위험인자

SSI의 위험인자는 미생물 요소, 창상 요소, 환자 요소의 세 가지 요소가 작용한다.

표 6-1 외과적 감염의 세 가지 요인별 위험인자

미생물 요소(microorganism)	창상 요소(local wound)	환자 요소(patient)
다른 곳의 감염(remote site infection)	수술 술기	고령
장기간의 입원 치료	혈종/장액종 (hematoma/seroma)	면역 저하
최근의 입원 과거력	조직 괴사	스테로이드
더러운 창상	적절치 못한 봉합기술	악성 종양
중환자실 환자	배액관	비만
예전의 항생제 사용력	이물질	당뇨
수술 전 면도가 부적절한 경우		영양결핍
		여러 동반질환(multiple comorbid conditions)
		수혈
		흡연
		산소 포화도 감소
		적절치 못한 체온
		혈당 조절 실패

(1) 미생물 요소

건강한 환자에서는 세균의 오염이 10^5개 이상이면 감염이 쉽게 일어나고, 그 이하일 때는 일반적으로 일어나지 않는다. 따라서 인체의 자연적인 방어 기전이 감염의 예방에 있어 중요

하긴 하지만 많은 양의 세균이 창상에 오염된다면 SSI는 피하기 어렵다.

이러한 개념에서 창상을 그 오염 위험도에 따라 4가지로 구분하였다<표 6-2>. 수술 전 병원에 입원해 있는 기간이 길거나, 수술 시 다른 부위에 감염이 있거나, 수술 자체의 시간이 길면 세균 오염의 정도가 커지고 SSI의 위험이 증가한다. Clean procedure 시에 수술 전에 면도하는 것은 털을 자른 단면에 세균이 증식할 수 있기 때문에 단순히 털을 가위로 제거하는 것보다 SSI의 위험을 두 배로 증가시키는 것으로 나타났다. 따라서 수술 전에 털을 제거하고자 한다면 피부를 손상시키지 않도록 가위로 자르거나 차라리 아예 제거하지 않는 것이 바람직하다.

표 6-2 오염 정도에 따른 외과적 창상의 분류

분 류	정 의
Clean	감염되지 않은 창상으로써, 호흡기, 소화기, 비뇨생식기의 개방이 없는 창상. 일차봉합을 하고, 필요 시 배액관을 삽입한다.
Clean-contaminated	호흡기, 소화기, 비뇨생식기가 개방되지만, 잘 조절되어 특별한 오염이 없는 창상
Contaminated	개방된 창상, 사고에 의한 창상, 수술 중 소화기 내용물이 육안적으로 오염되었을 때의 창상, 비화농성 염증이 있는 창상
Dirty	수술 전에 이미 미생물에 감염이 되어 있는 창상을 의미한다. 죽은 조직이 남아 있는 오래된 외상성 창상, 임상적으로 지속적인 감염 또는 천공된 장기를 포함하는 창상

(2) 창상 요소

창상 요소는 수술의 종류, 외과의의 숙련도, 외과 술기에 관련된 요소이다. 수술이라는 과정이 피부 또는 장 점막과 같은 인체의 방어벽을 허물기 때문에 SSI가 발생할 수밖에 없다. 봉합, 배액 및 기타 술기에 있어서 외과의에 의해 좌우되는 요소이다.

(3) 환자 요소

환자 요소는 나이, 면역 저하, 스테로이드 복용, 암종, 비만, 수술 전후의 수혈 여부, 흡연, 당뇨, 동반질환, 영양부족 등과 관련되어 있다. 각각의 요소가 SSI에 독립적으로 미치는 영향을 알 수는 없지만, 환자 요소는 SSI에 있어 매우 중요한 역할을 하며, 이러한 요소를 조절함으로써 SSI가 덜 생기도록 조절할 수 있다.

최근 연구 결과에 의하면 수술 전 후에 정상 체온을 유지하고, 산소 분압을 80% 이상으로 유지하면 산소 농도가 높아지고, 백혈구 기능이 좋아져 SSI를 줄일 수 있는 것으로 밝혀졌다. 또한 당뇨가 있는 환자는 물론이고 당뇨가 없는 환자에서도 수술 후 48시간 이내에 적절한 혈당치를 유지하면 SSI가 감소하고 사망률을 낮출 수 있다.

2) 각 요소별 SSI 예방방법

(1) 미생물 요소

① 무균적 조작

- 수술실에서
  - 공기 조절을 한다(필터링, 양압을 이용하여 실내에서 실외로 공기 흐름 유지, 시간마다 공기 순환).
  - 적절한 기구 소독
  - 사람의 출입을 최소화한다.
- 수술 부위 준비
  - 수술 전날 환자가 chlorhexidine으로 샤워하기도 하는데, 세균의 수를 줄일 수는 있어도 SSI를 줄이는데 도움이 되지 못한다.
  - 수술 전 입원을 오래 했거나, SSI가 발생하면 매우 위중해질 수 있는 수술(심장 수술, 혈관 수술, 인공 보형물 삽입 수술)을 받을 환자에서만 시행한다.
- 피부 준비(skin preparation)
  - Iodine 용액, povidone-iodine 용액, 또는 chlorhexidine. 용액을 사용한다.
  - 전신을 덮을 수 있는 수술포(drap)를 사용한다.
- 손씻기
  - 수술 팀원들은 첫 수술 시에는 최소 5분 간 손을 씻고, 그 다음 수술부터는 3분 이상 손씻기를 한다.
  - 수술이 길어질수록 글러브에 구멍이 생기는 확률이 높아지므로 글러브를 두 겹으로 끼는 것이 추천된다.

② **예방적 항생제 요법**(prophylactic antibiotics therapy)

과도한 예방적 항생제 요법은 항생제 내성 균주의 출현을 야기할 수 있는 위험이 있긴 하지만, 적절한 전신적 예방적 항생제 요법은 SSI를 낮추는 데 있어 매우 중요하다. 예방적 항생제 요법은 수술 받는 모든 환자에서 시행하는 것은 아니고, 저위험, clean surgery를 받을 환자에게는 항생제 없이 수술하는 것이 바람직하다. 이는 창상감염의 위험도가 1% 이하인 수술에서는 SSI의 위험도를 줄임으로써 얻는 이득보다 항생제 사용으로 인한 비용 증가와 부작용으로 인한 손실이 더 크기 때문이다.

예방적 항생제가 도움이 된다고 알려져 있는 수술은 다음과 같다. 서혜부탈장, 유방 수술, 갑상샘절제술, 단순 광범위 절제술에는 예방적 항생제를 사용할 필요가 없다.

- 고위험의 위샘창자 수술(위암, 위궤양, 위폐색, 궤양 출혈)
- 고위험의 담도계 수술(담도계 염증, CBD stone, 예전에 담도계 수술력이 있는 경우)
- 소장 또는 결장 수술
- 흉골절개술을 통한 심장 수술

- 다리 동맥 또는 대동맥 수술
- 혈류가 좋지 않은 다리의 절단 수술
- 자궁적출술, 제왕절개술
- 구강, 인후 수술
- 영구적으로 인공 보형물을 삽입하는 수술
- 육안적으로 세균감염이 확인된 모든 창상
- 두개골절개술
- 외상으로 인해 심하게 오염된 경우
- 근육이 광범위하게 괴사되어 클로스트리듐 감염(clostridial infection)이 우려될 때

표 6-3 예방적 항생제 사용의 종류

부위	항생제	대체항생제(페니실린 알레르기)
심혈관 수술	Cefazolin, cefuroxime	Vancomycin
위십이지장 수술	Cefazolin, cefotetan, cefoxitin, ampicillin-sulbactam	Fluoroquinolone
담관계 감염 (예, 담낭염)	Ampicillin-sulbactam, ticarcillin-clavulanate, piperacillin-tazobactam	Fluoroquinolone + clindamycin 혹은 metronidazole
대장, 직장 수술	Cefazolin + metronidazole, ertapenem, ticarcillin-clavulanate, piperacillin-tazobactam	Gentamicin 혹은 fluoroquinolone + clindamycin 혹은 metronidazole
두경부 수술	Cefazolin	Aminoglycoside + clindamycin
뇌신경 수술	Cefazolin	Vancomycin
정형외과 수술	Cefazolin, ceftriaxone	Vancomycin
유방, 탈장 수술	Cefazolin	Vancomycin

꼭 알아둡시다!!!

◆예방적 항생제를 사용하는 시기

1. 마취가 시작될 때 정맥을 통해 주사한다. 1시간 이상 전에 항생제를 주사하면 효과가 매우 떨어지며, 창상 봉합 후에 주사하면 효과가 전혀 없다.
2. 한 차례의 주사로 충분하며 수술이 항생제의 반감기만큼의 시간 동안 길어지면 1회 더 주사한다. 수술이 길어지더라도 12시간은 절대 투여하지 않는다.
3. 중심정맥관, 배액관, 흉관을 가지고 있다고 해서 항생제를 지속적으로 사용하는 것은 의미가 없으며 오히려 내성 세균의 출현을 증가시킬 뿐이다.

꼭 알아둡시다!!!

다음과 같은 상황에서는 지속적으로 오염이 일어나고 있는 상황이기 때문에 예방적 항생제 요법이 효과가 없다.

1. 기관절개술이 되어 있거나 기관삽관이 되어 있을 때(tracheostomy or intubation)
2. 중심 정맥관을 가지고 있을 때(indwelling central venous catheter)
3. 도뇨관을 가지고 있을 때(indwelling urinary catheter)
4. 이미 창상을 가지고 있거나 흉관을 가지고 있을 때(wound or chest drains)
5. 화상을 포함한 대부분의 개방 창상(open wound including burn)

심화학습

◆ 약제의 선택

1. 혐기성균(bacteroides species)이 존재하는 곳을 수술할 때(결장 수술, 원위부 회장 수술, 막창자꼬리절제술)에는 cefotetan이나 cefoxitin을 단독으로 사용하면 되고 cefazolin과 metronidazole을 병합하여 사용할 수도 있다.
2. 혐기성균이 존재하지 않는 곳을 수술할 때에는 cefazolin 한 가지 약제로 충분하다.

(2) 창상 요소

① 조직을 다룰 때 적절하게 다루어야 하며, 혈류 공급이 적절한지를 확인해야 한다.

② 괴사된 조직은 완전하게 제거하고 이물질을 제거한다.

③ 봉합사는 다선사(multifilament)보다 단선사(monofilament)를, 흡수성 봉합사보다는 비흡수성 봉합사를 사용하는 것이 창상감염에 유리하다.

④ 심하게 오염된 조직은 지연 일차성 봉합(delayed primary closure)으로 봉합한다.

(3) 환자 요소

백혈병, 당뇨, 요독증, 미숙아, 화상, 암종, 고령, 비만, 영양부족, 면역 저하 상태인 환자들은 전신 상태가 비정상적이기 때문에 SSI의 위험이 증가한다. 따라서 가능한 그러한 상태를 교정하기 위해 노력해야 하고 특별한 주의를 기울여야 한다.

- 영양부족과 저알부민혈증은 SSI의 증가와 관련이 있는데, 위장관 종양으로 수술 받는 환자에서 수술 전과 수술 후 arginine, nucleotides, $\omega-3$ fatty acids과 같은 특수한 면역 영양 물질을 공급해 줌으로써 SSI를 감소시킬 수 있다.
- 고압의 산소를 공급하고 체온을 정상적으로 유지하는 것이 백혈구가 세균을 보다 더 쉽게 죽일 수 있게 함으로써 SSI의 위험을 낮춘다.
- 수술 전 후에 혈당을 80∼110mg/dl로 유지하는 것이 SSI와 사망률을 감소시킨다. 혈당이 220mg/dl 이상이었던 환자들은 수술 전 당뇨가 없었다고 하더라도 SSI의 위험이 증가한다.

심화학습

◆수술 후 창상 봉합(wound closure)을 하지 않고 개방해 두어야 하는 경우

1) 6시간 이상 지난 wound
2) 심하게 오염된 상처, 특히 사람이나 동물에게 물렸을 때(타액에는 많은 세균이 존재)
3) 괴사 또는 허혈된 조직이 있을 때
4) 구멍 난 창상(puncture wound)
5) 칼에 찔리거나 총에 맞은 상처(stab or gunshot wound)
6) 으깨지거나 상처가 벗겨졌을 때(crush or avulsion)

또한 이러한 상처가 있을 때를 비롯하여 1cm 이상 깊이의 외상이나 화상 또는 동상 상처의 경우 5년 안에 추가접종(tetanus booster)을 하지 않았으면 백신을 시행한다.

문제

6-1 5)

수술 후 창상 감염의 위험이 증가하는 경우는?

가. 영양실조	나. 수술 전 후 수혈
다. 스테로이드	라. 흡연

1) 가, 나, 다　　2) 가, 다　　3) 나, 라
4) 라　　5) 가, 나, 다, 라

해설
창상 감염의 위험인자 가운데 환자 관련 요인들

6-2 3)

창상감염방지를 위한 수술전후 처치로 옳지 않는 것은?

1) 수술시 체온을 유지한다
2) 체모는 면도기가 아니라 제모제로 제거한다
3) 수술전후 혈당은 150~200mg/dℓ으로 유지 한다
4) 항생제는 수술직전 1시간 이내에 투여 한다
5) 비만환자에서는 항생제를 증량한다.

해설
수술전후 혈당조절은 80~150mg/dℓ

6-3 5)

수술 후 감염에 관여하는 인자는?

가. 병원균의 병원성	나. 숙주 방어 능력
다. 환부의 국소 환경	라. 수술 기술

1) 가, 나, 다　2) 가, 다　3) 나, 라
4) 라　5) 가, 나, 다, 라

해설

외과적 감염에 관여하는 세 가지 요소는 미생물 요소, 창상 요소, 환자 요소이다. 병원균의 병원성은 미생물 요소, 숙주 방어 능력은 환자 요소, 환부의 국소 환경 및 수술 기술은 창상 요소에 해당한다.

6-4 2)

수술의 위험도에 관여하는 기본 요소이다. 틀린 것은?

1) 환자의 전신 상태　2) 환자의 성별
3) 환자의 연령　4) 동반 질환의 개수
5) 수술의 범위

해설

환자의 전신상태가 좋지 않고, 동반 질환이 있으며, 고령이고 광범위하고 수술기간이 길고 수술의 범위가 클수록 감염 위험이 증가한다.

6-5 3)

20세 남자가 탈장 교정술을 위해 전날 밤 수술부위를 세척 후 면도하였고 수술 시간이 60분 걸렸다. 수술감염위험을 증가시키는 요인은?

1) 20세　2) 수술부위소독세척
3) 전날 밤 면도　4) 탈장 교정술
5) 수술시간 60분

해설

탈장 교정술은 세균감염이 일어날 가능성이 거의 없는 수술이다. clean procedure 시에 수술 전에 면도하는 것은 털을 자른 단면에 세균이 증식할 수 있기 때문에 단순히 털을 가위로 제거하는 것보다 SSI의 위험을 두 배로 증가시킨다.

6-7 5)

다음 중 수술 후 창상감염을 줄일 수 있는 창상처치는?

1) 봉합조직보다 강한 힘으로 봉합한다.
2) 창상을 항생제로 세척한다.
3) 장액저류 등을 예방하기 위해서 배액관을 창상부위를 통해 거치한다.
4) 다선사(multifilament) 봉합사가 단선사(monofilament) 봉합사보다 좋다.
5) 비흡수성 봉합사를 쓰는 것이 흡수성 봉합사보다 좋다.

해설

1) 봉합 시 불필요하게 강한 힘으로 봉합하면 창상의 혈류장애가 발생하여 허혈이 발생하고 창상치유가 저해되며, 괴사가 발생할 수 있다.
2) 국소적인 항생제는 효과가 없다.
3) 배액관은 상행성 창상감염을 유발할 수 있으므로 사강(dead space)이 크거나 감염의 증거가 있는 창상에만 사용한다.
4), 5) 단선사, 비흡수성 봉합사가 유리하다.

6-8 5)

수술방에서의 감염에 대해 옳은 것은?

가. 복부수술 부위의 면도는 수술 전날 밤보다 수술하기 직전에 하는 것이 좋다.
나. 손 씻는 시간은 5분 정도이며 5분 이상해도 피부균 수에는 차이가 없다.
다. 수술방은 양압으로 유지한다.
라. 수술시간이 길어지면 감염률은 높아진다.

1) 가, 나, 다　　2) 가, 다　　3) 나, 라
4) 라　　5) 가, 나, 다, 라

해설

가. 면도는 수술에 가장 근접한 시점에 시행하거나 차라리 하지 않는 것이 좋다. 실제 임상에서는 일반적으로 전날 제모제를 사용하고 반드시 필요한 경우에 한해서 수술 직전에 면도한다.
다. 수술방을 양압으로 하고, 왕래를 줄이고, 동작을 최소화 하며, 수술실 내에서 이야기를 가급적으로 하지 않는 것이 감염방지에 도움이 된다.
라. 수술시간이 길어질수록 수술장갑이 구멍이 날 확률이 높아진다. 손씻기를 철저히 하더라도 수술 장갑 내의 세균 수는 시간이 갈수록 증가한다.

6-9 3)

정규 수술시 예방적 항생제 투여시기는?

1) 수술 전날 밤　　2) 수술부위절개 3시간 전
3) 수술부위 절개 30분 전　　4) 수술부위 절개시행 직후
5) 수술부위 절개 2시간 후

해설

수술 전 마취유도와 동시에 정맥을 통해 투여한다. 수술하기 1시간 이전에 투여하는 것은 의미가 없다.

6-10 4)

감염 방지를 위한 수술실 내에서의 원칙 중 옳지 않은 것은?

1) 수술 중 입고 있는 수술복이 젖은 경우 갈아입어야 한다.
2) 환자의 수술부위에 대한 면도는 수술 직전 시행한다.
3) 수술실 내에서는 수술자 및 관계자의 이동이 적어야 한다.
4) 국소적인 오염이 발생했을 때 국소적인 처치와 전신 항생제가 투여되어야 한다.
5) 결장의 문합술을 시행한 후 문합 때 사용한 기구와 장갑을 교체해야 한다.

해설

국소적 창상감염의 경우에 국소적인 소독과 배농으로 충분하며, 전신적 항생제의 투여는 불필요하다.

6-11 1)

외과 위암수술의 예방적 항생제는?

1) cefazolin　　2) ampicillin
3) gentamycin　　4) vancomycin
5) metronidazole

해설

위수술이기 때문에 혐기성균이 존재하지 않을 것으로 예상된다. 따라서 1세대 cephalosporin제제인 cefazolin으로 충분하다. 결장, 원위부 회장, 막창자꼬리와 같은 혐기성균이 존재하는 곳을 수술할 때에는 2세대, 3세대 cephalosporin 제제인 cefotetan, cefoxitin을 단독으로 사용하고 cefazolin과 metronidazole을 병합하여 사용할 수도 있다.

6-12 2)

다음 중 예방적 항생제 사용이 효과적인 경우는?

1) 가슴관 삽입
2) 개방골절
3) 기관절개술
4) 도뇨관 삽입
5) 중심정맥관 삽입

해설
개방골절을 제외하고는 모두 지속적으로 오염이 일어나고 있는 상황이기 때문에 예방적 항생제 요법이 효과가 없는 경우이다.

6-13 5)

예방적 항생제 사용이 필요한 경우는?

가. 오염외상
나. 큰창자 절제
다. 인공관절삽입
라. 개방골절

1) 가, 나, 다
2) 가, 다
3) 나, 라
4) 라
5) 가, 나, 다, 라

해설
화상을 포함하는 대부분의 개방 창상에서는 예방적 항생제 요법이 효과가 없지만, 이미 세균에 의해 오염된 외상이나, 보형물 삽입수술, 개방골절은 예방적 항생제 요법의 적응증이 된다.

6-14 1)

예방적 항생제 투여의 원칙이다. 옳은 것은?

가. 독성이 적은 항생제를 선택한다.
나. 수술 30~60분 전에 충분한 용량을 투여한다.
다. 수술이 4시간 이상 지속되면 수술 중 반복 투여한다.
라. 예방적 항생제는 적어도 수술 후 3일간은 투여한다.

1) 가, 나, 다
2) 가, 다
3) 나, 라
4) 라
5) 가, 나, 다, 라

해설
나. 마취유도 시 정맥으로 투여한다.
다. 복부 수술일 경우 보통 4시간 또는 수술이 항생제 반감기가 되는 시간 이상으로 길어지면 한 번 더 투여한다.
라. 예방적 항생제는 수술이 시작된 후 12시간이 지난 이후에는 투여하지 않는다.

6.2 특수한 외과적 감염

외과적 감염은 수술로 인해 생기는 감염 또는 수술적 치료가 필요한 감염을 말한다. 외과적 감염은 물리적, 해부학적 방어 기전이 무너짐으로써 발생하며, 이로 인해 이환율과 사망률이 증가하고 의료비 또한 상승하게 된다.

내과적 감염과는 달리 외과적 감염은 숙주 방어 체계가 손상을 입음으로써 발생하며 특히 내부나 외부의 세균으로부터 내부 환경을 무균적으로 유지하도록 방어해 주는 상피 장벽

(epithelial barrier)에 손상이 왔을 때 일어난다. 또한 내과적 감염은 단일 세균에 의해 발생하는 경우가 많은 반면에 외과적 감염은 여러 세균, 특히 혐기성 호기성균이 함께 감염을 일으키는 경우가 흔하며, 일반적으로 결장 내 서식균과 같은 환자의 내부 상재균이 감염을 일으키는 경우가 많다.

외과적 감염을 치료할 때에는 감염 원인을 제거하는 것이 반드시 선행되어야 하며, 그렇지 않고 항생제만을 사용하는 것은 감염을 해결하지 못하게 된다. 즉, 항생제 사용은 부수적인 치료방법이며, 이와 더불어 농양을 배액하고, 죽은 조직을 제거하고, 장폐색을 해소하며, 천공을 봉합하는 것과 같은 조치가 반드시 이루어져야 한다.

1) 비괴사성 연부조직 감염(non-necrotizing soft tissue infections)

(1) 특징

내과적 감염과 외과적 감염의 구분은 죽은 조직이나 농양이 있는지 여부이다.

가장 대표적인 외과적 감염인 비괴사성 연부조직 감염의 예는 피하조직의 농양이며, 이곳에는 혈류 공급이 이루어지지 않아서 죽은 조직들과 백혈구, 혈액, 혈장 성분, 그리고 세균들이 모여 있게 된다. 이러한 농양은 배액되지 않으면 치료되지 않으며, 국소적인 종창과 염증반응, 그리고 압통으로 나타나게 된다. 이러한 농양은 내과적 감염인 연조직염(cellulitis)과 구분되어야 하는데, 연조직염은 혈류 공급이 원활하고 살아 있는 조직으로 되어 있다는 점이 농양과의 차이점이다. 따라서 연조직염은 항생제 투여만으로 치료가 가능하며 이것을 농양으로 잘못 판단하여 배액을 시도하면 안 된다.

(2) 치료

외상(trauma)이 생겼을 때, 그 외상이 개방되어 있지 않은 채로 감염되었다면, 감염된 부위를 개방하고, 배액하고, 항생제 치료를 시행해야 한다.

사람이나 동물에 물렸거나, 오염된 상처, 6시간 이상 지난 상처, 괴사나 허혈된 조직이 있는 상처, 뚫린 상처(puncture wound), 칼에 의한 상처나 총상, 으깨진 상처는 봉합하지 않고 열어둔 채로 놓아둔다.

(3) 예방

이러한 상처와 더불어 1cm 이상 깊이의 상처, 화상, 동상은 최근 5년 사이에 파상풍 추가 접종을 하지 않았으면 파상풍 예방 백신을 맞는다.

단순한 사지의 열상인 경우에 항생제를 사용하는 것은 봉합 후 감염의 위험을 줄이지 못한다.

2) 괴사성 연부조직 감염(necrotizing soft tissue infections)

(1) 원인

괴사성 연부조직 감염(Necrotizing Soft Tissue Infections, NSTI)은 가스 괴저(gas gangrene) 또는 괴사성 근막염(necrotizing fasciitis)이라고도 불리며, 피하조직 농양이나 연조직염에 비하면 그 빈도는 드물지만 훨씬 심각한 질병으로써 초기에는 그 심각성을 간과하기 쉽다. 전형적으로 깊은 연부조직, 근막, 근육에 발생한다.

NSTI는 농양을 형성하지 않고 명확한 경계가 지어지지 않는다는 특징을 가진다. 따라서 감염이 보다 심각하며, 질병이 진행한 후에서야 수술적 치료의 필요성을 뒤늦게 깨닫게 된다. 또한 감염 위 부분의 피부는 초기에는 상대적으로 정상적으로 보이기 때문에 실제로는 보이는 것보다 감염이 진행된 경우가 많다. 이러한 경우에는 CT, MRI 등이 질병의 진행 상태와 치료 효과를 판정하는 데 있어 도움이 된다.

(2) 증상

질병이 진행하면 환자는 전신적인 증상과 패혈증의 증세를 보이게 된다. 국소적으로는 출혈반(ecchymosis)이나 물집을 동반한 단단하고 압통이 있는 연부조직이 관찰된다. 촉진 시 마찰음(crepitus)이 존재하면 가스가 존재한다는 뜻이며, 촉진이나 X선 촬영에서 가스가 존재한다는 것은 질병이 심각하다는 뜻이며 세균의 존재를 의미한다. 대부분의 세균은 혐기성 환경이 되면 녹지 않는 가스를 형성하게 되고, 따라서 가스가 존재한다는 것은 곧 혐기성 대사가 일어나고 있다는 것을 의미한다.

인체 조직은 혐기성 환경에서 살아남을 수 없기 때문에 감염과 동반된 가스가 있다는 것은 조직이 죽은 채로 존재하며 따라서 외과적 처치가 필요한 감염이 있다는 것을 의미한다. 이러한 단계가 되면 질병은 급속도로 진행하게 되고 가능한 빨리 치료를 시작해야 하지만, 진단이 쉬운 것은 아니다.

(3) 원인균

NSTI(Necrotizing Soft Tissue Infections)는 전형적으로 여러 세균에 의해 생기며, 혐기성 세균과 더불어 포도상구균(staphylococcus), 연쇄구균(streptococcus)이 비교적 흔하게 발견된다. 클로스트리듐(clostridium) 감염은 종종 근육의 감염과 괴사(myonecrosis)를 일으키며 다른 세균들보다 예후가 나쁘기 때문에 NSTI를 클로스트리듐 감염과 비클로스트리듐 감염으로 나눌 수 있다. 클로스트리듐 감염은 정맥 주사를 맞는 환자에서 보다 흔하며, 발견되었을 때에는 매우 신속하게, 그리고 반복적으로 죽은 조직을 제거해 주어야 하며, 비클로스트리듐 NSTI와 달리 중환자실 치료를 해야 한다. 클로스트리듐 감염 원인균 가운데 흔한 것들로는 clostridium perfringens, clostridium novyi, clostridium septicum 등이 있다〈표 6-4〉.

표 6-4 Clostridium 감염과 Nonclostridium 감염의 비교

	클로스트리듐 근육괴사	비클로스트리듐 괴사성 감염
홍반(erythema)	없는 경우가 많음	홍반이 있고, 주로 경증
부종(swelling)	경증~중등도(mild to moderate)	중등도~중증(moderate to severe)
삼출물(exudate) 백혈구 세균	연하다 일반적으로 없다 그람양성 간균(G+rods)	화농성으로 진하다 있다 여러 가지 세균
진행시 증상	감각저하(hypesthesia) 구릿빛 변색 출혈성 수포 진피 괴사 수포음	감각저하 출혈반(ecchymoses) 수포 진피 괴사 수포음은 있을 수도 있고 없을 수도 있다.
심부 침투	근육>피부	피하조직(근육 침범은 드물다)>피부
증상	빈맥, 저혈압, 혈량부족 증상이 빠르게 나타난다. 혈관 내 용혈이 일어날 수 있다.	빈맥, 저혈압, 혈량부족이 나타날 수 있지만 심하지 않다.
치료 일반적 치료 항생제 고압산소요법 수술	 적극적인 심폐 소생술 Penicillin G+광범위 항생제 Clindamycin을 사용하여 독소생산을 막을 수 있다. 다른 치료를 지연시키지 않는다면 고압산소요법 가능 적극적으로 괴사조직 제거, 필요 시 절단술	 적극적인 심폐 소생술 3세대 cephalosporin Clindamycin을 사용하여 독소생산을 막을 수 있다. 고압산소요법은 효과 없다 변연절제(debridement) 및 노출 : 많은 조직의 제거는 필요치 않다. 절단술은 필요 없다

(4) 치료

NSTI는 반드시 죽은 조직을 절제해야 하며 광범위 항생제를 투여하고, 전신적인 지지 치료를 해준다. 모든 괴사된 조직을 신속하게 절제하며, 24시간마다 정기적으로 시행해야 하며, 환자의 상태가 나빠진다면 더 짧은 간격으로 시행한다. 감염 부위의 완벽한 제거를 위해 사지를 절단해야 하는 경우도 있다. 항생제는 혐기성, 호기성균에 대해 모두 사용하도록 하며 그람음성균과 그람양성균 모두 커버해야 한다.

(5) 예후

사망률은 16~45%에 이른다. 많은 예후 인자들이 밝혀졌으며, 클로스트리듐 감염이 있는지 여부가 예후 인자 가운데 하나이다. 한 연구에서 밝혀진 나쁜 예후를 나타낼 것으로 기대되는 인자를 살펴보면, 분당 심박수 110 이상, 체온 36℃ 이하, creatinine 1.5 이상, 50세 이상의 나이, 백혈구 40,000 이상, 헤마토크릿 50 이상이다.

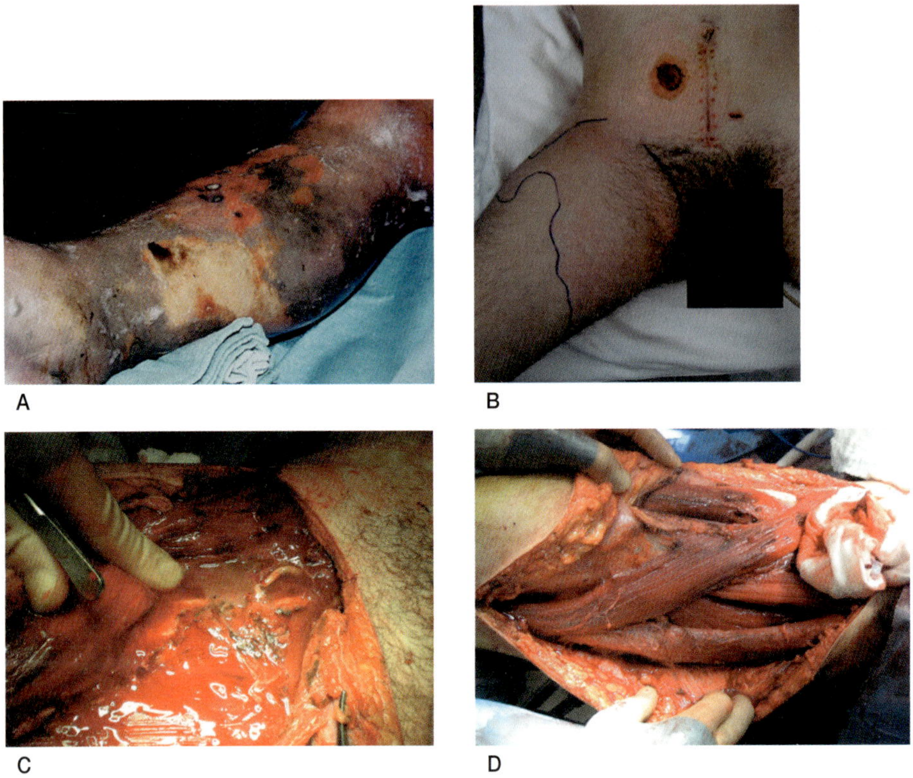

그림 6-2 추가 괴사성 연부조직 감염

A, Beta-hemolytic streptococcal 감염으로 심한 저혈압과 매우 심한 근막염과 근육염증을 앓고 있는 환자. 환자는 광범위한 괴사조직 절제술에도 불구하고 16시간 후에 사망하였다. B, 대장 전절제술을 시행하고 오른쪽 엉덩이 주위로 봉소염이 발생한 환자. 봉소염의 경계가 표시되어 있다. C, 괴사성 근막염의 전형적인 사진(Dishwater edema라고도 표현). D, 괴사성 조직을 제거하고 남은 괴사되지 않은 근육

✤ 이 것 만 알 아 두 세 요 ✤

조직 손상을 받은 후 경계가 불분명하고 수포음(crepitus)이 있으면 NSTI를 시사하며, 치료로써 창상의 개방 및 배농, 적극적인 괴사 조직 제거, 광범위 항생제 투여를 시작한다. 클로스트리듐 감염이 다른 세균에 의한 감염에 비해 질병의 진행이 심각하여 근육을 침범하는 경우가 보다 더 흔하며, 예후 또한 불량하다.

3) 수술 환자에서의 비수술적 감염(nonsurgical infections in surgical patients)

(1) 요로감염

수술 후의 환자들은 수술에 관계없는 다양한 병원 내 감염에 노출되어 있다. 가장 흔한 비수술적 감염은 요로감염이며, 배뇨관을 가지고 있던 모든 환자는 요로감염의 위험이 있다. 질병의 경과가 대부분 경미하지만, 요로감염이 있을 때 환자의 사망률은 3배 증가하게 된다. 가장 좋은 예방 방법은 배뇨관을 선택적으로 사용하며, 꼭 필요하다면 짧은 기간 동안만 사

용하고, 무균적으로 조작하는 것이다.

(2) 하기도 감염

하기도 감염(lower respiratory tract infection)은 두 번째로 흔한 비수술적 감염이며, 병원 내 감염으로 인한 첫 번째 사망원인이다. 자발적으로 호흡하는 환자에서는 진단이 비교적 쉬우나, ARDS로 인공호흡기를 사용하는 환자에서는 진단이 매우 어렵다.

(3) 카테터 감염

수술 후 환자에서 발열의 원인을 찾을 때, 중심 정맥관이 발열의 원인이 될 수 있음을 항상 염두에 두어야 한다. 혈액 배양과 카테터 배양에서 세균이 검출되고 다른 패혈증의 원인이 될 만한 것이 없는 상태에서 임상적으로 패혈증 증세를 보일 때, 카테터 관련 패혈증을 진단할 수 있다.

카테터가 삽입된 부위는 홍반, 열감, 압통 혹은 고름이 나오기도 하며 이러한 증상이 있을 때에는 즉시 카테터를 제거하고, 카테터가 꼭 필요하다면 다른 부위에 다시 삽입하도록 한다. 예방을 위해서는 가능한 최소한의 카테터를 최소한의 기간 동안 사용하는 것이 가장 바람직하다.

(4) 기타

또 다른 병원 내 감염으로는 부비동염, 뇌수막염 등이 있으며, 드물게 일어나긴 하지만 고위험 환자에서는 염두에 두고 있어야 한다.

> **“참고하세요”**
>
> 가장 흔한 수술 후 감염은 SSI(Surgical Site Infection)이고, 그 다음으로 요로감염, 하기도 감염 순입니다. SSI는 수술과 관련된 감염이기 때문에 가장 흔한 비수술적 감염은 요로감염이고 두 번째로 흔한 비수술적 감염은 하기도 감염이다.

4) 수술 후의 발열(postoperative fever)

발열은 감염과 관련이 있으며, 환자가 열이 나면 보통 경험적 항생제를 사용하게 된다. 그러나 일반적인 발열과 달리 수술을 받고 난 후에 생기는 발열의 대부분은 감염과 관계없이 일어나며, 실제 감염이 있는 환자들이 열이 없는 경우도 있다. 감염이 없이 발열이 생기는 경우가 흔하기 때문에 항생제를 사용하기 전에 발열의 원인을 조사하는 것이 중요하다. 수술 후 3일 이내에 나타나는 발열은 감염이 원인이 아닌 경우가 많다. 그러나 수술 후 5일째 혹은 그 이후에 나타나는 발열은 SSI일 가능성이 많다.

(1) 복강 내 감염

개복술을 시행한 환자의 약 2%는 복강 내 감염으로 인해 다시 수술을 받게 되며, 모든 심각한 복강 내 감염의 약 50%는 수술 후에 생긴 감염일 정도로 수술 후에는 복강 내 감염이 중요한 빈도로 발생한다.

수술적인 치료가 필요할 수 있으며 항생제만으로는 잘 치료되지 않는다.

(2) 수술과 관련 없는 수술 후 감염

수술과 관련 없는 가장 흔한 수술 후 감염과 발열의 세 가지 원인은 요로계 감염(Urinary Tract Infection, UTI), 호흡기계 감염(respiratory tract infection), 경정맥 카테터와 관련된 감염이며 보통 쉽게 진단된다.

(3) 수술 후 36시간 이내에 나타나는 발열

수술 후 36시간 이내에 일어났다면 그 원인은 크게 두 가지이며, 치명적일 수 있으므로 즉시 조치를 취해야 한다.

① 위장관 손상으로 인한 복강 내 누출

빈맥, 저혈압, 소변량의 감소 등의 심각한 혈역학적 변화가 동반된다. 수액공급이 중요하며 복부의 전반적인 압통을 확인함으로써 진단 가능하다.

② 광범위한 연부조직 감염

창상감염으로 인해 광범위한 연부조직 감염이 생기면 수술 후 36시간 이내에 발열이 생길 수 있다. 창상을 자세히 관찰하여 진단할 수 있으며 창상에서 균배양을 하면 그람양성 구균 혹은 간균(Gram positive cocci or rods)을 관찰할 수 있다.

문제

6-15 5)

65세 남자환자가 엉덩이부터 허벅지까지 통증으로 내원했다. 2일 전 엉덩이에 근육주사를 맞았다. 부종은 경계가 불분명하며 눌렀을 때 수포음(crepitus)이 있었고, 5시간 후 엉덩이 피부에 자주색액체의 물질이 생겼다. 치료는?

1) 얼음찜질
2) 운동제한
3) 절개 후 배농(I&D)
4) 베타딘 연고도포
5) Debriment

해설
불분명한 경계, 수포음, 출혈반(ecchymosis)은 괴사성 연부조직 감염을 시사한다.

6-16 1)

2일전 넙다리 부위를 칼에 찔려 봉합을 받은 65세 남자가 가슴이 두근거리며 발열감이 있고, 봉합 부위가 붉게 부어올라 응급실을 내원하였다. 봉합부위에서 기포성 소리가 나고 스펀지처럼 만져지고 고약한 냄새의 삼출액이 나왔다 처치는?

가. 봉합부위 개방	나. 괴사조직 제거
다. 항생제 투여	라. 가스괴저 항독소 투여

1) 가, 나, 다　2) 가, 다　3) 나, 라
4) 라　5) 가, 나, 다, 라

해설
괴사 연조직 감염이다. 괴사 연조직 감염의 치료를 위해 일단 봉합부위를 개방하고, 괴사조직을 제거(debridement)하며 광범위 항생제를 투여한다. 치료로 항독소를 쓰지는 않는다.

6-17 3)

59세 남자 환자가 3일 전 밭에서 일하던 중 나뭇가지에 찔린 후 1일 전 발생한 발적과 통증을 주소로 내원하였다. 근육의 괴사소견과 피부 부종이 보였다. 가장 가능성 있는 균은?

1) *S. aureus*　2) *B. fragilis*
3) *C. perfringens*　4) *S. pyogenes*
5) *Pseudomonas aeruginosa*

해설
근육층의 침범을 보이는 괴사성 연부조직 감염이다.

6.3 항생제의 사용 원칙과 용법

SSI와 관련되어 가장 흔하게 쓰이는 항생제의 사용 원칙과 용법에 대해 알아보도록 한다.

1) 일반적인 원칙

(1) 항생제 치료의 적절성 평가

항생제 사용 후 2~3일이 지나도 임상적인 호전이 보이지 않을 때에는 다음과 같은 상황을 염두에 두어야 한다.

① 수술적 치료가 적절하지 않은 경우
② 수술적 치료는 적절하였으나 합병증이 생긴 경우
③ 새로운 곳의 중복감염
④ 약제의 선택은 적절하였으나 충분한 양을 사용하지 않은 경우
⑤ 새로운 약이 필요한 경우

(2) 항생제의 중단 시기

환자가 호전되기 시작하면 항생제를 끊을 시기를 결정해야 하는데, 정확하게 언제 끊어야 되는지에 대한 원칙은 없다.

항생제는 일반적으로 환자의 방어 기전이 적절하게 이루어질 때까지 도와주는 역할을 한다. 고름집을 배농할 때 항생제는 건강한 조직에 세균감염이 생기지 않도록 막는 역할을 하며, 약 3일에서 5일 정도 사용하면 충분하다. 더 깊은 감염에 있어서는 보다 더 오랜 사용이 권장된다.

임상적으로 환자가 호전을 보이고, 48시간 이상 정상 체온을 유지할 때까지 항생제를 사용하는 것이 좋다. 즉 정신 상태가 호전되고 장운동이 돌아오며, 빈맥의 호전되고, 소변양이 충분할 때 임상적으로 호전되었다고 판단하는 것이 좋다.

(3) 경험적 항생제의 사용원칙

경험적 항생제를 사용할 때에는 다음과 같은 원칙으로 선택하는 것이 바람직하다.

① 광범위 항생제를 사용하는 것이 좋으나 혐기성 균에 대한 항생제는 가능하면 피한다. 혐기성 균에 대한 항생제를 피하는 이유는 위장관의 환경을 조성하는 혐기성 균에 대한 항생제의 사용으로 정상 세균총에 변화가 올 수 있기 때문이다.

② 감염 위치에 도달할 수 있는 항생제를 선택한다. 특히 요로감염에는 콩팥 배설되는 항생제를, 담도감염일 경우 배설되는 항생제를 선택하는 것이 바람직하다.

③ 항생제 독성을 생각한다. 특히 중환자일수록 생체이용력이 떨어지기 때문에 치료 농도와 독성 농도를 예측하기 어렵다.

④ 충분한 용량을 사용한다.

⑤ 항생제를 언제까지 사용할지 기간을 정해서 사용한다.

2) 중복감염(superinfection)

(1) 정의 및 특징

중복감염은 항생제 사용 중에 새로 생긴 감염을 말하며 입원하여 항생제 치료를 받는 환자의 2~10%에서 발생한다.

항생제는 외부 세균뿐만 아니라 환자의 정상 세균총에 영향을 미치게 되는데, 살아남은 세균들은 사용 중인 항생제에 내성이 있는 균들이기 때문에 중복감염의 원인균이 된다.

중복감염은 복강 내 감염 치료를 위해 항생제를 사용하는 동안 호흡기에 흔하게 발생하며 복강 내 감염이 심각할수록 폐렴의 위험도 또한 증가한다.

(2) 예방

중복감염을 막기 위한 가장 좋은 방법은 항생제의 용량과 사용 기간을 제한하고 중복감염을 조심하는 것이다.

최근 강력한 광범위 항생제가 많이 사용됨에 따라 진균 중복감염이 증가하였다.

(3) 가막성 결장염(pseudomembranous colitis)

항생제 관련 결장염은 또 다른 중요한 중복감염이다. C. difficile에 의해 발생하며 vancomycin을 제외한 모든 항생제가 중복감염의 원인이 될 수 있다.

증상은 경할 수도 있고 패혈증을 일으켜 사망에 이르게 할 정도로 심할 수 있다.

치료에 있어 가장 중요한 것은 결장염을 의심하는 것이며 진단은 대변에서 C. difficile toxin을 검출하는 것이다. 증상이 심한 경우 내시경을 시행하면 전형적인 점막의 염증, 궤양, 플라크(plaque)가 관찰되며, 이와 같은 소견이 보이면 가막성 결장염(pseudomembranous colitis)을 진단할 수 있다. 치료는 대증적 요법과 수액, 전해질 공급이며 가능하면 사용하던 항생제를 중단하고 경구용 metronidazole(주사제가 아님)을 복용한다. vancomycine을 사용할 수 있으나 metronidazole치료의 실패할 경우에 사용하기 위해 먼저 사용하지는 않는다.

아주 드물게 내과적 치료에 반응하지 않을 수 있는데, 이러한 경우에는 응급 결장절제술이 필요하다.

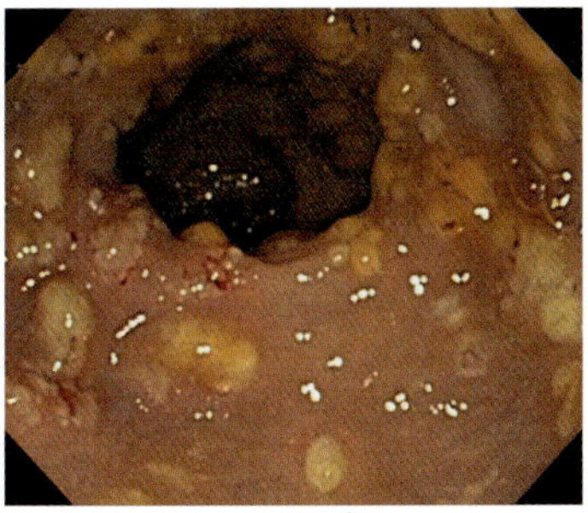

그림 6-3 가막성 결장염의 대장내시경 사진
2~10mm 크기의 융기된 노란 결절들이 특징적으로 보인다.

3) 항생제 내성(antibiotic resistance)

항생제 내성은 특히 중환자실에서 중요한 문제인데, 이로 인한 문제로는 재원 기간의 연장, 의료비의 상승, 질병 이환율과 사망률의 증가와 같은 문제가 동반된다.

항생제 내성은 항생제를 오래 사용하고, 재원 기간이 길고, 광범위 항생제를 사용하고, 삽관 튜브, 중심 정맥관, 도뇨관과 같은 침습적인 기구를 사용하는 경우 항생제 내성이 생기기 쉽다.

(1) 항생제에 대해 세균이 내성을 획득하는 네 가지 기전

① 세포 내 항생제의 농도를 감소시킴

항생제의 세포내로의 유입을 줄이거나 배출을 늘려서 농도를 감소시키며 대부분의 항생제는 이러한 기전에 약점을 가지고 있다. *Pseudomonas*, *Enterobacteriacea*가 beta-lactam계 항생제에 이러한 기전을 적용한다.

② 비활성화 효소를 통한 항생제의 중화

가장 흔한 항생제 내성 획득의 기전이며, beta-lactam계 항생제에 대해 beta-lactamase가 이에 해당한다.

③ 항생제가 공격하는 세균 내 target을 변화시킨다.

모든 항생제에 해당될 수 있고 penicillin에 Pneumococcus, beta-lactam계 항생제에 MRSA가 이러한 기전을 적용한다.

④ 항생제가 공격하는 세균 내 target을 완전히 제거한다.

VRE가 해당된다.

(2) 항생제 내성의 예방

예방법으로는 불필요한 항생제 사용을 제한하고, 좁은 범위를 커버하는 항생제를 사용하며, 항생제의 종류를 번갈아 가면서 사용하고, 새로운 항생제를 사용하는 것 등이 있다. 또한 감염 위험을 잘 파악하고, 균 동정을 시행하여 그에 맞는 특정한 항생제를 사용하는 것이 바람직하다.

항생제 사용과 관련 없는 또 다른 전략으로는 손씻기, 접촉 시 주의를 통해 병원 내 감염 및 병원 내 전파를 예방하는 방법이 있다.

문제

6-18 2)

가막성 결장염의 치료로 옳은 것은?

1) 기존의 항생제 치료를 지속한다.
2) 경구 metronidazole이 1차 투여 약제이다.
3) Vancomycin은 정맥으로 투여하는 것이 원칙이다.
4) 재발하면 항생제를 바꿔 10일간 투여 한다.
5) 수술적 절제는 금기이다.

해설

1) 기존의 항생제 치료를 중단한다.
2) 경구용 metronidazole 2주 동안 처방한다.
3) vancomycin은 경구투여 하거나 관장한다.
4) 재발 시에도 치료는 같다.
5) 필요 시 수술적 절제가 필요하다.

7 외과적 합병증

Surgical Complications

외과적 합병증은 환자의 수술에 있어 매우 골치 아픈 문제이다. 아무리 외과의가 유능하고 기술이 훌륭할지라도 외과적 합병증은 반드시 겪게 되는 문제이다. 합병증으로 인해 의료비의 상승뿐만 아니라, 노동력의 상실, 가정의 붕괴 등 사회적인 문제 또한 발생한다.

합병증은 다양한 원인으로 인해 발생하는데, 환자의 좋지 못한 컨디션이 원인이 될 수도 있고, 의료진의 기술적 결함이나 부주의가 원인이 될 수도 있다. 심지어 훌륭한 기술로 세심하게 수술하고 환자의 건강 상태가 좋은 경우에도 합병증은 발생할 수 있다. 이 장에서는 다양한 외과적 합병증을 소개하도록 한다.

7.1 창상 합병증

1) 장액종(seroma)

(1) 원인

액화된 지방, 혈청, 림프액이 절개창 내에 고이는 것을 말한다. 이렇게 고인 액체는 일반적으로 노랗고, 맑으며, 점성을 띄며 피하 지방층에서 발견된다.

수술 후 가장 흔한 합병증이며 유방절제술, 겨드랑림프절절제술, 서혜부절제술, 큰 복측탈장 수술과 같은 피부 절개창이 큰 수술에서 자주 발생된다.

(2) 임상양상

일반적으로 국소화되고 경계가 분명한 종창(swelling)으로 나타나며 불편감과 함께, 상처에서 맑은 액체가 나오는 양상으로 발견되기도 한다.

(3) 예방 및 치료

피부 피판(flap) 내에 흡입 배액관(suction drain)을 삽입함으로써 예방할 수 있다. 배액관을 너무 일찍 제거하면 큰 장액종이 생길 수 있으며, 이러한 경우에는 세침흡입(aspiration) 후

압박 드레싱을 시행한다.

두 번 이상의 세침흡인 이후에도 지속적으로 장액종이 고이는 경우에는 기존 절개창을 다시 열고 상처를 식염수로 적신 거즈로 팩킹한 후 자연히 아물도록 유도(healing by secondary intention)한다.

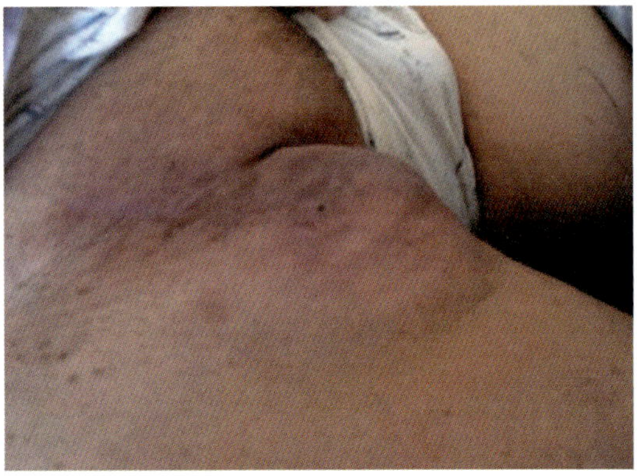

그림 7-1 장액종의 육안 소견
경계가 분명한 종창이 관찰된다.

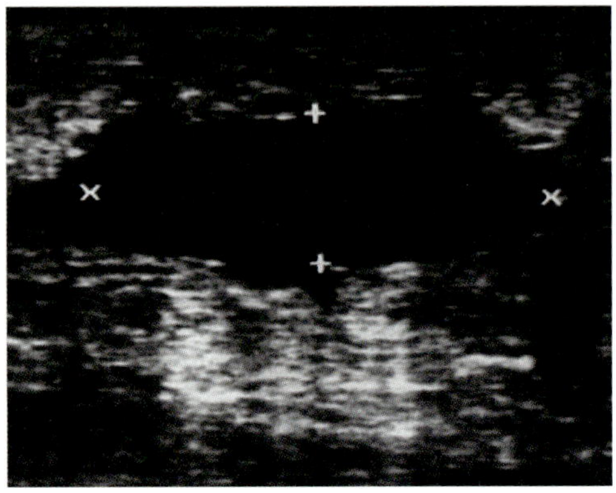

그림 7-2 장액종의 초음파 소견
장액으로 차 있는 공간이 관찰된다.

2) 혈종(hematoma)

(1) 원인

① 절개창의 피하층에 혈액이 비정상적으로 고인 것을 의미하며, 장기 적출 후 그 부위에 혈액이 고이는 것을 의미하기도 한다.

② 이차적인 감염의 위험이 있기 때문에 장액종보다 위험하다.

③ 지혈이 완전히 이루어지지 않았거나, 혈액응고인자가 결핍되었거나, 혈액응고 장애가 있을 때 발생한다. 이러한 상황은 골수증식성 질환(myeloproliferative disorders), 간질환, 신질환, 패혈증, 그리고 약물 복용 중일 때 생길 수 있다. 지혈을 어렵게 만드는 대표적인 약물로는 항혈소판제(아스피린, clopidogrel bisulfate; 상품명 Plavix, ticlopidine hydrochloride; 상품명 Ticlid)와 항응고제(헤파린, 저분자량 헤파린; enoxaparin, 와파린)가 있다.

(2) 임상양상

① 증상

그 크기와 위치에 따라 다른데, 부종 및 통증이 나타날 수 있다. 목 부위에서는 혈종에 의해 기도폐색이 올 수 있고, 후복막의 혈종은 마비성 장폐색(paralytic ileus), 빈혈, 지속적인 출혈을 일으킬 수 있다. 사지나 복강 내의 혈종은 구획증후군(compartment syndrome)을 일으킬 수 있다.

② 이학적 검사

혈종이 있으면 그 부위가 부드럽게 부풀어 오르고, 혈종 주위의 피부에 푸른빛으로 변색이 오게 된다.

(3) 예방

수술 전에 혈액응고 장애를 교정하고 혈액응고에 영향을 미치는 약물을 중단하는 것으로 예방할 수 있다.

모든 환자에서 항혈소판제나 항응고제를 중단해야 하는 것은 아니며, 이러한 약을 중단함으로써 생길 수 있는 합병증과 지속적으로 복용함으로써 생길 수 있는 출혈 가능성의 경중을 비교하여 선택해야 한다.

(4) 치료

혈종이 작은 경우에는 결국 흡수되기 때문에 시간을 가지고 기다린다. 대부분의 후복강 혈종은 연관된 응고 장애를 교정하면 별다른 치료 없이 흡수된다.

목부위에 생긴 큰 혈종이나 계속 커지는 혈종 때문에 기도폐색이 있다면 수술적 치료가 필요하다. 수술 후 일찍 발견된 피부 밑의 혈종은 조기에 수술적으로 제거하여 치료하는 것이 좋다.

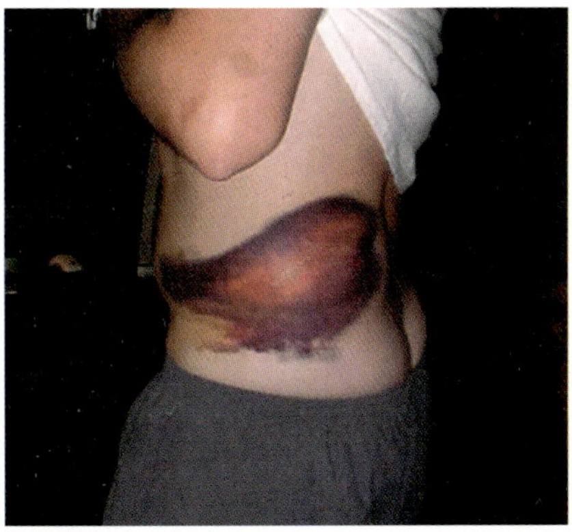

그림 7-3 피하층에 혈액이 고인 혈종이 관찰된다.

심화학습

◆ 혈종

1. 항응고제인 와파린은 수술 3일 전에 중단하여 INR을 1.5 이하가 되도록 조절하고, 이후에는 피하 또는 정맥으로 헤파린을 주사하고 헤파린은 수술 전 2~3시간 전, 저분자량 헤파린은 12~15시간 전에 중단한다. 수술 후에는 24~28시간 후에 다시 항응고제 복용을 시작한다.
2. 항혈소판제인 clopidogrel은 수술 전 5~6일 전에 복용을 중단하며, 그렇지 못했을 경우에는 수술은 연기한다.

3) 급성 창상열개(acute wound dehiscence)

(1) 원인

복부의 근막층이 수술 후에 벌어진 것을 의미한다. 내장이 밖으로 나오기 때문에 응급수술이 필요하며, 그 이후에도 다시 재발할 수 있으며, 창상감염률도 높고, 절개탈장(incisional hernia)의 발생률이 높기 때문에 외과의가 가장 염려하는 합병증이다.

복부 수술 환자의 1~3%에서 발생하며, 수술 후 7~10일 사이에 가장 흔하게 발생한다.

원인인자는 여러 가지가 있으며 다음과 같다.

꼭 알아둡시다!!!

◆창상열개와 연관된 요인

근막 봉합 시의 기술적 문제	비만
응급수술	만성적인 스테로이드 사용
복강 내 감염	이전의 창상열개의 과거력
고령	영양결핍
창상감염, 혈종, 장액종	방사선 치료 및 항암치료
복압의 증가	요독증, 당뇨와 같은 전신 질환

(2) 증상

급작스럽게 많은 양의 맑고 연노란 액체가 창상을 통해 나오면 창상열개를 의심해야 하며, 창상을 프로빙하여 복강 내로 쑥 들어가면 진단할 수 있다.

(3) 예방

근막 봉합 시 기술적인 문제에 주의를 기울여서 예방할 수 있다. 고위험 환자의 경우에는 단속 봉합(interrupted closure)을 하는 것이 좋다.

일차봉합이 불가능하거나, 긴장(tension)이 심한 경우에는 일차봉합하지 않고 mesh와 같은 합성 보형물을 사용한다.

(4) 치료

창상열개가 발생하면 근막이 벌어진 정도와 내장이 밖으로 나왔는지 여부, 복강 내 오염 정도에 따라 치료방법을 결정한다.

작은 열개창의 경우에는 비수술적 방법으로 치료할 수 있으며, 내장이 나온 경우에는 장을 생리식염수로 적신 타월을 이용하여 덮고 수술실에서 복원한다.

근막에 염증이 없고 깨끗하면 일차봉합을 시행하고, 염증이 있거나 긴장이 심해 일차봉합이 불가능하면 mesh를 이용하여 폐복한다.

문제

7-1 1)

다음 중 창상열개(wound dehiscence)가 잘 일어나는 경우는?

가. obesity	나. incomplete suture
다. DM	라. hyperaldosteronism

1) 가, 나, 다　　2) 가, 다　　3) 나, 라
4) 라　　5) 가, 나, 다, 라

해설

창상열개의 원인
① 근막봉합 시의 기술적 결함
② 복강 내 감염
③ 영양실조
④ 고령
⑤ 장기간의 스테로이드 사용
⑥ 상처관련 합병증(혈종, 감염, 과도한 긴장)
⑦ 기저 질환(당뇨, 신부전, 종양, 면역결핍, 항암치료, 방사선 조사)
⑧ 복강내압의 증가(복수, 확장된 장, 기침, 힘주기, 구토)

7.2 열 조절 관련 합병증

1) 저체온증(hypothermia)

(1) 원인

① 인체의 정상적인 생리적 기능은 좁은 범위의 체온 내에서 작동한다. 체온이 2℃가 감소하거나 3℃가 증가하면 생명이 위태로울 수 있으며 즉각적인 치료가 필요하다.

② 차가운 수액이나 혈액을 혈관을 통해 빠르게 주입하거나, 장시간의 수술 시 차가운 용액으로 복강을 세척할 때 나타날 수 있다. 또한 고령의 환자에서 마취제는 수술 중 떠는 현상을 감소시키고 혈관을 확장시켜 저체온을 유발할 수 있다.

③ 수술 후에도 생길 수 있으며, 실내 기온이 낮거나, 차가운 수액이나 혈액을 공급 받을 때 생길 수 있다.

(2) 증상

① 추위와 떨림으로 인해 불편한 느낌을 가지게 하며, 심혈관계와 혈액응고, 창상치유, 그리고 감염에 영향을 미친다. 35℃ 이하의 체온이 지속되면 말초 교감신경계가 반응하여 혈관 수축, 혈압 증가가 생긴다. 또한 고위험 환자에서는 수술 후 허혈과 심근 부정맥이 발생할 확률이 2~3배 높아진다.

② 혈소판 기능을 저하시켜 출혈의 위험을 증가시키며, 대식구(macrophage)의 기능을 감소시키고, 산소포화도를 떨어뜨리고, 콜라겐 섬유 침착을 저하시켜 감염의 위험을 증가시키고 창상치유를 방해한다.

(3) 치료

수술 중 수술실 온도를 적절하게 유지하고, 가열된 증기와 따뜻한 정맥 수액을 공급한다. 수술 방포 밑으로 따뜻한 공기를 넣어주는 기구를 사용하여 적극적으로 체온을 높여줄 수 있다. 또한 상당량의 열이 환자의 머리를 통해 빠져나가므로, 단순히 환자의 머리를 수술 중에 덮어주는 것만으로도 큰 도움이 된다.

2) 악성 고체온증(malignant hyperthermia)

(1) 원인

① 악성 고체온증은 생명을 위협하는 질환으로, 특정 전신 마취제에 감수성이 있는 환자에서 마취제를 사용하는 동안이나 그 후에 발생하는 과대사성 위기 증상이다.

② 30,000～50,000명 당 1명의 비율로 발생하며 사망률은 10% 이하이다.

③ 마취제에 대한 감수성은 상염색체 우성(autosomal dominant)으로 유전되며, 유전자의 변이로 인해 골격근의 칼슘 대사에 장애가 와서 sarcoplasmic reticulum에서 myoplasm으로 칼슘이 유출되면서 근육 강직과 대사과다증(hypermetabolism)의 증상이 나타난다. 흡인용 할로겐 화합물 마취제(halothane, enflurane, isoflurane, desflurane, sevoflurane)와 deplarizing 근이완제(succinylcholine, suxamethionine)가 이러한 증상을 유발한다.

(2) 증상

① 악성 고체온증을 유발하는 약제가 투여되는 동안이나 그 직후에 증상이 시작된다. 증상이 시작되는 시기와 그 강도는 다양하게 나타나는데, 빈맥, 부정맥, 고체온, 산증이 나타나는 환자가 있기도 하고, 근육 강직이 나타나는 환자가 있다. 저작근의 경련으로 입을 벌리지 못하는 경우가 있는데, 이 증상이 악성 고체온증의 전형적인 초기 증상이며 악성 고체온증에 대한 감수성이 있음을 시사한다.

② 빈호흡(tachypnea), 고탄산혈증(hypercapnia), 홍조, 저산소증, 저혈압, 전해질 이상, 횡문근 용해증 등이 있다.

(3) 치료

① Dantrolene은 근이완제로 정맥 주사 시 75%까지 골격근 수축을 막는다.

② Dantrolene의 부작용으로는 근위축, 정맥염, 호흡부전, 소화 불량, 간독성, 어지럼증, 혼돈, 졸림 등이 있다.

3) 수술 후 발열

(1) 원인

수술 후 환자에서 가장 신경 쓰이는 부분 중의 하나가 발열이다.

① 전시상하부(anterior hypothalamus)에서 조절하는 중심 체온의 상승을 의미한다.

② 세균감염이나 세균의 독소에 의해 생길 수 있으며, 수술 후 발열은 약 2/3의 환자에서 일어나고, 그 중 세균감염이 원인인 경우는 약 1/3가량이다.

③ 수술 후 발열의 원인은 매우 다양하며 다음과 같다.
가장 흔한 감염의 원인은 수술 창상감염(surgical site infection), 요로감염, 혈관 내 카테터 관련 감염, 그리고 폐렴이다. 폐렴은 입원 후 4~5일 내에 발생할 수 있으며, 건강한 환자에서는 인후 또는 위 내용물의 흡인으로 인한 흡인성 폐렴이 가장 흔한 형태의 폐렴이다. 초기 폐렴의 원인은 *E. coli*, *Klepsidella*, *S. pneumoniae*, *H. influenza* 등이 흔하며, 후기 폐렴의 원인은 전형적으로 MRSA 또는 *Pseudomonas*가 원인이 된다. 요로감염은 가장 흔한 카테터 관련 감염이며, 주로 *E. coli*, *Coagulase negative S. aureus*(CNS), *gram negative bacilli*, *Candida*에 의해 생긴다.

(2) 증상

발열 환자를 평가할 때는 시행한 수술의 종류, 환자의 면역 상태, 기저 질환의 특징, 병원 재원 기간, 병원 내 감염의 역학에 대해 이해해야 한다. 수술 후 5~8일 후에 나타나는 고열이 초기에 나타나는 열보다 더 문제가 된다. 첫 48시간에서 72시간 사이에 나타나는 열은 간혹 세균에 의한(clostridial or streptococcal) 창상감염 대문에 생기는 경우가 있지만 대부분에서는 무기폐(atelectasis)가 원인이 되는 경우가 많기 때문에 별다른 문제가 되지 않는다. 하지만 그 원인에 대한 평가는 필요하다. CBC, urinalysis 및 urine culture, 흉부 X선검사, 혈액배양이 초기의 필수 검사이다. 흉부 X선 상 폐 침윤이 보이면 폐렴을 시사하며, 일반 소변검사에서 10^5 colony-forming units/ml(10^5CFU/ml) 이상, 혹은 도뇨관을 통한 소변검사에서 10^3CFU/ml 이상은 요로감염을 시사한다.

(3) 치료

신중하게 시행한 검사에 따라 적절한 조치를 취한다.

① 해열제로 체온을 낮추는 것도 도움이 된다.

② 폐렴이 의심되면 경험적으로 광범위 항생제를 시작하고, 균 배양 결과가 며칠 후에 나오면 그에 따라 좁은 범위의 항생제로 교체한다.

③ 요로감염인 경우에는 일단 도뇨관을 제거하고 광범위 항생제를 시작한다.

④ 정맥 카테터 연관 감염이 있는 경우에는 vancomycin이나 linezolid와 같은 항균력이 우수한 항생제를 사용한다. 치료는 10~14일 간 시행하며, 세균성 혈전이나 심내막염이 있는 환자에서는 4~6주간 치료를 지속한다.

표 7-1 수술 후 발열의 원인

감염성 원인	비감염성 원인
Abscess	Acute hepatic necrosis
Acalculous cholecystitis	Adrenal insufficiency
Bacteremia	Allergic reaction
Decubitus ulcers	Atelectasis
Device-related infections	Dehydration
Empyema	Drug reaction
Endocarditis	Head injury
Fungal sepsis	Hepatoma
Hepatitis	Hyperthyroidism
Osteomyelitis	Lymphoma
Pseudomembranous colitis	Myocardial infarction
Parotitis	Pancreatitis
Perineal infections	Pheochromocytoma
Perionitis	Pulmonary embolus
Pharyngitis	Retroperitoneal hematoma
Pneumonia	Solid organ hematoma
Retained foreign body	Subarachnoid hemorrhage
Sinusitis	Systemic inflammatory response syndrome
Soft tissue infection	Thrombophlebitis
Tracheobronchitis	Transfusion reaction
Urinary tract infection	Withdrawal syndromes
	Wound infection

심화학습

48시간에서 72시간 사이에 나타나는 열은 그 원인에 대한 평가가 필요한데, 6가지 'W'에 대해 평가하는 것이 중요하다. 즉, wind(호흡기), wound(창상), water(요로계), waste(하부 위장관), wonder drugs(항생제 등), walker(혈전)가 그 6개의 'W'이다. 하나씩 살펴보면 기침이나 가래가 많은 경우는 폐렴을, 창상의 종창이나 압통은 창상감염을, 배뇨통이나 빈뇨는 요로감염을, 수양성 설사는 C. difficile 감염을, 종아리의 통증은 deep vein thrombosis를, 옆구리 통증은 신우신염을 시사한다.

문제

7-2 2)

심정지가 생긴 성인에게 심폐소생술을 하여 자발순환 회복 직후 평균 동맥압 95mmHg, 체온 34℃, 동맥혈 산소압 100mmHg, 이산화탄소압 40mmHg, 혈당 100ml/dl이었다. 적절한 조치는?

1) 현 상태 유지
2) 외부 가온 시행
3) 혈압상승제 투여
4) 혈관확장제 투여
5) 동맥혈 이산화탄소압 30mmHg로 유지

해설

이 환자에서 생긴 저체온증은 심폐소생술 동안 외부에 신체가 노출되어 있었고 차가운 수액을 대량 주입했기 때문에 생겼을 가능성이 높다. 다른 활력징후가 정상 범위이고 체온만 낮아져 있기 때문에 외부에서 가온을 시행하고 따뜻한 수액을 주입하도록 한다.

7.3 호흡기계 합병증

수술 후에는 많은 원인으로 인해 폐기능이 감소하게 된다. 실제 모든 환자에서 기능적 잔기량(Functional Residual Capacity, FRC)이 감소하는데, 복부팽만, 복부의 통증, 비만, 흡연력, 고정된 자세, 과도한 수액공급으로 인한 폐부종이 원인이 된다. 진통제, 마취제의 사용으로 폐활량(vital capacity) 또한 수술 후 2일 간 약 50%까지 감소하며, 대부분 기침이나 심호흡을 통해 치료가 가능하지만 심각한 경우에는 기관 삽관이 필요할 수도 있고 치명적일 수 있다.

이러한 호흡기계 합병증을 예방하는 가장 중요한 방법은 수술 전에 고위험 환자를 선별하는 것이다. 대부분의 환자에서는 폐기능의 이상이 없고 수술 전 평가가 필요하지 않지만, 비만 환자, 흡연량이 많은 환자, 집에서 산소 치료를 하는 환자, 계단을 오를 때 심하게 숨이 차는 환자, 폐 수술을 받은 과거력이 있는 환자, 고령 환자, 천식이나 다른 질환으로 기관지 확장제 치료를 오랫동안 받은 환자들에서는 반드시 폐기능검사를 시행하도록 한다.

폐기능검사에서 가장 중요한 지표는 1초간 최대 호기량(FEV_1)인데, FEV_1이 2L 이상이면 폐합병증이 발생할 확률이 매우 낮아진다.

반대로 FEV_1이 예상치의 50% 이하인 환자들은 노작성 호흡곤란이 있을 가능성이 높고, 기관지 확장제를 시도해서 폐기능의 증가가 15% 이상이 되면 기관지 확장제를 사용하도록 한다.

수술 48시간 전에는 흡연을 금하도록 하고 수술 후에 심호흡 및 가래를 뱉는 것의 중요성을 인지하도록 한다.

1) 무기폐와 폐렴(atelectasis and pneumonia)

(1) 원인

① **무기폐**

수술 후 생기는 호흡기계 합병증 가운데 가장 흔한 질환으로 폐포에 허탈(collapse)이 와서 폐포에 공기가 차지 못하고 폐의 션트(pulmonary shunt)가 일어나는 것을 말한다. 마취제의 사용, 복부 절개, 수술 후 진통제의 사용으로 폐포에 충분한 공기가 들어가지 못해서 생기며, 초기 증상이 있을 때 심호흡 및 가래 배출을 통해 호전될 수 있지만 그렇지 못한 경우에는 폐 분비물이 고이게 되어 이차적 세균감염의 원인이 된다. 과도한 흡연자, 비만한 환자, 폐 분비물이 많은 환자에서 특히 위험도가 높다.

② **폐렴**

앞서 언급한 바와 같이 입원 후 2~5일 사이의 조기에 생기기도 하고 5일 이후에 뒤늦게 생기기도 한다.

건강한 환자에서의 폐렴의 가장 흔한 원인은 인후와 위 내용물의 흡인이다.

(3) 증상

수술 후 첫 48시간 이내에 생긴 발열의 가장 흔한 원인은 무기폐이다. 미열, 몸살, 하부 폐의 호흡음의 감소가 주된 증상이며, 다른 심각한 폐 증상은 일어나지 않는다. 무기폐는 수술 후에 수술 후에 매우 흔하기 때문에 특별한 검사가 필요하지는 않으나, 적극적으로 치료하지 않으면 폐렴으로 진행하기 쉽다.

폐렴이 있는 환자는 무기폐와는 다르게, 고열이 있고, 때때로 정신착란이 동반되며, 기침과 동반된 진한 가래, 백혈구 증가증, 그리고 흉부 X선검사 상 폐 침윤을 보인다. 폐렴을 적절하게 치료하지 않으면 환자는 호흡부전 및 사망에 이를 수 있다.

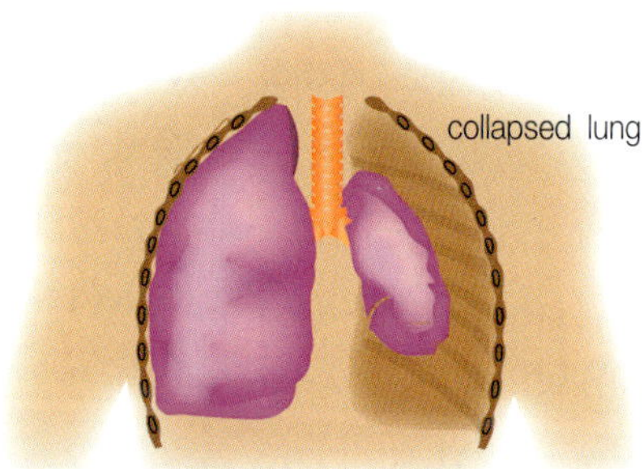

그림 7-4 무기폐의 모식도
무기폐가 발생하여 폐포 전체에 공기가 차지 못하고 허탈이 온다.

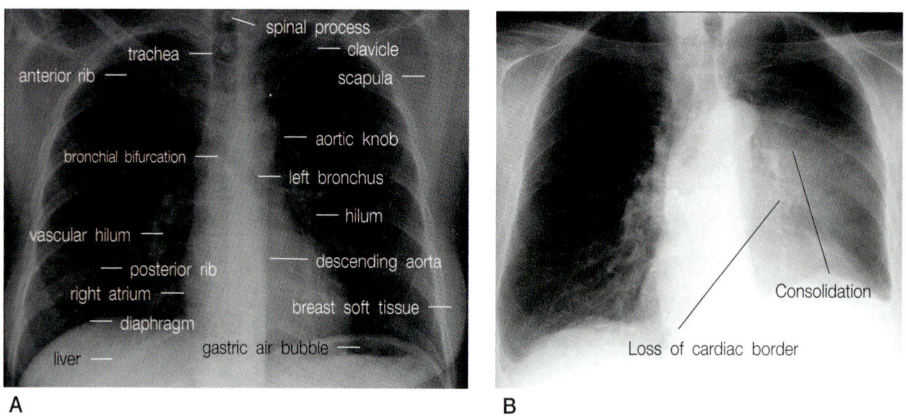

그림 7-5 정상 폐와 무기폐의 단순 X선 사진
좌상엽의 무기폐가 관찰되며, 정상 X선 사진과 비교하여 허탈된 폐로 인해 왼쪽 심장연(left cardiac border)이 보이지 않는다.

(4) 예방 및 치료

무기폐의 치료에 있어서 가장 중요한 것은 심호흡과 기침이며 환자가 심호흡과 기침을 쉽게 할 수 있도록 진통제로 통증을 조절해 주는 것이 필요하다.

폐활량 측정기(incentive spirometer)를 이용하여 심호흡 훈련을 수술 전부터 시킴으로써 수술 후에도 수월하게 폐 훈련을 할 수 있도록 한다. 심호흡과 기침은 무기폐의 예방 및 치료에 있어서 가장 중요한 방법이다.

폐렴의 치료는 무기폐의 치료방법과 더불어 객담 배양과 항생제 감수성 검사를 시행한 후 항생제를 사용하는 것이 추가된다. 균 동정이 되기 전에는 광범위 항생제를 사용하고, 그 이후에는 그에 맞는 특정한 항생제를 사용하도록 한다.

2) 폐부종, 급성 폐손상, 성인성 호흡곤란 증후군

(1) 원인

다양한 원인들이 폐와 심혈관계에 손상을 줄 수 있고, 이러한 손상은 급성 호흡곤란으로 이어지게 된다. 이러한 손상 가운데 가장 흔한 증상 세 가지가 바로 폐부종, 급성 폐손상, 성인성 호흡곤란 증후군이다. 이 세 가지 질환은 그 치료가 상당히 다르기 때문에 임상에서 이 질환들을 감별하는 것이 매우 중요하다.

① **폐부종**(pulmonary edema)

폐포에 액체가 쌓이는 현상을 의미한다. 폐포 내에 액체가 쌓이면 그로 인해 폐에 산소공급이 일어나지 못하게 되고 저산소증이 발생하게 된다. 그 결과로 환자는 숨쉬는데 힘이 들게 되며 호흡수가 증가하고, 호흡 시 근육을 과다하게 사용하게 된다.

일반적으로 만성 심부전(chronic heart failure)이나 급성 심근경색으로 인해 혈관의 정수압이 높아져 있을 때 생기며, 과도하게 수액을 공급해서 발생하기도 한다.

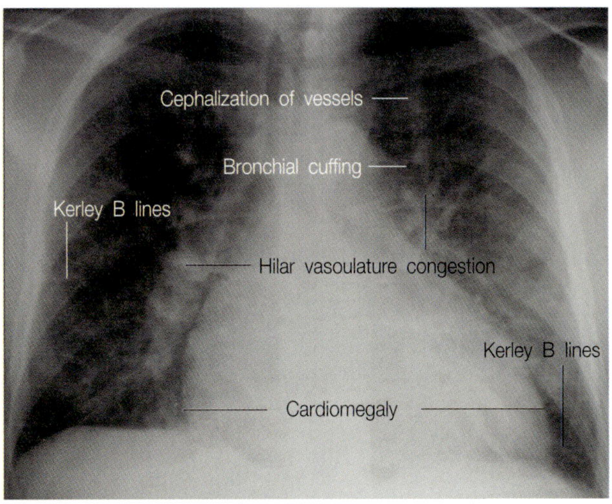

그림 7-6 폐부종의 단순 X선 영상
폐실질의 음영이 짙게 나타나며, Kerley B line이 관찰된다. 좌심실의 확장으로 인해 심장 비대가 나타난다.

② **급성 폐손상**(acute lung injury) **및 성인성 호흡곤란 증후군**(ARDS)

최근 들어, 폐손상에 의한 호흡곤란을 급성 폐손상과 ARDS의 두 가지의 다른 개념으로 정리하였다. 즉, 급성 폐손상은 PaO_2/FiO_2가 300 이하이며, 흉부 X선검사 상 양측 폐침윤(bilateral infiltrates on chest radiography)이 보이며, 폐동맥 쐐기압이 10mmHg 이하를 의미하고, ARDS는 급성 폐손상과 다른 조건은 같지만 PaO_2/FiO_2가 200mmHg 이하일 때를 말한다. 두 조건 모두 쐐기압과 우심실압이 증가되어 있는 폐부종과는 달리, 쐐기압과 우심실압이 증가되어 있지 않은 상태에서 염증반응으로 인해 모세혈관과 폐포 사이의 공간이 두꺼워지고, 폐포에 액체가 차게 되어 저산소증이 생기게 된다. 급성 폐손상은 ARDS에 비해 증상이 심하지 않으며 보다 빨리 회복된다.

(2) 증상 및 치료

① **폐부종**

폐부종 환자들은 심장 질환 병력이 있거나 최근에 수액공급을 과도하게 받은 과거력이 있는 경우가 많다. 폐부종이 의심되면 Swan-Ganz 카테터를 우심방－우심실－폐동맥을 통해 삽입하여 폐동맥 쐐기압을 측정하여 그에 따라 수분 제한과 이뇨제 사용을 시작한다. 증상이 심하지 않으면 마스크를 통해 산소를 공급하고, 증상이 심하면 기관삽관이 필요한 경우도 있다. 대부분의 폐부종 환자는 수분 제한과 이뇨제 사용 후 빠르게 호전된다.

② **급성 폐손상 및 성인성 호흡곤란 증후군**(ARDS)

환자들은 일반적으로 빈호흡, 호흡곤란, 노작성 호흡의 증상을 보이며, 증상이 심해질 경우 청색증을 나타낼 수 있고, 이런 경우는 응급 치료를 시작해야 한다. 청진 상 양측 폐야에서 호흡 소리는 매우 약하게 들리고 수포음(crackle)이 들릴 수 있다. 동맥 가스 분석 검사(ABGA) 상 낮은 PaO_2와 높은 $PaCO_2$가 나타나기 때문에 $PaCO_2$의 교정 없이 산소만을 공급한다고 해서 저산소증이 개선되지 않는다. 보다 적극적인 치료방법이 요구되며, 환자가 호흡부전에 빠지려고 하면, 즉시 기관 삽관을 하고 조심스럽게 수액을 공급하고 Swan-Ganz catheter를 삽입하여 폐동맥 쐐기압과 오른쪽 심장압력을 측정한다. 급성 폐손상이 회복될 때까지 인공호흡기를 사용하여 환자의 호흡을 도와준다.

심화학습

◆ARDS환자에서의 인공호흡기 setting

ARDS시에는 인공호흡기의 FiO_2를 100%로 시작하고, 증상이 호전됨에 따라 60%까지 낮추고, 호기말 양압(Positive End-expiratory Pressure, PEEP)을 사용하는 것이 도움이 된다. 일회 호흡량은 6~8ml/kg로 조절하며 최대 흡기 압력은 35cmH_2O로 하고 흡기 대 호기 시간 비율은 1 : 2로 한다. ARDS환자는 대부분 빈호흡을 나타내기 때문에 인공호흡기를 적용할 때 대부분의 환자에서 깊은 수면을 유도하는 것이 바람직하다.

3) 폐색전증(pulmonary embolism) 및 정맥혈전

(1) 원인

정맥혈전(venous thromboembolism)은 심부 정맥혈전(Deep Vein Thrombosis, DVT)과 폐색전(Pulmonary Embolism, PE)의 두 질환을 가리킨다. 폐색전증은 심각한 수술 후 합병증이며, 수술 후 사인의 약 5~10%를 차지하며, 제대로 진단하고 치료하면 8%의 사망률을 가지지만 그렇지 못했을 때에는 사망률이 30%까지 상승한다. 정맥혈전은 혈관 내막의 손상, 혈류의 정체, 그리고 과다응고상태의 세 가지 기전으로 인해 혈액응고의 장애가 생김으로써 발생한다. 그 위험인자로는 다음과 같은 것들이 있다.

표 7-2 폐정맥 혈전의 위험인자

일반 요인	선천성 혈전성향증	후천성 혈전성향증
고령	Protein C 결핍증	악성 종양
입원 치료 중인 환자	Protein S 결핍증	염증성 장질환
정맥 카테터를 가지고 있는 환자	Antithrombin Ⅲ 결핍증	헤파린 유인성 혈소판 감소증
마비 환자	Factor Ⅴ Leiden 변이	외상
심근경색 또는 심근병증	프로트롬빈 유전자 변이	수술
급성 호흡기계 질병(폐렴이나 ARDS)	고호모시스테인혈증	임신
만성 폐쇄성 폐질환	항카디오리핀 항체	신증후군
다리 정맥류		베쳇트 병
		전신 홍반 루프스
		혈전 색전의 과거력

폐색전은 대부분 다리에 생긴 DVT의 혈전이 떨어져 나가 폐동맥에 박히면서 생기며, 이러한 DVT가 가장 잘 생기는 곳은 엉덩넙다리(iliofemoral) 정맥계이다. 또 다른 폐색전의 원인으로는 긴뼈의 골절과 연관된 지방색전(fat embolism) 및 공기 색전(air embolosim)이 있다.

(2) 증상

폐색전은 색전의 크기, 동반된 심폐 질환, 기타 신경 호르몬계의 영향에 의해 그 증상이 다양하다. 50% 이상의 DVT에서는 증상이 없으며, 첫 증상이 폐색전으로 나타난다. 폐색전의 증상으로는 흉통, 급작스런 호흡곤란, 빈호흡, 객혈, 빈맥, 다리부종, 하지의 압통, 저산소증, 제4심음의 청진, 흡기 시 수포음 등이 있으며, 심한 폐색전이 발생하면 저혈압이 생기며 쇼크가 동반될 수 있고 5~10% 환자는 사망하게 된다. 이와 같은 폐색전의 증상은 비특이적이기 때문에 심근경색, 기흉, 폐렴과 감별해야 하며, 흉부 X선촬영은 폐색전의 진단에 도움이 되지 못하며 다른 질환을 배제하기 위해 시행한다. 따라서 앞서 말한 증상이 있고, PCO_2가 36mmHg 이하면서 PO_2가 60mmHg 이하, ECG 상 우각차단(RBBB), 우심축편위가(right axis deviation) 있으면 폐색전에 대해 정밀 검사를 시행한다.

(3) 진단

폐색전의 확진 검사로는 V/Q 폐 스캔, 나선형 CT 혈관조영술, 폐동맥조영술 및 보조적인 검사(정맥 초음파, D-dimer assay) 등이 있다.

V/Q 폐 스캔은 과거에 가장 중요한 검사로 시행되어 왔으나, 민감도(86%)와 특이도(92%)가 폐 스캔보다 정확한 CT 혈관조영술이 개발되어, 폐 스캔은 현재 거의 쓰이지 않는 검사가 되었다.

CT 혈관조영술은 정확할 뿐만 아니라, 빠른 시간에 비교적 편리하고 쉽게 검사할 수 있는 장점이 있기 때문에 널리 쓰인다. 그러나 CT 혈관조영술은 작은 폐동맥의 색전을 놓칠 수 있는데, 이럴 때 쓰일 수 있는 것이 폐동맥 색전술이다.

폐동맥 색전술은 직접 동맥계를 조영하여 보여줌으로써 가장 확실하게 진단할 수 있기 때문에 폐색전의 진단에 있어 절대 표준검사(gold standard)이다.

정맥 초음파는 폐색전의 진단에 보조적으로 쓰이는데, 폐색전 환자의 약 1/3가량에서 다리의 DVT가 발견되기 때문이다. 또한 D-dimer assay를 통해 급성 혈전색전증을 감별하는데 도움을 얻을 수 있으며, D-dimer가 검출되었다고 해서 폐색전을 진단할 수는 없지만, 검출되지 않으면 진단을 배제할 수 있다.

(4) 약물치료

가장 흔하게 쓰이는 치료 약제로는 헤파린과 비타민 K 길항제(warfarin), 혈전 용해제가 있다.

헤파린에는 기존의 일반적인 헤파린 외에도 고분획 헤파린(ultrafractionated heparin), 저분자량 헤파린(Low Molecular Weight Heparin, LMWH) 등 3가지 종류가 쓰인다. 일반적인 헤파린은 새로운 혈전이 생기는 것을 막고 혈전의 진행을 늦추며, 고분획 헤파린은 antithrombim Ⅲ와 factor Xa의 항혈전 활성을 강화시키고, 저분자량 헤파린은 factor Xa를 불활성화 시킨다. 비타민 K 길항제인 warfarin은 그 작용 시간이 길고 다른 약물과 상호작용을 하는 단점이 있으나 경구 복용이 가능한 장점이 있다.

심한 폐색전증의 치료에는 혈전을 직접 녹이는 혈전 용해제(streptokinase, urokinase, recombinant tissue Plasminogen Activatorl, rtPA)가 쓰인다.

(5) 치료 원칙

폐색전은 대부분 기존에 존재하는 DVT에서 기원하는 혈전으로 인한 질병이기 때문에 DVT 위험이 있는 환자들을 선별하여 DVT를 예방하는 것이 폐색전으로 인한 이환율과 사망률을 줄일 수 있는 유일한 방법이다.

① 폐색전이 심할 경우, 심각한 출혈 및 혈소판 감소증과 같은 금기가 없다면 헤파린을 먼저 사용하고, 이후 고분획 헤파린이나 저분자량 헤파린을 사용한다. 고분획 헤파린은 aPTT가 정상의 1.5~2.0배 사이로 유지되도록 하기 위하여 정기적으로 모니터링을

하며 사용하고, 저분자량 헤파린은 모니터링이 필요 없는 장점이 있다. 와파린은 경구 투여가 가능하며 INR이 2.5 부근이 되도록 조절하며 그 level에 도달하기까지 수일이 걸리기 때문에 그때까지는 헤파린과 함께 사용하고, 2일간 연속해서 치료 범위의 INR이 유지되면 헤파린 사용을 중단한다. 비약물 치료로서는 탄력 스타킹, 압박 스타킹, 간헐적 공기다리압박기(intermittent pneumatic compression device) 등이 있다. 항응고제의 사용이 금기인 환자들에 있어서는 아래대정맥 필터(inferior vena cava filter)를 사용하여 폐색전을 예방한다.

② 폐색전이 심한 경우, 절대적 금기증이 없다면 혈전 응고 치료(thrombolytic therapy)를 시행할 수 있으며 빠르게 혈전을 녹여 폐 혈류의 개선, 혈역학적 안정, 가스 환기, 우심실 기능의 회복을 신속히 기대할 수 있는 장점이 있다.

문제

7-3 5)

개복수술 후 폐합병증 유발요인으로 옳은 것은?

가. 비만	나. 흡연
다. 장시간 수술	라. 고령

1) 가, 나, 다　　2) 가, 다　　3) 나, 라
4) 라　　5) 가, 나, 다, 라

해설 비만, 흡연, 장시간 마취, 고령 모두 폐합병증을 증가시키는 요인이다.

7-4 1)

부분 위절제술 수술을 받은 환자가 48시간 후 발열(38.5℃)이 발생했다. 시행해야 하는 검사는?

1) CXR　　2) Abd CT
3) chest CT　　4) Abd USG
5) KUB

해설 수술 후 48시간 이내에 발생하는 열의 가장 흔한 원인은 무기폐이다.

7-5 1)

전신마취로 수술할 때 폐합병증을 잘 일으키는 요인이다. 옳은 것은?

가. 비만	나. 흡연
다. 3시간 이상의 수술	라. 과거 수술력

1) 가, 나, 다　　2) 가, 다　　3) 나, 라
4) 라　　5) 가, 나, 다, 라

해설 과거 수술력은 폐합병증의 위험요인이 아니지만 폐수술을 받은 과거력이 있으면 위험요인이 될 수 있다.

7-6 1)

45세 남자가 결장천공으로 결장절제 및 인공항문조성술을 시행 받았다. 정상적으로 회복되던 중 수술 후 7일째, 38℃의 열이 지속되고 있다. 흉부 X선 검사는 정상이나 혈액균 배양 검사에서 Gram(－) rod 세균이 자랐다. 수술 부위는 이상이 없었다. 진단을 위해 시행할 검사 중 가장 적절한 것은?

1) 소변균 배양 검사
2) 대변균 배양 검사
3) 위식도 내시경
4) 결장 내시경
5) 복부 CT

해설

흉부 X선 검사가 정상이므로 무기폐는 배제하고, 창상 감염이 아니고, Gram(－) rod 세균이 검출되었으면 요로감염을 의심한다.

7-7 1)

아래 사항은 수술 후 호흡기 계통의 합병증을 예방하기 위한 사항들이다. 아닌 것은?

1) 연령에 관계없이 수술 전에 폐기능 검사를 시행한다.
2) 폐렴이 수술 전에 발견되면 이의 치료를 먼저 한다.
3) 수술 후 조기에 운동을 시킨다.
4) 필요에 따라서는 기관지 확장제를 사용한다.
5) 수술 전 금연을 최소 2주 시행하여야 한다.

해설

1) 수술 전 폐기능 검사의 적응증
   ① 흡연력이 있거나 호흡곤란이 있는 환자에서 심장수술이나 상부 복부 수술 예정되어 있을 때
   ② 흡연력이 있거나 호흡곤란이 있는 환자가 장시간의 하복부수술이 예정되어 있을 때
   ③ 기저 폐질환을 가진 환자의 정형외과적 수술이 예정되어 있을 때
   ④ 폐절제술이 예정되어 있을 때
2) 수술 전 감염은 미리 치료하고 수술한다.
3) 조기보행으로 무기폐를 예방한다.
4) 반드시 사용해야 하는 것은 아니나 필요에 따라서는 점액 용해제, 기관지 확장제를 사용한다.
5) 최소 2주, 명백한 효과는 8주 전 금연

7.4 위장관계 합병증

1) 수술 후 조기 장폐색(early postoperative bowel obstruction)

(1) 원인

수술 후 30일 이내에 발생하는 장폐색을 의미한다.

연동 운동 이상으로 인한 마비성 장폐색(paralytic ileus)과 기계적인 폐색으로 구분할 수 있다.

① **마비성 장폐색**(paralytic ileus)

생기는 원인은 명확하지 않으며, 수술로 인한 스트레스, 호르몬, 신경 전달 물질, 진통제의 사용 등이 원인이 되는 것으로 생각된다.

② **기계적 장폐색**(mechanical ileus)

대부분 장유착(adhesion)에 의해 생기고, 기타 농양, 탈장, 장 허혈, 장중첩증 등에 의해 생긴다. 기계적 장폐색이 있으면 폐색 부위의 근위부에서 장운동이 증가하고 이에 따라 간헐적인 복통이 생기게 된다. 완전폐색일 경우에는 장 내용물이 원위부로 내려가지 못하고 오히려 근위부로 역류하여 구토를 일으키게 된다.

(2) 증상

수술 후의 장폐색은 위와 결장의 운동이상으로 생긴다. 개복 수술 후, 소장의 운동은 수시간 내에 돌아오지만, 위 운동은 24~48시간 후, 결장의 운동은 48~72시간 후에 돌아온다. 장 분비물과 마신 공기가 위에서 내려가지 못하면 위 팽만이 생기고 구토가 일어날 수 있고, 반대로 장운동이 개시되면 장음이 들리고, 가스 배출이 일어난다.

증상은 폐색의 위치에 따라 달라지는데, 근위부 폐색인 경우에는 비교적 조기에 구토가 일어나고 복부팽만은 심하지 않으며, 구토물(vomitus)은 일반적으로 쓸개즙색을 띄게 된다. 원위부 폐색인 경우에는 비교적 늦게 구토가 일어나고 복부팽만이 심하며 구토물은 처음에는 담즙색에서 점차 대변 양상으로 변하게 된다.

마비성 장폐색과 기계적 장폐색을 구분하는 것은 매우 어려울 수 있지만 다음과 같은 일반적인 차이점을 가진다.

① **마비성 장폐색**

마비성 장폐색은 전반적인 복부 불편감은 있지만 날카로운 통증은 호소하지 않으며 복부팽만이 심하지 않고, 장음은 약하게 들리거나 들리지 않을 수 있다.

② **기계적 장폐색**

기계적 장폐색에서는 음조가 높고(high-pitched), 시끄러운 장음이 들릴 수 있으며, 전신 증상으로는 발열, 빈맥, 저혈량 증세, 패혈증이 나타날 수 있다.

(3) 진단

장폐색의 진단은 임상적인 소견과 복부 단순 X선 촬영으로 쉽게 가능하다. 그러나 수술 후에 생기는 장폐색은 종류에 따라 그 치료방법이 완전히 다르기 때문에 마비성 장폐색과 기계적 장폐색을 반드시 감별해야 한다.

① **마비성 장폐색**

단순 X선 촬영에서 전반적으로 장이 늘어나 있고, 결장과 직장에도 가스가 보이며, 공기-액체 층이 관찰될 수도 있다.

② **기계적 장폐색**

공기－액체층이 명확하며, 폐색 근위부의 소장 윤상 주름(valvulae conniventes)이 두꺼워져 있으며, 폐색 원위부에는 가스가 거의 관찰되지 않는다.

이 두 가지 폐색의 종류를 감별하는 데에는 CT가 많은 도움을 주며 기계적 장폐색에서는 폐색 위치(transition point)를 알아낼 수도 있다.

CT는 또한 동반질환이나, 폐색 정도, 폐색된 장의 생존 여부(viability)를 파악하는 데 도움을 주기 때문에, 임상적으로 진단이 의심되거나 단순 X선 촬영에서 진단 내리기 어려울 때 적극적으로 고려해야 한다.

(4) 예방 및 치료

① 수술 중 예방

장을 포함하여 복막의 손상을 최소화 하여 수술 후 생길 수 있는 유착의 가능성을 줄인다. 조직을 부드럽게 다루고 장이 공기 중에 노출되는 시간을 최소화 한다. 만일 장이 수술 중에 오랜 시간 동안 노출되어야 한다면 젖은 거즈로 덮어준다.

② 수술 후 예방

수술 후에는 전해질 이상을 교정하고, 마약성 진통제 대신 가능하면 NSAID를 사용한다(마약성 진통제가 장운동을 억제시키는 작용을 한다). 비위관(nasogastric tube)을 삽입하는 것은 일부 환자에서 도움이 될 수 있지만, 모든 환자에서 사용하는 것은 효과가 없을 뿐만 아니라 환자에게 불편감을 줄 수 있고, 흡인, 부비동염, 중이염, 식도 손상, 전해질 이상과 같은 악영향만 미칠 수 있기 때문에 환자 선택이 중요하다. 수술 후 장폐색을 치료하기 위해 장운동 촉진제, 부교감신경 자극제, 교감신경 차단제, metocloprimide 등과 같은 약제가 사용되었지만 모두 효과가 없었다. 수술 후 조기에 식이를 진행 하는 것에 대한 효과도 아직 불분명하다.

③ 치료

수술 후 장폐색이 의심되면 적절한 수액공급, 검사, 치료의 3단계가 이루어져야 한다. 마비성 장폐색의 원인으로는 췌장염, 복강 내 감염, 후복막 출혈 및 감염, 전해질 이상, 장시간의 수술, 약물, 폐렴 등이 있으며 대부분 시간이 지나면 해결되며 수술이 필요한 경우는 드물다. 부분적 기계적 폐색일 경우에도 환자가 안정적이고 임상적으로 호전을 보인다면 역시 비수술적 치료를 7～14일까지 시행한다. 이러한 치료 기간 동안 정맥을 통한 영양공급을 지속하며, 임상적 호전이 없거나 악화될 때에는 수술적 치료를 한다. 폐쇄 루프 장폐색, 완전폐색, 장중첩증, 복막염이 있을 때에는 물론 진단 즉시 수술적 치료를 시행한다.

2) 장샛길(intestinal fistula)

(1) 원인

샛길은 상피화된 표면을 가지는 두 장기 사이에 비정상적인 연결이 있는 것을 말하며, 적어도 한 장기는 속이 빈 장기여야 한다.

위장관에서의 샛길은 모든 장기 사이 및 피부 사이에 생길 수 있으며, 자연적으로 생기기도 하지만, 대부분 후천적으로 생기게 되고 주로 외상, 수술로 인해 생긴다.

가장 흔한 샛길의 원인은 의인성(iatrogenic)이며, 수술 후에 장문합의 파열, 봉합의 파열, 폐복(abdominal wall closure) 시의 실수로 인해 발생하고, 위장관 어디서나 발생할 수 있다. 간혹 복강 내 액체 저류, 농양 등을 배액하면서 생기기도 한다.

또한 크론병, 방사선 조사 장관염, 장폐색과 같은 장관 자체의 질병이나, 농양, 복막염 등과 같은 좋지 못한 복강 내 상황에 의해서도 생기기 쉽다.

(2) 증상 및 분류

샛길을 가지는 환자들은 장 내용물의 유출로 인한 증상을 나타내며, 그 해부학적 위치와 생리학적 특성에 의해 다른 증상을 보인다.

해부학적으로 샛길은 장관(enteroenteric), 방광(enterovesical), 피부(enterocutaneous), 질(enterovaginal) 등과 장 사이에 생길 수 있다.

생리학적으로 샛길은 24시간 동안 나오는 양에 따라 low-output, moderate-output, high-output으로 나눌 수 있으며, 24시간에 200ml 이하를 low, 500ml 이상을 high로 하며 그 사이를 moderate output fistula라 한다.

(3) 합병증

샛길의 가장 심각한 합병증은 패혈증이며 25~75%의 환자에서 발생한다. 또한 장 내용물이 샛길을 통해 배출됨으로써 저혈량증과 탈수, 전해질 불균형, 산-염기 불균형이 발생하고, 단백질과 미량원소의 소실로 인해 영양부족 상태가 발생한다.

샛길을 통해 배출된 장 내용물이 피부 또는 창상에 닿아 피부 합병증이 발생할 수 있다. 장 내용물은 부식 효과를 지니기 때문에 피부가 자극되고 부식될 수 있으며 궤양 및 감염이 발생할 수 있다. 이러한 자극은 견디기 매우 힘든 심한 통증과 가려움증을 유발하여 환자의 삶의 질을 저하시킨다.

(4) 치료

과거에는 장 내용물을 흡인하고 조기에 수술적 치료를 하는 것이 주된 치료였다. 그러나 이러한 치료는 비효율적일 뿐만 아니라 환자의 이환율과 사망률을 높인다. 따라서 현재는 자연적으로 샛길이 막힐 수 있도록 내과적인 치료를 하는 것이 원칙이며, 이러한 치료에 반응하지 않는 환자에서 수술적 치료를 고려하게 된다. 40~60%에서 자연적으로 샛길이 막히며

30~60%에서 수술적 치료가 필요하다.

① 수액공급

일단 샛길이 형성되면 충분한 수액공급이 가장 중요하다. 그 이유는 그 동안 환자의 영양 상태는 매우 불량했을 것이고, 장 내용물의 소실로 인해 혈장량이 적고, 전해질 불균형이 심각할 것이기 때문이다. High-output fistula의 경우 경구 섭취는 중단하고 장을 쉬도록 함으로써 장 내용물을 줄이고 장 분비물을 줄여 샛길이 자연히 막힐 수 있도록 한다. 감염이 있는 경우에는 광범위 항생제를 사용한다.

② 약물치료 및 배액

H_2 blocker 또는 omeprazole과 같은 PPI(proton pump inhibitor)를 사용하여 샛길의 배출량을 줄이도록 한다. 수액 균형을 맞추기 위해 샛길 배출량을 정확하게 측정하고, 패혈증의 원인이 될 만한 것들을 조절한다. 감염된 창상은 개방하여 배액시키고 복강 내의 액체는 경피적으로 혹은 수술적으로 배액한다.

③ 총경정맥 영양(Total Parenteral Nutrition, TPN)

샛길이 자연히 막힐 수 있도록 도와주는 방법 중 가장 중요한 것은 영양공급이다. 총경정맥 영양을 바로 시작하여 장을 쉴 수 있도록 만들어 샛길 배출량을 줄이고, 질소 평형을 맞춘다. Octreotide와 같은(somatostatin analogue) 장 분비물을 줄이고 장운동을 저하시켜 샛길 치료에 도움이 된다. 모든 샛길에서 반드시 경구 영양 섭취를 중단해야 하는 것은 아니며 low-output fistula 또는 결장 샛길일 때에는 경구 섭취가 가능하다.

④ 피부보호

장 내용물이 피부에 닿음으로써 생기는 피부 합병증은 의료진이 간과하기 쉬우나 환자 입장에서는 매우 고통스러운 부분이다. 따라서 피부 보호를 위해 다양하게 개발되어 있는 접착 물질 또는 피부 보호벽을 적극적으로 사용하도록 한다. 특히 장루 관리 간호사를 적극적으로 개입시켜 소홀하기 쉬운 피부보호를 적극적으로 한다.

꼭 알아둡시다!!!

◆장샛길(intestinal fistula)

가장 흔한 원인 : 의인성 손상(수술)

합병증 : 패혈증, 저혈량증, 탈수, 전해질 불균형, 산-염기 불균형, 영양 결핍

치료 : 수액공급, 총경정맥영양, 수술, 피부합병증 치료

문제

7-8 5)

다음 중 개복수술 후 장운동이 가장 늦게 돌아오는 장기는?

1) stomach
2) duodenum
3) jejunum
4) ileum
5) colon

해설
개복수술 후 소장의 운동은 수시간 내에 돌아오지만, 위 운동은 24~48시간 후, 결장의 운동은 48~72시간 후에 돌아온다.

7-9 4)

다음의 장샛길 가운데 자연적 치유가 예상되는 경우는?

1) 복합샛길
2) 근위부 샛길
3) 주변부 농양
4) 길이 4cm의 샛길
5) 샛길의 상피화

해설
장샛길은 길이가 2cm 이상일 때, 단일 샛길, 바깥 샛길, 원위부 샛길, 상피화 되지 않았을 때, 주변부 농양이 없을 때 자연치유를 기대할 수 있다.

PACIFIC
SURGERY

8 급성 외상

Acute Trauma

8.1 외상성 손상 후의 사망

외상에 의한 사망률을 감소시키기 위해서 사고의 발생을 미리 예방하는 것이 가장 효과적이지만 일단 사고가 발생한 후에는 현장에서 신속히 적절한 처치를 제공하고 적절한 병원으로 바로 이송하여 병원 내 외상팀이 조직적이고 신속히 대처할 수 있는 응급의료체계와 응급의료진의 높은 외상처치 수준을 갖추는 것이 중요하다. 외상으로 인한 사망 중 25~33%는 위와 같은 조직적이고 체계적인 접근으로 예방할 수 있다.

외상 후의 사망 시기는 세 가지의 피크가 있다(The peak of mortality).

- **첫 번째 peak** : 대동맥, 심장, 뇌간, 척수 손상, 급성 호흡부전에 의한 사망으로 수초~수분 내에 일어나며 외상 후 사망환자의 50%가 이 시기에 사망한다.
- **두 번째 peak** : 출혈과 뇌신경계 손상에 의한 사망으로 수시간 내에 발생하며 사망환자의 30%에 해당한다. 외상전달체계, 급성환자관리시스템의 주된 대상이며 'golden hour' 내의 치료가 사망 예방에 중요하다.
- **세 번째 peak** : 감염이나, 다발상 장기 부전(Multiple Organ Failure, MOF)에 의한 사망이며 24시간 이후에 발생하며 10~20%의 사망이 발생한다. 최근 폐색전(pulmonary embolism)이 사망의 주요 원인으로 부각되고 있다.

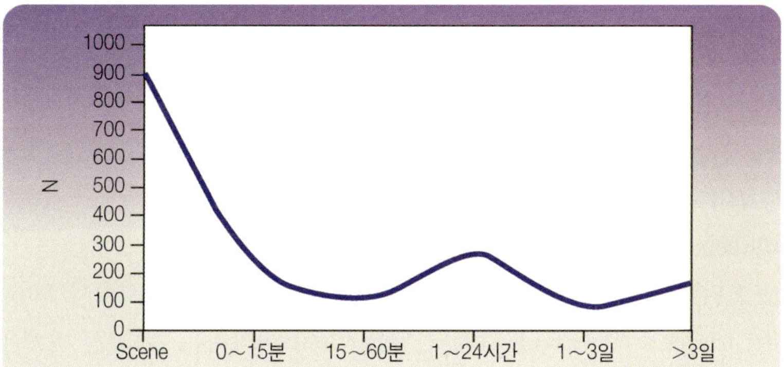

그림 8-1 외상 후 시간에 따른 사망건수의 분포

“ 참고하세요 ”

◆황금 시간

Maryland주 Baltimore시에 소재하고 있는 유명한 쇼크-외상 센터의 설립자인 R. Adams Cowley 박사는 ‘황금시간(Golden Hour)’이란 개념을 주창하였다. 그는 치명적인 외상을 입은 환자들은 손상 후 1시간 이내에 수술실에서 결정적인 치료를 받아야 최선의 생존율을 얻을 수 있으며 반면에 1시간이 초과하면 수술을 받더라도 그 생존율이 현저히 떨어진다는 자신의 경험을 근거로 ‘유효한 치료술식의 빠른 시행’을 강조하는 의미로 ‘황금시간’이란 용어를 만들어 강조하였다. 현재 황금시간이라는 용어가 정확하게 1시간을 의미하는 것으로 사용되는 것은 아니며 내부 출혈이 지속되는 중증 외상 환자에게 실효성 있는 지혈을 더 빠르게 완료할수록 환자의 생존 가능성을 더욱 높일 수 있다는 개념적 용어로 활용된다. 빠른 지혈과 신속한 쇼크 상태의 개선은 조직 세포에 가해지는 허혈성 손상과 이에 이어지는 재관류 손상을 최소화하고 그럼으로써 조직 세포의 손상에 수반되는 전신적 염증반응(systemic inflammatory response syndrome, SIRS)의 폭발적 증폭을 차단함으로써 환자의 생존율을 높이는 것으로 설명된다. 이런 황금시간의 개념은 중증 외상과 더불어 뇌경색 및 심근경색의 치료 등에도 확대되어 ‘신속한 응급처치의 필요성’을 뜻하는 일반 용어로 활용되고 있다.

8.2 외상 환자의 분류

1) 정의

환자를 손상의 정도, 생존 가능성, 치료의 응급도(urgency of care)에 따라 분류한다.

2) 목적

고위험군의 환자를 가능한 자원을 이용하여 외상센터로 이송하는 것과 저위험군의 환자가 필요 없이 집중되는 것을 방지하는 것이다.

3) 기준(Committee on Trauma of the American College of Surgeons)

(1) 생리적 반응(physiologic response)

(2) 손상 구조물(injury anatomy)

(3) 손상 생체역학(injury biomechanics)

(4) 동반질환(comorbid factors)

Over triage(저위험군의 환자를 고위험군으로 파악하는 것)되는 비율이 50%에 이르러도 무방하나 under triage(고위험군의 환자를 저위험군으로 파악하는 것)되는 비율은 3% 미만이어야 한다. 이유는 under triage되어 적절한 치료를 받지 못하는 경우를 방지하기 위함이다.

4) 분류

(1) 긴급 손상

즉시 생명을 위협하고 생물학적 생체 기능을 유지할 수 없는 경우로서 기도확보가 어려운 경우, 부적절한 호흡, 출혈, 순환계의 손상, 쇼크 등이 있다. 이러한 손상은 전체 외상 환자의 약 5%에 해당되며 외상으로 인한 전체 사망 환자의 50% 이상을 차지한다.

(2) 응급 손상

전체 외상 환자의 10～15%를 차지하며 즉각적으로 생명을 위협하지는 않으며 흔히 복부, 구강안면부, 흉부, 사지에 손상이 있으며 수술적 처치가 필요하다.

(3) 비응급 손상

전체 외상 환자의 80%를 차지하며 생명의 위협은 없고 세밀한 검사와 관찰 후에도 손상의 명확한 특징을 파악할 수 없거나 수 일에서 수 주일간의 신체검사, 검사실 및 방사선학적 검사로 내과적 관찰이나 수술이 필요할 수도 있다.

8.3 초기 처치

1) 초기 처치의 우선순위

외상환자의 경우 갑자기 상태가 악화될 수 있음을 염두에 두고, 눈에 잘 띄고 심각해 보이는 손상보다 급하게 해결해야 할 손상이 있을 수 있음을 고려해야 한다.

외상환자의 접근 순서는 중요한 순서대로 다음과 같다.

(1) 기도확보 및 산소공급(oxygenation and ventilation)

(2) 생리적 안정화(physiologic stabilization) 및 대량 출혈에 대한 처치(massive hemorrhage control)

(3) 뇌손상에 대한 처치 : Glasgow coma scale이 8 미만이거나 편향 징후(lateralizing sign)가 나타나면 CT를 시행

(4) 개복술(damage control laparotomy)의 시행
- 골반강 출혈에 대한 혈관조영술(angiography for pelvic bleeding)
- 사지 허혈에 대한 재관류(revascularization of ischemic extremity)
- 개방성 골절에 대한 처치(management of open fracture)

(5) 골절에 대한 처치(orthopedic fracture)

2) 외상 환자에 대한 초기 평가

(1) 환자의 일차 위험도 평가

- 생명을 위협하는 손상에 대한 확인 및 즉각적인 처치를 5~10분 내에 시행한다.
- ABCDE(Airway, Breathing, Circulation, Disability, Exposure)

(2) 환자의 이차 위험도 평가

일차 위험도 평가가 끝난 후 전신에 대한 면밀한 검사를 통해 확인 가능한 모든 손상을 조사한다.

① 기도확보(airway)

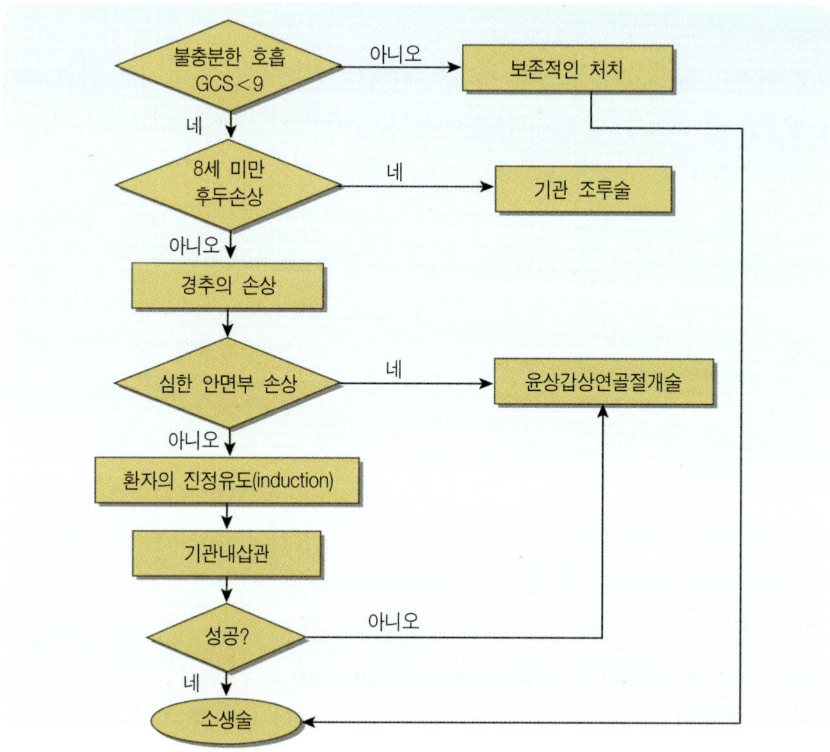

그림 8-2 외상 환자의 기도확보에 관한 알고리즘
GCS: Glasgow Coma Scale

- 손상이 심하지 않은 환자에서는 기도내 이물질을 제거하고 턱을 들거나(chin lift) 턱을 밀어 올리는 수기(jaw thrust maneuver)를 통해 기도를 확보할 수 있으며, 심한 두경부 손상이나 쇼크에 빠진 환자의 경우 기관내삽관(endotracheal intubation)을 시행한다.
- 경추 손상(cervical spine injury)이 있을 가능성을 생각하고 과신전(heperextention)을에 유의하여 조심스럽고 신속하게 기관내삽관을 시행한다.
- 코기관내삽관(nasotracheal intubation)은 거의 시행하지 않는다.

- 수술적 기도확보 : 다음과 같은 경우에는 기관내삽관이 불가능하거나 삽관으로 인한 추가 손상이 우려되기 때문에 윤상갑상연골절개술(cricothyoidotomy)을 시행하며 후두손상(laryngeal injury)이 의심되는 경우에는 기관조루술(tracheostomy)을 시행한다.
  - 심한 턱얼굴의 손상(maxillofacial trauma)
  - 경부 손상으로 인한 해부학적 변화(anatomic distortion due to neck injury)
  - 출혈, 분비물, 부종 등으로 인해 성대가 보이지 않을 때

② 호흡(breathing)

- 기도가 확보된 후 호흡(tidal ventilation)이 적당한지 시진(좌우 흉부의 대칭), 촉진, 청진을 시행 후 흉부방사선 촬영을 시행한다.
- 호흡(respiratory drive)이 약화되었거나 심한 흉곽 손상이 있을 때는 보조환기장치(ventilator)가 필요하다.
- 뇌 손상이 있는 경우 저산소증(hypoxemia), 저환기(hypoventilation)가 생기지 않도록 동맥혈가스분석(ABGA)을 통해 보조 환기 장치를 정확히 제어한다.
- 외상 환자에서는 산소화된 혈액이 뇌와 주요 장기에 부적절하게 공급되어 빠르게 사망할 수 있으므로 적절한 산소를 충분하게 공급해 주어야 하며 산소포화도측정기에 산소포화도가 95% 이상, 말초동맥의 산소분압이 70mmHg 이상으로 유지시켜야 한다.

③ 순환(circulation)

- 출혈에 대한 확인 및 처치를 시행한다.
- 적어도 2개 이상의 큰 정맥로(large bore IV)를 확보한다.
- 수액은 주로 lactated Ringer's solution(HS)을 공급하며 성인의 경우 1,000ml, 소아의 경우 20ml/kg를 급속히 주사하고, 반응이 없을 경우 한 번 더 주사한다.
- 두 번의 급속 주사(bolus infusion)에도 혈압, 피부관류, 소변량, 의식상태 등의 변화가 없으면 수혈(transfusion)을 시행한다.
- 심장압전(pericardial tamponade), 긴장성기흉(tension pneumothorax)이 의심되는 경우 즉각적인 조치(needle catheter decompression)를 시행해야 한다.

꼭 알아둡시다!!!

심장압진과 긴장성기흉은 초응급으로 다른 어떤 치료보다도 우선시되어야 하며, 진단에 시간을 허비하지 말아야 한다.

④ 의식 및 장애여부 판정(disability)

- 신속한 신경학적 검사로 환자의 의식 수준과 동공 크기와 반응 정도, 편향징후(lateralizing signs), 척수 손상 수준을 평가해야 한다. 의식수준은 빠르고 단순하면서 환자

의 예후를 예견할 수 있는 글라스고우 혼수 척도(Glasgow Coma Scale, GCS)를 이용한다〈표 8-1〉.

- 의식저하는 뇌 저산소증, 뇌관류압 감소, 직접적 뇌손상 등으로 발생할 수 있으며 저혈당증이나 알코올과 다른 약물에 의해서도 일어날 수 있다. 따라서 산소화, 환기, 관류 상태를 재평가하고 저산소증이나 저혈량성 쇼크가 아닌 경우에는 다른 원인이 규명될 때까지 외상성 두부손상을 의심해야한다.

⑤ 노출(exposure) 및 저체온증 예방

옷을 가위로 잘라 완전히 옷을 벗기고 환자의 손상부위와 출혈부위를 찾는다. 저체온증을 방지하기 위해 보온포나 외부 가온법을 사용하고 정맥주사용 수액은 주사하기 전 39℃ 정도로 가온시키고 주위 환경온도를 높게 유지해 준다. 외상 환자는 응급의료센터에 대개 체온이 저하되어 내원하게 되고 대량 수혈과 수액 처치를 받게 되는 환자는 체온을 유지하려는 노력에도 불구하고 저체온증에 빠지게 된다.

따라서 출혈을 빨리 조절하고 수술적 처치를 시행하는 것이 도움이 된다. 생명과 관련된 문제를 먼저 해결하려고 하다가 저체온증에 주의하지 않는 경우가 발생할 수 있고 1차 평가의 다른 평가만큼 중요하므로 환자의 재가온에 신경써서 저체온증 예방에 주의해야 하겠다.

표 8-1 GCS(Glasgow Coma Scale) scoring

Eye opening	No response	1
	To painful stimulus	2
	To verbal stimulus	3
	Spontaneous	4
Best verbal response	No response	1
	Incomprehensible sounds	2
	Inappropriate words	3
	Disoriented, inappropriate content	4
	Oriented and appropriate	5
Best motor response	No response	1
	Abnormal extension(decerebrate posturing)	2
	Abnormal flexion(decoricate posturing)	3
	Withdrawal	4
	Purposeful movement	5
	Obeys commands	6
Total		3~15

문제

8-1 5)

35세 남자 환자가 교통사고 후 넙다리 개방골절로 내원하였다. 혈압 70/40, HR 120이었고 창백해 보였다. 먼저 시행하여야 할 치료는?

1) 항생제
2) steroid
3) CT
4) 상처부위 세척
5) normal saline 주입

해설

외상 환자는 반드시 ABC 순서의 소생을 시행한다. 기도, 호흡의 문제가 없고 혈압저하가 있으므로 수액을 먼저 공급한다.

8-2 5)

25세 남자 환자가 교통사고를 당했다. 의식은 있었고 머리 덮개 열상과 오른쪽 위팔뼈 노출 골절이 있었다. 복부팽만이 있어 배천자술(paracentesis)을 시행한 결과 혈액이 나왔고 CXR에서 긴장성 가슴공기증(tension pneumothorax)이 보였고 뇌CT 상 경막외 혈종이 보였다. 가장 먼저 처치해야 할 것은?

1) 머리덮개 열상
2) 위팔뼈 노출 골절
3) 혈액복막강
4) 경막외 혈종
5) 긴장가슴공기증

해설

막외 혈종, 혈복강, 노출 골절 모두 응급수술의 적응증이 되지만 모든 경우에 있어 수술을 시행하는 것은 아니다. 긴장성 기흉은 초응급질환이며, 긴장성 기흉의 해결 없이는 다른 질환의 치료가 무의미할 뿐더러 마취 자체가 불가능하다.

8.4 외상 질환

1) 경부 손상

(1) 특징

① 둔상에 비해 관통상이 많다.

② 기도, 중요 혈관이 있어 치명적이며 정확한 평가가 중요하다.

③ 전·후 위치(앞삼각부위, 뒤삼각부위－SCM 기준으로 나눔)가 중요하다〈그림 8-3〉.

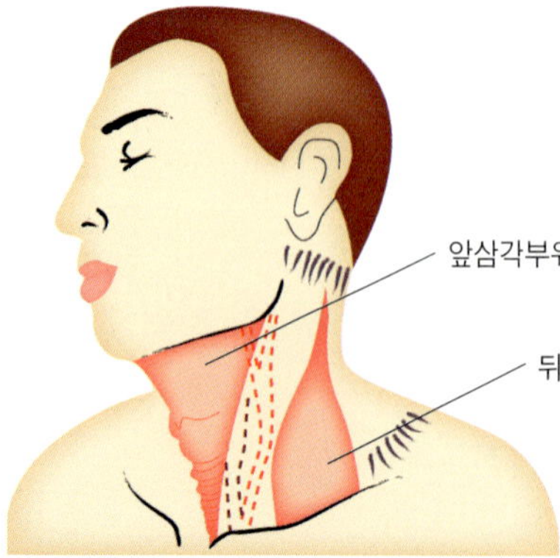

그림 8-3 목의 앞삼각, 뒤삼각부위

- 앞삼각부(anterior triangle) : 기도, 식도, 대혈관이 있으며 넓은목근(platysma)의 손상이 없으면 표재성 손상(superficial injury)이기 때문에 더 이상 평가는 불필요하나 넓은목근 손상이 있다면 면밀한 검사가 필요하다.
- 후삼각부(posterior triangle) : 수술적 치료를 요하는 손상이 거의 없다.

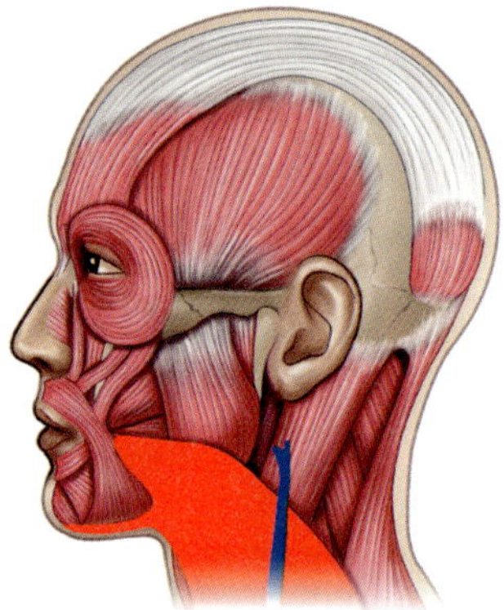

그림 8-4 넓은 목근

④ 종축상 위치(craniocaudal location)〈그림 8-5〉

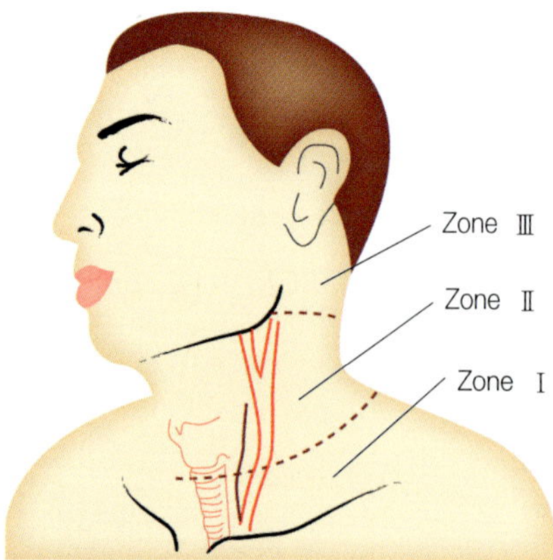

그림 8-5 목의 종축상 구분

- **zone Ⅰ** : 복장패임(sternal notch)－반지연골(cricoid cartilage) : 대혈관이 있고 접근이 어려워 사망률이 가장 높은 위치
- **zone Ⅱ** : 반지연골(cricoid cartilage)－턱뼈각(mandibular angle) : 혈관조작(vascular control)이 어렵지 않다.
- **zone Ⅲ** : 턱뼈각(mandibular angle)－머리뼈바닥(skull base) : 목동맥 원위부(distal carotid artery)의 지혈이 어렵다.

(2) 응급처치의 우선순위

① 기도확보

출혈, 기도 흡인물(aspiration) 등을 제거한다. 지속적인 출혈이나 부종이 발생하여 기관내삽관이 어려워지는 경우가 흔하므로 아주 적게 다친 것이 아니라면 기관내삽관을 15분 내에 시행하도록 한다.

② 지혈 : 목동맥, 목정맥 등의 대혈관 출혈

- **zone Ⅱ 손상** : 혈종 및 명백한 출혈(external hemorrhage) 시 즉각적인 수술로 지혈 가능하다.
- **zone Ⅰ/Ⅲ 손상** : 혈관에 대한 접근이 어렵기 때문에 매우 불안정한 환자가 아니라면 혈관조영술을 먼저 시행하여 손상 부위를 진단하고 색전술 치료를 고려한다.

③ 경부의 둔상(blunt trauma) 시 후두, 기관지, 목동맥 손상을 항상 염두에 둔다.

(3) 손상 정도의 평가

① 둔상 후 혈관의 평가

도플러 초음파, 혈관조영술, MRA(MR angiography) 등을 시행하며, 대개 출혈보다는 동맥박리(arterial dissection), 동맥의 피판형성(flab formation), 혈전(thrombosis)이 더 많다.

② 둔상 후 후두 검사

후두내시경(laryngoscope)으로 평가하기 어려운 경우가 많아 CT를 시행한다. 관통상에서 후두를 검사할 경우는 후두내시경을 시행한다.

③ 둔상에서 식도의 손상은 매우 드물기 때문에 증상이 없으면 특별한 검사가 필요하지 않다.

④ 경부 수술의 적응증

꼭 알아둡시다!!!

◆ **경부 탐색술의 적응증(Clinical Indications for Neck Exploration)**

1. 혈관 손상
   - 크기가 커지는 혈종
   - 외부로의 출혈
   - 목동맥 맥박의 감소
2. 기도 손상
   - 협착음(stridor)
   - 목쉰소리
   - 발성장애 또는 목소리 변화
   - 객혈
   - 피하의 공기
3. 소화기계의 손상
   - 연하곤란 및 연하장애
   - 피하의 공기
   - 입인두(oropharynx)의 혈액
4. 신경계의 손상
   - 외상과 관련된 편향징후
   - 의식 상태의 변화가 있고 머리 손상에 의한 것이 아닐 때

2) 복부 외상 일반

(1) 복부 손상의 기전

① 둔상(blunt trauma) : 교통사고, 추락, 폭행

② 관통상(penetrating trauma) : 총, 칼(총에 의한 관통상은 거의 다 수술이 필요하고, 칼의 경우 상대적으로 수술해야 하는 경우가 적다.)

(2) 진단

환자가 음주 혹은 약물 복용으로 의식이 저하된 상태에서는 병력 및 신체검진(physical examination) 만으로 감별하는 것은 적절하지 않다. 또한 골반강, 후복막장기의 손상은 신체검사로 진단하는 것이 어렵다.

혈압이 낮거나, 쇼크, 복막 자극 징후(peritoneal sign)가 있으면 망설이지 말고 개복술(explorative laparotomy)을 시행한다.

① 방사선 검사

- 속이 빈 장기(hollow viscus)의 천공에 의한 기복증(pneumoperitoneum)의 진단
- 수용성 비투과성 용액(gastrograffin)을 이용한 장관조영술 : 위, 샘창자, 공장 손상 진단에 도움이 된다. 천공 부위로 누출이 되도 바륨과 같은 복막 자극(peritoneal irritation)을 일으키지 않는다.
- 갈비뼈 골절(rib fracture)이 있는 경우 간, 비장 손상의 가능성이 있다.
- 혈뇨가 있을 때에는 신우조영술(pyelography), 방광조영술(cystogram)을 시행한다.

② 진단적 복강세척술(DPL－diagnostic peritoneal lavage)

둔상 후 저혈압, 의식이 없는 환자에서 명백한 개복의 적응증이 되지 않을 때 시도할 수 있다.

- 양성소견
  - 세척액에서 10ml 이상의 혈액이 육안적으로 관찰될 때
  - 현미경 검사에서 적혈구가 10만/mm^3개 이상 발견될 때
  - 현미경 검사에서 백혈구가 500/mm^3개 이상 발견될 때
  - 세척액의 아밀라아제 수치가 175IU/dl 이상일 때
  - 세척액에서 쓸개즙, 음식물, 세균이 발견될 때
- 문제점
  - 복강 내 출혈 시 민감도가 높으나, 특이도는 낮다.
  - **위양성**(false positive)은 실제 복강 내 손상이 없는데도 세척액 검사에서 혈액이 검출되는 경우로서, 진단적 복강세척술은 위양성률이 높다. 따라서 검사 결과 복강 내 손상이 있는 것으로 판단하여 개복을 했는데 손상이 없는 경우가 있다(위양성의 예 : 복벽 천자 시 난 피, 후복막 출혈의 일부가 복강 내로 들어온 경우).
  - **위음성**(false negative)은 실제 출혈이나 장기 손상이 있는데도 불구하고 세척액 검사에서는 음성이 나오는 경우로 주로 후복막 장기 손상일 때 흔하다(위음성의 예, 가로막 손상, 후복막 혈종, 콩팥, 췌장, 샘창자 손상).

8
급성 외상

꼭 알아둡시다!!!

◆진단적 복강세척술의 적응증 및 금기증

1. 적응증
   - 신체검진으로 진단이 불확실할 때
   - 설명하기 어려운 쇼크나 혈압저하
   - 감각의 저하
   - 복강 외의 수술을 위해 전신마취를 시행할 때
   - 척수 손상

2. 금기증
   - 절대적 금기증 : 반드시 개복술이 필요할 때에는 어차피 개복 예정이기 때문에 복강세척술을 시행하면 안 된다.
   - 상대적 금기증 : 예전에 복부 수술을 받은 과거력이 있을 때
     - 임신
     - 비만

③ 초음파

- 복강 내 체액(fluid collection) 검사에 유용하며, 혈역학적으로 불안정한 환자라도 환자 옆(bedside)에서 바로 시행할 수 있기 때문에 시간이 비교적 오래 걸리고 검사실에서 시행하는 CT에 비해 안전하다.
- FAST(Focused Assessment for the Sonographic Examination on Trauma) : 외상 환자의 평가 시 초음파를 이용하여 빠르게 검사하는 프로토콜로써 중요 장기가 존재하는 5부위를 빠르게 검사한다. 심막(pericardium)에서부터 시작하여, 간, 비장, 콩팥, 골반

강 순서로 진행한다.

- 초음파상 양성 소견을 보이고 환자가 안정된(stable) 경우 CT를 시행한다.
- 민감도 : 85~99%, 특이도 : 96~100%

꼭 알아둡시다!!!

◆초음파의 장점 및 단점

1. 장점
   - 비침습적이다.
   - 방사선 노출이 없다.
   - 응급 상황에서 빠르게 시행할 수 있다.
   - 쉽게 여러 번 시행할 수 있다.
   - 초기 평가 시에 사용할 수 있다.
   - 비용이 저렴하다.
2. 단점
   - 검사자에 따라 진단율이 좌우된다.
   - 비만 환자에서 진단율이 떨어진다.
   - 복강 내에 가스가 많으면 진단이 어렵다.
   - 500ml 이하의 복강 내 액체발견이 어렵다.
   - 후복막 장기와 속이 빈 장기(hollow viscus)의 손상일 경우에 위음성이 많다.

④ CT

- CT의 큰 단점 가운데 한 가지는 환자를 이송해서 밀폐된 공간에서 시행해야 한다는 점이다. 따라서 혈역학적으로 불안정한 환자에서는 시행하기 힘든 검사이다. 하지만 초음파상 양성소견을 보이고 안정적인 환자에서는 복부 장기 손상의 정도 파악 및 조영제를 이용한 출혈부의 파악을 위해 시행하도록 한다.
- 복강 내 혈관 손상으로 조영제가 혈관 밖으로 누출되는 경우(extravasation)에는 시험적 개복술(explorative laparotomy)나 혈관조영 후 색전술 등을 시행한다.

꼭 알아둡시다!!!

◆복부 CT의 적응증 및 금기증

1. 적응증
   - 둔상
   - 혈역학적으로 환자가 안정된 상태일 때
   - 신체검진 상 정상이거나 불확실할 때
   - 샘창자, 췌장 손상일 때
2. 금기증
   - 반드시 개복해야 하는 경우일 때
   - 혈역학적으로 환자가 불안정할 때
   - 환자가 불안증을 나타낼 때
   - 환자가 조영제에 알레르기가 있을 때

꼭 알아둡시다!!!

◆ 복부 CT의 장점 및 단점

1. 장점
   - 후복막 장기에 대해 적절하게 평가할 수 있다.
   - 고형장기 손상(solid organ injury)이 있을 때 비수술적 치료 시 판단 기준이 된다.
   - 콩팥 관류를 평가할 수 있다.
   - 비침습적이다.
   - 특이도가 높다(high specificity).
2. 단점
   - 판독 전문의가 있어야 한다.
   - 장비가 갖추어져야 한다.
   - 속이 빈 장기의 손상에 대한 평가가 어렵다.
   - 비용이 비싸다.

⑤ 다른 방법들

- **진단적 복강경**(diagnostic laparoscopy)
  - 복부 둔상에서 다른 진단방법에 비해 효과적이지 않다.
  - 흉복부 관통상(thoracoabdominal penetrating injury)에서 가로막의 손상을 평가할 때 가장 좋은 방법이다.
- **혈관조영술**(angiography)
  - 신동맥 혈전(renal artery thrombosis)을 정확하게 평가할 수 있다.
  - 골반골절에 의한 골반강 출혈을 치료할 수 있다.
  - 간, 비장 손상으로 인한 심하지 않은 출혈을 치료할 수 있다.

3) 위 손상

관통상이 대부분이며 둔상은 1% 미만으로 매우 드물다.

(1) 둔상

① 흉곽에 의해 일부 싸여 있기 때문에 둔상에 의해 잘 손상되지 않는다.

② 원인

- 기관내삽관을 잘못해서 식도 내로 환기가 될 때
- 드물게 심폐소생술(CPR) 중의 압박에 의해서도 발생한다.
- spine에 대한 crushing
- Heimlich maneuver(기도가 이물질에 의해 막혔을 때 뒤에서 끌어안고 복부를 압박하는 방법)

③ 진단 : CT나 복강세척술로 가능하나 대부분 수술로 진단한다.

(2) 관통상

① 어떤 종류의 복부 관통상에서도 반드시 위 손상을 고려한다.

② Levin tube에서 출혈이 관찰되면 위 손상을 의심한다.

③ 수술 중 미세한 손상(minor injury)이 잘 안보이면 Levin tube를 통해 saline, methylen blue를 위에 채워 넣어 확인한다.

(3) 치료

① 관통상일 경우에는 창상 주변 절제(wound edge debridement) 후 일차봉합한다.

② 조직 손상이 심할 경우(major tissue loss)에는 위절제술을 시행한다.

(4) 수술 후 합병증

① 출혈 : 주로 점막하 층에서 발생한다.

② 복강 내 농양

③ 드물게 위루(gastric fistula)가 발생하기도 한다.

④ 농흉(empyema)

(5) 위 손상 후 감염

손상 당시의 위 내부 pH 상태에 따라 다르다.

① pH가 4 미만일 때는 Streptococcus, Staphylococcus, Lactobacillus 등이 원인균이 된다.

② pH 높게 유지되었을 때는 Bactroides fragilis, E.coli, Streptococcus faecalis enterobacter 등 하부 위장관의 균이 원인이 된다.

(6) 예후

① 위 손상을 동반한 외상에서 14%의 사망률, 27%의 이환율(morbidity)을 보인다.

② 위 손상만 있을 때는 이환율이 6%로 감소한다.

4) 샘창자 손상

(1) 특징

① 발생률 : 3~5%

② 주로 관통상에 의해 발생하며, 둔상은 드물고 진단이 어렵다.

③ 대부분 다른 복강 장기의 및 혈관의 손상이 같이 발생한다. 특히 샘창자 2nd, 3rd 부위는 후복막에 위치하고 있어 손상에 보호되는 효과가 있지만 손상될 경우 조기진단이 어렵다.

④ 샘창자 단독 손상 시 복막염이나 혈역학적 불안정이 잘 나타나지 않는다. 따라서 진단이 지연되고 복강 내 농양을 형성하여 패혈증으로 진행할 가능성이 높아 사망률이 매우 높다.

(2) 진단

① **고아밀라아제혈증**(hyperamylasemia) : 50% 정도에서 나타나지만 진단적 소견은 아니다. 다만 고아밀라아제혈증이 나타나면 샘창자 손상을 의심할 수 있고 다른 진단적 검사가 필요하다는 의미를 가진다.

② 방사선 검사에서는 다음과 같은 소견이 관찰된다.
- 경증의 척추 측만증(mild scoliosis)
- 오른쪽 허리근 음영의 소실(obliteration of right psoas shadow)
- 샘창자 구부의 공기 소실(absence of air in duodenal bulb)
- 콩팥 주변을 둘러싸는 후복막의 공기(air in retroperitoneum outlining the kidney)

③ 가스트로그라핀 상부 위장관조영술을 이용하여 조영제가 누출되는 것을 확인할 수 있다.

④ 경구 조영제 복용 및 조영제 정맥주사 후 CT 검사
- 혈역학적으로 안정된 환자에서 가장 정확한 검사이다.
- 후복막에 장관 밖으로 공기의 음영이 보이는 것이 샘창자 천공의 가장 중요한 소견으로서 조영제 복용 후 CT검사 시 천공 부위로 조영제가 누출되기도 한다.
- Coil spring or stacked coil sign : 샘창자 혈종(hematoma)을 의미하며 혈종 자체는 수술의 적응증은 아니다. 만약 혈종이 지속되면서 폐색증상을 일으킬 경우 수술적 치료가 필요하다〈그림 8-6〉.
- 진단적 복강세척술 : 후복막 손상 진단이 어렵기 때문에 음성이라도 샘창자 손상을 배제할 수 없다.

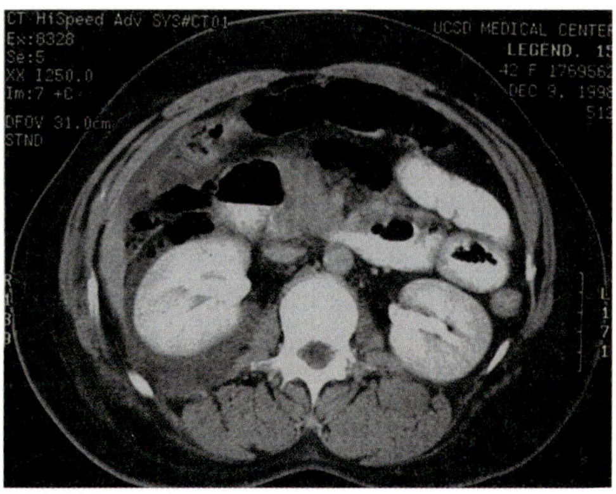

그림 8-6 복부 둔상에 의한 샘창자 손상
후복막(오른쪽 콩팥의 전면부)의 공기 음영이 보인다.

(3) 치료

① Duodenum injury scale〈표 8-2〉

② 80~85%의 샘창자 손상은 일차봉합으로 치료 가능하고 15~20%는 좀 더 복잡한 술식을 필요로 한다.

표 8-2 Duodenum injury scale

중등도	손상의 종류	손상의 내용
Ⅰ	혈종 열상	샘창자의 한 구역에만 존재할 때 일부층의 열상으로 천공이 없을 때
Ⅱ	혈종 열상	한 구역 이상에서 존재할 때 둘레의 50% 미만의 열상
Ⅲ	열상	제2부 둘레의 50~75%의 손상 제1, 3, 4부 둘레의 50~100%의 손상
Ⅳ	열상	제2부 둘레의 85% 이상의 손상이면서, 팽대부 혹은 총담관 원위부를 침범했을 때
Ⅴ	열상 혈관손상	샘창자 및 췌장의 심한 파열 샘창자로의 혈류가 모두 차단되었을 때

③ **Grade Ⅰ, Ⅱ**

- **손상 6시간 이내** : 단순 일차봉합(simple primary closure). 단순 일차봉합만에 더하여 대망을 덧댐으로써 봉합이 보다 더 효율적으로 이루어지도록 하기도 한다〈그림 8-7〉.
- **손상 6시간 이후** : 일차봉합만으로는 누출(leakage)의 위험이 있으므로 샘창자 감압술을 함께 시행한다. 즉 날문을 통해 비위관을 삽입하여 감압하고(transpyloric NG tube insertion), tube를 통해 공장 또는 샘창자를 감압한다(tube jejunostomy or duodenostomy).

그림 8-7 샘창자 일차봉합 후 대망을 이용한 패치
단순 일차봉합 후 문합을 효율적으로 이루어지게 하도록 대망을 덧댄다.

④ **Grade Ⅲ**

- 일차봉합+날문부 배제술(pyloric exclusion)+위공장 문합술(gastrojejunostomy)
- 날문부를 통해 샘창자로 음식물이 넘어가는 것을 방지하기 위해 날문부 배제술을 시행하며, 흡수성 봉합사를 이용하여 3~4주간 샘창자로 음식물이 들어가지 않게 한다. 3~4주 후에는 흡수성 봉합사가 흡수되어 치유된 샘창자로 음식물이 지나가게 된다.

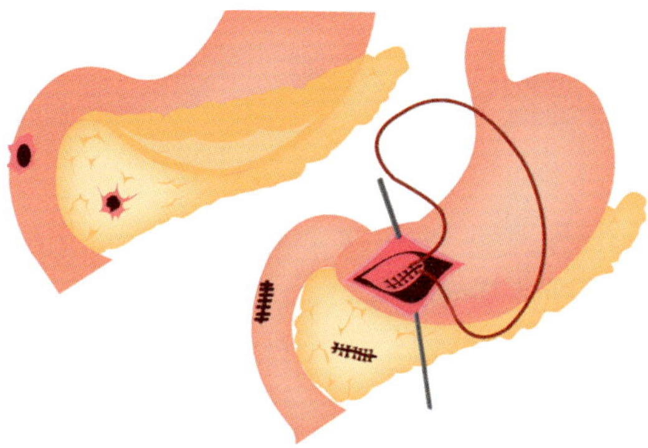

그림 8-8 날문 배제술
위 전벽을 열고 날문을 봉합한다. 이후 열린 위 전벽을 공장과 연결하여 위-공장 문합술을 시행한다. 이와 같은 술식을 통해 음식물이 손상된 샘창자를 거치지 않고 위에서 공장으로 우회하도록 하여 샘창자의 치유를 촉진한다.

⑤ **Grade Ⅳ**(샘창자 팽대부, 하부 온쓸개관의 손상 동반)

- 일차봉합+온쓸개관 복구(common bile duct repair)+유두부를 통과하는 긴 T-tube 삽입(T-tube with a long transpapillary limb) 또는 담도-공장 문합술(choledochojeju- nostomy)
- Grade Ⅳ에서 췌샘창자절제술(pancreaticoduodenectomy)은 거의 시행하지 않는다.

⑥ **Grade Ⅴ**(샘창자, 췌장 두부의 심한 손상 및 샘창자 공급 혈관의 손상)

- 췌샘창자절제술(pancreaticoduodenectom)을 시행한다.

⑦ 샘창자 혈종의 치료

- 대부분 10~15일 내에 비수술적 치료로 호전된다.
- 연동운동이 회복될 때까지 비위관(nasogastric tube)을 삽입한다.
- 고형식은 천천히 시작한다.
- 폐색증상이 지속될 경우 수술 치료를 고려한다.

(4) 합병증

① 합병증 발생빈도는 30~100%로 높은 편이다.

② 샘창자루(duodenal fistula)

- 5~15%에서 발생한다.
- 치료 : 비위관 설치 및 흡인(nasogastric suction), 정맥 영양 투여, stoma care

• 예후 : 보통 6~8주 후 fistula closure가 이루어진다.

③ 농양(abscess formation)

• 10~20%에서 발생한다.

• 치료

- 초기에 경피적 배액술(Percutaneous Drainage, PCD)을 시행한다.
- 다발성 농양(multiple abscess), 농양이 소장 사이에 위치하여 PCD가 어려운 경우에는 수술적 치료를 한다.

5) 췌장 손상

(1) 특징

① 복부 손상의 10~12%에서 발생한다.

② 관통상>둔상

• 췌장의 관통상 : 주요 복부 혈관 손상이 75% 이상에서 발생한다.

• 둔상 : 주로 교통사고 시 안전벨트에 의한 압박으로 발생한다.

③ 사망률 : 10~25%에 이르며 동반되는 혈관 손상시 50%의 사망률을 보인다. 패혈증 및 다발성 장기 부전은 late death의 원인이다.

(2) 진단

후복막강에 위치한 장기이기 때문에 증상이 비특이적인 경우가 많다. 따라서 병력, 손상의 기전(mechanism of injury)을 바탕으로 췌장 손상을 의심해보는 것이 중요하다.

혈청 및 소변에서 아밀라아제 수치가 높을 경우 진단적 소견은 아니나 높은 수치가 지속된다면 췌장 손상이 의심된다.

① Contrast duodenography, 진단적 복강세척술(DPL)

② CT : 가장 중요한 검사이다. 처음 CT 소견이 비특이적이었지만 복통이 계속 있고 아밀라아제 수치의 상승이 지속적이라면 반복하여 CT 촬영을 한다.

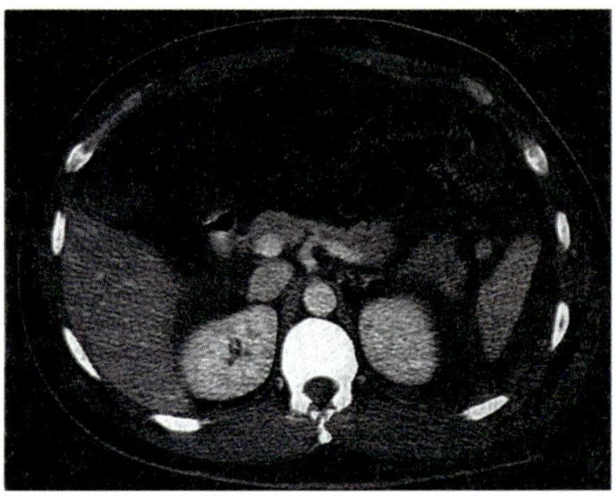

그림 8-9 췌장 절단의 CT소견

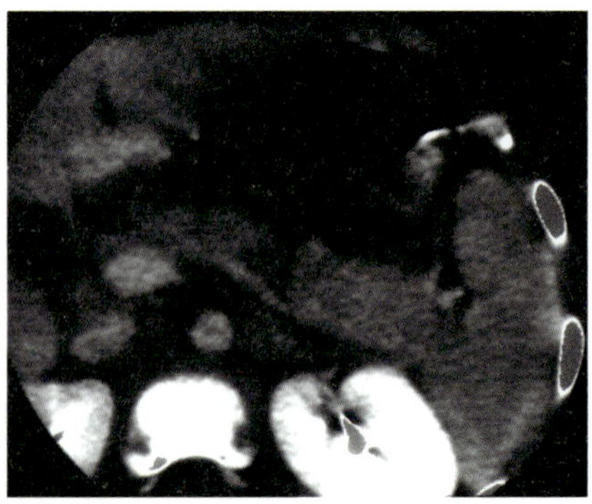

그림 8-10 췌장 둔상의 CT 소견
췌장 실질의 절단(화살표)과 주변의 혈종(별표) 관찰

(3) 치료

① Pancreas injury scale〈표 8-3〉

표 8-3 Pancreas injury scale

중등도	손상의 종류	손상의 내용
Ⅰ	혈종 열상	췌관 손상 없는 경증의 둔상 췌관 손상 없는 얕은 열상
Ⅱ	혈종 열상	췌관 손상이나 조직 손실이 없는 중증의 둔상 췌관 손상이나 조직 손실이 없는 중증의 열상
Ⅲ	열상	췌관 손상을 포함한 원위부 절단 혹은 원위부 실질 손상
Ⅳ	열상	팽대부를 포함하는 근위부 절단 혹은 근위부 실질 손상
Ⅴ	열상	췌두부의 심한 파열
근위부 췌장은 위창자간막정맥(SMV)을 기준으로 오른쪽을 의미하며, 왼쪽은 원위부 췌장이다.		

② 원위부 췌관 손상 또는 췌장 중심부의 절단 손상은 비교적 치료가 쉬우며 원위부 췌장 절제술(distal pancreaectomy)을 시행한다.

③ 췌장의 좌상(contused pancreas)일 경우에는 배액술(drainage)을 시행한다.

④ 췌장 두부의 심한 손상인 경우에는 일시적으로 40%이상에서 췌장루(pancreatic fistula)가 발생하나 대부분 배액술(drainage)로 치료할 수 있다.

⑤ 샘창자 손상이 동반된 췌장 두부의 손상은 괴사조직 절제+샘창자 일차봉합, 날문부 배제(pyloric exclusion)+광범위 배액을 시행한다.

⑥ 췌장 근위부 절제나 췌샘창자절제술은 가능하면 피하는 것이 좋으며, 췌장 및 샘창자가 매우 심각하게 손상되어 배액술로 치료 되지 않을 것이 예상될 경우에만 시행한다.

(4) 합병증

췌장루, 췌장 주위 농양(pancreatic fistula, peripancreatic abscess)이 35∼40%에서 발생하며, 가장 흔한 합병증이다. 췌장루의 경우 배액이 잘 유지되면 저절로 호전된다. 췌장 분비액을 줄이기 위해 somatostatin을 쓰기도 한다.

췌장염은 8∼18%에서 발생한다.

6) 소장 손상

(1) 특징

복부의 관통상이 있을 경우 소장 손상이 가장 흔하며, 복부 둔상이 있을 경우 5∼20%에서 소장 손상이 발생한다.

• 복부 둔상 시 소장 손상의 기전
  - 운전대와 척추 사이에서 분쇄 손상(crushing injury)
  - Treitz ligament나, 창자간막 동맥(mesenteric artery), 돌막창자판막(회맹판; ileocecal valve) 등 고정되어 있는 곳을 중심으로 감속에 의한 손상(decelerating shearing)
  - 복부 내 압력의 갑작스런 증가로 closed-loop의 파열

(2) 진단

① 단순 X선 촬영
다른 속빈 장기의 손상과 달리 복부 방사선 사진에서 자유공기 음영(free air)이 나타나는 경우는 드물다.

② 진단적 복강세척술(DPL)

③ CT
위음성이 15%까지 보고되었다. 자유공기 음영, 장벽의 비후(wall thickening), 고형 장기의 손상 없는 복강 내 체액(free fluid without solid organ injury)의 소견이 보일 경우 소장의 손상을 의심할 수 있다.

(3) 수술

① 전 소장의 손상 여부를 검사해야 한다.
② 소장 손상 정도가 작을 때는 일차봉합을 시행한다.
③ 소장 손상이 심하고, 일부의 혈류 공급이 안 될 때에는 소장을 부분 절제한다.

(4) 합병증

① 농양, 패혈증, 문합부 누출(anastomotic leakage), 창상감염, 장관루(enteric fistula), 장폐색 등

② 짧은창자증후군(short bowel syndrome)
  • 소장 절제를 많이 했을 경우 발생하며, 증상으로는 지속적인 설사, 단백질 손실, 지방변, 체중감소 등이 발생한다.
  • 공장 절제보다 회장 절제 시 쓸개즙염, Vit. B_{12}의 흡수가 되지 않기 때문에 더 심하다. 회장의 1/2가량이 보존되고 돌막창자판막(회맹판; ileocecal valve)이 보존되어 있다면 소장의 50%를 절제해도 짧은창자증후군이 발생하지 않는다. 그러나 그렇지 않은 경우에는 소장의 30%를 절제해도 짧은창자증후군이 발생할 수 있다.
  • 돌막창자판막의 유무가 중요한데, 이는 돌막창자판막이 있을 경우 장관 통과 시간(transit time)이 길어져 장에서의 흡수가 증가되기 때문이다.
  • 치료로는 수액공급, TPN(total parenteral neutrition), cholestyramine, H_2 blocker 등을 사용한다.

심화학습

◆ 짧은창자증후군의 치료

- 매일 2,500kcal 이상의 열량을 섭취하도록 하는데, 탄수화물, 단백질 위주로 하고 지방은 하루 40g 이하로 제한한다.
- 비타민, 미네랄, 필수지방산을 공급한다.
- 장운동을 억제시키는 약제(loperamide, codeine) 등을 사용하여 설사를 조절한다.
- 쓸개즙의 분비를 억제시키는 colestyramine과 같은 약제를 사용한다.
- H2 blocker, PPI 등을 사용하여 위산 분비를 억제한다.

7) 결장 손상

(1) 특징

① 관통상이 둔상보다 흔하다.

② 총상에서 두 번째로 흔한 장기 손상이고, 자상(stab wound)에서는 세 번째로 흔하다.

③ 진단이 지연될 경우 이환율이 20~35%, 사망률이 3~15%에 이르며, 두 시간 내의 수술은 감염의 합병증을 줄인다.

④ 결장 내 세균총에 의한 복강 오염을 줄이는 것이 매우 중요하며, 광범위 항생제 사용 및 수술까지의 지연시간을 짧게 하는 것이 관건이다.

⑤ 합병증 상승의 요인

- 지속되는 저혈압
- 다량의 복강 내 출혈
- 연관 장기 손상이 2개 이상일 때
- 분변오염(fecal spillage)이 심할 때
- 진단이 지연될 때

(2) 진단

① 신체검진 상 복막 자극 증상이 있으면 수술이 필수적이며, 복막 자극 증상이 없다고 결장 손상을 배제하지는 못한다.

② 진단적 복강세척술(DPL)

③ CT : 경구, 직장을 통해 조영제를 주입하여 손상 부위를 확인하기도 한다.

(3) 치료

① 일차봉합의 적응증(조루술을 시행하지 않아도 되는 경우)

- 손상 4~6시간 이내에 수술하는 경우
- 지속되는 저혈압이나 쇼크가 없는 경우
- 복강 내에 육안적 오염(gross contamination)이 없는 경우
- 결장의 혈관 손상이 없는 경우

- 6단위 이하의 수혈이 필요한 경우
- 인조 막(mesh)을 사용할 정도의 복벽 손상이 없는 경우

② 저위험도의 결장 관통상은 일차봉합 및 절제−문합(resection and anastomosis)으로 치료가 가능하다.

③ 고위험도의 경우 손상 부위의 결장 절제 및 결장조루술(colostomy)을 시행한다.

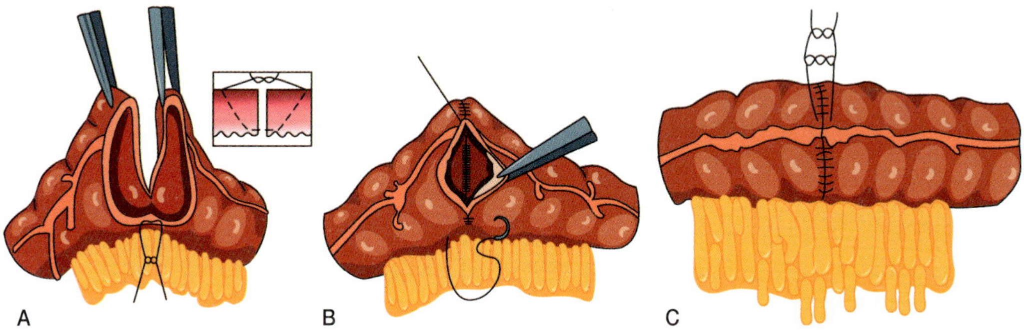

그림 8-11 결장의 일차봉합술
A, 연속, 단층 봉합(running, single layer suture)을 창자간막연에서 시작한다. B, 점막을 제외한 모든 층이 포함 되도록 하면서 봉합(stitch)간격은 3~4mm, 진행 간격도 3~4mm로 봉합한다. C, 연속 봉합의 결찰은 창자간막 반대편에서 되도록 한다.

8) 직장 손상

(1) 특징

대부분 총상(gunshot injury)에 의해 발생하며, 찔림, 이물질(foreign body), 골반골절, 결장 내시경 시 발생하기도 한다.

(2) 치료

① 복강 외 손상(peritoneal reflection 아래쪽에서 손상)인 경우

- 하부 직장 1/3에서 발생한다.
- 가능하면 일차봉합을 시행한다.
- 일차봉합이 어려울 경우에는 손상 근위부에서의 결장조루술+원위부 직장 말단 봉합 및 세척(distal rectal stump washout)+엉치뼈 앞부위의 광범위한 배액(wide presacral drainage)을 시행한다.〈그림 8-12〉
- 직장 말단부 세척을 시행하면 골반 내 농양, 직장루(rectal fistula), 패혈증을 감소시킬 수 있다.〈그림 8-12〉

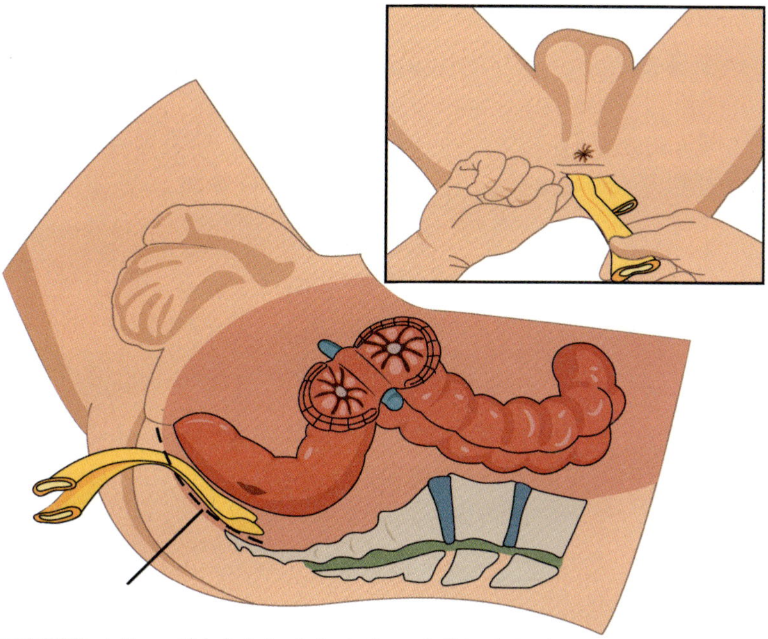

그림 8-12 손상 근위부에서의 결장조루술+원위부 직장 말단 봉합 및 세척(distal rectal stump washout)+엉치뼈 앞부위의 광범위한 배액(wide presacral drainage)

② 복강 내 손상(peritoneal reflection 위쪽에서 손상)인 경우
- 일차봉합+손상 근위부에서의 결장조루술을 시행한다.

③ 광범위한 직장 손상인 경
- 복회음절제술(abdominoperienal resection)을 시행한다.

9) 간 손상

(1) 특징

① 관통상, 둔상 모두에서 가능하다.

② 작은 크기의 열상은 50%이상 저절로 지혈된다.

③ 사망률 8~10%, 이환율 18~30%이며 동반된 손상과 손상 정도에 따라 달라진다. Grade Ⅰ~Ⅲ 손상시의 사망률은 동반 손상과 관련이 있으며 high grade의 경우는 간 자체의 손상이 사망률에 영향을 미친다.

④ Liver injury scale〈표 8-4〉

표 8-4 Liver injury scale

중등도	손상의 종류	손상의 내용
Ⅰ	혈종 열상	피막하혈종이 표면적의 10% 미만을 차지할 때 피막의 열상이 있고, 실질로의 깊이가 1cm 미만일 때
Ⅱ	혈종 열상	피막하혈종이 표면적의 10~50%를 차지할 때, 또는 간실질 내 혈종이 지름 10cm 미만일 때 피막의 열상이 있고, 실질로의 깊이가 1~3cm일 때 열상의 길이가 10cm 미만일 때
Ⅲ	혈종 열상	피막하혈종이 50% 이상을 자치하거나, 실질 내의 혈종이 10cm 이상이거나 커지고 있을 때 열상의 깊이가 3cm 이상일 때
Ⅳ	열상	25~75%의 간실질 파괴가 있거나 1~3개의 segment를 침범했을 때
Ⅴ	열상 혈관손상	75% 이상의 간실질 파괴가 있거나 3개 이상의 segment를 침범했을 때 대정맥, 간정맥의 손상이 있을 때
Ⅵ	혈관손상	간의 대량 손상

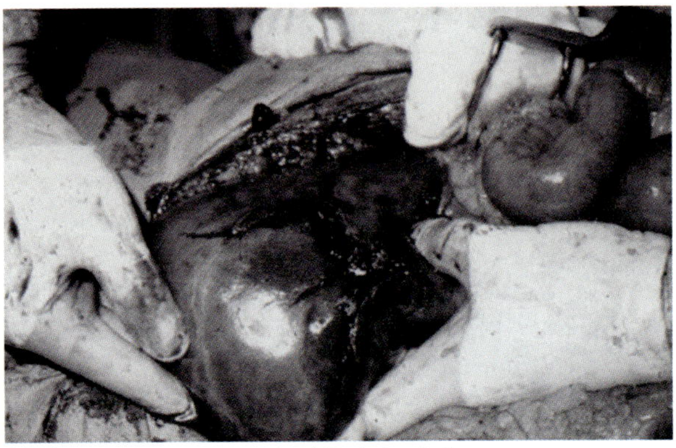

그림 8-13 'bear claw' injury의 전형적인 사진
앞가슴의 둔상으로 인해 간 표면에 곰의 발톱에 의해 찢긴 듯한 열상이 생겼다.

(2) 비수술적 치료

① 적응증

- 혈역학적 안정
- 정상적인 의식 수준(normal mental status)
- 복막 자극 증상이 없을 때
- Grade Ⅰ~Ⅲ 손상
- 2단위 이하의 수혈

② 간의 둔상에서 비수술적 치료로 Gr. Ⅰ~Ⅲ에서 95%, Gr. Ⅳ~Ⅴ에서 75~80% 성공률을 보인다.

③ 반복적으로 헤마토크릿, 활력징후를 체크하고, 헤마토크릿이 떨어지면 CT를 시행한다.

④ 최근에는 출혈이 있더라도 수술 대신 혈관조영술을 이용한 색전술이 자주 시행되는 경향이 있다.

⑤ 중환자실에서 48시간이 지나도 헤마토크릿, 활력징후에 특별한 변화가 없으면 병동으로 옮길 수 있고, 5일째까지는 침상안정(bed rest)을 취하고 정상적인 육체적 활동은 3개월 이후에 시작한다.

(3) 수술적 치료

① 간 피막하혈종(subcapsular hematoma)에는 관찰 또는 수술적 배액(evacuation)으로 치료된다.

② 작은 크기의 얕은 열상(small non-deep laceration)에는 단순 봉합(simple closure) 및 지혈제(hemostatic agent)를 사용한다.

③ 국소적인 지혈 후에도 계속 출혈이 있다면 열상부위를 좀 더 절개하여 혈관 및 담도를 노출시키고 개별적으로 결찰한다.

④ 심한 간 손상에서는 deep mattress suture, packing, debridment, resection, mesh hepatorrhaphy 등을 시행한다.

⑤ Pringle maneuver(간동맥과 간문맥을 클램프로 막는 술기)〈그림 8-14〉

- 간으로 유입되는 혈류량을 줄이기 위해서 간샘창자 인대(hepatoduodenal ligament)를 클램핑(vascular clamp)한다. 간샘창자 인대 안으로 지나가는 간동맥과 간문맥을 통한 혈액 유입이 중지되고 수술 도중에 클램핑을 간헐적으로 풀어 간 실질의 출혈여부를 확인하고 간의 허혈을 방지한다.
- 간이 허혈을 견딜 수 있는 시간이 어느 정도인지는 확실하지 않지만 일반적으로 저체온증 환자의 경우 허혈을 잘 견디지 못하며, 스테로이드의 사용으로 1시간까지 혈액유입을 차단할 수 있다는 보고도 있다.
- Pringle's maneuver로 출혈이 멈춘다면 출혈의 원인이 간동맥이나 간문맥 분지에 있음을 간접적으로 알 수 있다. 반면 Pringle's maneuver에도 출혈이 지속되는 경우에는 간 후면 대정맥의 손상(retrohepatic vena cava)이나 간정맥의 손상(hepatic vein)이 있음을 의미한다.

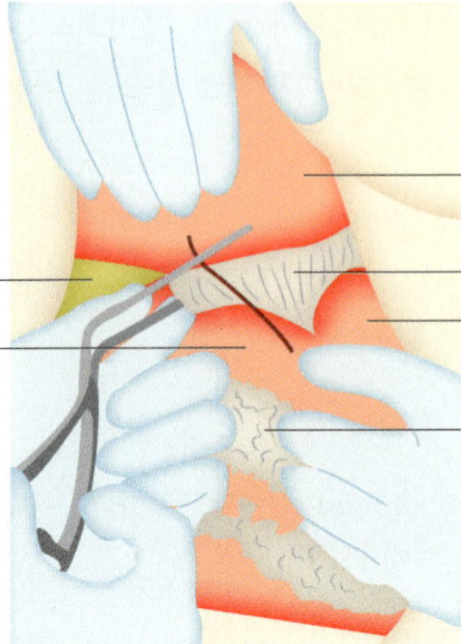

그림 8-14 Pringle's maneuver

⑥ 일시적 간 주위 패킹(temporary packing in uncontrolled hemorrhage)

- 저체온증, 산혈증, 응고장애가 있으면 출혈 경향(bleeding tendency)이 나타나서 수술이 지속될수록 지혈이 더욱 어려워지기 때문에, 심한 간 손상으로 인해 출혈이 지속되는 환자에서 저체온증, 산혈증, 응고장애가 있으면 간 주위를 일시적으로 패킹하고 수술을 마친다.
- 패킹 후 중환자실에서 체온이 올라가고(rewarming), 산혈증, 응고장애가 교정되면 48~72시간 정도 후에 수술실에서 패킹을 제거한다. 제거 후 광범위한 세척(massive irrigation) 및 폐쇄성 흡인 배액(closed suction drain)을 시행한다.
- 15% 이하에서 복강 내 농양이 발생할 수 있다.
- 간 후면의 대정맥, 간정맥의 손상 시에는 별 효과가 없다.
- 동맥 출혈의 경우 재개복술(re-expolration)전에 색전술을 시행하면 도움이 된다.

⑦ 간 절제 : 높은 사망률, 이환율로 점점 시행빈도가 줄어들고 있다.

⑧ 간동맥결찰

지혈이 힘들 경우 불가피하게 선택하는 방법이다. 최근 들어 전기소작기(electric coagulator), ABC(argon beam coagulator), 국소 지혈제(topical hemostatic agent) 등의 방법이 발전함에 따라 동맥결찰은 잘 하지 않는다. 특히 고유간동맥(proper hepatic artery)의 결찰은 간경색을 초래할 수 있기 때문에 시행하지 않는다.

✤ 이 것 만 알 아 두 세 요 ✤

◆간손상의 최근 치료 경향

1990년대 초기에만 하더라고 간손상 치료의 원칙은 수술이었다. 그 이유는 크게 3가지였다. 첫째는 수술을 하지 않으면 출혈이 멈추지 않을 것이라고 생각했고, 둘째는 간손상부위로 담즙이 흘러나와 담관루가 생길 것이라고 생각했기 때문이다. 마지막으로 진단적 복강 세척(DPL)에서 양성으로 나올 경우 다른 장기의 손상도 확인해야 한다고 생각했기 때문이다. 하지만 그 이후에 고해상도 컴퓨터 단층촬영이 보편화 되면서 복부 외상의 진단과 치료에 많은 변화를 가져왔다. 여러 연구에서 간손상 환자의 60～80%는 개복 당시에 이미 간에서의 출혈은 멈춘 상태였고, 담즙의 유출도 환자에게 부작용을 미치지 않는 것으로 연구되었다. 또한 컴퓨터 단층촬영의 발전으로 동반장기의 손상 및 간손상의 정도를 정확하게 파악하게 되었다. 따라서 최근에는 동반장기의 손상이 없고 혈역학적으로 불안정한 경우가 아니라면 liver injury scale에 크게 구애받지 않고 중환자실에 입원하여 헤마토크릿과 활력징후를 자주 확인하면서 최대한 보존적 치료를 하는 경향이다.

Ajai K. Malhotra, Timothy C. Fabian, Martin A. Croce, et al: Blunt Hepatic Injury: A Paradigm Shift From Operative to Nonoperative Management in the 1990s. Ann Surg. 2000 June; 231(6): 804-813.

(4) 간문부(porta hepatis) 손상

① 대개 간, 샘창자, 위, 결장, 주요 혈관의 동반 손상이 발생한다.

② 50%의 사망률을 보이고 동반 손상이 있는 경우 사망률이 80%에 이른다.

③ 합병증

담관루(biliary fistula), 간정맥 혈전증(portal vein thrombosis), 간 허혈(hepatic ischemia) 등이 있다.

④ 온쓸개관(총담관, CBD)의 손상

지름 50% 미만의 손상은 일차봉합+T-tune 삽입을 시행하고 그 이상의 손상 및 완전한 절단(complete transaction)은 담도장관 문합(choledochoenteric anastomosis)을 시행한다. 수술 후 담관루를 예방하기 위해 closed suction drain을 넣도록 한다.

⑤ 쓸개의 손상 : 쓸개절제술(cholecystectomy) 시행

(5) 합병증

① 수술 후 출혈

지혈의 실패(hemostatic failure), 응고장애(coagulopathy)로 약 10% 미만에서 재출혈이 나타나며, 저체온, 산혈증에 의한 출혈이 아닐 경우 재수술을 시행한다.

② 복강 내 농양

- 7.2% 정도에서 발생하며, 수술 후 사망원인 중 하나이다.
- Gr Ⅰ ～ Ⅱ 에서는 배액관이 필요 없으나 심한 손상 시에는 적절한 손상 조직 절제

(debridment) 후 배액관을 삽입해서 복강 내 농양 발생을 예방하도록 한다.

- 복강 농양 발생의 위험인자
  - 쇼크 상태가 지속되었을 때
  - 광범위한 간 실질의 손상(extensive parenchymal disruption)
  - 속빈 장기(hollow viscus)의 손상이 동반되었을 때
  - 주요 혈관의 손상으로 간허혈이 발생했을 때
  - 개방성 배액관(open drainage)

(6) 치료

① 경피적 배액술(PCD)을 시행한다. PCD에 호전이 없고 다발성인 경우 재수술을 고려해야 한다.

② 담도루(biliary fistula)
7~10%에서 발생한다. 폐쇄성 배액술 2~4주 후에 자연적으로 치유된다.

③ 혈담증(hemobilia)
간 내 혈종이 생긴 후 담도를 통해 출혈된다. 황달, 우상복부통, 흑변 등의 증상이 나타나며 혈관색전술을 통해 치료 가능하다.

10) 비장 손상

(1) 특징

① 복부 둔상에서 가장 흔한 장기 손상이다. 특히 오토바이 사고, 낙상, 보행자 교통사고, 스포츠 활동 중에 흔하게 발생한다. 심박출량의 5%가 비장으로 유입될 만큼 동맥 혈류량이 풍부하기 때문에 손상 시 심각한 출혈이 발생할 수 있다.

② 비장은 면역학적으로 면역 글로불린을 생산하고, 세포면역 반응에 중요한 장기이기 때문에 비장 절제 시행 후 패혈증의 위험이 있다.

③ **OPSI**(Overwhelming Postsplenectomy Infection)

- OPSI는 비장의 세균에 대한 보호기능이 사라짐으로써 매우 빠르게 진행하는 치명적인 패혈증 감염을 의미한다.
- 성인의 0.6%, 소아의 0.3% 에서 발생하며, OPSI로 인한 패혈증 발생 시에 다른 원인에 의한 패혈증보다 사망률이 높다.
- 증상은 수시간 내에 환자를 사망하게 할 수 있을 정도로 빠르게 진행하며, 고열, 오심, 구토, 두통, 의식변화를 가져오고 증상이 심해지면, 쇼크, 전해질 이상, 저혈당 증상이 나타난다.
- OPSI를 예방하기 위해 면역력이 성숙하기 이전 나이인 4세 이전에는 비장절제술을 최대한 미룬다. 또한 비장절제술 후 퇴원 전 polyvalent pneumococcal vaccination을 시행한다. 예방적 항생제를 사용하기도 하지만 확실한 이점이 있다는 증거는 없다.

④ Spleen injury scale〈표 8-5〉

(2) 증상

① 압통, 반발통, 복부근육강직(guarding)과 같은 복막자극 증상 또는 왼쪽 갈비뼈 아래쪽에 멍이 들어 있으면 비장 손상을 의심한다.

② 좌상복부의 통증이나 왼쪽 어깨로의 방사통을 호소할 수 있다(Kehr's sign).

③ 왼쪽 아래갈비뼈 골절이 있는 환자 가운데 최소 1/4에서 비장 손상이 관찰된다.

④ 출혈의 원인이 복강 내의 원인이라면 비장 손상이 가장 흔하고, 저혈압, 빈맥이 발생할 수 있다.

표 8-5 Spleen injury scale 9 (1994 Revision)

중등도	손상의 종류	손상의 내용
Ⅰ	혈종	피막하혈종이 표면적의 10% 미만을 차지할 때
	열상	피막의 열상이 있고, 실질로의 깊이가 1cm 미만일 때
Ⅱ	혈종	피막하혈종이 표면적의 10~50%를 차지할 때, 또는 비장실질 내 혈종이 지름 5cm 미만일 때
	열상	피막의 열상이 있고, 실질로의 깊이가 1~3cm이며, 지주혈관(trabecular vessel)의 손상이 없을 때
Ⅲ	혈종	피막하혈종이 표면적의 50% 이상이거나, 커지고 있을 때 피막하혈종이 파열되었거나 실질내 혈종이 존재할 때 실질 내 혈종이 5cm 이상이거나 커지고 있을 때
	열상	열상의 깊이가 3cm 이상이거나 지주혈관을 침범했을 때
Ⅳ	열상	비문부의 혈관을 침범하고 비장 25% 이상의 혈류가 차단되었을 때
Ⅴ	열상	비장이 완전히 파열되었을 때
	혈관손상	비문부의 혈관손상으로 비장의 혈류가 차단되었을 때

(3) 진단

① CT가 가장 좋은 검사법이며, 혈역학적으로 안정된 환자는 CT를 시행한다.

② 혈역학적으로 불안정한 환자에서는 진단적 복강세척술, 진단적 개복술을 시행한다.

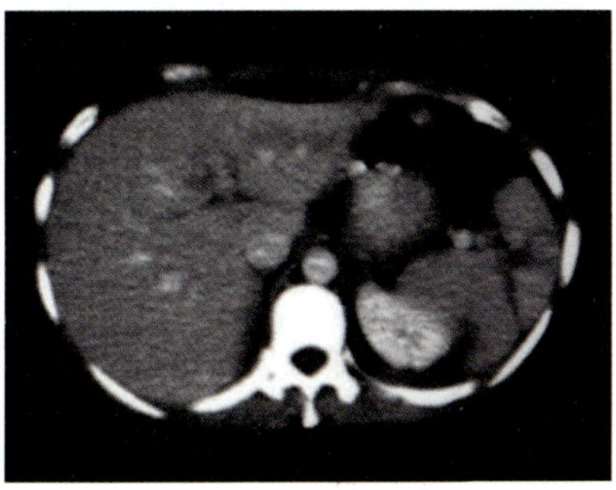

그림 8-15 비장손상의 CT 소견
비장 중심부의 열상 소견, grade Ⅲ에 해당한다.

(4) 치료

① 비수술적 치료

- 비장손상의 표준 치료방침이며, 소아 환자의 70~90%, 성인 환자의 40~50%에서 비수술적 치료가 가능하다.
- 적응증
  - 혈역학적으로 안정된 환자
  - 신체검진 상 음성 소견
  - CT상 조영제 누출이 없는 경우
  - 다른 장기의 손상이 동반되지 않은 경우
  - 출혈의 위험도를 높이는 다른 병이 없을 때(응고장애, 간부전)
  - Grade Ⅰ~Ⅲ 손상
- 비위관을 삽입하고, 중환자실에서 침상 안정을 취한 뒤 48~72시간을 지켜보고 이상 없으면 병실에서 관찰한다. 퇴원 후 3개월간 조심하도록 교육한다.
- CT상 조영제가 누출되거나, 가성동맥류(pseudoaneurysm)가 있는 경우 일부에서는 혈관조영술을 이용한 색전술로 해결할 수 있다.

② 수술적 치료

- 50% 미만의 비장실질이 손상되었고, 비장 문부(splenic hilum)의 손상이 없는 경우 비장의 일부를 살리고 비장을 부분절제술을 할 수 있다.
- 환자가 불안정하거나 비장실질이 50% 이상 손상되었거나, 비장 문부의 손상이 있을 경우에는 비장을 살리기 어렵기 때문에 전 비장절제술을 시행한다.
- 비장자가이식(autotransplantation) : 비장의 면역학적 기능 손실을 방지하기 위해 비장 절편(spleen fragment)을 대망주머니(omental pouch)에 이식한다.

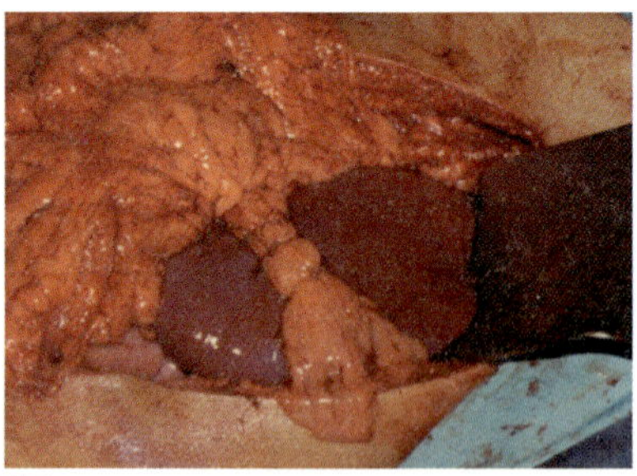

그림 8-16 지혈 후 큰그물막(greater omentum)을 이용하여 손상부위에 덮은 수술 소견

(5) 합병증

- 출혈(가장 흔한 합병증)
- 창상 합병증 : 장액종, 혈종, 감염 등
- 췌장 합병증 : 췌장염, 췌장루
- 가로막하 농양
- 폐합병증

문제

8-3 3)

45세 남자가 zone Ⅱ 목 손상으로 내원하였다. 수술 결정을 위해 가장 면밀히 관찰해야 할 근육은?

1) 어깨세모근(deltoid)
2) 두힘살근(digastric)
3) 넓은목근(platysma)
4) 빗목근(SCM)
5) 복장목뿔근(sternohyoid)

해설

SCM의 앞인지 뒤인지를 먼저 확인하여 앞삼각부인지 뒤삼각부인지 판단한다. 뒤삼각부이면 일반적으로 수술이 필요 없으며, 앞삼각부 중에서도 넓은목근(platysma)이 손상되었으면 수술이 필요할 수 있다. SCM은 그 위치만 파악하면 되기 때문에 면밀히 관찰해야 할 근육을 물어보았으므로 넓은목근이 정답에 가깝다.

8-4 1)

외상으로 인한 목부위의 손상 시 경부 탐색술의 적응증은?

가. 팽창혈종
나. 각혈
다. 협착음(stridor)
라. 피하기종(subcutaneous emphysema)

1) 가, 나, 다
2) 가, 다
3) 나, 라
4) 라
5) 가, 나, 다, 라

해설

외상시 경부 탐색술(neck exploration)의 적응증
① 팽창혈종
② 각혈
③ 협착음

8-5 2)

25세 남자가 소화성 궤양 천공 의심 하에 진단적 복강경 검사를 받았다. 샘창자 망울(bulb) 앞쪽에 0.5cm 크기의 천공된 궤양이 발견되었다. 적합한 치료는?

1) 외배액술(external drainage)
2) 일차봉합술(primary closure)
3) 날문폐쇄(pyloric exclusion) 및 위빈창자연결술(gastrojejunostomy)
4) 날문방절제술(antrectomy)
5) 원위위부분절제술(distal subtotal gasterctomy)

해설

크기가 작은 샘창자 천공은 일차봉합술로 치료한다. 천공 후 6시간 이상이 경과하였거나 손상의 범위가 큰 경우에는 보다 복잡한 술식이 요구되나 대부분의 환자에서는 일차봉합술로 충분하다. 이 환자에서는 크기가 작기 때문에 일차봉합술로 충분하다.

8-6 5)

환자가 칼에 찔려서 복막에 손상을 받아서 왔다. BP 80/50, 맥박 120, 복부강직, 반동압통이 있다. 다음에 해야 할 처치는 무엇인가?

1) 복부 X선 촬영
2) 복부 초음파
3) 복부 CT
4) 진단적 복강 세척술
5) 응급 개복술

해설
외상으로 복막에 손상이 있으면 내부 장기 손상의 가능성이 있으므로 반드시 개복하여 확인한다. 문제에서는 혈압저하, 반동압통까지 존재하므로 응급으로 수술한다.

8-7 4)

50세 남자가 왼쪽 옆구리에 칼에 찔려서 응급실로 내원하였다. 생체 징후는 안정되어 있었고, 다른 이상은 발견되지 않았다. 환자의 복부 손상 정도를 평가할 수 있는 가장 좋은 검사방법은?

1) 복부 X선 촬영
2) 진단적 복강 세척술
3) 복부 초음파
4) 복부 CT
5) 바륨관장

해설
옆구리의 손상은 후복막강의 손상일 수 있으므로 DPL의 진단적 예민도가 떨어질 뿐만 아니라 환자의 생체 징후가 안정되어 있으므로 CT를 시행한다.

8-8 2)

4시간 전에 복부를 칼에 찔린 20세 남자가 내원하였다. 혈압은 정상이고, 개복 시 우측결장에 천공이 있었다. 주변감염은 심하지 않았다. 치료 방법은?

1) 배액술
2) 일차봉합술
3) 회장루
4) 상행결장 결장루
5) 결장전절제술

해설
결장 손상의 일차봉합술의 적응증에 해당한다.

8-9 3)

10세 남아가 교통사고로 찍은 복부CT에 간손상으로 인한 혈액복막 소견이 있었다. 다른 장기의 손상은 의심되지 않았다. 응급실에서 링거액 1,000ml 투여 후 활력징후는 안정적이었으며, Hct 35%이었다. 다음 처치는?

1) 1주간 외래 추적 관찰한다.
2) 1주 간격으로 외래 추적 관찰한다.
3) 입원 후 집중 치료를 권장한다.
4) 간동맥 색전술을 실시한다.
5) 시험적 개복술을 한다.

해설
활력징후가 안정적이면 최대한 비수술적 치료를 시도한다. 특히 소아의 경우에는 성인에 비해 간조직이 탄력적이고 치밀하여 자연히 지혈되는 경우가 많아서 보존적 치료의 성공률이 높다.

8-10 5)

복강 내 다른 장기 손상이 없는 간손상 환자에서 Pringle 수기를 하여도 출혈이 계속될 때 원인이 되는 손상 혈관은?

1) 간동맥, 간문맥
2) 간동맥, 간정맥
3) 간동맥, 하대정맥
4) 간문맥, 하대정맥
5) 간정맥, 하대정맥

해설
Pringle 수기는 간동맥과 간문맥을 클램프로 막는 수기이다.

8-11 5)

외상에 의한 비장파열에 대한 설명으로 옳은 것은?

가. 비장 문부(splenic hilum) 손상 시 비장절제술(splenectomy)이 필요하다.
나. 동반장기 손상이 없고 활력징후의 변화 없으면 절대 안정시키고 관찰한다.
다. 지연성 비장파열이 의심되는 경우 동맥조영술을 실시한다.
라. 비장절제술 후에는 패혈증의 위험이 있다.

1) 가, 나, 다
2) 가, 다
3) 나, 라
4) 라
5) 가, 나, 다, 라

해설
비수술적 치료가 비장손상의 표준 치료방침이며, 소아 환자의 70~90%, 성인 환자의 40~50%에서 비수술적 치료가 가능하다. 환자가 불안정하거나 비장실질이 50% 이상 손상되었거나, 비장 문부의 손상이 있을 경우에는 비장을 살리기 어렵기 때문에 전 비장절제술을 시행한다. 지연성 비장파열이 의심되는 경우 동맥조영술을 실시한다. 절제술 후에는 OPSI의 가능성이 있다.

8-12 5)

비장절제술의 적응증은?

가. 자가면역 용혈질환(autoimmune hemolytic anemia)
나. 유전둥근적혈구증(hereditary spherocytosis)
다. 비장 농양(splenic abscess)
라. 특발성 혈소판감소 자반증(Idiopathic Thrombocytopenic Purpura, ITP)

1) 가, 나, 다
2) 가, 다
3) 나, 라
4) 라
5) 가, 나, 다, 라

해설
비장절제술의 적응증에 해당하는 질환을 알아두어야 한다.

8-13 2)

원발성 혈소판 감소성 자반증으로 진단 받은 환자가 prednisolone 치료에 반응하지 않았다. 비장 절제를 하였으나 혈소판 수의 호전이 없어 덧비장(accessory spleen)이 의심되었다. 실시할 검사는?

1) 혈소판 항체 검사
2) 방사선 핵종 비장 스캔
3) 복부 초음파 검사
4) 복부 전산화 단층촬영술
5) 골수 생검 검사

해설

chronic ITP 환자에서 splenectomy 후 재발의 가장 흔한 원인은 덧비장이며 비장 스캔으로 진단이 가능하다.

8-14 2)

ITP로 비장절제술 시 재발의 가장 많은 원인은?

1) 부적절한 절제
2) 덧비장
3) 오진
4) 간경변증
5) 백혈병

해설

ITP로 비장절제술 후 재발의 가장 흔한 원인은 덧비장이다.

8-15 3)

비장절제술의 가장 흔한 합병증은?

1) 왼쪽 무기폐
2) 패혈증
3) 가로막아래 농양
4) 요로감염
5) 창상감염

해설

OPSI는 4세 미만 소아에서 가장 흔하다.

8-16 5)

비장절제후 생기는 OPSI에 대한 설명이다. 맞는 것은?

가. 4세 이전 환자에게 잘 생긴다.
나. 외상이나 ITP로 비장절제를 했을 때가 다른 질환으로 인해 비장 절제를 했을 때보다 OPSI의 발생빈도가 낮다.
다. Pneumococous, meningococcus가 주된 감염균이다.
라. 비장절제 2~3주 전에 다역가(polyvalant vaccination) 예방접종을 해야 한다.

1) 가, 나, 다
2) 가, 다
3) 나, 라
4) 라
5) 가, 나, 다, 라

해설

모두 맞는 설명이다.

9

화 상

Burn

9.1 화상 유닛

화상은 그 정도의 심각성에 따라 특수한 치료가 요구되기 때문에 숙련된 의료진과 설비를 갖춘 병원에서 전문적으로 치료하는 것이 중요하다. 이러한 병원을 화상센터라 하며, 다음과 같은 경우의 환자들은 화상센터에서 집중적인 치료를 해야 한다.

1) 총체표면적(Total Body Surface Area, TBSA) 10% 이상의 partial-thickness burn
2) 얼굴, 손, 발, 회음부, 주요 관절을 침범한 화상
3) 부위에 상관없는 full-thickness burn
4) 번개를 포함한 전기화상
5) 화학물질에 의한 화상
6) 흡입화상
7) 치료를 복잡하게 하거나 회복에 영향을 미칠 수 있는 기저질환이 있는 환자에게서 발생한 화상
8) 동반 손상(골절 등)이 있는 화상
9) 소아화상
10) 특수한 사회적, 정신적, 혹은 장기간의 재활치료가 필요한 화상

9.2 화상의 병태생리

1) 국소적 변화

화상은 손상부위의 피부 및 부속기관들의 응고괴사(caseous necrosis)를 일으키며, 그 깊이는 노출된 피부의 온도 및 노출 시간, 원인 물질의 온도에 의해 결정된다.

화상은 원인물질과 화상의 깊이에 따라 5가지 카테고리로 분류된다.

원인에 따른 분류 중 불꽃(flame), 열탕(scald), 접촉(contact) 화상은 에너지 전달에 의한 세포손상으로 응고괴사가 초래되며, 화학(chemicals), 전기(electricity) 화상은 열전달뿐만 아니라 세포막의 직접적인 손상을 일으킨다.

꼭 알아둡시다!!!

◆화상의 분류

1. 원인물질에 따른 분류
   - 불꽃화상 : 과열된 산화공기에 의한 손상
   - 열탕화상 : 뜨거운 액체에 의한 손상
   - 접촉화상 : 뜨거운/차가운 물질과 접촉해서 발생한 손상
   - 화학화상 : 화학물질과의 접촉에 의해 발생한 손상
   - 전기화상 : 전류가 조직에 관류해서 발생한 손상
2. 깊이에 따른 분류
   - 1도 화상 : 표피에 국한된 손상
   - 2도 화상
     - 얕은(superficial) 2도 화상 : 표피와 얕은 진피를 침범한 손상
     - 깊은(deep) 2도 화상 : 표피를 뚫고 깊은 진피를 침범한 손상
   - 3도 화상 : 표피와 진피 전층을 침범하여 피하지방층까지 침범한 손상
   - 4도 화상 : 피부와 피하지방층을 포함하여 근육이나 뼈까지 손상된 경우

(1) 화상 구역의 분류

① **응고구역**(zone of coagulation)

세포파괴가 일어난 괴사부위로써, 손상 당시 비가역적인 변화를 일으킨다.

② **울혈구역**(zone of stasis)

괴사부위 주위의 중등도 손상이 발생한 부위로써, 조직관류가 감소되어 있는 부위이다. 이 부위의 생존 여부는 화상주위의 환경에 달려 있다. 강력한 혈관수축제인 Thromboxane A2는 화상부위에 고농도로 존재하므로, 이것에 대한 국소적 길항제를 사용하면 zone of stasis의 범위를 줄일 수 있다.

③ **충혈구역**(zone of hyperemia)

화상 부위 주변의 염증에 의한 vasodilatation이 발생한 부위로서 살아 있는 조직으로 구성되며 향후 괴사될 위험은 없다.

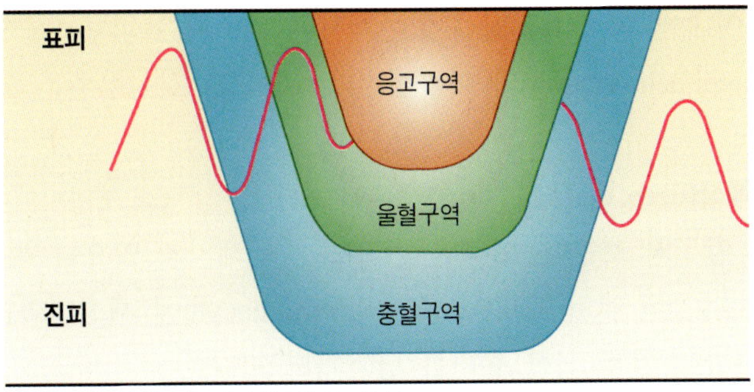

그림 9-1 화상 후 손상부위의 분류
응고구역은 비가역적인 손상이 발생한 부위이며, 울혈 및 충혈 구역은 손상의 반응에 따라 결정된다.

✤ 이것만 알아두세요 ✤

항산화제, bradykinin 길항제, subatmospheric wound pressure 역시 화상부위의 혈류개선과 손상의 깊이를 줄일 수 있다. 중성구(neutrophil)와의 국소적 endothelial interactions이 울혈구역의 국소 염증반응을 매개한다. 동물실험에서, Leukocyte adherence를 anti-CD18이나 anti-intercellular adhesion molecule monoclonal antibodies를 사용하여 막게 되면 조직 관류와 조직의 생존율이 호전된다. 따라서 이는 손상직후의 염증을 줄이는 치료가 울혈구역을 보존할 수 있음을 시사한다.

(2) 화상의 깊이(burn depth)

화상의 깊이는 조직손상의 깊이에 의해 좌우된다. 화상의 깊이는 표피(epidermis), 진피(dermis), 피하지방(subcutaneous fat), 기저기관(underlying structures)의 손상 정도에 따라 분류된다.

① **1도 화상**

- 표피에 국한된 손상. 통증 및 발적이 있으며, 압력을 가하면 창백해진다.
- 표피 장벽 기능(epidermal barrier)은 유지되며, 흉터를 남기지 않는다.
- 치료는 알로에를 포함한 국소연화제나 경구 NSAID를 사용한다.

예) sunburn, 주방에서 발생하는 사소한 scald

② **2도 화상**

진피손상이 있는 화상으로서 진피손상의 깊이로 얕은 2도와 깊은 2도로 구분한다.

- **얕은 2도 화상**(Superficial dermal burns)
  - 발적과 통증을 동반하며, 또한 압력을 가하면 창백해진다. 종종 수포를 동반하기도 한다.

  예) 과열된 목욕물에 의한 열탕화상

- 7~14일 이내에 모공이나 땀샘에 존재하는 보존된 표피구조물에서 자발적으로 재상피화(re-epithelialization)가 이루어진다. 회복 후 창상부위는 피부착색을 남길 수 있다.

• **깊은 2도 화상**(deep dermal burns)
- 창백하며 얼룩져 보인다. 압력을 가해도 창백해지지 않으나 통증은 있다.
- 14일에서 35일에 걸쳐 모공과 땀샘의 keratinocyte에 재상피화를 거쳐 회복된다.
- 진피의 상실로 인해 심한 흉터를 남기기도 한다.

③ **3도 화상**

표피와 진피 전 층에 걸친 손상을 말한다. 무통의 검거나 흰, 혹은 체리 색의 딱딱하고 가죽같은 가피(eschar)를 형성하며, 표피와 진피 부속기가 남아 있지 않기 때문에 상처 경계로부터 재상피화가 이루어진다. 피부이식(skin graft)이 필요하다.

④ **4도 화상**

피부 밑의 근육이나 뼈, 뇌 등의 손상이 동반된 경우를 말한다.

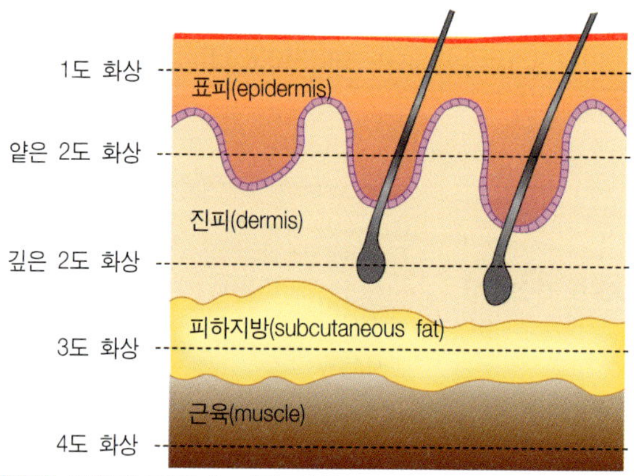

그림 9-2 화상의 깊이에 따른 분류

(3) 화상의 크기

화상의 크기 결정은 Rule of nine에 의해 이루어진다.

① **성인**

팔 각각과 머리와 목이 총체표면적(TBSA)의 9%에 해당하며, 각각의 다리와 몸통의 전·후면이 18%에 해당한다. 회음부는 1%에 해당한다.

예) 비교적 작은 크기의 화상의 크기는 성인 손의 크기(총체표면적의 1%)로 측정한다. 이 방법은 splash burn이나 여러 군데 퍼져있는 화상의 크기 측정에 유용하다.

② **소아**

머리와 목 크기가 성인에 비해 상대적으로 높은 비율을 차지하며, 유아기에는 머리와 목의 비율이 총체표면적의 21%를 차지한다. 각각의 다리는 13%에 해당한다.

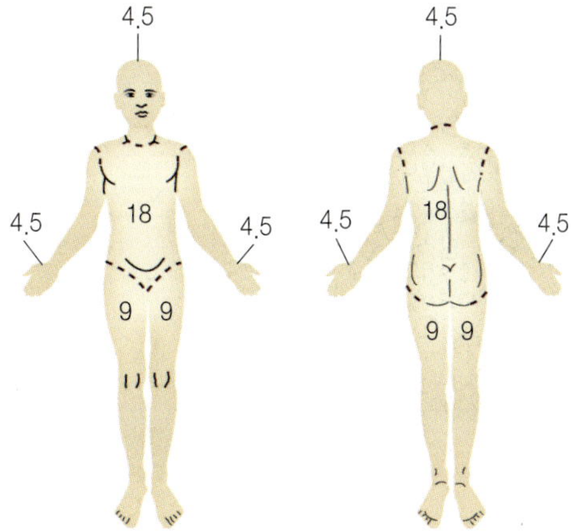

그림 9-3 체표면적의 모식도

2) 전신적 변화

(1) 염증 및 부종

① 염증매개물질(inflammatory mediator)

국소적 혹은 원격 장기에서의 혈관수축 및 이완을 일으키며, 모세혈관 투과성 증가, 부종형성 등을 초래한다.

② Starling force

전신적인 부종을 초래한다. 초기에는, 화상부위의 피부에서는 간질의 정수압(interstitial hydrostatic pressure)이 극적으로 감소하며 다른 부위에서는 약간 증가한다. 증가된 모세혈관 투과성으로 인해 단백질 손상이 일어남에 따라 혈장의 삼투압은 감소하고 간질의 삼투압은 증가하므로, 화상부위 및 다른 부위의 부종이 형성되게 된다. 이러한 부종은 낮은 간질압으로 인해 화상부위에서 더욱 심해진다.

③ 염증 및 부종의 치료

- 항히스타민제제(anti-histamine agent) : 효과가 제한적이다.
- 세로토닌 차단제(serotonine blockade) : cardiac index를 증가시키고 폐동맥 혈압을 감소시키며, 수상 후의 산소소모량을 감소시키는 효과를 가진다.
- 고농도의 비타민 C : 항염작용에 의한 수액투여량을 감소시킨다.

(2) 콩팥계에 미치는 영향

화상 후의 신혈류를 감소시키는 인자

① 감소된 혈액량과 심박출량

② 스트레스 유발 호르몬 : angiotensin, aldosterone, vasopressin

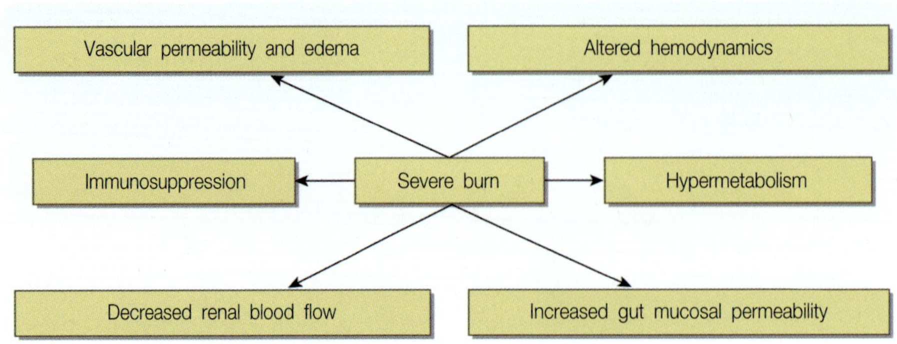

그림 9-4 Systemic effects of a severe burn

(3) 소화기관에의 영향

① 점막의 위축

수상 후 12시간 이내에 화상의 크기에 비례하여 발생한다.

자가세포사멸(apoptosis)에 의한 점막 상피세포의 죽음과 관련되어 있다.

② 소화/흡수의 변화

소장 점막의 위축은, 화상은 또한 당, 아미노산, 지방산의 흡수저하를 초래하고, brush border에서의 lipase activity를 감소시킨다.

화상 직후 첫 수시간 동안 절정을 이루고, 48～72시간 이후에 정상화된다.

③ 장투과성(intestinal permeability)의 증가

Macromolecule에 대한 장 투과성이 증가되며, 감염이 발생한 경우 더욱 증가된다.

장 상피세포의 자가세포사멸에 비례하여 증가하며, 장 혈류 감소와 상관관계가 있다.

(4) 면역계에 대한 영향

① 면역계의 전반적인 약화를 초래한다.

화상부위에 동종 피부 이식편의 생존기간(allograft skin survival)이 오래 지속되는 것을 통해서 알 수 있다.

② 창상부위 세균감염, 폐렴, 진균 및 바이러스 감염 등의 각종 감염성 합병증

중성구, 대식세포(macrophages), T림프구, B림프구 활성과 관련된 면역계의 세포매개성 면역작용의 약화에 기인한다.

(5) 과대사

① 심한 화상 후에 나타나는 과대사의 특징

- 빈맥
- 심박출량 증가
- 에너지 소비량 증가

- 산소 소모량 증가
- 단백질 및 지방 이화
- 심한 질소화합물의 손실

② 과대사의 발생원인

화상 후에 나타나는 과대사는 주로 catecholamines, glucocorticoids, glucagon 등의 이화호르몬(catabolic hormones)의 영향에 의해서 나타난다.

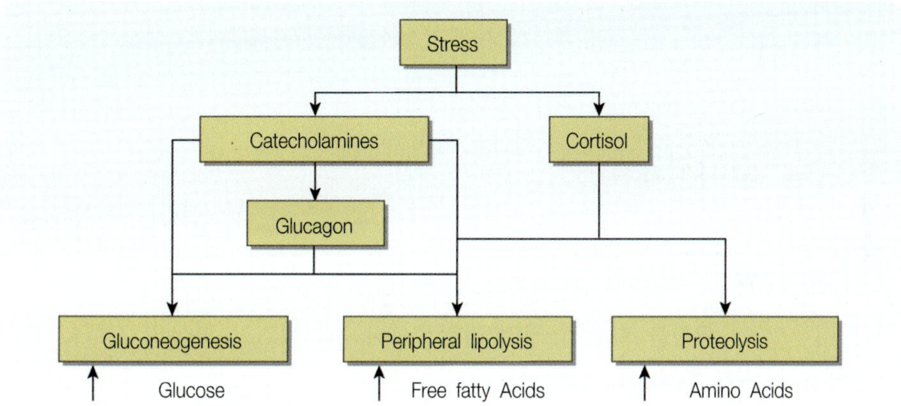

그림 9-5 Results of hypermetabolism

③ 과대사 반응의 치료

치료의 목표는 lean body mass(지방을 뺀 체중)를 보존하는 것이다.

- 베타 차단제 β-blockade : catecholamine에 대한 반응성을 둔화시켜 빈맥, cardiac work, energy expenditure를 감소시킨다.
- xandrolone : androgenic steroid이며 동화호르몬(anabolic hormone)의 역할을 한다.

문제

9-1 3)

오른쪽 다리 전체, 오른쪽 팔 전체, 몸통 앞면 전체에 2도 화상을 입고 왔다. 화상 면적은?

1) 27%
2) 36%
3) 45%
4) 54%
5) 63%

해설

Rule of nine : 성인(9－9－18－18－1)

9-2 3)

화상환자에서 위장관의 변화로 맞는 것은?

1) 혈류량 감소
2) 점막 투과도 감소
3) 포도당, 아미노산 흡수 감소
4) 점막 위축은 화상 후 3일째 최고가 된다.
5) 점막 손상정도가 화상 정도에 비례하지 않는다.

해설

화상으로 인한 소장 점막의 위축은 포도당, 아미노산, 지방산의 흡수 저하를 초래한다.

9.3 화상의 초기치료

1) 병원 전 단계

(1) 치료 시작 전에 환자를 화상의 원인 물질로부터 격리시키고 화상의 진행을 중단한다.
(2) 흡입화상 여부를 항상 의심해야 한다.
(3) 화상 환자들의 구조자들 역시 화상을 입지 않도록 주의해야 한다.
(4) 불탄 의복들 및 각종 액세서리 등을 제거해야 한다.
(5) 화상 발생 후 15분 이내에 상온의 물을 화상부위에 투여한다.

화상의 깊이를 경감시키는 작용을 한다. 물 이외에 다른 냉각제를 사용하는 것은 저체온증을 유발할 수 있기 때문에 삼가야 한다.

2) 초기 평가

(1) 화상 환자의 초기 평가

① 일차 평가
즉각적으로 생명을 위협하는 인자를 밝혀내고 이를 치료하는 것을 의미한다.
② 이차 평가
머리부터 발끝까지 철저한 평가를 하도록 한다.

(2) 호흡기에 대한 평가

① 고온의 가스와 연기에의 노출은 상기도의 손상을 불러일으킬 수 있다.
직접적인 상기도 손상에 의한 부종 및 전신적 부종에 의한 호흡곤란이 초래될 수 있다.

② 기도손상을 의심해야 하는 경우

- 안면부위 화상
- 코털이 그을린 경우
- 탄화된 객담이 있는 경우
- 빈맥

초기에 호흡곤란이 없는 환자라도 수액공급을 받는 과정에서 부종이 형성되어 기도폐쇄가 나타날 수 있음을 주지해야 한다. 특히 progressive hoarseness는 기도폐쇄가 임박함을 알리는 신호이다.

③ 폭발사고나 교통사고 등으로 발생한 화상환자는 동반된 척추손상의 가능성이 있으므로 주의해야 한다.

3) 화상 부위의 관리

입원 전 단계에서는 외부 환경으로부터 화상부위를 보호하는 것이 목표이다.
통증경감을 위해서 피하나 근육으로 마약성 진통제를 주입하는 것은 금기이다.
화상 직후에는 흡수되지 않다가 초기치료 후 흡수되어 호흡곤란을 일으킬 수 있다.

4) 환자이송

무조건 빠르게 이송하는 것만이 능사가 아니며, 적절한 응급처치 기구와 의료진이 동반되는 것이 중요하다.

5) 수액치료

(1) 수액

① 치료의 기본은 적절한 정맥로(IV route)의 확보이다.

② 화상을 입지 않은 부위의 짧은 말초 카테터가 가장 선호되는 정맥로이며, 적당한 혈관을 확보하지 못할 경우에는 화상부위의 혈관도 이용이 가능하다. 복제 정맥(saphenous vein)이 선호되는 혈관인데 그 이유는 중심정맥 삽관에 비해 합병증의 빈도가 낮기 때문이다. 6세 이하의 소아에서는 적절한 정맥로가 확보될 때까지 경골(tibia)의 근위부 말단(proximal end)을 이용할 수 있다.

- 성인에서의 가장 바람직한 수액 : Lactated Ringer's solution without dextrose
- 2세 미만의 소아에서의 가장 바람직한 수액 : Lactated Ringer's solution with 5% dextrose

(2) 초기의 수액 주입 속도량

- 몸무게 ( ) kg × 화상 체표면적(% TBSA)/8 = ml/hr

정확한 수액 계산량이 나오기 전까지 이 속도로 주입해야 한다.

(3) 고장성 식염수(hypertonic saline solutions)의 이론적 장점

① net fluid intake를 줄일 수 있다.
② 부종을 감소시킨다.
③ 림프액을 증가시킨다.
④ 단, 사용 시 고나트륨혈증(hypernatremia)을 방지하기 위해 혈청 나트륨 농도를 160mEq/dl 이하로 유지해야 한다.
⑤ 그러나 이러한 이론적 장점에도 불구하고 lactated Ringer's solution에 비해서 결과가 우월하지는 않다.

(4) 첫 24시간 동안의 수액공급의 공식

표 9-1 첫 24시간 동안의 수액공급의 공식

Formula	Crystalloid volume	Colloid volume	Free water
Parkland	화상 체표면적 % 당 4ml/kg	주지 않는다.	주지 않는다.
Brooke	화상 체표면적 % 당 1.5ml/kg	화상 체표면적 % 당 0.5ml/kg	2.0L
Galveston (소아)	화상 범위(m^2) 당 5000ml+체표면적(m^2) 당 1,500ml	주지 않는다.	주지 않는다.
각 공식에서 계산된 양의 1/2을 첫 8시간 동안 투여하고, 나머지 반을 다음 16시간에 걸쳐 투여한다. 첫 24시간 이후에는 colloid 용액에 대한 사용이 가능해지기 때문에 위 공식은 더 이상 적용되지 않는다.			

심화학습

◆복부구획 증후군(abdominal compartment syndrome)

1. 발생원인 : 투여된 수액량이 과다할 경우 몸의 각 부분의 압력이 증가하게 된다. 이 중 복부의 압력이 증가하게 되는 것을 복부구획 증후군(abdominal compartment syndrome)이라고 한다.
2. 진단방법 : 복부의 압력은 도뇨관(Foley catheter)을 삽입하여 도뇨관의 압력을 측정하여 간접적으로 측정할 수 있는데, 도뇨관의 압력이 30mmHg 이상일 경우 진단할 수 있다.
3. 치료방법
   - 복부 가피절제술(abdominal escharotomy)
   - 근이완제
   - 감압을 위한 개복술(decompressive laparotomy)
4. 사망률(mortality) : 적절한 치료를 시행한다고 해도 복부구획 증후군의 사망률은 60~100%에 이르기 때문에 화상환자에게 정확한 양의 수액공급을 하는 것이 중요하다.

(5) 수액공급의 감시

정상 신기능을 가지고 있는 환자에게서 수액공급의 감시는 소변량으로 쉽게 측정할 수 있으며 최소 소변량을 유지하도록 수액을 적절히 공급한다.

① 성인에서의 최소 소변 유지량 : 0.5ml/kg/hr

② 소아에서의 최소 소변 유지량 : 1.0ml/kg/hr

(6) 소아의 수액투여량

소아는 성인에 비해 단위 몸무게당 더 많은 수액의 양을 필요로 한다. 소아의 첫 24시간 동안의 수액투여량은 'Galveston 공식'을 따르며, 5,000ml/TBSA burned(m^2) + 1,500ml/m^2 total area를 주입한다.

(7) 수액공급 시의 알부민 투여

알부민을 투여한 환자군이 crystalloid 만을 사용한 환자군보다 결과가 비슷하거나 오히려 나쁘기 때문에, 화상 환자에게서의 알부민 투여를 권장하지는 않는다.

(8) 비위관 삽입

위(stomach)의 압력을 줄이고 장마비의 치료를 위해 심한 화상을 입은 모든 환자에게 반드시 비위관을 삽입해야 한다. 비위관 삽입은 항공기를 이용한 환자이송 시 특히 중요하다. 또한 이송이 끝날 때까지 경구투여는 금지해야 한다.

(9) 파상풍의 예방(tetanus prophylaxis)

총체표면적 10% 이상의 화상 환자는 tetanus toxoid 0.5ml를 투여한다. 과거 접종여부가 불투명하거나 마지막 접종으로부터 10년 이상 경과한 경우에는 tetanus immunoglobulin 250units을 추가로 접종한다.

6) 괴사딱지절개술(escharotomy)과 근막절개술(fasciotomy)

(1) 괴사딱지절개술의 적응증

깊은 2도 화상 이상의 화상이 사지를 둘러싼 경우 말초혈류 순환이 제한되게 된다. 가피 밑의 부종이 정맥혈의 이동을 방해하고 이는 궁극적으로 동맥혈류에도 영향을 미치게 된다. 이어, 감각저하, 저린감이 생기고 손·발가락에서 통증이 느껴지게 된다. 각 손발가락과 손발의 동맥 혈류는 도플러 측정이나 모세혈관 재충전을 확인하여 측정할 수 있다. 위험이 있는 사지는 임상검사나 조직 압력 측정(40mmHg 이상) 으로 알아낼 수 있다. 이러한 사지는 괴사딱지절개술이 필요하다. 체간부위에 발생한 가피로 인해 환자의 호흡에 지장이 있다면 이 역시 적절한 괴사딱지절개술이 필요하다.

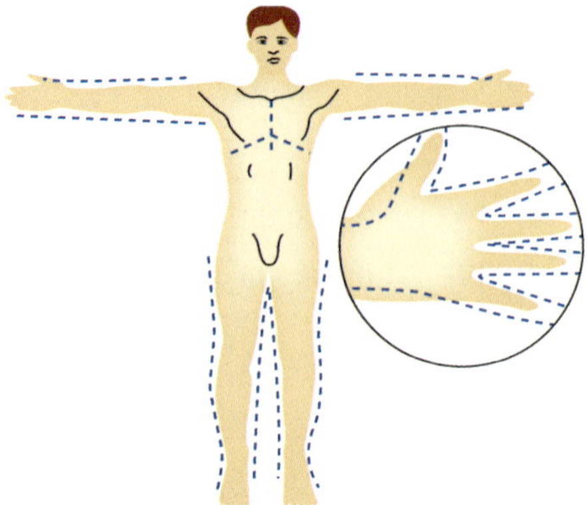

그림 9-6 괴사딱지절개술
절개창은 가피를 따라 내측과 외측에 낸다.

(2) 방법

전기소작기 등을 이용하여 사지의 내/외측을 절개하여 가피 내의 압력을 줄인다. 사지 전체를 감싸는 가피는 반드시 종절개(longitudinal incision)를 가하여 혈류 순환이 원활하게 이루어지도록 해야 한다.

(3) 근막절개술(fasciotomy)

① 적응증

근육을 싸고 있는 단단한 근막 때문에 근막 내의 압력이 증가하는 경우에 근막을 절개하는 수술로써, 괴사딱지절개술 이후에도 혈류 복원이 원활하지 않아 근육층의 압력이 증가하는 경우에 시행한다.

② 합병증

- 실혈(blood loss)
- 일시적 저혈압

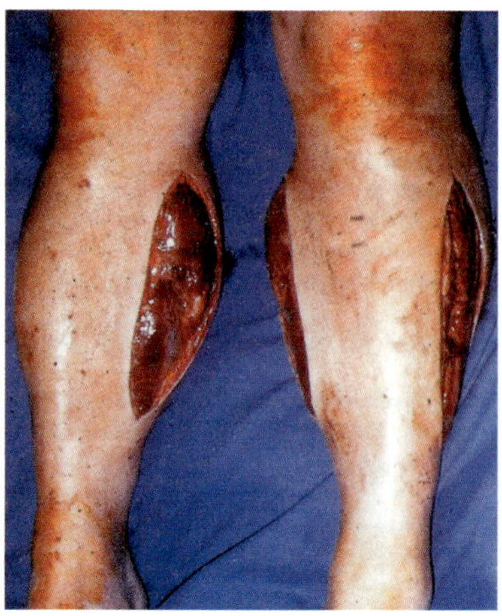

그림 9-7 근막절개술

문제

9-3 3)

60kg의 30대 남자가 전신에 40%의 2도 화상을 입고 응급실을 방문하였다. Parkland 공식에 따를 때 첫 8 시간 동안 어떤 속도로 수액을 주입해야 하는가?

1) 200ml/h
2) 400ml/h
3) 600ml/h
4) 800ml/h
5) 1,000ml/h

해설

첫 24시간 동안 주어야 되는 수액량은 40%×60kg×4=9,600ml 그 반인 4,800ml를 첫 8시간 동안 투여하므로 시간당 600ml를 투여한다.

9-4 1)

60kg 남자가 열탕 화상으로 응급실에 왔다. 수액요법 3시간 후에도 시간당 소변량 20ml, 중심정맥압 2cmH$_2$O였다. 투여할 수액은?

1) 락테이트 링거액
2) 5% 알부민
3) 항생제
4) 이뇨제
5) 도파민

해설

수액요법을 시작한 지 3시간 밖에 지나지 않았고, 소변량이 적고 중심정맥압이 매우 낮으므로 지속적으로 수액을 공급한다.

9-5 3)

10세 남아가 화재로 화상을 입은 후 1시간 이내에 사망하였다. 사망의 흔한 원인은?

1) 패혈증
2) 심실빈맥
3) 혈량저하 쇼크
4) 신장기능부전
5) 호흡부전

해설

화상 초기에 급격히 혈량이 저하되어 쇼크에 빠질 수 있고, 소아에서는 그 위험이 더 크다.

9-6 1)

밀폐된 방에서 심하게 화상을 입은 환자의 초기 치료로 옳은 것은?

가. 수분 공급	나. 기도 확보 및 산소 공급
다. 상처 감염 예방	라. 차가운 물로 상처부위 세척

1) 가, 나, 다
2) 가, 다
3) 나, 라
4) 라
5) 가, 나, 다, 라

해설

국소적인 화상이라면 차가운 물로 세척하여 화상의 진행을 예방하고 통증을 완화시킬 수 있다. 문제에서는 심하게 화상을 입은 환자이기 때문에 저체온증이 생길 가능성이 있어 실온의 물로 세척하는 것이 바람직하다.

9-7 5)

26세 남자가 오른쪽 다리에 3도 화상을 입어 왔다. 오른쪽 발이 푸르고 차가웠다. 발등 맥박이 느껴지지 않았다. 치료는?

1) 헤파린 투여
2) 덱스트란 투여
3) 스트렙토키나아제 투여
4) 혈관 조영술
5) 괴사딱지 절개술

해설
3도 화상은 표피와 진피 전 층에 걸친 손상을 말한다. 무통의 검거나 흰, 혹은 체리 색의 딱딱하고 가죽같은 가피(eschar)를 형성하며, 표피와 진피 부속기가 남아 있지 않기 때문에 상처 경계로부터 재상피화가 이루어진다. 피부이식(skin graft)이 필요하다.

9-8 1)

화재로 체표면적의 40%의 3도 화염상(flame burn)을 입은 남자가 병원에 왔다. 적합한 조치는?

가. 흡입화상(inhalation burn)유무를 확인하며 기도를 확보 한다.
나. 빨리 수액요법을 실시한다.
다. 비위관(nasogastric tube)을 삽입한다.
라. 진통제는 근육 내 또는 피부 밑 주사로 투여한다.

1) 가, 나, 다
2) 가, 다
3) 나, 라
4) 라
5) 가, 나, 다, 라

해설
진통제를 근육이나 피하로 주사하는 것은 금기이다. 혈관이 수축되어 있는 상태에서 피하나 근육 주사를 주게 되면, 나중에 소생 후 혈관확장이 일어났을 때 진통제가 빠르게 흡수되어 무호흡증을 일으킬 수 있다.

9-9 5)

화상치료에 대한 설명으로 옳은 것은?

가. 어린이 머리 부위의 체표면적 비율은 어른에 비해 높다.
나. 수액치료 방침을 결정하는 데 화상의 깊이 보다 면적이 중요하다.
다. 전기화상은 화상 면적으로 계산된 것보다 더 많은 양의 수액치료가 필요하다.
라. 화상 입은 부위에도 필요한 경우 수액치료를 위한 삽관이 가능하다.

1) 가, 나, 다
2) 가, 다
3) 나, 라
4) 라
5) 가, 나, 다, 라

해설
정맥 투여경로는 화상을 입지 않은 곳이 가장 좋지만 필요한 경우 화상을 입은 곳에도 사용할 수 있다.

9-10 4)

화상 환자에서 수액평가 시행 시 화상 후 24시간 이내에 투여한 수액량의 적정성을 평가하는 가장 중요한 기준은?

1) 혈청 BUN
2) 체중 변화
3) 혈청 Na 농도
4) 시간 당 소변량
5) 소변 오스몰 농도

해설
수액요법의 적절성은 시간 당 소변량으로 평가한다.

9.4 흡입화상

화상 환자의 주요 사망원인 중의 하나가 흡입화상(inhalation burn)이다. 연기로 인한 손상은 또 하나의 염증 요인이 되며, 정상적인 가스 교환을 저해하게 된다.

흡입화상은 사망률의 지표 중의 하나인 인공호흡기 사용시간을 증가시킨다. 이의 조기진단 및 합병증의 예방이 사망률 및 이환율을 줄이는 데 있어 중요하다.

흡입화상은 닫힌 공간에서의 연기에 노출된 경우, 쉰목소리, 천명음, 검은색의 가래, 안면부 화상, 그을린 코털이 관찰되는 경우 등에서 관찰된다.

1) 흡입화상의 특징

열 자체는 인후부에서 확산되기 때문에 열에 의한 손상은 미미하며, 주로 흡입된 독소에 의해 손상이 발생한다. 흡입화상이 발생하면 섬유소가 형성되기 때문에 통상의 suction으로는 제거하기 어려워 기관지내시경이 요구된다. 합병증으로 기흉(pneumothorax), 폐유순도 감소(decreased lung compliance)가 일어날 수 있다.

2) 흡입화상의 진단

기관지내시경(bronchoscopy)이 가장 보편적인 방법이며, 기도 내의 홍반(erythema), 궤양(ulceration), 혈관 구조 변화 등을 발견할 수 있다.

xenon 133 ventilation scanning을 사용하여 흡입화상으로 인한 기도폐쇄를 발견할 수 있다.

3) 흡입화상의 자연 경과

(1) 제1단계 : 급성 폐부전(acute pulmonary insufficiency)

① 질식(asphyxia)

② 일산화탄소 중독(CO poisoning)

③ 기관지경련(bronchospasm)

④ 상기도 폐쇄(upper airway obstruction)

(2) 제2단계 : 저산소증과 광범위한 폐침윤 발생

성인 호흡부전 증후군(adult respiratory distress syndrome, ARDS)과 유사하며, 화상 후 72∼96시간 후에 발생한다.

(3) 제3단계 : 임상적 기관지 폐렴

화상 후 3∼10일 후에 발생한다. 초기 폐렴의 원인균은 *penicillin-resistant staphylococcus species*이며, 5∼7일 후의 원인균은 그람음성균, 특히 *pseudomonas*가 많다. Ball-valve effects와 인공호흡기 관련 압력손상(ventilator-associated barotrauma)은 이 시기의 특징적 소견이다.

4) 흡입화상의 치료

(1) 치료의 목표

① 기도의 유지

② 가스 교환의 최대화

(2) pulmonary toilet

가능한 환자에게 자발적 기침을 하도록 함으로써 분비물을 배출하게 함으로써, 환자에게 인공호흡기를 사용하는 빈도를 줄일 수 있도록 한다. 호흡부전(respiratory failure)이 임박한 경우 기관지 삽관을 하도록 하며, 삽관 후에는 적극적인 chest physiotherapy와 분비물 흡인 제거를 시행해야 한다. 농축된 분비물을 제거하기 위해 기관지내시경을 여러 차례 실시해야 한다. 인공호흡기를 사용하는 경우 압력손상(barotrauma)을 최소화 하도록 주의한다.

심화학습

◆흡입화상에서의 기계 호흡

흡입화상에서는 압력손상이 문제시 되므로 기계호흡을 최소로 하면서 시행해야 한다.

1. permissive hypercapnia
2. the current ARDS network ventilation protocols 사용
   동맥 pH를 7.25 이상으로 유지
3. 기계호흡에 의한 기도 양압(positive airway pressure)을 최소화한다.
4. 동맥혈 산소분압(arterial oxygen tension)을 60mmHg 이상으로 유지
   산소포화도를 92% 이상으로 유지
5. 환자의 임상경과가 호전되면 가능한 한 조기에 기계호흡을 종료(weaning)해야 한다.
6. 통상적인 기계호흡 이외에 barotrauma를 최소화하기 위해 고빈도/저용량 기계호흡(high frequency ventilation)을 이용하기도 한다.

표 9-2 기관 삽관의 임상적 기준

기 준	값
PaO_2(mmHg)	< 60
$PaCO_2$(mmHg)	> 50(acutely)
PaO_2/FiO_2 ratio	< 200
Respiratory/ventilatory failure	Impending
Upper airway edema	Severe

(3) 흡입화상에서의 흡입치료

분비물의 제거와 기관지경련을 억제한다.

표 9-3 흡입화상에서의 흡입치료

치 료	시간 간격/용량
기관지 확장제(Albuterol)	2시간 간격
헤파린 흡입요법	5,000unit 에서 10,000units를 3ml 생리식염수에 섞어 4시간 간격
acetylcysteine 흡입요법	20% 용액을 3ml씩 4시간 간격
고장성 식염수	효과적인 기침을 유발한다.
에피네프린	점막 부종을 감소시킨다.

(4) 흡입화상에서의 수액공급

폐부종을 줄이기 위해 수액공급을 제한하는 것은 다핵 대식세포(polymorphonuclear cells)의 sequestration에 의해 폐손상을 오히려 증가시킬 수 있으므로 추천되지 않는다. 흡입화상 환자의 수액공급은 심박출계수(cardiac index)와 소변량이 유지될 정도로 공급하는 것이 좋다.

(5) 항생제의 사용

예방적 항생제의 사용은 폐감염이 있는 경우를 제외하고는 추천되지는 않는다.

폐렴에서 배양검사 결과가 나오기 전까지의 경험적 항생제는 methicillin-resistant Staphylococcus aureus와 그람음성균(특히 Pseudomonas)을 커버할 수 있어야 한다.

전신적 항생제는 객담배양 검사, 기관지 세척, 기관 흡입물 검사에 따라 투여해야 한다.

문제

9-11 2)

40대 남자가 지하 작업실에서 작업 중 발생한 화재로 응급 후송되어 왔다. 얼굴과 가슴에 심한 그을음이 있었다. 의식은 명료하였으나 가슴이 답답하다고 하였다. 즉각 필요한 응급조치는?

1) 고압산소탱크에서 치료한다.
2) 기도 유지 및 산소 공급
3) morphine을 정맥 주사
4) tracheostomy 시행
5) 기관지 확장제 및 digoxin 투여

해설

흡입화상 치료의 핵심은 기도유지와 가스교환의 최대화이다. 두 가지가 원활하지 못할 경우에는 기관내삽관을 시행한다.

9-12 3)

흡인 화상 시 기도 삽관의 적응증은?

1) PaO_2 : 66mmHg
2) $PaCO_2$: 47mmHg
3) PaO_2/FiO_2 ratio : 190
4) RR 26회/분
5) 객담내 탄화물

해설

기관 삽관의 임상적 기준

기 준	값
PaO_2(mmHg)	< 60
$PaCO_2$(mmHg)	> 50(acutely)
PaO_2/FiO_2 ratio	< 200
Respiratory/ventilatory failure	Impending
Upper airway edema	Severe

9.5 화상 부위의 관리

화상 부위의 치료는 상처의 특성과 크기에 따라 결정된다. 모든 치료의 목표는 빠르고 통증 없는 회복에 있다.

1) 화상 부위 치료의 3가지 단계

(1) 화상 부위의 평가

상처의 정도와 깊이를 평가하고 소독, 괴사조직 제거(debridement)를 시행하는 단계

(2) 화상 부위의 치료

① 손상된 표피조직을 보호, 세균 및 진균 감염을 최소화, 조직의 기능 유지를 위해 그 위치를 고정시켜 주는 역할
② 폐쇄된 드레싱으로 열 손실을 억제하고 차가운 공기에 대한 보호 역할
③ 통증을 줄이는 역할

(3) 재활

2) 드레싱의 선택

상처의 특성에 의해 결정된다.

(1) 1도 화상

상처가 가볍고 피부의 보호기능이 유지되기 때문에, 특별한 드레싱이 필요하지 않으며, 통증을 경감시키고 보습 효과가 있는 국소 연화제를 투여한다. 더불어, 통증 감소의 보조적 역할로 NSAID를 경구투여 한다.

(2) 얕은 2도 화상

daily dressing changes, 국소 항생제, cotton gauze, elastic wraps 등으로 치료한다.

(3) 깊은 2도 화상 및 3도 화상

초기에는 폐쇄된 드레싱으로 수술 시까지 세균 번식을 억제하며, 절제 후 피부이식이 필요하다.

표 9-4 화상에서의 드레싱 종류

	드레싱	장/단점
Antimicrobial Salves	Silver sulfadiazine(Silvadene) 가장 흔하게 사용됨	광범위 항생제 무통성이며 사용하기에 편리 가피를 투과하지는 못함 음이온에 의해 검은 반점을 남길 수 있음 상피화의 가벼운 저하 초래 가능
	Mafenide acetate(Sulfamylon)	광범위 항생제 가피 투과 가능 통증을 야기할 수 있음 광범위로 사용할 경우 대사성 산증 초래 가능 상피화의 가벼운 저하 초래 가능
	Bacitracin	사용하기 쉬움 무통성 항생효과는 상대적으로 취약
	Neomycin	사용하기 쉬움 무통성 항생효과는 상대적으로 취약
	Polymyxin B	사용하기 쉬움 무통성 항생효과는 상대적으로 취약
	Nystatin(Mycostatin)	항진균 효과가 뛰어남 mafenide acetate와 병합사용 금지
	Mupirocin(Bactroban)	항Staphylococcus 효과가 뛰어남 상피화를 저해하지 않음 상대적으로 가격이 비쌈
Antimicrobial Soaks	0.5% Silver nitrate	모든 종류의 미생물에 효과적 도포된 부위를 착색시킴 창상 부위에 sodium이 용해됨 methemoglobinemia 초래 가능
	5% Mafenide acetate	광범위 항생 효과 항진균 효과는 없음 통증 유발 가능 광범위로 사용할 경우 대사성 산증 초래 가능
	0.025% Sodium hypochlorite (Dakin solution)	거의 모든 미생물에 효과적, 특히 그람양성균 상피화의 가벼운 저하초래 가능
	0.25% Acetic acid	대부분의 미생물에 효과적 특히 그람음성균 상피화의 가벼운 저하초래 가능

표 9-4 화상에서의 드레싱 종류 *(계속)*

	드레싱	장/단점
Synthetic Coverings	OpSite	습한 보호 환경을 제공 저렴함 창상부위 통증 경감 삼출액 및 여출액이 있는 부위에 사용 항생효과는 없음
	Biobrane	창상을 보호하는 역할 창상부위 통증 경감 삼출액이 있는 부위에 사용 항생효과는 없음
	Transcyte	창상을 보호하는 역할 창상부위 통증 경감 창상 부위 회복의 가속화 삼출액이 있는 부위에 사용 항생효과는 없음
	Integra	완전한 창상 덮개를 제공하며 진피에 상당하는 역할제공 sporadic take rates 항생효과는 없음
Biologic Coverings	Xenograft(pig skin)	창상을 완전히 덮을 수 있음 약간의 면역효과 제공 추후 제거해야 함
	Allograft(homograft, cadaver skin)	피부의 정상적 기능을 모두 제공 : 진피에 상당하는 역할 표피는 추후 제거해야 함

3) 항균제(antimicrobials)

적절하고 유효한 항균제의 사용은 창상감염이 악화하는 것을 방지하고 그 회복을 돕는다. 치료받지 않은 화상 부위는 정상 피부 장벽의 소실로 말미암아 세균과 진균들이 빠르게 번식하게 된다.

미생물의 숫자가 일정 수 이상(> 10,000 per gram of tissue)으로 증식하게 되면 살아 있는 조직 속으로 침투하게 된다. 침투한 미생물들은 혈류 속으로 들어가고 환자를 사망에 이르게 할 수 있는 전신감염을 초래하게 된다.

(1) 항균제의 분류

① **국소 항균제**

- **salves** : 보통 창상부위에 직접 도포 후 cotton dressing을 그 위에 덮는다.
  - 단점 : dressing이 바뀔 때 이식편 손실 및 underlying healing cells의 소실로 그 유효성을 상실할 수 있다.
  - 종류 : 11% mafenide acetate(Sulfamylon), 1% silver sulfadiazine(Silvadene), polymyxin B, neomycin, bacitracin, mupirocin, antifungal agent nystatin

- **soaks** : 창상부위에 덮인 cotton dressing 위에 도포
  - 장점 : dressing을 제거하지 않고 그 위에 도포함으로써 효과가 지속적이다.
  - 단점 : dressing 하부 피부의 약화 초래할 수 있다.
  - 종류 : 0.5% silver nitrate solution, 0.025% sodium hypochlorite(Dakin solution), 0.25% acetic acid, 5% mafenide acetate solution

② **전신적 항균제**

수술 전후의 항균제의 전신적 사용은 창상이 닫힐 때까지 패혈증을 방지하는데 기여하며, *S. aureus*와 *Pseudomonas*에 효과가 있는지의 여부를 반드시 고려해야 한다.

4) 합성/생물학적 드레싱

균들이 증식하기 전인 수상 후 72시간 이내에 시행해야 한다.

2도 화상에서 표피가 재생될 때까지 사용하거나 3도 이상의 화상에서 피부이식 전까지 사용할 수 있다.

(1) 장점

① 드레싱 교환 시 통증이 없다.

② 창상 부위 수분 소실을 막는다.

③ 창상 부위 자체의 통증을 줄여준다.

④ 상피화를 저해하지 않는다.

(2) 종류

① **동종**(allograft, cadaver skin) **및 이종**(xenograft, pig skin) **드레싱**

정상 피부의 면역학적 및 물리학적 장벽의 역할 수행가능하다.

- 면역학적 거부반응이 있을 수 있다.
- 일시적 드레싱으로는 어떤 종류의 화상 부위에도 사용 가능하다.
- 보통 총 체표면적 50% 이상의 심한 화상에 쓰인다.
- 단점으로는 바이러스 질환을 옮길 수 있고 사체 피부를 그물 모양(mesh)으로 사용할 경우 그 모양의 흔적이 남을 수 있다.

② **Transcyte**

- biobrane과 유사하다.
- fibroblast에서 추출한 성장인자가 포함되어 있다.
- 재원일수와 피부이식의 빈도를 줄여준다.
- Biobrane에 비해 창상 회복이 빠른 이론적 장점이 있다.

③ **Biobrane**

콜라겐(collagen)으로 코팅된 실리콘으로 구성되며, 창상부위 여출액(transudate)이 건조되는 24~48시간 후에 창상부위에 부착된다. 수분손실을 방지하며, 상대적으로 통증이 덜하고 드레싱을 바꿀 필요가 없는 장점이 있다. 표피가 완전히 재생되게 되면 쉽게 제거되며, 삼출액(exudate)이 많은 환경에서는 세균 번식 및 창상감염의 우려가 있어 주의를 요한다. 얕은 2도 화상(superficial 2nd degree burn)이나 피부이식 제공부위를 덮는데 사용된다.

④ **Integra**

콜라겐 매트릭스(진피 대용)와 실리콘(표피 대용)으로 구성되며, 창상 부위에 콜라겐 매트릭스는 이식되며, 2주 경과 후에 실리콘은 제거되고 피부이식으로 대치된다. 피부 전 층에 걸친 화상(full-thickness burns)을 덮는데 이용 가능하다. 진피 대용으로 쓰일 수 있어 진피 소실로 인한 흉터 방지 효과가 있다. 다른 합성/생물학적 드레싱과 마찬가지로 항균효과가 없기 때문에 창상감염 등의 합병증이 생길 수 있다. 드레싱 후 2~3주 후에 실리콘 제거 후 자가이식을 해야 하므로 2번의 수술을 받아야 하는 단점도 있다.

5) 괴사조직 제거 후 피부이식

깊은(deep) 2도 화상 및 3도 화상은 자가이식을 하지 않고서는 자연치유가 되지 않는다. 이러한 죽은 조직들은 남겨두면 감염의 근원이 되어 환자를 죽음에 이르게 한다.

순차적인 괴사조직 제거(debridement)보다 조기 절제와 이식이 선호되는 이유는 생존율, 실혈량, 패혈증의 빈도, 재원기간 모두 조기절제 및 이식이 우월한 성적을 보인다.

총체표면적의 20~30%에 해당하는 화상은 절제 후 자가피부이식이 가능하다. 이보다 심한 화상 환자에서는 자가피부이식은 부족하기 때문에 cadaver allograft가 이용된다.

자가이식 후 공여부위의 회복에는 성장호르몬, 인슐린, 아미노산의 투여가 도움이 된다.

(1) 피부이식이 실패하는 경우

① 이식편 하부의 fluid collection

② 이식편이 부착하는 것을 방해하는 shearing forces가 있을 때

③ 이식편을 괴사시키는 감염이 존재할 때

④ 괴사조직이 다 제거되지 못한 경우

(2) 화상 흉터(burn scar)

① 화상 흉터는 창상 수축에 따른 기능적, 미용적 손실을 야기한다.

② 표피 및 진피를 포함한 full-thickness skin grafts가 split-thickness skin grafts에 비해 흉터 형성이 작다.

9.6 화상 합병증의 치료

조기에, 적극적인 수액 요법을 시행하는 것은 화상환자의 생존율을 비약적으로 증가시킨다. 이러한 수액치료가 시작된 이후에는 사망의 가장 중요한 원인이 쇼크 대신 패혈증과 그에 따른 다기관부전(multiorgan failure)이 되었다.

총체표면적 80% 이상의 화상을 입은 소아 환자에서 균혈증(bacteremia)에 뒤이은 패혈증은 17.5%에서 발생하고, 전체 사망률은 33%에 달하며 이는 대부분 다기관부전에 의한 것이다. 다기관부전은 균혈증에서도 발생할 수 있지만 화상 창상에 의한 염증에서도 비롯될 수 있으며, 이는 주요 화상 환자가 전신적 염증반응 증후군(systemic inflammatory response syndrome, SIRS)의 기준에 부합하는 것으로 증명된다.

1) 화상의 초기 합병증

- 감염
- 위팽만
- 위장관 합병증 : 급성담낭염, 췌장염, 마비성 장폐색, Curling's ulcer, 스트레스 궤양 (stress ulcer)
- 폐합병증

심화학습

◆ Curling's ulcer

Curling's ulcer는 심각한 화상으로 인해 혈장용적이 감소하여 위 또는 샘창자의 점막에 딱지가 생겨 발생하는 급성 궤양이다. 심각한 화상 손상 환자의 약 10%에서 발생하며 특히 소아에서 흔하다. 다른 궤양에 비해 천공, 출혈의 발생 가능성이 높으며 따라서 사망률 또한 높다. H_2 receptor blocker, omeprazole과 같은 PPI 등을 사용하여 예방한다.

2) 인슐린

스트레스 유발성 고혈당증(Stress-induced hyperglycemia)은 중환자실의 환자에게서 흔히 발견되는 소견이다. 이 경우 혈당조절을 엄격하게 시행하는 것이 합병증을 줄이는 데 도움이 되며, 그 감소량은 무려 50%에 달한다. 이는 화상 환자에게서도 마찬가지이며 혈당조절을 엄격하게 시행할 경우 패혈증의 빈도를 줄이고 사망률을 낮출 수 있다.

3) 원인 및 병태생리

(1) 화상환자에게서 전신적 염증반응 증후군(SIRS)이 패혈증으로 악화되는 과정

• 창상감염이나 폐렴
→ 미생물의 급격한 번식
→ 미생물로부터 기인한 각종 독소(endotoxin, exotoxin)
→ 전신적 염증반응의 시작(initiation of a cascade of inflammatory mediators)
→ 다기관 손상 및 기능 부전

(2) 원격기관 손상을 일으킬 수 있는 염증 매개물질

• endotoxin
• arachidonic acid metabolites
• cytokines
• neutrophils and their adherence molecules
• nitric oxide
• complement components
• oxygen free radicals

4) 예방

화상으로 인한 다기능 부전의 병태생리가 다양하고 아직 완전히 밝혀지지 않았기 때문에, 어느 한 매개체에 초점을 맞추는 것은 어려운 일이다. 따라서 다기능부전으로 악화되기 전에 예방하는 것이 중요하다.

(1) 괴사조직의 조기 제거 및 적극적인 수술적 접근법

창상감염의 빈도를 줄이고 균혈증의 시작점을 제거할 수 있다. 수상 후 48시간 이내에 시행해야 한다.

(2) 적절한 수액 요법

주입된 수액량보다 얼마나 빨리 수액요법을 시행했는가가 더 중요하다.

(3) 국소/전신적 항균치료

침습적 창상감염에 따른 패혈증의 빈도를 줄인다.

(4) 삽입된 카테터의 주기적인 교환

감염원으로 작용할 수 있으므로 3일마다 교환해야 한다.

(5) 폐렴의 공격적인 치료

조기에 기계호흡을 종료하고 조기에 보행해야 한다.

(6) 조기 장관 영양(early enteral feeding)

위장관 역시 금식과 수분부족으로 패혈증의 원인이 될 수 있다.

5) 기관 부전

예방하려는 최적의 노력에도 불구하고 전신적 염증반응 증후군에 뒤이은 다기관부전이 발생할 수 있다. 다기관 부전은 보통 신장계나 호흡계에서 시작되어 간, 위장관, 혈액계, 중추신경계로 파급된다. 그러나 다기관 부전이 바로 사망을 의미하지는 않기 때문에 이를 치료하려는 노력이 적극 요구된다.

(1) 신부전

공격적 수액치료가 도입된 이래 초기 신부전은 상당부분 감소하였으나, 수액치료 후 2~14일 이후에 다시 신부전이 발생할 수 있다.

① 신부전의 임상적 특징

- 소변량 감소가 생길 수 있으며, 소변량을 1ml/kg/hr 이상으로 유지해야 한다.
- 수분 과다(fluid overload)가 생길 수 있으며, 투여되는 수액량을 줄이고 조기 장관영양을 장려해야 한다.
- 대사성 산증 및 고칼륨혈증을 포함한 전해질 대사 이상이 발생하면, 장관영양 공급 시 칼륨량을 줄이고 경구 bicarbonate 제제를 투여해야 한다.
- 고질소혈증(azotemia), 혈청 크레아틴 수치의 증가가 생길 수 있다.

② 투석

- 다른 치료에 반응하지 않는 수분 과다 및 전해질 대사이상이 발생하는 경우 투석을 고려해야 한다.
- 과다수분의 제거 및 전해질 대사 이상을 교정하는 데는 혈액투석보다는 복막투석이 더 효과적이다.

(2) 폐부전

많은 화상환자들의 수상의 초기에 기도의 보호를 위해 기계호흡이 필요하다. 그러나 기계호흡 자체가 폐손상을 야기할 수 있기 때문에 다시 인공 삽관을 하더라도 조기에 발관(extubation)하는 것이 중요하다.

① 폐손상의 신호들

- 산소포화도 감소
- 호흡수 증가
- 과이산화탄소증(hypercapnea)

② 조기기관절개술(tracheostomy)은 권장되지 않는다.

(3) 간 부전

간은 여러 순환 단백질 및 응고인자, 면역물질, 쓸개즙 등을 합성하는 기관이므로 간부전은 이러한 기능의 약화를 초래한다. 간부전은 그 치료가 아직 발달하지 못하여 오로지 예방만이 최선의 치료이다. 혈액응고부전(coagulopathy)이 발생하면 간에서 합성되는 응고인자인 factors Ⅱ, Ⅶ, Ⅸ, Ⅹ을 간이 회복될 때까지 공급해야 한다.

(4) 혈액계 부전

① 화상 환자가 혈액응고 부전이 발생하는 이유
- 혈액응고인자의 고갈 및 생합성 부족
- 혈소판감소증(thrombocytopenia)

② 파종 혈관내 응고증(Disseminated Intravascular Coagulation, DIC)
응고인자의 고갈에 기인하며, 치료는 신선동결혈장(FFP)과 cryoprecipitate의 투여이다.

③ 혈소판 감소증
창상절제에 따른 혈소판 상실로 인해 자주 발생하는 문제이다. 혈소판의 절대치가 50,000미만이며 임상적인 출혈성 경향이 광범위하게 나타나는 경우에 한에 혈소판 농축액을 주입해야 한다.

④ 혈전성/색전성합병증(thrombotic embolic complication)
- 움직이지 않음(immobilization)으로 인해 발생한다.
- 심부정맥혈전증(Deep Venous Thrombosis, DVT)은 나이가 많을수록, 몸무게가 많이 나갈수록, 화상 체표면적이 클수록 호발한다.
- 출혈성 경향을 보이지 않는 환자에게는 심부정맥혈전증의 예방이 필요하다.

(5) 중추신경계 부전(central nervous system failure)

중추신경계 관련 약물치료를 받지 않는 환자에게서 발생한 정신상태 이상(mental status change)은 패혈증에 의한 것을 시사한다. 보존적 치료를 시행한다.

문제

9-13 5)

체표면적 35% 이상의 심한 화상을 입었을 경우 생길 수 있는 합병증 중 옳은 것은?

가. 위의 스트레스 궤양	나. 무결석 쓸개염
다. 췌장염	라. 마비성 장폐색증

1) 가, 나, 다　　2) 가, 다　　3) 나, 라
4) 라　　5) 가, 나, 다, 라

해설
모두 해당한다.

9.7 화상환자의 영양

1) 과대사

(1) 화상크기에 비례해 산소 소비량의 증가, 대사율의 증가, 소변을 통한 질소 배설의 증가, 산소 소모량 증가, 지방 용해(lipolysis), 체중감소 등이 발생한다.

(2) 정상 대사율에 비해 200%까지 올라갈 수 있으며 정상으로 회복되기 위해서는 상처의 완전한 폐쇄가 이루어져야 한다.

(3) 에너지 요구량 증가

체내 단백질, 탄수화물, 지방의 저장량이 고갈되며, 근 손실 및 영양결핍 상태가 초래된다. 영양결핍 상태는 많은 기관들의 부전, 창상 회복 지연, 면역력 약화, 세포막의 능동수송 기능 변화 등을 일으키기 때문에 외부에서 영양공급을 충분히 해주어야 한다.

2) 영양공급의 보조요법

- 성장 호르몬
- 인슐린 유사 성장 인자(insulin-like growth factor)
- 인슐린
- oxandrolone
- 테스토스테론
- propranolol

9.8 전기화상

1) 초기치료

화상 환자의 3~5%가 전기에 의한 화상이다. 전기화상은 다른 화상과 달리 보이는 조직 괴사는 파괴된 조직의 일부에 지나지 않는다.

(1) 병태생리

전류가 손가락이나 손등의 몸의 일부로 들어가면, 신경, 혈관, 근육 등 상대적으로 저항이 작은 부위를 따라 흐르며, 이후 접지된 부분, 특히 발 등을 통해 빠져나가게 된다. 피부는 저항이 높기 때문에 대부분 손상 없이 보존되며, 전류 그 자체와 전류에 의한 열이 체내 손상을 일으킨다. 이러한 과정 중에 근육으로의 전류의 흐름이 가장 많게 되고 그 결과 근육의 손상이 가장 크다.

혈관은 손상 초기에는 보존되지만, 시간이 흐름에 따라 괴사되고 혈전에 의해서 막히는 등의 손상이 발생한다. 그 결과 허혈성 조직 손상도 병발하게 된다.

(2) 전기화상의 분류

손상은 고전압과 저전압 손상으로 나뉜다.

① **저전압 손상**

열에 의한 화상과 유사하여, 피부에서 심부조직으로 들어가는 형태를 취한다.

대부분의 가정용 교류(110~220V)가 이런 손상을 보이며, 국소적 손상만을 일으킨다.

② **고전압 손상**

전류가 들어가고 나온 부위의 표재성 화상과 심부조직의 숨겨진 손상으로 이루어진다. 전류에 의한 피복의 연소로 표재성 화상을 동반한다. 심실세동 동반 시 심폐소생술을 시행해야 한다. 감전 후에 높은 곳에 떨어진다든지 하는 이유로 동반된 손상이 있을 수 있으며, 강력한 근 강직성 경련(tetanic muscular contractions)이 골절이나 탈구 등을 야기할 수 있다.

- 초기 심전도 소견이 비정상적이거나 심정지의 과거력이 있다면 부정맥의 치료와 함께 심장 감시(cardiac monitoring)가 필요하다.
- 부정맥이 없거나 심전도 소견이 정상인 경우, 심정지의 과거력이 없는 전기화상은 추가적인 심장 감시는 필요하지 않다.

(3) 전기화상의 치료

① 창상 및 심부조직의 치료

가장 심각한 손상은 심부조직에서 발생하며, 뒤이은 부종형성은 수상부위 하부의 허혈성 손상을 일으킨다. 즉각적인 가피절제술이나 근막절제술이 필요할 수 있기 때문에 하부 혈류가 원활한지의 여부도 반드시 평가항목에 포함되어야 한다.

② 조기절단술(amputation)

근육 구획(muscle compartment)이 광범위하게 손상을 입어 향후 기능 회복의 전망이 희박한 경우에 실시한다.

③ 수술적 관찰 및 괴사조직 제거술

근육의 손상을 정확하게 관찰하기 위해 조기에 시행한다. 근막절개술을 완벽하게 시행해야 하며 필요하다면 carpal tunnel이나 Guyon canal의 신경감압(nerve decompression)도 해야 한다.

괴사여부가 불확실한 조직을 제거하면 조직의 손실이 매우 크기 때문에 그러한 조직은 일단 제거하지 않고 48시간 후에 다시 수술실에서 관찰한 후 제거 여부를 결정한다. 괴사조직이 완전하게 제거될 때까지 수술이 여러 차례 반복될 수 있다.

④ 창상 부위의 폐쇄

괴사 조직이 제거된 후에는 창상 부위의 폐쇄가 중요하며, 피부이식이나 피판(flap)을 사용한다.

⑤ **폐쇄성 신병증**(obstructive nephropathy)의 치료

근육 손상은 hemochromogen(myoglobin)의 유리를 초래하는데, 이는 토리(glomerulus)에서 걸러져 폐쇄성 신병증(obstructive nephropathy)을 일으킬 수 있다.

혈청에서 hemochromogen이 상당량 검출된다면 이의 용해와 소변량을 유지하기 위해 막대한 수액공급과 중탄산나트륨(sodium bicarbonate)의 정맥투여(5% continuous infusion), mannitol 투여(성인에서 6시간 간격으로 25g) 등을 시행해야 한다.

실제 화상 범위는 보이는 것보다 작기 때문에 통상적인 화상 환자보다 더 많은 수액공급이 필요하며, 소변량이 2ml/kg/hr를 유지하도록 한다.

2) 지연 효과(delayed effects)

(1) 신경학적 손상

연속적인 신경학적 검사가 조기 및 후기 신경병증(neuropathology)을 진단하기 위해 기본 검사로 실시해야 한다.

① **중추신경계**

cortical encephalopathy, hemiplegia, aphasia, brainstem dysfunction이 수상 후 수개월까지 발생할 수 있다.

② **말초신경계**

vacuolization과 반응성 gliosis을 동반한 demyelination으로 특징되는 말초신경 병변이 발생할 수 있다.

(2) 백내장(cataract)

수상 후 수년 이후에 생길 수도 있으며, 상당한 고전압 손상 환자에서 30%까지 발생할 수 있다.

문제

9-14 3)

화상환자에 있어서 처음에 화상범위를 측정하는 것은 수액요법에 큰 도움을 준다. 다음 화상의 원인들 중 계산된 수액량보다 더 많은 수액이 필요한 경우는?

가. 열탕화상(scalding burn)	나. 흡입화상(inhalation injury)
다. 접촉화상(contact burn)	라. 전기화상(electric burn)

1) 가, 나, 다　2) 가, 다　3) 나, 라
4) 라　5) 가, 나, 다, 라

해설

계산된 양보다 많은 수액을 공급해야 하는 경우
① High voltage electrical burn
② Inhalation burn
③ Drunken state에서의 burn

9-15 3)

30대 남자가 전기작업 중 고압전류에 감전되었다. 오른쪽 손과 넓적다리에 5%의 화상을 입었고 부종이 심하였다. 수시간 후 도뇨관에서 갈색 소변이 나왔다. 갈색뇨의 원인은?

1) 콩팥손상　2) 심근손상
3) 횡문근 융해　4) 복막뒤 혈종
5) 저혈량성 쇼크

해설

고압전류에 의한 화상 시 저항이 적은 혈관, 신경, 근육의 손상이 잘 일어난다. 따라서 근육손상에 의한 횡문근 융해로 갈색뇨가 의심된다.

9-16 2)

40세 남자가 전기 작업 중 감전되어 내원하였다. 당시 의식 소실이 있었고 병원에 왔을 때 의식은 있었다. 혈압은 140/90이었고 심박수는 분당 80회였다. 양손에 0.5cm 가량의 화상 자국이 있었고 갈색 소변을 보았다. 소변 검사 상 혈색소 (2+) 적혈구 (-)였다. 다음 중 가장 먼저 해야 할 처치는?

1) 20% albumin　2) 등장성 수액
3) 중탄산나트륨　4) 10% 포도당
5) 칼슘 글루코네이트

해설

전기화상으로 myoglobulinuria를 보인다. 전기화상의 경우 일반적인 경우보다 더 많은 수액이 필요하고 이뇨제로써의 mannitol 사용의 적응증이 된다. 초기 처치로 생리식염수를 주입하며 Parkland 공식에 의한 것보다 더 많이 필요하다.

9-17 3)

고압전류의 전압선에 왼손에서 오른손으로 전기가 통하여 손상을 입은 것으로 보이는 사람이 왔다. 초기에 가장 유의해야 할 것은?

1) 손의 구획 증후군　　2) 호흡부전
3) 심부전　　4) 신부전
5) 위장관 파열

해설
고압전류가 왼손에서 오른손으로 흘렀다면 그 사이에 있는 심장의 손상유무에 가장 주목해야 한다.

9.9 화학물질에 의한 화상

1) 화학화상의 특징

(1) 지속시간

열에 의한 화상은 보통 짧은 기간 동안 노출되지만, 화학물질에 의한 화상은 이보다 오래 지속되고 적절한 치료가 없으면 수시간에 걸쳐 지속될 수 있다.

(2) 조직 손상

화학 물질의 특성, 농도, 피부 접촉 시간에 의해 결정된다. 화학물질은 변성, 산화, 단백질 에스테르(protein ester)의 형성, 조직 탈수 등의 기전으로 단백질을 파괴한다.

2) 화학화상의 치료

(1) 수상 직후에 즉시 의복을 제거하고 많은 양의 물로 몸을 세척해야 한다.

(2) 호흡곤란이 있는 경우는 산소요법과 기계 호흡을 실시한다.

(3) 수액요법

화상 공식에 따른 총체표면적에 따라 결정되지만, 열에 의한 화상에 비해 총 주입되는 수액량은 다르다. 화학 물질에 의한 화상 환자는 소변량 등을 통해 환자의 수분 상태를 면밀히 관찰해야 한다.

① 산에 의한 화상

표면적인 손상으로 국한되어 필요한 수액량은 열에 의한 화상보다 작다.

② 염기에 의한 화상

조직 깊숙이 투과하므로 열에 의한 화상보다 더 많은 수액공급이 필요하다.

(4) 수술적 괴사조직 제거술

상태가 안정되고 적절한 수액공급을 받은 직후에 실시하며, 필요한 경우에는 피부이식을 시행한다.

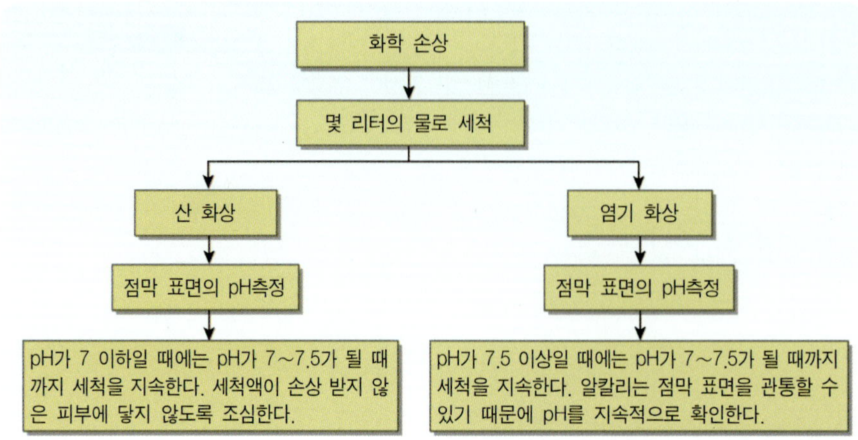

그림 9-8 산과 알칼리 손상의 치료

3) 알칼리(alkali)

석회, 수산화칼륨, 표백제, 수산화나트륨 등이 대표적인 알칼리 물질이다.

(1) 알칼리가 화학적 화상을 일으키는 기전

알칼리가 조직에 닿으면, 조직과의 화학 반응에 의해 지방이 가수분해되어 열의 절연체 역할을 상실한다. 알칼리의 흡습성으로 인해 세포 내 수분상실이 발생되어 손상이 발생하며, 알칼리가 조직의 단백질과 반응하여 alkaline proteinase를 형성하고 이는 hydroxide ion을 포함하므로 심부조직으로의 침투가 가능하다.

(2) 치료

① 대량의 물 세척을 포함한 원인 물질을 즉시 제거한다.

② 알칼리 물질을 약산을 이용하여 중화시키려는 시도는 추천되지 않는다(중화되면서 발생하는 열이 추가적인 손상을 일으킬 수 있다).

③ 수술적 괴사조직 제거술 : 정상 pH를 보이는 조직과의 경계부위까지 괴사조직 제거술을 시행한다.

4) 산(acid)

(1) 산에 의한 화상의 특징

① 단백질을 가수분해 시켜 단단한 가피를 형성하기 때문에 알칼리와 다르게 조직 깊이 침투하지는 못한다.

② 피부와 접촉하여 열을 발생시키며, 추가적인 연부조직 손상을 일으킨다.

(2) 포름산(개미산, formic acid)에 의한 손상

① 대량으로 노출된 경우 전해질 이상, 대사성 산증, 신부전, 혈관내 용혈(intravascular hemolysis), 폐합병증(급성 호흡곤란 증후군, ARDS)이 흔히 발생한다.

② 포름산에 의한 창상의 특징 : 녹색을 띠며 초기에 보이는 것보다 깊어 외과적 절제가 필요한 경우가 많다.

(3) 플루오르화수소산(hydrofluoric acid)

① 특징 : 산업 및 가정에서 광범위하게 쓰이는 강력한 무기산(inorganic acid)이다.

② 치료 : 일반적으로 다른 산성 물질에 의한 화상과 치료가 다르다.

- 저칼슘혈증(hypocalcemia) : 플루오르 이온의 전신적인 흡수는 혈관내 칼슘 킬레이트(chelation)를 형성하고 그 결과 치명적인 부정맥을 야기할 수 있는 저칼슘혈증을 일으킨다. 대량 물세척과 함께 창상 부위에 2.5% calcium gluconate gel을 대량으로 바른다.
- 심한 통증(severe pain) : 칼슘 킬레이트와 동반된 칼륨 해리로 인해 발생하며, calcium gluconate gel을 통증이 소실될 때까지 15분 간격으로 바른다.
- 심장 모니터링(cardiac monitoring)
  - QT interval prolongation에 유의해야 한다.
  - 수액공급 시 첫 1L에 20ml 10% calcium gluconate solution을 추가해야 하고 혈청 전해질을 면밀하게 감시한다.

5) 수산화탄소(hidrocarbons)

수산화탄소의 유기 용매 부분이 세포막의 용해와 피부 괴사를 일으킨다.
증상은 홍반과 수포 형성이며 특징적으로 표재성 화상만을 일으키고 자연 치유된다.
전신적으로 흡수되면 호흡곤란 및 간 손상이 생길 수 있다.

9
화상

문제

9-18 2)

화학화상 시 올바른 치료는?

가. 대량의 물로 세척	나. 중화제 이용
다. 죽은 조직 제거술 시행	라. steroid 투여

1) 가, 나, 다　　2) 가, 다　　3) 나, 라
4) 라　　5) 가, 나, 다, 라

해설

화학화상의 치료
1) 15~20L의 물로 세척
2) debridement
3) 항생제와 함께 상처부위 드레싱
4) 피부이식

나. 중화제를 사용하면 중화열에 의해 또다시 화학화상을 일으킨다.
라. steroid 투여 시 감염의 위험도가 증가한다.

PACIFIC
SURGERY

10 뱀물림과 동물물림

Snakebites and Animal bites

10.1 뱀물림(snakebites)

1) 뱀의 종류

독을 가진 뱀과 그렇지 않은 뱀은 생김새로 구분이 가능하다. 독을 가진 뱀은 머리가 삼각형 모양이고, 눈동자가 타원형이며, 배쪽의 비늘이 한 줄로 되어 있고, 꼬리에서 소리가 난다. 반면 독이 없는 뱀은 머리가 둥글고, 눈동자가 원형이며, 배쪽의 비늘이 두 줄로 되어 있고, 꼬리에서 소리가 나지 않는다.

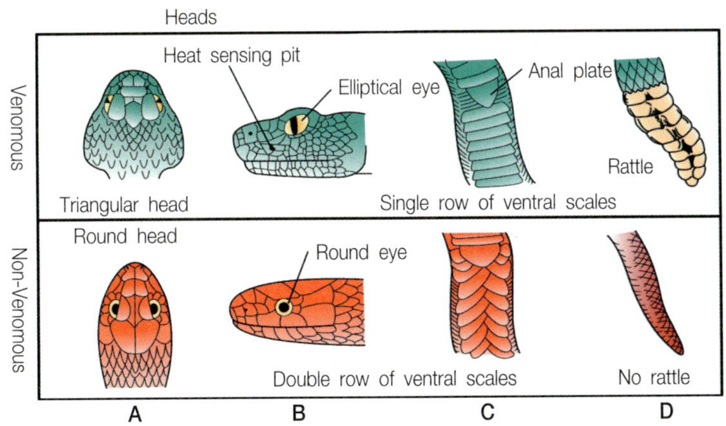

그림 10-1 독을 가진 뱀과 독이 없는 뱀의 구분

2) 증상

(1) 국소증상

독이 있고 없고의 차이에 따라 통증, 부종, 물린 자국에 차이가 있다.

① 일반 뱀에 물렸을 때

물린 자국과 함께 약간의 통증을 동반한 열상이 있다.

② 독을 가진 뱀에 물렸을 때

타는 듯한 통증이 수분 내에 발생하며, 부종, 발적이 생기고, 수시간이 지나면 출혈반과 함께 출혈성 물집(hemorrhagic bullae)이 잡힌다. 림프절 침범이 흔하고, 림프절의 비대와 통증이 수반된다. 적절한 치료가 이루어지지 않으면 조직괴사가 발생할 수 있다.

(2) 전신증상

① 쇠약감, 오심, 구토, 입주변의 감각저하, 금속성 맛(metalic taste), 근육 연축 등이 발생할 수 있다.

② 모세혈관으로부터 혈액의 유출(capillary leakage)이 일어나서 폐부종, 저혈압, 결국에는 쇼크에 이르게 된다.

③ 소모성 혈액응고장애(consumptive coagulopathy)가 1시간 내에 발생할 수 있다.

④ 신독성이 있어서 급성신부전에 빠질 수 있다.

⑤ 방울뱀이 전신적인 증상을 일으키는 것에 비해 열대 아프리카 산호뱀(coral snake)은 특징적으로 신경에 독성을 미친다. 산호뱀에 물리게 되면 중추 신경계 마비, 심부건 반사의 소실, 호흡부전, 마비 등의 증상이 수시간 내에 생겨 사망할 수 있다.

3) 치료

(1) 현장에서의 치료

뱀이 없는 곳으로 환자를 옮기고 편안한 자세로 눕힌다. 상처를 세척하고 상처부위를 심장 높이보다 높은 곳에 위치시킨다. 다른 조치 없이 환자의 상태를 확인하며, 즉시 병원으로 옮기도록 한다. 냉각요법(cryotherapy), 흡입(suction), 압박띠(torniquet), 전기소작은 해가 되며, 절대 금기이다. 일반적으로 상처부위의 근위부를 압박해서 병원에 가는 경우가 많은데, 그로 인해 독소가 상처부위에 고농도로 존재하여 오히려 국소 괴사가 발생하는 역효과를 나타내기 쉽다. 병원에 도달하는 시간이 매우 오래 걸릴 경우 압박띠를 굳이 사용해야 한다면 정맥과 림프관이 압박될 정도로만 가볍게 묶는다.

(2) 병원에서의 치료

① 병력 청취와 물린 뱀의 종류, 현장에서의 처치, 항독소의 접종 여부를 파악한다.

② 활력징후, 심폐기능, 신경 기능에 대한 검사를 하고 상처의 모양과 크기를 검사한다. 물린 부위에 표시를 해두어 시간이 지남에 따라 부종이 증가하는지를 확인한다. CBC 및 혈액응고에 관한 검사를 시행하고 전해질, BUN, creatinine, 소변검사를 시행한다. 흉부 X선검사와 심전도를 시행한다.

③ 환자가 방울뱀에 물리고 6시간이 지나거나, 산호뱀에 물리고 24시간이 지나도록 증상이 없으며, 검사실 소견에 이상이 없으면 환자는 귀가할 수 있으나 가능하면 24시간을 병원에서 관찰하는 것이 바람직하다.

(3) 항독소 치료(antivenom therapy)

항독소를 투여할 때는 환자가 독에 노출되었다는 증거가 있고, 증상이 점차 심해지는 환자에서 사용하며, 심각한 독성 증상(심한 부종, 저혈압, 호흡부전)이 있는 환자에게는 지체없이 사용한다.

(4) 상처 치료

상처 부위를 세척, 소독하고 부목을 대어 심장보다 높은 위치에 고정한다. 확연히 괴사된 조직은 응고장애가 없다면 제거해준다. 파상풍 예방을 위해 tetanus toxoid(Td vaccine)과 tetanus immunoglobulin(상품명 Hyper-Tet, Tetabulin)을 예방접종 과거력에 따라 선택적으로 주사한다. 2차 감염을 예방하기 위해 필요에 따라 항생제를 투여한다.

(5) 근막절개술

독사에 물리면 피하조직에 대부분 독이 남게 되며 특별한 증상을 일으키지 않지만, 큰 뱀에 의해 근육층에 독이 침투하게 되면 구획증후군(compartment syndrome)이 발생할 수 있다. 상처부위를 심장보다 높게 유지했는데도 불구하고 그 구역의 압력이 30∼40mmHg 이상이면 압박증상이 발생하면 근막절개술을 시행할 수 있다. 예방적으로 근막절개술을 시행하는 것은 바람직하지 않다.

10.2 동물물림(animal bites)

1) 역학

80∼90%가 개에 의해 발생하며, 그 다음으로 고양이와 사람에 의해 발생한다. 대부분의 개는 집에서 키우는 애완견이거나 이웃집 개인 경우가 일반적이고, 어른은 주로 사지에 물리고, 소아는 머리, 얼굴, 목 등을 물린다. 60% 이상이 소아에서 발생하며, 특히 5∼9세의 남자 아이에서 많이 생긴다.

2) 광견병(rabies)

(1) 증상

광견병은 동물의 타액 내에 존재하는 rhabdovirus에 의해 발생하며, 동물이 사람을 물거나 할퀴어서 전염된다. 급성 뇌염(acute encephalitis)이 발생하면 대부분의 환자가 사망하게 된다. 초기 증상은 감각저하, 가려움증, 물린 주위의 타는 느낌으로 시작하여, 다음의 두 가지 형태로 진행한다. 두 가지 형태로 진행하다가 더 진행하면 결국에는 사지마비, 혼수에 이르고 사망하게 된다.

① **뇌염형**(encepalitic form) **혹은 분노형**(furious form)

발열, 과다 행동이 있고 목마름, 공포, 빛, 소음에 의해 발생한다. 병이 더 진행하면 의식 소실, 공중공포(aerophobia), 물공포증(공수증, hydrophobia), 자율신경계의 장애가 발생한다.

② **마비형**(paralytic form)

발열, 진행성 무력증, 심부건반사의 소실, 요실금 등이 발생한다.

(2) 광견병 이환의 위험도

광견병을 예방하기 위해서는 적절한 상처 치료와 물린 후의 예방이 중요하다.

상처는 비누와 물로 씻고 포비돈-요오드 용액과 같은 바이러스를 죽일 수 있는 용액으로 소독한다. 만일 광견병이 강력히 의심되면 상처를 열어둔 채로 놓아둔다.

동물에 물리거나 할퀸 후에 광견병 예방접종을 할지 여부는 그 동물의 종류와 동물이 물리거나 할퀼 때의 상황에 따라 다르다. 동물을 자극하지 않았는데도 동물이 공격하였다면 광견병에 걸린 동물일 가능성이 높다. 모든 야생의 동물은 광견병에 걸려있다고 간주해야 하지만, 새나 파충류는 광견병을 옮기지 않는다.

가정에서 기르는 동물, 설치류, 토끼류는 10일간 구금하여 관찰 하고 이상이 없으면 광견병 예방이 필요 없다.

(3) 예방주사

① **수동면역**

광견병 immunoglobulin을 몸무게당 20IU를 투여한다. 가능하면 같은 양을 상처에 직접 주사하고 상처 주변에 주사한다. 주사가 남았다면 백신을 맞은 자리에서 먼 곳에 근육주사한다.

② **능동면역**

1ml의 백신을 성인의 경우 어깨세모근(deltoid muscle), 소아의 경우 허벅지 앞가쪽에 맞는다. 접종 시기는 상처가 생긴 지 0, 3, 7, 14, 28일째에 각각 맞는다.

③ 예전에 능동면역 접종을 시행한 경우

수동면역은 필요 없고 능동면역만 0일째와 3일째에 맞는다.

(4) 치료

특별한 치료가 없으며 진정제를 투여하고, 어둡고 조용한 방에 환자를 두어 안정시킨다.

문제

10-1 3)

41세 남자가 7시간 전 뱀에 손가락을 물린 후 내원하였다. 손등 부종이 있었다. 혈압 120/80mmHg, 맥박 80회/분, 호흡 18회/분, 체온 36.8℃, 소변량은 시간당 60ml 내외였다. 치료는?

1) 항뱀독소 주사
2) 위팔 압박띠 착용
3) 상처 소독 후 관찰
4) 물린 부위 얼음찜질
5) 물린 부위 절개와 흡인

해설
물린 지 7시간이 경과했는데도 별다른 전신적 증상이 없으므로 독사가 아니라고 판단할 수 있다. 따라서 항독소는 필요가 없으며, 압박띠, 냉각요법, 흡인은 금기이다.

10-2 2)

다음 중 독사에게 물렸을 때 취해야 할 처치로 올바른 것은?

1) 냉각요법
2) 적어도 24시간 이상 입원해 있어야 한다.
3) 예방적 근막절개술
4) 십자절개술 후 흡인
5) 동맥을 막을 정도로 압박

해설
1), 4), 5) 압박띠, 냉각요법, 흡인은 금기이다.
3) 예방적 근막절개술은 효과가 입증되지 않았다.

10-3 2)

50세 농부가 뱀에 물려 응급실에 내원하였다. 내원당시 약 1cm 크기의 물린 자국이 오른쪽 손등에 있었다. 당신이 응급실 당직의사라면 다음 중 적절한 조치는?

가. 정맥과 림프관을 압박할 정도로 압박띠(tourniquet)를 묶는다.
나. 항독소 투여와 파상풍 예방접종은 필수적이다.
다. 교상부위에 고정 부목을 댄다.
라. 냉각요법은 효과가 좋다.

1) 가, 나, 다
2) 가, 다
3) 나, 라
4) 라
5) 가, 나, 다, 라

해설
가. 압박띠 사용은 권장되지 않는다. 상처를 깨끗이 세척하고 부목을 대서 들어올려 준다.
나. 독사에 물린 증거가 없으므로 항독소는 필요가 없고 tetanus 예방은 예방접종력에 따라 결정한다.

10-4 2)

12세 남아가 며칠 전부터 두통, 복통, 오심을 호소하였다. 음식을 보기만 해도 목에 경련이 생겼다. 1개월 전 너구리에게 물린 적이 있었다. 치료는?

1) 백신
2) 진정제
3) 항생제
4) 스테로이드
5) 항바이러스제

해설

너구리에 물린 병력이 있고, 음식에 있는 물에 대해 경련을 일으키는 증상으로 광견병을 진단할 수 있다.

10-5 5)

사람이 개에게 물렸다. 적합한 조치는?

1) 환자를 격리한다.
2) 항히스타민제를 투여한다.
3) 상처를 일차봉합한다.
4) 개가 건강해 보이면, 관찰할 필요 없다.
5) 개가 건강한 상태로 판정되면 광견병 면역글로불린은 투여할 필요 없다.

해설

1), 2) 환자를 격리하거나 항히스타민제를 투여할 필요는 없다.
3) 사람이나 동물에 물린 상처는 고위험 창상으로 분류되며 delayed primary repair or secondary intention이 추천된다.
4), 5) 개를 구금하여 10일간 관찰한다. 개가 건강하다고 판정되면 치료는 필요 없다.

10-6 1)

개에게 팔을 물렸다. 적합한 치료는?

가. 등장성 식염수로 세척	나. 죽은 조직 제거
다. 항생제 투여	라. 상처 일차봉합

1) 가, 나, 다
2) 가, 다
3) 나, 라
4) 라
5) 가, 나, 다, 라

해설

광견병이 의심되므로 상처를 열어 둔 채로 놓아두어야 한다.

11 콩팥이식

Kidney Transplantation

11.1 적응증

1) 콩팥이식의 적응증

(1) 가장 흔한 3가지 적응증

① 인슐린의존성 당뇨병(IDDM)(27%)

② 토리콩팥염(glomerulonephritis)(21%)

③ 고혈압성 신경화(hypertensive nephrosclerosis)(20%)

(2) 기타 콩팥이식의 적응증

① 다낭성 신질환

② 알포트병(Alport's disease)

③ 면역글로불린A 신병증(Ig A nephropathy)

④ 전신성 홍반성 루푸스(SLE)

⑤ 간질성 신염(interstitial nephritis)

⑥ 신우신염(pyelonephritis)

⑦ 폐쇄성 요로병증(obstructive uropathy)

2) 콩팥이식의 금기증

(1) 절대적 금기증

조절되지 않은 감염이나 완치되지 않은 악성종양이 있는 경우

(2) 상대적 금기증

① 환자가 이식 전이나 이식 후 의료진 및 치료에 대한 순응도가 낮을 것으로 예상되는 경우(noncompliance)

② 고령 자체는 금기증이 아니다.

11.2 이식대상의 평가 및 이식 준비

1) 이식 대상의 평가를 위해 시행해야 하는 기본 항목

(1) 기본적인 내과적 검사

① CMV 항체 역가
② 크레아티닌 청소율(creatinine clearance)
③ 혈청 검사 : 매독, HIV, HBV, HCV
④ 부갑상샘 성상에 대한 평가
⑤ 혈액응고 검사
⑥ 산부인과적 세포진 검사(Papanicolaou smear)
⑦ ABO 및 조직적합항원 교차검사
⑧ 비뇨기과적 평가
⑨ 위장관계 평가
⑩ 정신과적 평가

(2) 감염 여부의 배제에 대한 검사

비뇨기계, 호흡기, 치아, 피부 등의 감염에 대한 검사

(3) 심혈관계의 면밀한 평가

고령이나 당뇨가 있는 경우 스트레스 부하 검사, 심도자 검사, 수술 전 관상동맥 우회술 등이 요구된다.

2) 혈액형 및 조직적합항원의 검사 및 교차반응 검사

(1) 이식에서의 임상적 의미

공여자의 종류에 관계없이 ABO 혈액형 적합성 및 음성 백혈구 교차검사는 필수적이다.

(2) ABO 혈액형

과거에는 ABO항원은 이식 거부반응을 일으키지 않는다고 여겨졌으나 후에 초급성, 급성 거부반응에 관여한다는 것이 밝혀졌다. ABO 혈액형이 일치하지 않아도 이식이 가능하기는 하지만 이식신의 생존율이 감소한다.

한 연구에 따르면 혈액형 불일치 이식신이 이식 6년 후 75%의 낮은 생존율을 보였다고 한다. 따라서 ABO 혈액형의 일치는 조직적합항원만큼 중요한 임상적 의미를 가진다.

(3) 조직적합항원의 검사 및 교차반응 검사

HLA 항원은 6번 염색체 단완에 코딩되어 있다. HLA 1, B, C, DP, DQ, DR의 6가지 형태

가 존재하며 HLA-A, B, C는 class Ⅰ, HLA-DP, DQ, DR은 class Ⅱ MHC(major histocompatibility complex) 항원이다.

① **HLA의 감작**(sensitization)

수혜자의 혈청에 림프세포독성 항체가 존재함을 의미한다. HLA 감작은 임신, 수혈, 장기이식의 과거력으로 인해 발생한다.

② **양성 교차반응**

보체의 존재 하에 수혜자의 혈청과 공여자의 림프구를 반응시켰을 때 공여자에 대한 항체가 발견되면 양성 교차반응이라고 한다. 이는 초급성 거부반응이 일어날 수 있으므로 콩팥이식의 절대 금기증에 해당한다.

꼭 알아둡시다!!!

혈액형이 맞지 않아도 콩팥이식이 불가능한 것은 아니지만, HLA 교차반응 양성이면 콩팥이식이 불가능하다.

3) 양측성 신절제술의 적응증

(1) 조절되지 않는 비뇨기계 감염, 특히 결석, 역류, 폐쇄가 있는 경우
(2) 조절되지 않는 고혈압이 있는 경우
(3) 극심한 단백질뇨가 있는 경우
(4) 양측성 신종양이 있는 경우
(5) 다낭성 신질환, 특히 출혈, 감염 등이 동반된 경우

4) 생체 이식의 선택 및 이용

(1) 생체 공여자를 이용한 이식의 주요 장점

① 사체 공여자가 나타날 때까지 필요한 투석을 피할 수 있다.
② 급성 세뇨관 괴사가 감소함으로써 이식 후 이환율이 감소한다.
③ 조직적합도가 더 높기 때문에 양호한 장기 생존율을 보인다.

(2) 생체공여자 선택 시 고려사항

① MHC class Ⅰ 항원 : 특히 A, B
- 핵이 있는 모든 세포에 존재한다.
- 림프세포독성 검사에 의해 혈청에서 쉽게 검출 가능하다.

② MHC class Ⅱ 항원 : 특히 DR
- 항원전달에 중요한 역할을 수행한다.
- B세포, 수지상 세포, 내피세포, 활성화된 T세포에 존재한다.

③ HLA 유전자의 유전양상
- 자녀간에 HLA 유전자가 동일할 가능성이 25%이다.
- 부모 자식 간은 항상 하나의 일배수체(haplotype)가 동일하다.

11.3 사체 공여자의 선택 및 조절

1) 공여자로서의 절대적 금기증

(1) 감염이 존재하는 경우
(2) 감염의 고위험군(마약 사용자 등)
(3) 비전이성 뇌종양을 제외한 악성종양
(4) 기왕의 신질환, 고혈압, 진행된 죽상동맥경화증이 있는 경우

2) 사체 공여자의 수술 술기

(1) 헤파린 정맥 투여 : 공여자의 대동맥을 결찰하기 전에 투여한다.
(2) 대동맥 및 대정맥의 절제 부위 : 합류부 직상방에서 절제한다.
(3) 대동맥을 근위부에서 결찰 후 4°C의 보존용액을 주입한다.
(4) 콩팥 및 요관을 박리한다.
(5) 신동맥 상방의 대동맥을 분리한다.
(6) 필요 시 콩팥 혈관 및 요관에 대해 bench surgery를 실시한다.

심화학습

Bench surgery는 공여자에게서 얻은 이식신을 별도의 테이블에서 수혜자에게 이식하기 쉽도록 조작하는 수술을 말하며, 주로 이식신의 혈관이나 요관이 여러 개일 때 한 개로 문합하여 수혜자와 이식신 간에 이루어지는 문합의 개수를 최소화 하는 과정을 의미한다.

11.4 이종개체공여(xenogeneic grafts)

1) 장점

(1) 부족한 장기를 무한정 공급할 수 있다.
(2) 공여 장기를 미리 준비하고 수여자도 미리 파악할 수 있으므로 뇌사자 장기에서 볼 수

있는 장기의 손상이나 장기의 보관 기간이 길어짐으로써 발생할 수 있는 허혈-재관류 손상(ischemia and reperfusion injury)을 줄일 수 있다.

(3) 장기 공여 동물의 유전자 조작을 통하여 맞춤형 장기를 공급할 수 있다.

2) 문제점

(1) 강한 항체의 존재 가능성
(2) 인수공통감염증의 전염(transmission of zoonosis)
(3) 생리적 기능의 종간 차이가 있을 수 있다.
(4) 동물 장기를 이식받음으로써 발생되는 윤리적인 문제

11.5 수혜자 수술

1) 근이완제의 선택

(1) Atracurium을 주로 사용한다.
(2) 장기간의 투석으로 cholinesterase가 부족하므로 succinylcholine은 피한다.

2) 수혜자의 수술법

(1) 엉덩 혈관(iliac vessel)을 후복막강을 통해 노출시킨다.
(2) 엉덩 혈관의 위치 상 왼쪽보다 오른쪽으로 접근하는 것이 보다 용이하다.
(3) 배액기간을 줄이거나 림프부종을 피하기 위해 림프관을 철저히 결찰한다.
(4) 아래배벽혈관(inferior epigastric vessels)을 분리하여 방광을 노출시킨다.
(5) 부고환염, 고환 허혈 및 위축을 방지하기 위해 정관(spermatic cord)의 박리는 피한다.
(6) 수혜자의 속엉덩동맥(internal iliac artery)을 절제하고 그 근위부에 이식신의 동맥을 끝끝연결술(end-to-end anastomosis)로 연결하며, 속엉덩동맥의 원위부는 결찰한다. 이식신의 정맥의 끝을 수혜자의 바깥엉덩정맥(external iliac vein)의 측면에 끝옆연결술(end-to-side anastomosis)로 연결한다.
(7) 혈관문합은 정맥을 먼저 문합한 후에 동맥 문합 실시하여 울혈(congestion)이 생기는 것을 방지한다.
(8) 요관문합 : 요관-요관 문합보다는 이식신의 요관을 수혜자의 방광에 바로 심어주는 요관-방광 문합(ureteroneocystostomy)을 시행한다.

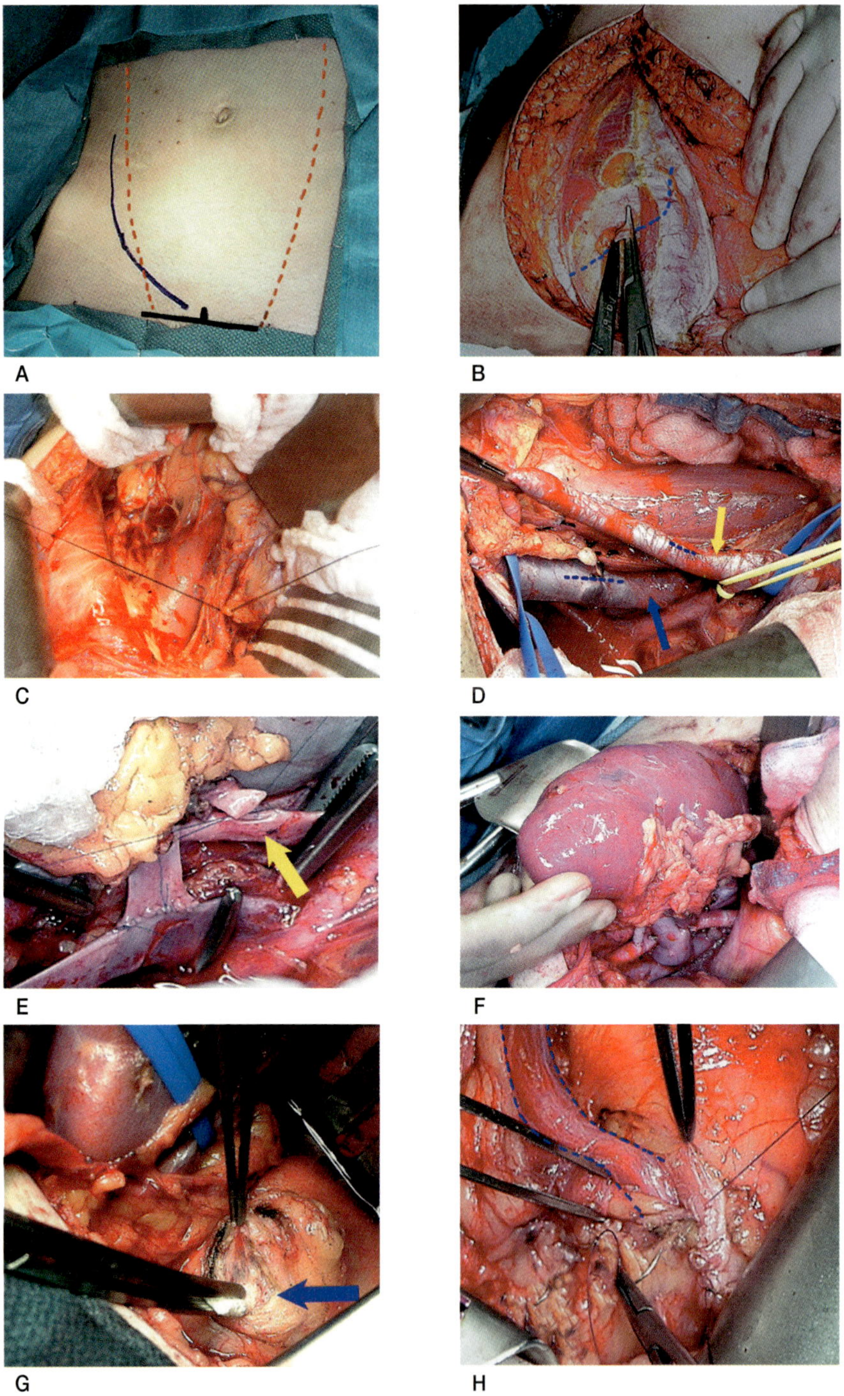

그림 11-1 신장이식

A, 절개선. **B,** 아래 배벽 혈관을 분리하고 배곧은근이 바깥쪽을 따라서 절개해 나간다. **C,** 복막은 안쪽으로 젖히고 후복막강으로 접근한다. **D,** 바깥엉덩동맥과(external iliac artery:노란색 화살표)와 바깥엉덩정맥(external iliac vein:파란색 화살표)을 분리하여 연결을 준비한다. **E,** 바깥엉덩동맥(internal iliac artery)을 절제하고 이식신의 동맥을 끝옆연결술(end-to-side anastomosis)로 연결하고 정맥도 마찬가지로 연결한다. **F,** 신장 재관류(reperfusion). **G,** 배뇨근을 분리하여 요관 문합을 준비한다. **H,** 요관－방광(ureteroneocystostomy) 문합을 시행한다.

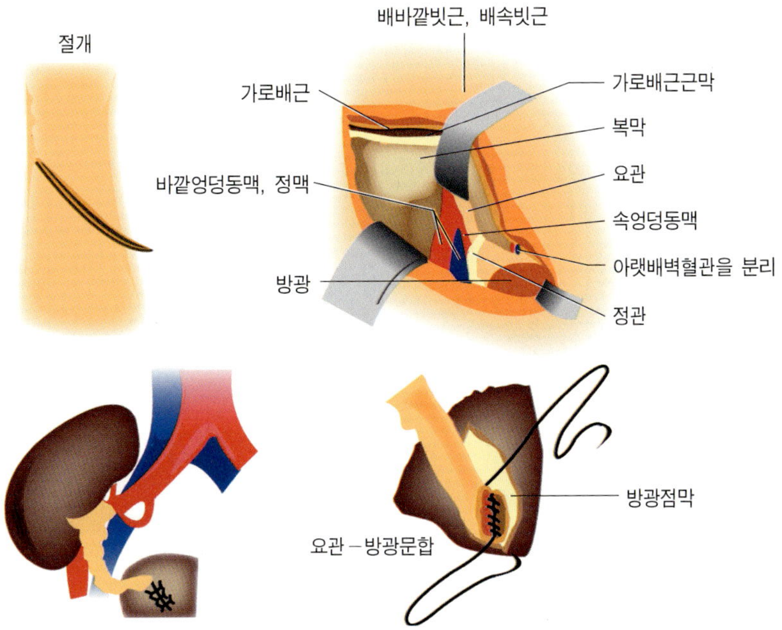

그림 11-2 콩팥이식 수혜자의 수술

11.6 수술 후의 변화

수술 후에는 대량의 이뇨가 발생하여 소변 배출량이 시간 당 수 리터에 이를 수 있다.

1) 수술 후 이뇨(diuresis)에 관여하는 인자

(1) 요독증 및 수액에 포함된 높은 당농도에 의한 이차적인 삼투압 요인

(2) 만성 요독증에 의한 체내 수액 및 전해질 과다

(3) 공여 장기의 허혈에 의한 근위 세뇨관 손상

2) 수액공급

(1) 초기 수액치료

① 수액공급이 불충분한 경우 혈관 폐쇄, 요관 폐쇄, 조기 거부반응등과 감별이 어려울 수 있다.

② 소아의 경우 심각한 탈수 현상이 발생할 수 있다.

③ 과다한 수액 공급 역시 요량이 불충분한 경우 문제가 될 수 있다.

(2) 고칼륨 혈증

① 수액공급이 과도한 경우 발생할 수 있다.

② 치료

이온교환 수지(ion exchange resin, Kayexalate)를 투여하며, 하루 25~50g을 경구로 투여하거나 관장을 시행한다.

③ 응급치료 : 포도당과 인슐린을 병합 투여하거나 응급 투석을 실시한다.

(3) 추천되는 수액의 종류

① 0.45% 생리식염수

② 등장성 포도당, 중탄산나트륨, 칼륨은 환자의 상태에 따라 적절히 조절한다.

3) 기타 수술 후 처치사항

① 방광 도뇨관(Foley catheter)은 초기 수일 내에 제거가 가능하다.

② ganciclovir : CMV의 예방을 위해 초기에 투여한다.

③ 수술 후 고혈압 : 비교적 흔하게 발생하며 보존적 치료를 시행한다.

④ 제산제 : 소화성 궤양의 예방 목적으로 투여한다.

⑤ Nystatin(Mycostatin) : 칸디다증의 예방을 위해 투여한다.

⑥ 수술 후 항생제 투여 : 상처 감염의 예방에 효과적. 48시간 이상은 투여할 필요 없다.

11.3 면역억제제(immunosuppressant)

1) Azathioprine

(1) 작용기전

① DNA의 합성을 저해하고 DNA 수복기전에 간섭을 일으킨다.

② 6-mercaptopurine의 대사를 억제해 체액면역을 약화시킨다.

(2) 부작용

모든 세포에 비특이적으로 작용하여 골수억제가 나타날 수 있다.

2) 아드레날 코르티스테로이드

Azathioprine과 병합투여 시 시너지 효과가 있다.

(1) 기전

① T세포 수용체가 항원과 결합 후 일어나는 수용체후 과정을 차단한다.

② 사이토카인(IL-1, IL-6) 유전자 활성화를 차단한다.

③ 강력한 항염작용으로 단핵구 이동을 감소시킨다.

(2) 특징

투여 시 거부반응의 빈도를 줄일 수 있다.

3) 항림프구 항체(Antilymphocytic Antibodies ALS, ALG, OKT3)

(1) 항림프구 혈청(ALS), 항림프구 글로불린(ALG)

① 장점

- azathioprine에 비해 강력하고 특이한 면역억제 작용을 보인다.
- 순환 림프구 수를 감소시키고 거부반응을 예방하는 효과가 있다.

② 단점

- 알레르기 반응을 유발할 수 있다.
- 치료범위 농도가 제한적이다.
- 장기간 사용 시 백혈구 감소증, 혈소판 감소증, 바이러스 감염이 생길 수 있다.

③ 적응증

- 이식 후 급성 세뇨관 괴사가 발생한 환자에게서 Cyclosporine을 일시적으로 사용하지 못할 때 사용한다.
- 고농도 스테로이드 치료에 저항성인 거부반응 시에 사용한다.

(2) OKT 3

단클론성 항 T세포 항체이다.

① 특징

- 말초 혈액의 T 세포를 빠르게 감소시킨다.
- 적혈구, 혈소판, 과립구 등에 대한 작용이 없다.

② 작용기전

보체 매개성 림프 용해 및 세포의 옵소닌화(opsonization)

③ 장점

- 저비용이며, 특이도가 높다.
- 급성거부반응에 사용이 가능하다.

④ 부작용 : 사이토카인 유리 증후군
사이토카인이 유리되면서 발열, 오한, 두통 등의 감기 증상이 발생한다. 오심, 구토, 설사가 발생할 수 있으며 심한 경우 폐부종, 쌕쌕거림(wheezing)이 나타날 수 있으므로 OKT3를 사용하는 환자에서는 흉부X선 검사를 필수적으로 시행하도록 한다.

⑤ 예방
메틸프레드니솔론, 아세트아미노펜, 항히스타민 제제, 항TNF 항체로 전처치 후 사용한다.

4) 사이클로스포린 : calcineurin 저해제

(1) 작용기전
mRNA의 생성을 억제함으로써 T세포의 IL－2생산을 저해한다.

(2) 용도
거부반응의 치료보다는 예방 목적으로 널리 사용된다.

(3) 특징
소량의 스테로이드와 병합투여 시 복용량을 줄일 수 있다.

(4) 장점
골수에 대한 독성이 적다.

(5) 부작용
신경독성, 고혈압, 간독성, 발작, 진전, 털과다증, 오심, 구토, 설사, 통풍 유발

5) Tacrolimus(FK－506) : Calcineurin 저해제

(1) 특징
① 사이클로스포린에 비해 100배 강력한 항 T세포 제제이다.
② 급성 거부반응 및 스테로이드 불응성 거부반응에서 사이클로스포린에 비해 효과가 우수하다.

(2) 작용기전
calcineurin의 포스파타아제 활성을 저해하여 IL－1 유전자의 전사를 막는다.

(3) 부작용
① 대부분 사이클로스포린과 유사하다.
② 신경독성, 진전, 두통, 당뇨

6) Mycophenolate Mofetil(MMF)

(1) 작용기전

de novo purine 합성의 강력하고 특이적인 저해제

(2) 거부반응에서의 역할

① 급성 거부반응의 예방 및 치료에 효과적이다.

② 만성 거부반응의 예방에는 효과가 없다.

(3) 부작용

소화기계 부작용(구토, 설사)

11.8 거부반응

1) 초급성 거부반응(hyperacute rejection)

(1) 발생시기

재관류 후 수분 내에 발생한다.

(2) 콩팥의 변화

① 거시적 변화

콩팥 색깔의 변화, 혈액 관류량 감소, 신기능이 중단된다.

② 현미경적 변화

- 혈관 내 피브린 및 혈소판이 침착된다.
- 다핵구, 피브린, 혈소판, 적혈구이 토리 내에 축적된다.
- 세뇨관 주위 및 토리 혈관에 백혈구가 축적된다.

(3) 원인

공여자 항원에 대한 기왕의 순환 항체가 존재하기 때문에 발생한다.

(4) 치료

면역억제제나 항응고제 투여에 반응하지 않는다. 현재까지 알려진 치료법이 없기 때문에 초급성 거부반응이 관찰되면 즉시 이식신을 제거하도록 한다.

(5) 예방

교차검사를 통해서 예방이 가능하다.

2) 급성 세포성 거부반응(acute cellular rejection)

(1) 임상적 증상 및 징후

이식 후 수일에서 수주일 후에 발생하며, 권태감, 발열, 핍뇨, 고혈압, 이식부위의 압통이 주 증상이다.

(2) 진단

혈액 및 소변 검사, 방사선 동위원소 관류 스캔(radioisotope renal perfusion scan) 등을 시행한다.

신기능 저하를 일으킬 수 있는 혈관 폐쇄, 요관 폐쇄, 요루(urinary fistula)를 감별하는데 도움이 되기는 하지만 거부반응을 직접적으로 진단할 수는 없다.

(3) 사이클로스포린, 타크로리무스 유발성 신독성과의 감별진단

① 약물 혈중 농도의 주의 깊은 추적 관찰이 필요하다.

② 약물에 의한 신독성의 특징

- 간질 내의 림프구 침윤
- 소동맥 유리질증(arteiolar hyalinosis)
- 거부반응에 비해 크레아틴 농도 상승이 뚜렷하지 않다.

③ 경과

투여 용량 조절 시 수일 내에 가역적으로 회복된다.

(4) 치료

영구적인 손상을 방지하고 거부반응의 진행을 되돌리는 것이 치료의 목표이다.

① 일차적으로 고농도의 스테로이드를 투여한다(0.5～1g methylprednisolone).

② 스테로이드 치료가 실패하면 ALG, OKT3를 투여한다.

③ 앞선 치료가 모두 실패하면 tacrolimus, MMF를 투여한다.

3) 만성 동종이식편 신증(chronic allograft nephropathy)

(1) 정의

면역반응, calcineurin 저해제 사용, 기타 신독성 약물 사용 등의 다양한 원인에 의해 발생하는 이식신의 섬유성 변화를 의미한다.

(2) 임상적 특징

단백뇨, 현미경적 혈뇨 및 만성적으로 신기능의 저하가 일어난다.

(3) 진행과정

수년에 걸쳐 서서히 진행하며 급성 거부반응이 있는 경우 가속화된다.

(4) 분류(Banff criteria)

① **등급Ⅰ**(경미) : 경미한 수준의 손상. 경미한 간질 섬유화 및 세뇨관의 위축

② **등급Ⅱ**(중등도) : 중등도의 간질 섬유화 및 세뇨관 손상

③ **등급Ⅲ**(중증) : 심각한 간질 섬유화 및 세뇨관 소실

(5) 치료

특별한 방법이 현재까지 존재하지 않는다.

① 항 거부반응치료

효과는 없고 오히려 기회감염의 빈도만 증가한다.

② 면역억제제의 중단

말기 신부전으로 이행하는 기간이 상당하므로 갑작스러운 중단은 추천되지 않는다.

11.9 콩팥이식의 합병증

1) 혈관 합병증

콩팥이식 후 동맥이나 정맥의 폐쇄가 오는 경우는 드물긴 하지만 매우 급한 응급상황이기 때문에 소변량이 갑자기 줄어들었을 경우 반드시 의심해야 하는 질환이다. 방사성 동위원소 스캔이나 초음파로도 진단할 수 있지만 혈관이 폐색되면 수분 내에 완전 허혈이 발생할 수 있기 때문에 혈관폐색이 의심되는 상황이라면 바로 재수술 하는 것이 바람직하다.

(1) 동맥 폐쇄

① 속엉덩동맥(internal iliac artery)의 혈전이 발생하면 바깥엉덩동맥(external iliac artery)이나 온엉덩동맥(common iliac artery)에 끝옆연결술(end-to-side)로 연결해야 한다.

② 이식 콩팥의 위치 불량으로 인해 동맥이 꼬여서 발생한 부분폐쇄는 빠른 시간 안에 재수술을 시행해야 한다.

(2) 신정맥 폐쇄

문합의 기술적 실패, 꼬이거나 압박에 의한 폐쇄, 과응고상태, 엉덩넙다리정맥의 혈전(iliofemoral thrombosis)은 혈전용해제를 투여하여 치료한다.

(3) 수술 후 출혈

① 원인

요독성 출혈 경향, 투석중의 항응고 치료, 불충분하게 지혈이 된 경우

② 동맥 문합부위 출혈이 있는 경우

수술 직후 출혈이 아니라면 감염을 의심해야 한다.

(4) 이식 신동맥 협착(Renal Transplant Artery Stenosis, RTAS)

① 발생 시기

이식 후 3개월에서 2년 내에 발생한다.

② 원인

- 부적절한 문합술
- 혈관 내막의 손상
- 혈관이 꼬이는 경우
- 죽상 경화증 병변이 존재하는 경우

③ 치료

- 경피적 경내강 혈관성형술(percutaneous transluminal angioplasty)
- 경피적 경내강 혈관성형술이 실패하거나 효과가 없는 경우 수술적 교정을 시도한다.

2) 비뇨기계 합병증

(1) 요배출 중단의 원인

① 방광 및 요관카테터의 혈괴에 의한 폐쇄가 가장 흔한 원인이다.

② 급성세뇨관 괴사, 거부반응 : 상대적으로 드물다.

③ 문합부 문합이 잘못된 경우

④ 요관 부종 및 요관 무운동증(adynamic ureter) : 일시적인 폐쇄가 생길 수 있다.

(2) 요관괴사 및 요루

① 공여자 신제거술 시 요관에 혈관공급이 차단되어 발생한다.

② 보통 이식 1주일 이내에 발생

③ 배액술 및 스텐트 거치술을 이용하여 치료하며 재수술이 필요할 수 있다.

(3) 요관 협착

① 원인

경미한 요관 허혈, BK바이러스 감염, 기술적 요인

② 치료

- 요관 확장술 및 스텐트 거치술
- 재수술

3) 급성 세뇨관 괴사-재관류 손상(acute tubular necrosis-reperfusion injury)

(1) 발생 빈도

① 허혈의 정도에 발생 빈도가 결정된다.

② 사체 공여자인 경우가 생체에 비해 발생빈도가 높다(20% vs 5%).

(2) 콩팥 스캔 소견

혈류의 양상은 양호하나 세뇨관 기능이 불량한 소견을 보인다.

(3) 초기 처치

핍뇨 시 저용량성 핍뇨를 배제하기 위해 대량의 수액공급 후 만니톨과 라식스를 정맥주입한다.

(4) 치료

① 아직까지 특별한 치료방법은 없다.

② 투석 등의 보존적 치료를 시행하면서 1~4주가량 경과를 관찰한다.

4) 림프류(lymphoceles)

(1) 발생빈도

• 0.6~18%

(2) 원인

① 장골 혈관의 광범위한 유동화(mobilization)를 실시한 경우

② 림프관 결찰이 부적절하게 이루어진 경우

(3) 발생시기

• 이식 수주~수개월 후

(4) 증상

• 창상부위의 부종, 음낭 및 음순, 다리의 부종, 비뇨기계 폐쇄 증상

(5) 진단

• 초음파

(6) 치료

• 낭종의 복강 내로의 창냄술(fenestration)

5) 감염

(1) 감염 유발 인자

① 중요한 수술인 경우

② 공여자가 감염된 경우

③ 요관카테터의 거치

④ 요독증 및 거부반응의 치료에서 비롯된 면역억제 상태

(2) 발생빈도

30~60% 가량에 해당하는 많은 환자가 이식 후 1년 내에 감염을 경험한다.

(3) 세균 감염(Bacterial infections)

보통 이식 1개월 이내에 발생하며 비뇨기, 호흡기, 창상부위에 호발한다.

(4) 처치

거부반응과 반드시 감별해야 하며, 면역억제제를 감량해야 한다. Bactrim을 사용하는 것이 좋고 예방적 투여시 비뇨기계 감염을 50% 감소시키고 *P. carinii*에도 효과적이다.

(5) 기회감염(Opportunistic Infection)

이식 후 30~180일에 발생한다.

① Cytomegalovirus(CMV)

- 발생 경로 : 혈청 양성인 환자에게서 재활성화되어 발생한다.
- 증상 : 질환의 정도에 따라 다양하다. 발열반응, 백혈구 감소증, 간염, 간질성 폐렴, 관절염, 혼수상태를 포함한 중추신경계 변화, 위장관 출혈 및 궤양, 신부전이 발생할 수 있으며, 심한 경우 사망에 이를 수 있다.
- 발생시기 : 이식 후 4~6주 후에 발생
- 진단 : antigenemia 검사, PCR, 바이러스 배양
- 치료 : ganciclovir정맥투여(2~4주)
- 예방
  - 공여자에서 혈청검사가 양성인 경우 이식을 신중히 고려한다.
  - 예방백신을 투여한다.
  - 면역글로불린에 의한 수동 면역을 시행한다.

② Polyomavirus(type BK)에 의한 신병증

- 진단 : 요 세포진 검사, 콩팥 조직검사
- 치료
  - 면역억제제 용량 조절
  - 항바이러스제(cidofovir) 투여

6) 소화기계 합병증

• 장관의 궤양 및 천공 : 대장이 가장 흔한 장소이며, 게실염이 가장 흔한 원인
• 허혈성 대장염
• 췌장염
• 감염성 합병증 : 칸디다에 의한 위식도염, PM에 의한 대장염, CMV에 의한 궤양

7) 종양

(1) 이식환자에서 종양이 호발하는 이유

① 종양에 대한 정상 면역감시체계의 붕괴
② 이식에 의한 림프망상계의 만성적인 면역 자극
③ 면역억제제의 직접적인 발암작용
④ 바이러스의 종양유전자

(2) 이식시 발생하는 종양의 일반적인 특징

① 상대적으로 젊은 나이에 호발한다.
② 생물학적으로 공격적인 양상을 보인다.
③ 일반적인 경우에 비해 드문 암이 발생한다.

(3) 이식시 호발하는 암종

림프종, 구순암(lip cancer), 콩팥암, 간담도암, 카포시 육종, 기타 육종, 회음부 부위의 암종을 말한다.

(4) 이식 후 림프증식성 질환(Post-Transplant Lymphoproliferatie Disease, PTLD)

① 양성 증식에서 악성 림프종까지 임상양상이 다양하다.
② 전체 이식 환자의 1.15%에서 발생한다.
③ 원인 : Epstein-Barr virus가 가장 중요한 원인이다.
④ 치료 : 면역억제제의 중단, acyclovir

문제

11-1 1)

31세 남자 콩팥이식 후 8일째에 발열, 소변량 감소, 혈청 Cr 상승이 관찰되었다. 가장 먼저 할 검사는?

1) 이식신 도플러 초음파
2) 복부 CT
3) 복부 MRI
4) 이식신 동맥촬영술
5) 조직검사

해설

이식 후 8일째에 발열, 핍뇨가 있으므로 급성 세포성 거부반응이 의심되며, 그에 대한 확진은 조직검사이다. 하지만 급성 세포성 거부반응을 진단하기 전에 비침습적인 검사로 확인할 수 있는 혈관합병증이나 요관 이상을 먼저 검사해야 한다. 따라서 초음파 또는 콩팥 관류 스캔을 먼저 시행하고 이상이 없을 때 조직검사를 시행한다.

11-2 2)

콩팥이식을 받은 22세 남자 환자가 이식한 이후 3주째에 소변량이 줄고 고열 및 이식신 부위의 통증이 있었으며, BUN, Cr이 증가하였다. 면역억제제로는 cyclosporin, steroid를 투여해 왔다. 치료로 적당한 것은?

1) cyclosporin 용량 증가
2) steroid pulse therapy
3) azathioprine 병용 투여
4) 면역억제제 용량 감량
5) 이식신 제거

해설

급성 세포성 거부반응의 전형적인 증상이다.

11-3 3)

콩팥이식 후 6시간 동안 도뇨관을 통해서 시간당 400ml 소변이 나오다가 갑자기 10ml로 줄었다. 가장 적당한 처치는?

1) 이뇨제
2) 수액 대량 투여
3) 도뇨관 세척
4) 콩팥 초음파
5) 콩팥 스캔

해설

수술 직후에는 혈뇨가 상당 기간 동안 나올 수 있기 때문에 도뇨관이 흔하게 막히게 되며, 실제 소변량 감소의 가장 흔한 원인이다. 따라서 갑작스러운 소변량의 감소가 수술 직후에 일어나면 도뇨관을 먼저 세척해야 한다.

11-4 4)

콩팥이식을 위한 교차적합 검사(crossmatch test)에 이용하는 것은?

	공여자	수여자
1)	혈 청	혈 청
2)	혈 청	림프구
3)	림프구	림프구
4)	림프구	혈 청
5)	적혈구	적혈구

해설

초급성 거부반응을 예방하기 위해서는 수혜자의 혈청 내에 공여자의 HLA 항원에 대해 미리 만들어진 preformed Ab가 있는지를 검사한다. 그러기 위해서 공여자의 림프구와 수여자의 혈청을 교차반응(crossmatch)시킨다.

11-5 5)

콩팥이식 수술 중 이식 콩팥으로 혈류가 재개되고 난 후 즉시 이식된 콩팥이 청색으로 변하였다. 이식 콩팥동맥 혈류는 정상이었다. 필요한 다음 처치는?

1) OKT3를 투여한다.
2) 신동맥을 교정한다.
3) 따뜻한 식염수로 세척하면서 기다린다.
4) 피막 절개술을 시행한다.
5) 이식신을 제거한다.

해설

초급성 거부반응이다.

11-6 3)

다음 xenograft의 한계에 대한 설명 중 가장 적절한 것은?

1) 초급성 거부반응
2) 장기의 적출이 어렵다.
3) 인수공통감염증(zoonosis)의 전염이 발생할 수 있다.
4) 수혜자가 가지고 있던 원질병의 재발이 잘된다.

해설

이종개체공여(xenogeneic grafts)

① 장점
- 공급이 제한적이지 않고 실질적으로 무제한적이다.

② 문제점
- 강한 항체의 존재 가능성
- 인수공통감염증의 전염 (transmission of zoonosis)
- 생리적 기능의 종간 차이가 있을 수 있다.

11-7 1)

콩팥이식 수술에 대한 것 중 바른 것은?

1) 속엉덩동맥에 심한 경화 병변이 있는 경우는 온엉덩동맥이나 바깥엉덩동맥에 신동맥을 측단으로 문합한다.
2) 림프류에 의한 요관의 폐색을 예방하기 위하여 수술 중에 요관 스텐트를 거치한다.
3) 공여자의 왼쪽 콩팥을 수혜자의 오른쪽에 이식하는 경우 신동맥은 신정맥에 비해 앞쪽에 위치한다.
4) 신동맥 및 정맥을 문합하고 요관을 방광에 문합한 후 동·정맥의 혈관 클램프를 풀어 혈행을 재개한다.

해설

림프류가 발생하면 창냄술을 시행한다. 수혜자의 오른쪽에 콩팥이식을 하는 경우 신정맥이 신동맥보다 앞쪽에 위치한다. 콩팥의 동정맥을 문합한 후 요관을 방광에 문합하기 전에 혈관 클램프를 푼다. 이렇게 함으로써 이식신으로 혈류가 최대한 일찍 재개되도록 하며, 소변이 요관을 통해 잘 나오는 것을 확인하기 쉽도록 한다.

11-8 4)

면역억제 치료중인 환자에서 일반인에 비해 빈도가 증가 하지 않는 악성종양은?

1) 림프종
2) 자궁경부암
3) Kaposi 육종
4) 대장암
5) 간암

해설

림프종, 구순암, 신장암, 간담도암, 회음부 주위암

PACIFIC
SURGERY

12

간이식

Liver Transplantation

12.1 간이식의 적응증

1) 간이식의 적응증

콩팥이식과 달리 간이식은 ABO 혈액형만 맞으면 HLA crossmatch에 관계없이 시행할 수 있다.

표 12-1 간이식의 적응증

성 인	%	소 아	%
비담즙정체성 간경변		선천성 담도폐쇄증	58
바이러스성 간염 B, C	65	선천성 대사질환	11
알코올성		담즙정체성	9
원인불명		일차성 경화성 담도염	
담즙정체성	14	Alagille 증후군	
일차성 담도성 간경변		자가면역	4
일차성 경화성 담도염		바이러스성 간염	2
자가면역	5	기타	16
악성종양	2		
기타	14		

2) 간이식의 금기증

(1) 절대적 금기증

① 패혈증의 급성기

② 간외 악성종양이 있는 경우

③ 진행된 폐순환계 질환

④ 정신적으로 불안정한 경우
⑤ 현재 알코올 및 약물 남용자
⑥ 비가역적인 뇌손상이 있는 환자
⑦ 면역억제제 치료를 받을 수 없는 환자

(2) 논란의 여지가 있는 금기증

① 면역결핍 상태가 아닌 HIV 감염
② 크기가 큰 간세포암 및 담도암(>5cm)

> **"참고하세요"**
>
> **◆ 간세포암에 있어서의 간이식술의 적응증(Milan 기준)**
>
> 혈관 침범이 없고, 전이가 없으면서 다음의 경우에 해당하는 간세포암
> 1. 단일 종양이면서 크기가 5cm 미만인 경우 또는
> 2. 3개 이하이면서 각각의 크기가 3cm 이하인 경우

12.2 간이식을 통해서 치료할 수 있는 질환

1) B형 간염(hepatitis B)

이식 후 B형 간염에 대한 치료를 하지 않을 경우 이식 후에 재감염된다. 따라서 이식 후에 고역가의 HBV 면역글로불린 및 lamivudine을 투여하여 재감염을 예방하도록 한다.

2) C형 간염(hepatitis C)

이식 후 초기 성적은 우수하여, 환자의 1년 생존율은 85%, 공여 간의 1년 생존율은 90%에 달한다. 그러나 장기 성적은 좋지 못한데, 그 이유는 사실상 모든 환자가 이식 후에 재감염되기 때문이다. 이식 환자의 1/2에서 수개월 내 조직학적으로 만성 간염이 진행하며, 결국 5~10년 후에는 간부전으로 진행된다. 따라서 다른 질환에 의한 간이식보다 성적이 낮다.

3) 알코올성 간질환

정신사회적 평가 필요하다. 적어도 6개월의 금주 및 이식 후 재음주 가능성 평가한다. 환자가 이식 후에 금주하게 되면 다른 질환과 성적은 비슷하다.

4) 일차성 담도성 간경변 및 일차성 경화성 담관염

성공률이 높고 이식 후 재발률이 낮아서 장기 생존율이 90% 이상이다.

5) 간세포암

(1) 간이식의 적응이 되는 간세포암의 Milan 기준

① 한 개의 종양인 경우 최대 직경이 5cm 이하

② 여러 개의 종양인 경우 3개를 넘지 말아야 하며, 그 중 가장 큰 종양이 직경 3cm이하

③ 혈관 침윤이 없어야 할 것

(2) 예후

3년 생존율이 60~85%에 이른다.

6) 선천성 담도폐쇄증(biliary atresia)

선천성 담도폐쇄증은 신생아 10000명당 1명에서 발생한다. 질환의 초기에는 Kasai 수술을 시행한다. Kasai 수술 후에도 빌리루빈 수치가 감소하지 않거나 말기 간경변으로 진행하면 간이식을 고려해야 한다.

7) 이전의 간이식이 실패한 경우

간이식을 시행한 후에 치료할 수 없는 거부반응이 나타나거나 기술적인 문제로 인해 간이식이 실패한 경우에 재간이식을 시행할 수 있다.

12.3 환자 선택 및 수술 전 고려 사항(급성 간부전의 평가)

1) 전격성 간부전의 지표

간성 혼수, 응고기능 저하, 저혈당 여부를 확인한다.

2) 간 손상의 정도 및 회복가능성을 평가하는 변수

프로트롬빈 시간, 응고인자 V의 혈중 농도, 인(phosphorus)의 혈중농도, 저혈당의 저항성을 평가한다.

3) 만성 간부전의 급성 악화

출혈 및 감염에 의해 만성 간부전이 악화될 수 있다. 이러한 경우 환자가 안정화된 이후에 가능한한 조기에 간이식을 시행한다. 이식 후에도 감염 등으로 인해 이환율 및 사망률이 상대적으로 높다.

12.4 공여자 평가(donor assessment)

1) 확장된 이식기준

(1) 나이 : 75세까지 공여가 가능하다.

(2) C형 간염 및 B core Ab 양성인 공여자 : 간의 섬유화가 심하지 않은 경우에 이식 가능하다.

(3) 지방간 : 경미하거나 중등도의 경우(10～30%)는 이식 가능하다.

2) ABO 혈액형 일치 및 간의 크기

이식이 시급한 경우 불일치가 허용될 수 있다. 소아 수혜자의 경우 간의 크기가 적합해야 하므로 가능한 한 나이에 맞는 공여간이 좋다.

12.5 수혜자 수술(recipient operation)

1) 수혜자 간절제술(recipient hepatectomy)

(1) 간절제술의 과정

① 원인대 및 낫인대 결찰

② 좌/우 간동맥은 간문부에서 결찰

③ 총수담관 및 담낭관 박리 및 절제

④ 문맥 유동화

⑤ 간과 후복막과의 유착 박리

⑥ 문맥 결찰 및 절제

⑦ 간상부 대정맥 결찰 및 절제

⑧ 간의 제거

(2) 정맥－정맥 우회술

수혜자의 간을 절제하는 동안 간문맥의 혈류와 대정맥의 혈류가 차단되어 장과 다리의 부종이 발생할 수 있다. 또한 장과 다리의 혈류가 체순환계로 원활히 유입되지 못함으로써 혈역학적 불안정성이 야기될 수 있다. 이를 방지하기 위해 혈류가 간문맥과 대정맥을 거치지 않고 심장으로 유입될 수 있도록 신체 외부에서 우회시키는 방법이다.

① 방법

간문맥 및 넙다리정맥(대퇴정맥; femoral vein), 엉덩정맥(장골정맥; iliac vein)을 통해 유입하여 속목정맥(internal juglar vein)을 통해 몸으로 돌려보낸다.

② 장점

분당 2.5L 이상 정맥혈 유입 효과로 혈역학적 안정성 및 울혈을 방지할 수 있다.

2) 무간기(anhepatic Phase)

(1) 대정맥 문합(단－단 혹은 단－측문합)을 시행

(2) 보존 용액 주입

(3) 간문맥 문합을 시행

(4) 혈액 재관류 시행

3) 동맥 문합 및 담도계 재건

(1) 동맥 문합시 선호되는 재건술

공여자의 복강동맥을 이용한 단－단 문합술

(2) 담도계 문합술

① 담도－담도 문합술 : 일차적인 선택

② 담도－공장 문합술 : 담도에 병리적인 변화가 있는 경우

4) 부분 간이식술(segmental and lobar liver transplantation)

(1) 이식에 필요한 최소한의 간 용적

몸무게 대비 1% 이상의 간이 필요하다.

(2) 간의 재생

① 우간 이식 후 첫 1～2주에 가장 많은 양의 재생이 이루어진다.

② 이식 1개월 후 표준 간용적으로 회복된다.

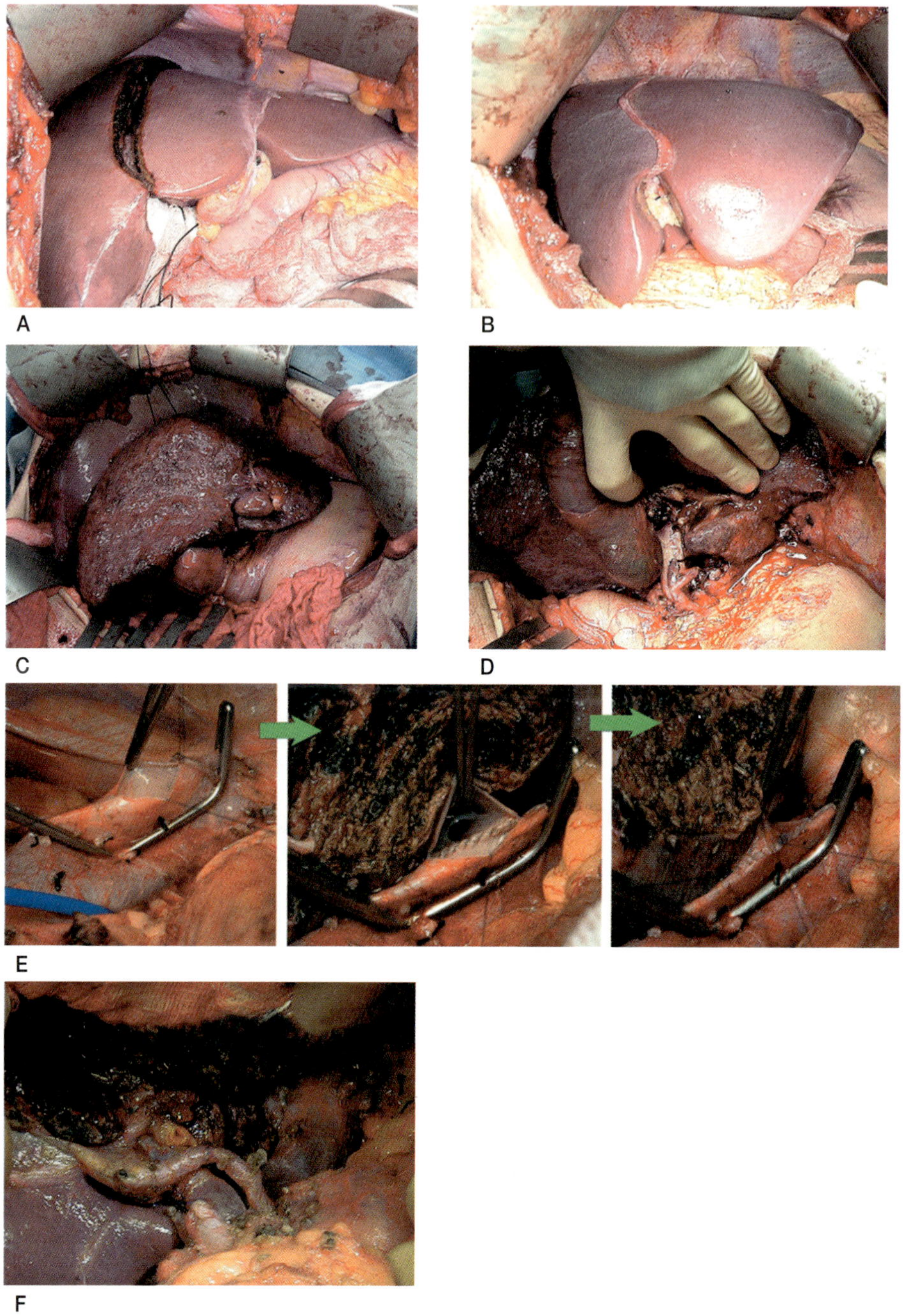

그림 12-1 간이식

A, 공여자의 좌엽 간을 떼어낸다(생체 부분 간이식). **B,** 공여자에게 남은 간의 좌엽. **C,** 수혜자의 간을 떼어낸다. **D,** 수혜자의 간을 문맥부위를 잘 분리하여 간동맥, 문맥, 담관을 분리한다. **E,** 간정맥을 연결하는 과정. **F,** 간정맥과 문맥, 간동맥 문합이 끝나고 관류된 상태이다. 마지막으로 담관 문합을 하게 된다.

“참고하세요”

◆Piggyback 술기

최근 뇌사자 간이식에서 많이 사용되는 간정맥과 대정맥의 문합술이다. 엄밀히 말하면 공여자의 대정맥과 수여자의 대정맥을 연결하는 방법이다. 이 술기는 정맥-정맥 우회술이 필요하지 않아 수술중 환자의 상태를 더 안정적으로 유지할 수가 있다.

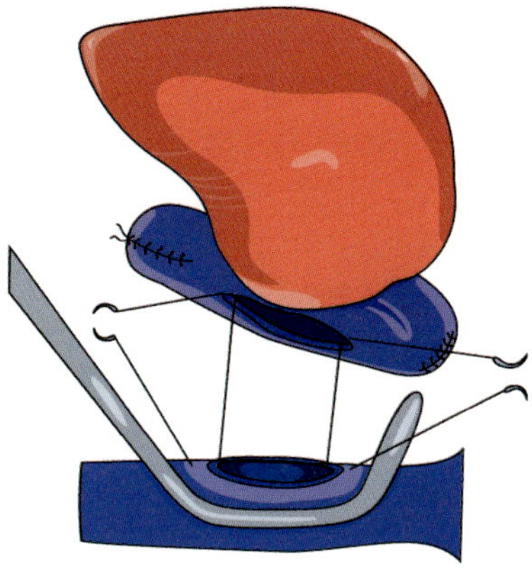

12.6 간이식 수술의 합병증

1) 출혈

(1) 출혈의 원인

간문맥고혈압, 응고 기능 부전, 이전 수술로 인한 유착

(2) 치료

경변이 있는 간을 제거하고 정상 간으로 이식한다. 수술 전에 혈소판, 신선동결혈장 등을 투여하여 응고기능 부전을 교정한다.

2) 간문맥 혈전

일반적으로 간문맥에 혈전이 있는 경우, 혈전이 비장정맥, 위창자간막정맥 합류부까지 연장되어 있다. 혈전은 혈전제거술(endarterectomy)로 제거하도록 한다. 혈전으로 인한 간문맥의 완전 폐쇄가 이식의 금기증은 아니다.

3) 일차성 무기능(Primary Nonfunction)

(1) 발생빈도 및 관련인자

전체 간이식의 5~10%에서 발생한다. 기증자의 노령, 30% 이상의 심한 지방간, 기증자의 심한 고나트륨혈증, 긴 냉 허혈시간(cold ischemic time) 등이 그 원인으로 알려져 있다.

(2) 임상양상

간의 합성 기능 부전 및 심한 간세포 손상이 발생한다. 그 증상으로 혈역학적 불안정성이 진행하며, 다기관 부전, 간성 혼수 등이 발생할 수 있다.

(3) 검사실 소견

산증 악화, 응고 기능 부전, 간효소 수치의 증가

(4) 치료

외과적 응급이며 재이식만이 유일한 치료 방법이다.

4) 간동맥 혈전

(1) 발생 양상

기술적인 요소가 크게 작용하기 때문에 혈관의 크기와 관련이 있다. 따라서 소아에서 더 흔하게 발생한다.

(2) 임상양상

공여 간의 기능이 급격하게 악화되고 담도의 괴사가 일어난다. 담도와 공장을 문합한 경우 문합의 파열이 발생할 수 있다.

(3) 치료

조기 발견이 중요하며 조기 발견 후에 혈전을 제거하면 이식 간을 보존할 수 있는 기회가 있다. 담도 괴사가 발생한 경우에는 재이식이 필요하다.

5) 담즙 누출

(1) 발생 원인

기술적인 문제로 인해 문합부 누출이 발생하거나 공여자의 담도에 허혈이 발생해서 담즙이 누출될 수 있다.

(2) 치료

대다수에서 수술적 교정이 필요하며, 허혈성 괴사인 경우 재이식이 필요하다.

6) 감염

(1) 관련 요인

이식전 공여자의 상태와 이식 후 회복 양상이 중요하다.

(2) 원인균

그람 음성균에 비해 양성균이 호발하며 진균 감염도 흔하다.

12.7 거부 반응

1) 급성 거부 반응(acute Rejection)

(1) 병태생리

T세포가 매개하여 발생한다.

(2) 발생시기

이식 후 6개월 이내에 발생하며, 대부분 첫 10일 이내에 발생한다.

(3) 임상양상

발열, 복통이 발생하며, 빌리루빈, 간효소 수치가 증가한다.

(4) 진단

간 생검에 의한 조직검사가 중요하다. 문맥주위 림프구 침윤, 혈관 내피세포로의 염증세포 침습이 관찰된다.

(5) 치료

고농도의 스테로이드를 투여한다. 스테로이드에 반응이 없는 경우 단클론/다클론성 항T세포 항체를 투여한다.

2) 만성 거부반응

(1) 발생시기

이식 후 수개월에서 수년 후에도 발생할 수 있다.

(2) 임상양상

합성기능이 불량해지고, 고빌리루빈혈증이 나타난다.

(3) 현미경적 소견

담도, 특히 미세 담도에 괴사가 발생한다.

(4) 병태생리

체액성 면역반응이 관련될 것으로 생각된다.

(5) 치료

특이한 치료방법이 없으며, 일부에서 재이식을 고려한다.

3) 원발 질환의 재발

(1) B형 간염 : Lamivudine, HBIG, 백신(inhibits the virus DNA polymerase)을 투여한다.

(2) C형 간염 : 인터페론, ribavirin 등을 투여할 수 있으나 효과가 크지 않다.

12.8 간이식의 장기 결과

1) 성인에서의 장기 결과

(1) 환자의 10년 생존율 : 59%

(2) 공여간의 10년 생존율 : 51%

2) 소아에서의 장기 생존율

(1) 환자의 10년 생존율 : 78%

(2) 공여간의 10년 생존율 : 63%

3) 이환율 및 사망률에 영향을 미치는 인자

(1) 수혜자의 수술 전 상태

(2) 이식 직후의 이식편 기능

(3) 응급 간이식

(4) 다기관 부전 여부

(5) 고령, 인공호흡기 의존도, 투석의 여부, 재이식 등

문제

12-1 1)

간경변증 환자에서 간이식을 고려하고 있다. 옳은 것은?

가. 공여자와 ABO 혈액형만 맞으면 시행할 수 있다.
나. B형 간염에 의한 비가역적 간부전 환자도 가능하다.
다. 심폐기능 장애가 심한 경우 시행하지 않는다.
라. 전신감염이 있는 경우라도 할 수 있다.

1) 가, 나, 다　　2) 가, 다　　3) 나, 라
4) 라　　5) 가, 나, 다, 라

해설
가. ABO형이 compatible하면 이식에 문제없으며 HLA typing은 반드시 필요하지는 않다.
나. 간이식의 적응증을 참조한다.
라. 간이식의 절대금기증

12-2 4)

이식 후 예후가 지극히 불량하여 간이식 수술의 대상으로 고려하지 않은 질환은?

1) B형 간염에 의한 간경변　　2) 글리코겐 저장 질환
3) 선천성 담도폐쇄증　　4) 담관암
5) Wilm's tumor

해설
담관암은 수술적으로 완전 절제하는 것이 표준 치료방법이다. 절제율은 60~90% 가량이다. 수술적 절제 후 3년 생존율은 16~61%, 5년 생존율은 24~44%이다.

12-3 3)

다음 수혜자의 전신 상태 가운데 간이식을 할 수 있는 경우는?

1) 활동성 패혈증
2) 심한 심장 질환
3) 간신 증후군(hepatorenal syndrome)
4) 간외 악성 종양
5) 기립성 저산소증을 동반한 간폐 증후군

해설
간신증후군의 가장 좋은 치료방법이 간이식이다.

12-4 5)

간경화증을 앓아오던 47세 남자환자가 추적검사에서 우전엽에 위치한 간암이 발견되어 시행한 검사 상 bilirubin 6mg/dl, protein 2.3g/dl이었고, 복수는 잘 조절되지 않았으며 영양상태도 나빠서 Child class C였다. 이 환자에게 적합한 치료는?

1) subsegmentectomy　　2) Rt. anterior segmentectomy
3) Rt. trisegmentectomy　　4) Rt. lobectomy
5) liver transplantation

해설
Child class C이므로 절제술의 금기이다.

12-5 4)

다음 중 간이식의 적응증으로 적당하지 않은 경우는?

가. 만성 C형간염에 의한 간경변으로 복수가 조절되지 않는 환자
나. 만성 B형간염 보균자로 간기능은 정상이나 좌간에서 1cm, 우간에서 3cm의 간세포암이 동시에 발견된 환자
다. 급성 전격성 B형간염에 의한 간부전으로 간기능이 급격히 악화되고 있는 환자
라. non-B, non-C 환자로 건강검진 상 우간문맥을 침습하고 있는 3cm의 간세포암이 발견된 환자

1) 가, 나, 다　　2) 가, 다　　3) 나, 라
4) 라　　5) 가, 나, 다, 라

해설
가. HCV에 의한 비대상성 간경변증으로 간이식의 대상이 된다.
나. Milan criteria에 의하면 5cm 미만의 단일결절이나 3cm 미만의 3개 이하결절은 간이식의 대상이 된다.
다. 전격성 간부전은 간이식의 적응질환이다.
라. Milan criteria에 의하면 주혈관의 침범이 없어야 이식가능하다.

12-6 5)

간이식의 일차성 무기능(Primary Nonfunction, PNF)의 원인에 대해 옳게 설명한 것은?

가. 40%의 지방간　　나. 불충분한 간의 관류
다. 지속적인 저혈압　　라. 장기 보관이 부적절

1) 가, 나, 다　　2) 가, 다　　3) 나, 라
4) 라　　5) 가, 나, 다, 라

해설
전체 간이식의 5~10%에서 발생한다. 기증자의 노령, 30% 이상의 심한 지방간, 기증자의 심한 고나트륨혈증, 긴 냉 허혈시간(cold ischemic time) 등이 그 원인으로 알려져 있다.

12-7 4)

B형간염 말기 간경변증에서 간이식 후 재발을 막기 위하여 쓰이는 약제는?

1) ribavirin, lamivudine　　2) ribavirin, IFN-a
3) ribavirin, HBIG　　4) lamivudine, HBIG
5) HBIG, IFN-a

해설
B형 간염의 재발을 막기 위해 lamivudine, HBIG, 백신을 투여한다.

PACIFIC Surgery

13

유방 질환

Disease of the Breast

13.1 유방 발달과 생리

1) 섬유낭성변화(fibrocystic change)

예전에는 섬유낭성증(fibrocystic disease)로 불리던 질환이며, 30~40대에서 흔한 질병이다. 호르몬과 성장 인자에 대해 유방의 기질(stroma)이 과도하게 반응하여 생기게 되며, 주로 유방의 통증, 압통, 결절로 나타난다.

유방의 통증과 압통은 월경에 따라 주기적(cyclic)으로 일어나며 이러한 통증은 유방에서는 드물기 때문에 유방암을 의심할 필요는 없다.

신체검진 상 주로 외측 상부 사분역(upper outer quadrant, UOQ)에 가벼운 양쪽의 대칭 변화가 있으며, 치밀하고 단단하게 만져지는 조직이 존재한다. 유방촬영술(mammography)에서는 치밀한 조직(dense tissue)이 광범위하게 혹은 국소적으로 나타난다.

초음파에서 낭종(cyst)은 35~50세 환자의 약 1/3가량에서 나타나며 대부분은 만져지지 않는다. 그러나 만져지는 낭종은 전형적으로 섬유낭성변화라고 할 수 있으며, 병리학적으로 섬유낭성변화는 ① 섬유화(fibrosis), ② 낭종형성(cyst formation), ③ 선증(adenosis)등 세 가지의 변화를 각기 혹은 동시에 나타내게 된다.

낭종은 30세 이전에는 드물며 60세 이후에서도 5%가량으로 드물고 그 중 반은 호르몬 대체요법(hormone replacement therapy)을 하는 환자이다.

2) 유방통증(breast pain)

유방통증은 흔하며 대개 기능적인 원인으로 발생하며, 유방암의 증상으로 나타나는 경우는 매우 드물다(5.4%). 그리고 덩어리가 만져지는 경우에는 검사가 필요하며, 통증이 있는 낭종성 유방병증(mastopathy)은 카페인, 니코틴 또는 항히스타민제의 과도한 복용 시 유발된다.

(1) 주기적 유방통(cyclic mastalgia)

월경주기와 관련되어 황체기(luteal phase)에서 주로 나타나고 생리 후에 감소한다. 30대

중반에 흔하며 외측 상부 사분역(UOQ)에 나타나는 경우가 많고 통증은 둔하고 광범위한 양상을 보이며, 흔히 양측성이며, 대칭적이다.

(2) 비주기적 유방통(noncyclic mastalgia)

유방이 아닌 다른 원인에 의해서 발생하거나, 특정한 유방의 상태에 따라 생긴다.

유방염(mastitis) 의심 하에 항생제 치료를 했으나 호전되지 않는 경우에는 염증성 유방암(inflammatory breast cancer)을 반드시 의심해야 한다.

유방통(mastalgia)이 있고 환자가 30세 이상이면 모든 환자에서 유방촬영술을 꼭 시행하나, 예외적으로 국소 압통 또는 덩어리가 존재하지만 초음파에서 단순 낭종으로 밝혀진 경우에는 유방촬영술을 하지 않고 환자를 안심시킨다. 유방촬영술에서 비정상이거나 초음파에서 단순 낭종이 아닌 복합 낭종(complex cyst)이나 고형성(solid) 병변인 경우에는 바늘 생검과 같은 추가 검사를 반드시 시행한다.

유방통과 더불어 국소적인 통증(localized pain)이 있는 30세 미만의 환자에서는 정상 초음파 소견을 보이더라도 유방촬영술을 하지만 국소적인 통증이 없는 30세 미만은 증상에 대한 대증적 치료를 한다. 85%의 환자에서는 환자를 안심시켜 주는 것만으로도 해결되며, 나머지 15%에서는 지지 브라(supportive bra)를 착용시키고 ibuprofen을 투여한다.

또 다른 약제로는 primrose oil(달맞이꽃), Danazol(weak androgen), tamoxifen, bromocriptine(prolactin suppression) 등이 있다.

결국 국소적인 통증이 있거나 30세 이상이거나 복합 낭종이나 고형성 병변이 발견되었을 경우에는 추가적인 검사를 하는 것으로 이해할 수 있다.

13.2 발달과 생리 장애

1) 여성형 유방(gynecomastia)

남성에서 유방조직이 비대해 지는 것으로 일반적으로 명확한 원인이 없다.

사춘기 비대증, 노인 비대증 모두에서 유방은 부드럽고(smooth), 견고하며(firm), 유륜(areola) 아래에 고르게 분포한다.

종종 압통이 있어 병원을 찾게 되는 경우가 있다. 일반적으로 조직 생검은 필요하지 않다.

(1) 사춘기 비대증(pubertal hypertrophy)

13~17세에서 주로 발생하며 일측성일 수도 있으나 양측성인 경우가 보다 흔하다. 일측성이거나 통증이 있는 경우가 아니라면 환자가 알아차리지 못하는 채로 나이가 들면서 자연

소실되기도 한다.

수술 없이 환자를 안심시키고 지나가면 저절로 없어지는 경우가 대부분이다. 일측성으로 유방 비대가 일어나거나, 자연히 없어지지 않는 경우, 혹은 미용상의 문제가 되는 경우에는 수술적 절제를 고려해 볼 수 있다.

(2) 노인 비대증(senescent hypertrophy)

50세 이상에서 비교적 흔하게 발생한다. 일측성으로 발생하는 경우도 비교적 흔하며, 흔히 자연적으로 퇴행(regress)하는 경우가 많다.

가장 흔한 원인은 사용 중인 약물로 인한 것이며, 여성형 유방을 일으키는 약물로는 spironolactone, digoxin, thiazide, cimetidine, estrogen, phenothiazine, theophylline 등이 있다.

전신 질환 때문에 생기기도 하는데, 그 원인으로는 간경변, 신부전, 영양실조 등이 있다.

심화학습

◆여성형 유방과 남성 유방암(male breast cancer)의 감별점

남성 유방암은 일반적으로 압통이 없으며, 비대칭적으로 위치하며 유륜 아래에 위치하기도 하지만 옆에 위치하기도 한다. 또한 종양 위를 덮고 있는 진피 또는 깊은 근막에 고정되어 있다. 남성 유방암이 의심되면 조직 검사를 시행한다.

2) 유두 분비물(nipple discharge)

수유하지 않고 있는 여성에서 유두 분비물이 나오게 되면 환자들은 매우 두렵게 생각하게 된다. 하지만 유두 분비물은 흔한 현상이며 종괴가 동반되거나 혈성 분비물이 아닌 경우에 악성 종양과 연관되는 경우는 매우 드물다.

분비물이 한쪽 유방에서 나오는지 아니면 양쪽에서 나오는지를 확인해야 하며, 여러 관(duct)을 통해서 나오는지 한 관을 통해서 나오는지를 확인한다.

(1) 젖분비과다(galactorrhea)

양쪽 유방에서 유즙 분비(milky discharge)를 보이며 프로락틴(prolactin)의 생산 증가로 인해 생기며 혈청 프로락틴이 상승되어 있으면 진단 가능하다.

(2) 일측성, 비유즙성(nonmilky), 단일관(single duct)에서 분비되는 경우

외과적으로 유의하고 특별한 주의가 필요하나 동반된 원인이 유방암인 경우는 드물다(5% 내외). 페이젯병(Paget’s disease)의 가능성이 있다.

(3) 단일관(single duct)에서 분비물이 나오고 혈액을 함유한 경우

추가적인 외과적 생검이 필요하다.

심화학습

◆유두 분비물이 있을 경우 양성을 시사하는 소견

1. 양측성 유두 분비물
2. 확실한 덩어리가 없는 분비물
3. 여러 개의 관 입구에서 나오는 분비물
4. 유두를 눌렀을 때 나오는 분비물
5. 녹색, 회색, 갈색의 분비물
6. 유즙성(milky) 분비물

3) 젖낭종(galactocele)

유즙으로 가득 찬 낭종으로 둥글고 경계가 분명하며 잘 움직인다. 보통 수유 중단 후 발생하고 위치는 가운데 또는 유두 아랫니다.

진단과 치료는 세침흡입이다(수술은 흡입이 불가능하거나 감염 시 시행한다).

문제

13-1 3)

49세 남자가 6개월 전부터 양쪽 유방이 커져서 내원하였다. 원발성 알도스테론증으로 항고혈압 치료 중이었다. 유방이 커진 원인은?

1) 알파차단제
2) 베타차단제
3) 알도스테론 길항제
4) ACEI
5) CCB

해설

여성형 유방을 일으키는 원인이다. 특히 androgen의 활성을 억제하여 알도스테론증을 치료하는 약인 spironolactone이 대표적인 원인이다.

13-2 3)

15세 남자가 우연히 발견된 오른쪽 유방의 종괴 때문에 병원에 왔다. 오른쪽 유방의 유륜 부위에 직경 3cm의 비교적 단단한 원판 모양의 종괴가 발견되었다. 이 질환에 대한 설명 중 틀린 것은?

1) 대부분 10대 남아에서 발견된다.
2) 성인 남자에서 생길 경우에는 약물이나 전신성 질환과 연관될 수 있다.
3) 주로 일측성으로 나타나지만 양측성으로 나타날 수 있다.
4) 대부분 수술을 시행하지 않으며, 환자를 안심시키는 것으로 충분하다.
5) 일측성이고 통증을 수반할 경우에는 조직 검사를 시행하여야 한다.

해설

2) 약물이나 전신 질환과 연관성 가능
3) 10대 남자 아이들에서 나타나는 경우 주로 양측성으로 나타난다.
4) 수술 없이 환자를 안심시키고 지나가면 저절로 없어지는 경우가 대부분이다.

13.3 유방 질환의 진단

1) 과거력

환자 나이, 출산, 월경, 최근 임신, 수유, 약물복용, 호르몬 대체 요법, 피임, 수술여부, 유방 질환과 난소 종양 가족력, 유방통증, 유두 분비물, 새로운 덩어리의 여부를 확인한다.

2) 신체검진

(1) 피부 견인(skin dimpling)

암의 민감하고 특이적인 징후이다(쿠퍼인대의 견인으로 발생).

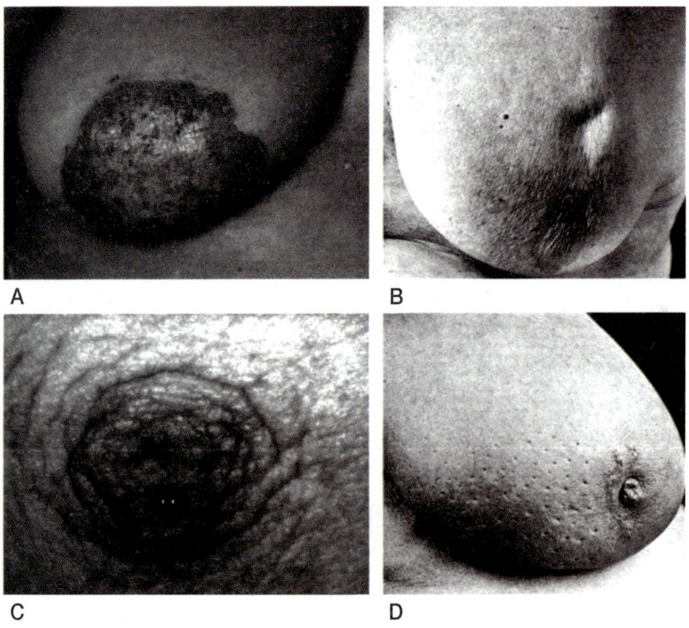

그림 13-1 유방암 검진 시 일반적인 신체검진 소견

A, 페이젯병(Paget's disease)의 유두. 악성 관 세포(malignant ductal cell)가 유륜아래 관이나 상피의 기저막을 침범하지 않고 상피를 침범한다. 이 질환은 유두에서 시작해 유륜과 유방의 피부까지 퍼지는 건선성 발적처럼 보인다.

B, 경성암에 의한 쿠퍼인대의 피부 견인(Skin dimpling)으로 인해 유방의 표면이 뒤틀리게 된다. 이러한 현상은 팔을 위로 들어 외전하는 동안 옆에서 빛을 비출 때 가장 명확하게 보인다.

C, 유두 분비(Nipple discharge). 분비물이 여러 개의 관(duct)에서 분비되거나, 유방 양쪽에서 분비되는 소견은 건강한 유방에서 일반적으로 관찰되는 소견이다. 사진에서의 분비물은 하나의 관에 의한 것으로 분비하는 관에 기저질환이 있음을 의미한다. 이 환자에서는 유두종이 증상의 원인이었다.

D, Peau d'orange(skin of the orange) 또는 유방 피부의 부종. 수술 또는 방사선에 의한 림프관 폐색, 또는 유선염으로 인해 발생한다. 가장 심각한 원인으로는 염증성 유방암이 있으며, 염증성 유방암의 악성 세포들이 피부 림프관을 막아서 발생한다.

(2) 유두 뒷당김(nipple retraction)

유륜(areolar) 아래로 암이 직접 침범하여 생기며, 일측성이고 수주, 수개월에 걸쳐 진행되는 경우 더욱더 악성을 시사한다.

(3) 귤껍질 피부(peau d'orange)

피부의 부종과 홍반으로 인한 압통과 온기(warmth)를 동반하는 경우에는 염증성 유방암(inflammatory carcinoma)의 가능성이 높다(peau d'Orange는 프랑스어로 영어로 표현하면 skin of orange라는 뜻임).

(4) 페이젯병(Paget's disease)

유두 바로 아래 큰 굴(sinus)에서 생기는 관내 암종으로 보통 유두에 국한되나 유륜(areola)까지 퍼질 수도 있다. 습진이 유륜에서 시작하는 반면 페이젯병(Paget's disease)은 유두에서 시작한다.

암종(carcinoma)은 전형적으로 단단하고 경계가 불분명하며 주변 조직의 견인이 관찰되지만 섬유선종이나 낭종은 단단하지만 경계가 분명하고 유동적이다.

“ 참고하세요 ”

◆ 유방의 자가검진

1. 유방자가검진의 시기
   생리를 하는 여성은 매달 월경이 끝난 후 1~2일에 하고 폐경이 된 분이나 월경이 불규칙한 분은 매월 일정한 날을 정하여 시행하여야 합니다.
2. 유방 자가검진 방법 – 1단계 : 거울로 살펴보세요.

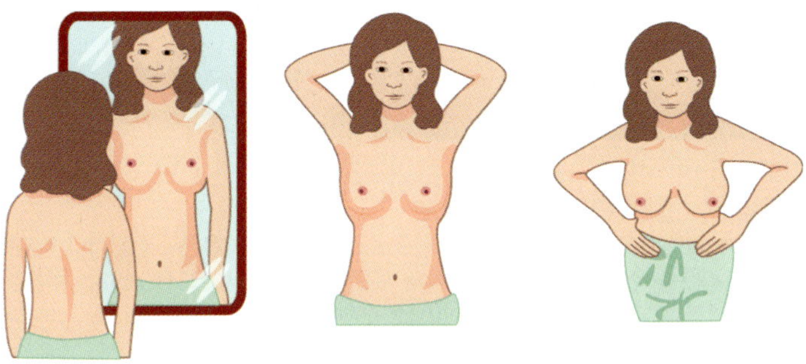

- 거울 앞에 선 상태에서 양팔을 모두 내린 자세로 양쪽 유방 크기, 피부색깔 변화, 유방 어느 곳의 함몰이 있는 지 관찰합니다.
- 양팔을 머리 위로 올린 자세에서 상체를 좌우로 30도씩 돌려가면서 위와 같은 방법으로 관찰합니다.
- 양손을 허리에 얹고 상체를 앞으로 약간 숙인 자세에서 위와 같은 방법으로 유방을 관찰합니다.

" 참고하세요 " *(계속)*

3. 유방 자가검진 방법 – 2단계 : 서서 만져보세요.

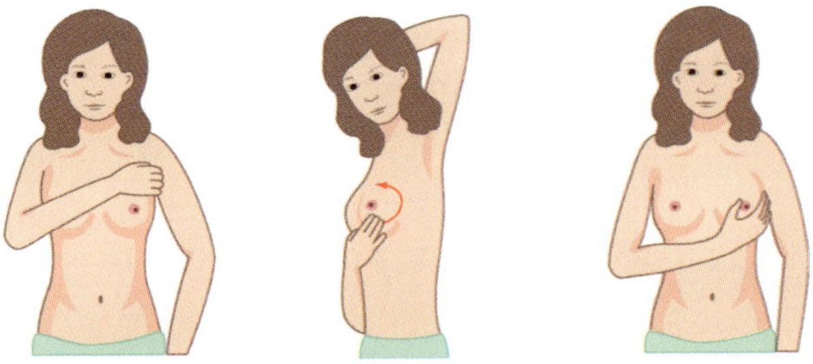

- 먼저 검진하려는 쪽 유방의 겨드랑이를 팔을 내린 상태에서 안에서 바깥쪽으로 촉진합니다.
- 검진하려는 쪽 유방의 팔을 머리위로 올린 상태에서 반대쪽 손의 세 손가락으로 유방을 젖꼭지에서 바깥쪽으로 원을 만들면서 촉진해 나갑니다.
- 젖꼭지를 상하 좌우로 짜봅니다. 이때 농빛이나 핏빛의 분비물이 나오는 지 살펴봅니다.
- 반대쪽 유방도 같은 방법으로 시행합니다.

4. 유방 자가검진 방법 – 3단계 : 누워서 만져보세요.

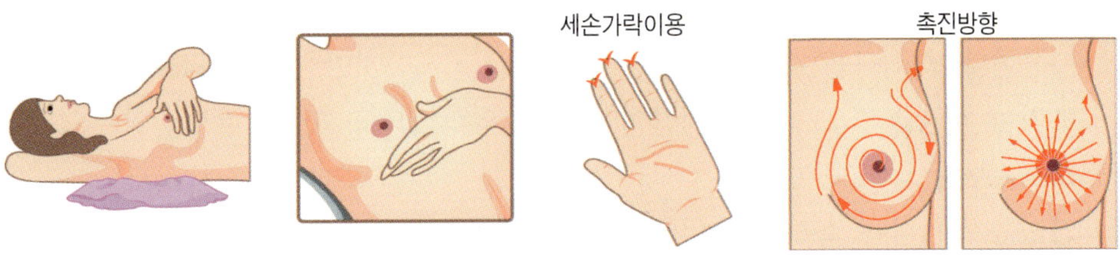

- 검진하려는 쪽 어깨 밑에 수건을 받쳐 눕습니다.
- 검진하려는 쪽 손등을 이마에 얹고 겨드랑이의 안쪽, 중앙, 바깥쪽을 촉진합니다.
- 검진하려는 쪽 팔을 올리고 반대쪽 손의 세 손가락으로 수직방향 혹은 나선방향으로 유방을 촉진합니다.

출처: 서울대학교병원 건강검진 전문 의학정보

3) 세침흡인(Fine Needle Aspiration, FNA)

유방촬영술을 반드시 해야 하는 경우에는 유방촬영술을 하고 FNA 시행한다. 왜냐하면, FNA 후 생기는 혈종 때문에 유방촬영술의 해석이 어려울 수 있기 때문이다.

심화학습

◆FNA후 수술적 생검 해야 하는 경우

1. 낭액(cystic fluid)이 없는 고형성 덩어리인 경우
2. 진하거나 혈성 낭액인 경우
3. 낭액 흡인 후에도 덩어리가 완전히 없어지지 않을 경우
4. 같은 장소에 반복적으로 낭종이 나타날 경우
5. 2주 이내에 낭이 차는 경우

4) 유발질환의 영상검사

(1) 유방촬영술(mammography)

유방촬영술은 Plexiglas라는 판 사이에 유방을 압축시켜 유방 조직의 두께를 얇게 만들어, 그 판 사이를 방사선이 통과하게 함으로써 주변 조직과의 해상도를 높이는 촬영술이다. 각 유방마다 비스듬하게 찍은 영상(mediolateral oblique)과 바로 찍은 영상(craniocaudal) 두 종류의 영상을 얻는다. 추가적인 정보를 얻기 위해서는 부가적으로 확대영상(magnification image)과 압축영상(compression view)을 촬영한다.

① 장·단점

유방촬영술은 값싸고 가장 흔하게 쓰이는 검사로 증상이 없는 여성에서 선별검사로 사용한다. 석회화를 관찰하는데 매우 민감한 검사이지만, 젊은 여성에서와 같이 유방 조직이 치밀한 경우 그 위음성률이 높아져, 임상적으로 확실한 유방암임에도 불구하고 10~15%를 놓치게 된다.

② 악성을 시사하는 소견

별 모양 종괴(stellate mass), 침상 모양의 가장자리(spiculated border), 주변 유방 구조의 비틀림(distortion)은 악성을 시사한다. 군집 미세 석회화(clustered microcalcifications)는 관내상피내암의 진단을 시사한다. 별 모양 종괴 또는 군집 미세 석회화가 관찰되면 반드시 조직 생검을 시행하여 악성을 감별해야 한다.

(2) 초음파 검사

초음파(US)는 유방의 진단적인 검사 외에도 최근에는 유방촬영술과 함께 효과적인 스크리닝 진단 기술로 사용되고 있다. 유방에 만져지는 종괴가 있을 때에는 유방 초음파 검사로 종괴가 만져지는 곳을 검사하며, 만져지지 않고 유방 촬영검사에서 의심되는 소견이 있는 경우에는 그 의심되는 곳을 집중적으로 추적검사하는 것이 편한 방법이다.

초음파 검사의 장점은 유방종괴가 낭종인지 고형종괴인지 구별이 용이하며 특이한 유방종괴의 위치로 인하여 유방 촬영술만으로 완전히 평가가 어려운 경우, 또한 촉지 종괴가 있는 젊은 여성에선 치밀한 유방 조직으로 인하여 유방 촬영술만으로 종괴에 대한 평가를 완벽히 할 수 없을 때 효과적으로 사용된다. 또한 유방농양의 경우 유방의 부종과 동통 때문에 유방

을 압박하여야 하는 유방촬영술을 시행하기 어렵고 염증으로 인해 유방의 음영이 증가되어 있어 이에 대한 평가가 쉽지 않아 유방 초음파를 통하여 농양의 평가와 차료에 대한 반응을 용이하게 추적 관찰할 수 있다. 한편 유방 초음파는 낭종 배액, 수술 전 와이어를 이용한 병소의 위치결정 등 중재적 시술의 가이드로도 많이 사용되고 있다.

(3) 전산화 단층촬영술(CT)

CT는 내측 유방림프절의 평가, 수술 후 흉벽의 상태, 겨드랑림프절 전이여부(axillary evaluation)를 평가하는 데에 유용하다.

(4) 자기공명영상(MRI)

MRI는 최근 들어 유방암의 검사에 널리 쓰이다. MRI는 유방 보형물의 파열 여부를 검사할 때 가장 좋은 검사방법이고, 악성 겨드랑림프절병증(malignant axillary nodes)이 있는데 유방에서는 병변을 찾을 수 없을 때 특히 유용하다.

① 장점

MRI는 유방촬영술에 비해 유방암의 범위를 판단하는데 보다 정확하며, 특히 유방 조직이 치밀한 젊은 여성이나, 침습성 소엽성 유방암(invasive lobular cancer)에서는 더욱 그렇다. 또한 유방 보전수술이 가능한지 여부를 판단하는 데에 도움을 준다.

② 선별검사로서의 MRI

유방암의 선별검사(screening test)로서의 활용은 연구 중이지만 BRCA gene 변이가 있는 가족성 유방암 환자에서는 유방암 발병률이 높기 때문에 이러한 환자에서는 선별검사로써 의의를 가진다. 침습성 유방암에서의 민감도(sensitivity)는 90% 이상이지만 DCIS에서는 60%로 민감도가 낮다. 한편 특이도는 낮은 편이어서 양성과 악성의 구분이 힘든 측면이 있다.

(5) 선별 유방촬영술(screening mammography)

임상적으로 유방의 병변이 없는 일반인을 대상으로 시행하는 선별 유방촬영술은 임상적으로 명확해지기 전에 유방암을 선별하는 것을 목적으로 한다.

즉 이렇게 발견하게 되는 유방암은 촉진되는 유방암에 비해 크기가 작고, 좋은 예후를 가지며, 덜 침습적인 치료로도 완치가 가능할 것이라는 전제하에 이루어지게 된다.

이러한 선별검사의 잠재적인 이점은 선별검사로 인한 비용이나, 위양성(false positive)로 인해 불필요한 추가적인 검사 및 생검을 시행하고, 환자의 불안감을 유발시킴에도 불구하고 이점이 더 크다.

현재 선별검사로써의 유방촬영술은 50세 이상에서 매년 시행, 40~49세에서 적어도 2년에 한번, 젊은 여성에서는 중요한 가족력, 조직학적 위험인자, 이전 유방암 과거력이 있을 경우에 매년 시행한다.

진단적 유방촬영술(diagnostic mammography)은 신체검진, 선별 유방촬영술에서 이상 있을 때 시행한다.

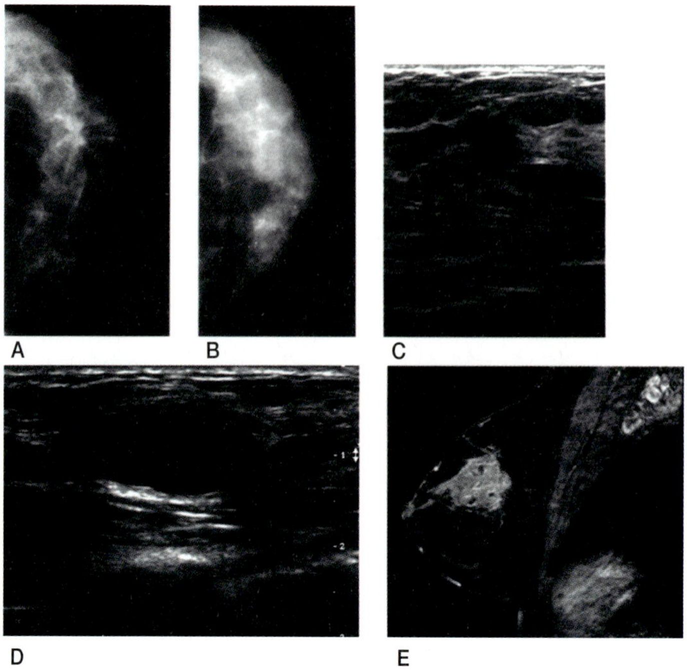

그림 13-2 유방 질환의 유방조영술, 초음파 및 MRI 소견

A, 유방의 별모양 종괴(stellate mass). 침상 모양의 가장자리(spiculated border)와 주변 유방 구조의 비틀림(distortion)은 악성을 시사한다.

B, 군집 미세 석회화(clustered microcalcifications). 미세한, 다형태(pleomorphic)의 그리고 함께 군집된 선상 석회화(clustered linear calcification)는 관내상피내암의 진단을 시사한다.

C, 유방암의 초음파 영상. 종괴는 내부 음영(echo)을 갖고 있는 고형성(solid)이고 불규칙한 경계를 보인다. 대부분의 악성 병변은 병변의 좌우 폭보다 위아래 폭이 크다(taller than they are wide).

D, 단순 낭종의 초음파 영상. 낭종은 부드러운 경계를 가지는 원형의 형태를 띈다. 내부에 소량의 echo를 보이며, 증가된 후음영(increased posterior echo)과 함께 투과성이 증대되어 보인다.

E, MRI에서 유방암의 gadolinium 조영증강. 빠르고 강한 gadolinium 조영 증강 영상에서 종양의 증가된 혈관 분포가 관찰된다. 병변 윤곽(contour)과 크기 또한 MRI로 평가가 가능하다.

심화학습

◆ **선별 유방촬영술**

유방 영상검사를 시행하고 나서 검사 소견에 따른 유방암의 위험도를 객관화 하고 향후 검사 계획을 일관되게 정리하기 위해 BI-RADS system이 고안되었으며 위험성이 낮은 것부터 높은 것까지 category 0~5로 구분하였다.

표 13-1 유방영상 보고와 자료 체계
(Breast Imaging Reporting and Data System(BI-RADS) : Final Assessment Category)

Category	Definition
0	부적절한 평가 : 추가적인 검사가 요구됨
1	음성 : 1년마다 정기적인 유방촬영술
2	양성 소견 : 1년마다 정기적인 유방촬영술
3	양성의 가능성이 높음 : 단기간의 추적관찰이 필요
4	이상소견이 존재함 : 조직생검이 필요
5	악성을 강하게 시사함 : 즉각적이고 적절한 조치를 취해야 함

문제

13-3 5)

32세 여자의 오른쪽 유방에서 3cm 크기의 덩이(mass)가 촉진된다. 유방암이 의심되는 진찰소견은?

가. 덩이 부위 피부에 함몰이 있다.
나. 딱딱하며 경계가 불명확하다.
다. 가슴 근육 조직에 고정되어 있다.
라. 덩이 부위 피부가 귤껍질 피부(peau d'orange) 모양이다.

1) 가, 나, 다 2) 가, 다 3) 나, 라
4) 라 5) 가, 나, 다, 라

해설

가. Skin dimpling : Traction on Cooper's ligament by a scirrhous tumor distorts the surface of the breast, producing the dimple
나. carcinoma is typically firm but less circumscribed
다. carcinoma's movement produces a drag of adjacent tissue
라. Edema of the skin, frequently accompanied by erythema, produces a clinical sign known as peau d' orange, the hallmark of inflammatory carcinoma.

13-4 5)

유방암 환자의 진찰소견 시 나타나는 증상이다. 옳은 것은?

가. 유륜궤양
나. 피부부종
다. 귤껍질 피부(Orange peel appearance)
라. 유두견인(nipple retraction)

1) 가, 나, 다 2) 가, 다 3) 나, 라
4) 라 5) 가, 나, 다, 라

해설

유방암 검진 시 일반적인 신체검진 소견
① 페이젯병의 유두
② 유두 분비
③ Peau d'orange
④ 피부의 부종
⑤ 경성암에 의한 쿠퍼 인대의 피부견인으로 인한 유방 표면의 뒤틀림

13-5 1)

45세 여자 유방덩이 확진을 위한 방법은?

가. 중심부 바늘생검(core needle aspiration)
나. 절개생검(incisional biopsy)
다. 절제생검(excisional biopsy)
라. 감시림프절 생검(sentinel lymph node biopsy)

1) 가, 나, 다　　2) 가, 다　　3) 나, 라
4) 라　　5) 가, 나, 다, 라

해설

대부분의 질병에 있어서 확진은 조직검사를 통해서만 내릴 수 있다. core needle aspiration은 큰 바늘을 통해 조직을 얻는 검사이고, incisional biopsy는 병변의 일부를 절제하여 조직을 얻는 검사이고, excisional biopsy는 병변을 모두 절제하는 검사이다. 따라서 (가), (나), (다) 모두 확진을 내릴 수 있는 방법이다. sentinel lymph node biopsy는 유방암 진단이 내려진 환자의 수술 시 겨드랑이림프절 절제 범위를 위해 시행하는 검사이다. 한편 세침흡인검사는 조직을 얻지 않고 세포를 보고 진단을 추정하는 것으로 확진이 불가능한 경우가 많으며, 악성이 의심되면 조직검사를 시행하도록 한다.

13-6 7),8)

38세 여자가 최근 오른쪽 유방의 외상부에 덩이가 만져져 병원에 왔다. 덩이는 딱딱하고 경계가 불명확 하였으며 주위 조직에 고착 되어 있었다. 어머니가 37세에 유방암 진단을 받아 수술을 받았으며, 본인도 3년 전에 난소암으로 수술을 받았다. 유방촬영에서 BI-RADS 분류 5의 결과가 나왔다. 의심되는 진단명은?(두 가지)

1) 유방 고름집　　2) 젖낭종
3) 섬유샘종　　4) 관내 유두종
5) 섬유성 낭성 질환　　6) 페이젯병
7) 관내상피암(intraductal carcinoma)
8) 침윤 관상암(infiltrating ductal carcinoma)
9) 엽상종양

해설

BI-RADS 5는 악성을 강하게 시사하는 소견으로 즉각적인 조치를 취해야 한다. 보기 가운데 악성인 질환은 관내상피암과 침윤 관상암이다.

13-7 2)

27세 여자가 오른쪽 유방이 전체적으로 단단하게 붓고 압통이 없는 발적이 발생하여 왔다. 유방에서 덩이는 만져지지 않았다. 체온은 36.8℃, 혈액 백혈구는 8,000/mm^3이다. 1주일간 항생제 치료를 하였으나 증상은 좋아지지 않았다. 다음 조치는?

1) 혈액 미생물 배양검사　　2) 유방조직 생검
3) 항생제 계속 투여　　4) 부신겉질 스테로이드 투여
5) 오른쪽 유방절제술

해설

유방의 광범위한 발적, 부종, 발열감의 증상을 보이는 환자들은 빈도상 유방염 또는 농양의 가능성이 높기 때문에 일단 항생제 치료를 먼저 시행한다. 염증성 질환일 경우 항생제 치료에 반응을 하지만 그렇지 않은 경우에는 반드시 염증성 유방암을 의심하고 조직검사를 시행한다.

13-8 3)

여성유방질환을 진단하는 데 있어서 초음파 검사가 유방촬영술보다 유용한 이유를 나열한 것이다. 틀린 것은?

1) 방사선 조사가 없어 무해하다.
2) 유방촬영술에서 소견이 모호한 경우 진단하는데 도움이 된다.
3) 미세 석회화 병소를 더 잘 볼 수 있다.
4) 임신 중인 여성의 진단에 유용하다.
5) 낭종(cyst)의 감별 진단에 유용하다.

해설
초음파검사로는 미세 석회화를 관찰하기 어렵다.

13-9 4)

45세 여자환자가 왼쪽 유방 종대를 주소로 내원하였다. 유방조영술이다. 다음 처치는?

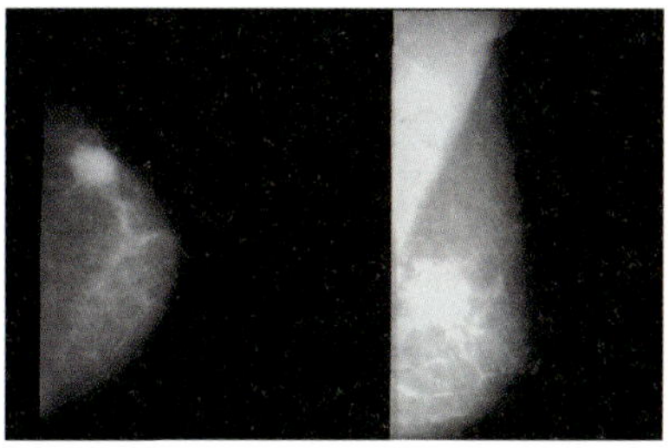

1) 3개월 후 유방 조영술 반복
2) 종괴절제
3) 종괴절제 후 항암요법
4) 세침흡입 세포진 검사 후 변형근치적절제술(modified radical mastectomy)
5) 술전 방사선치료 후 근치적절제술(radical mastectomy)

해설
유방촬영술에서 악성이 의심되는 소견이 보이면 조직검사를 시행하여 악성 여부를 확인하도록 한다. 보기 중 정답에 가까운 것은 세침흡입 세포진 검사 후 수술이지만 세침흡입보다는 core needle biopsy와 같은 조직 생검이 악성을 확진하기에 더 좋은 방법이다.

13-10 4)

유방촬영 판독에서 이용되는 BI-RADS에서 category 얼마 이상이면 반드시 조직검사를 시행하는가?

1) 1
2) 2
3) 3
4) 4
5) 5

해설

유방영상 보고와 자료 체계

Category	Definition
0	부적절한 평가 : 추가적인 검사가 요구됨
1	음성 : 1년마다 정기적인 유방촬영술
2	양성 소견 : 1년마다 정기적인 유방촬영술
3	양성의 가능성이 높음 : 단기간의 추적관찰이 필요
4	이상소견이 존재함 : 조직생검이 필요
5	악성을 강하게 시사함 : 즉각적이고 적절한 조치를 취해야 함

13.4 고위험 환자의 발견과 관리

1) 유방암의 위험인자

(1) 나이 및 성별

나이와 함께 발생빈도가 증가하고 30세 이전 여성의 유방암은 전체 유방암의 2% 이하이며, 20세 이전에는 드물다. 남성의 발생빈도는 여성의 발생빈도의 1% 이하이다.

(2) 조직학적 위험인자

한쪽 유방의 암 과거력이 있는 경우 반대편 유방의 암 발생률이 3~4배가량 증가한다. 특히 45세 이전에 한쪽 유방암을 가졌던 환자들은 반대편 유방암의 발생률이 일반인에 비해 5~6배에 이른다. 이것은 개인적으로 보면 1년에 약 1%의 유방암 발생 위험도를 가진다는 것을 의미한다.

(3) 가족력과 유전적 위험인자

1st degree 관계(어머니, 자매, 딸)의 경우 2~3배 위험도가 증가하고 관계가 먼 경우(사촌, 이모, 할머니) 위험은 감소한다. 1st degree 관계의 발병이 폐경 전이고 양측성이면 위험도가 매우 증가한다.

가족 중에 여러 명이 양측성, 조기발병이면 50%의 위험도가 있다(상염색체 우성유전).

꼭 알아둡시다!!!

◆ **유방암에 대한 위험인자(Risk Factors for Breast Cancer)**

1. 인구에 중요한 요소
   - 초경과 폐경 시 나이
   - 출산력
   - 초산 시의 나이
   - 수유
   - 외인성 호르몬 사용 또는 노출
   - 알코올 섭취
2. 개인 환자에서 중요한 요소
   - 성(여성 >> 남성)
   - 나이(나이가 들수록 증가)
   - 부모, 형제의 가족력
   - 본인에 있어서의 이전의 유방암 과거력
3. 조직학적 위험인자
   - 증식성 유방질환(Proliferative breast disease)
   - 비정형 관증식(Atypical Ductal Hyperplasia, ADH)
   - 비정형 소엽증식(Atypical Lobular Hyperplasia, ALH)
   - 소엽상피내암(Lobular Carcinoma In Situ, LCIS)

심화학습

◆ **가족성 유방암에 관련있는 유전자 두 가지**

1. BRCA1 – chr 17(17q21)
   종양억제유전자로 상염색체 우성유전을 한다. 가족유방암(familial breast cancer)의 40%에서 발견되며, 난소암(15～45%), 결장암, 전립샘암(남성)과 연관되어 있다. BRCA2보다 조직학적 유형이 좋지 않아 더 나쁜 예후를 가진다.
2. BRCA2 – chr 13
   대부분 호르몬 수용체 양성이고 가족유방암의 30%에서 발견되며, 남성에서 유방암의 위험도가 증가하는 것과 연관이 있다. 난소암(20～30%), 전립샘암, 췌장암, 후두암과 연관되어 있다. BRCA 돌연변이가 있을 경우 유방암의 평생 위험도는 50～70%이고 산발성과 가족성의 전체 사망률은 같다.

(4) 생식 위험인자(reproductive risk factors)

에스트로겐에 노출된 기간이 길수록 유방암의 발생이 증가한다.

① 12세 이전 초경

초경이 2년 늦어질수록 유방암의 발생위험도가 10% 감소한다.

② 55세 이후 폐경

발생위험도가 2배가 된다.

③ 30세 이후 초산

18세 이전 초산인 경우 30세 이후 초산에 비해 발생위험도가 1/2이 된다. 유산이 유방암의 발병률을 높이거나 낮춘다는 보고는 없다.

④ 미분만

(5) 외인성 호르몬 복용

외인성 호르몬은 두 가지 경우에 주로 사용하는데, 피임약 용도와 폐경기 증상 완화를 위한 호르몬 대체요법(Hormone Replacememt Therapy, HRT)으로써 사용된다.

① 피임약 복용

현재와 과거의 경구 피임약 복용자의 위험도 증가는 없다고 알려져 있다.

② 호르몬 대체요법

폐경기 증상을 위한 치료로 에스트로겐과 프로게스테론 복합제제를 5년간 사용한 사람은 약 20%의 증가된 위험도를 가진다. 복합제제로 호르몬 치료를 10년 이상 시행한 환자군에서는 유방암, 뇌졸중, 폐색전증, 관상동맥질환이 증가하고 결장암, 고관절 골절은 감소하였다. 따라서 호르몬 대체요법은 5년 이하로 시행하는 것이 바람직하다.

한편 이미 자궁절제술(hysterectomy)을 받았던 환자들은 프로게스테론이 없는 에스트로겐만을 복용하였는데, 이러한 경우에는 유방암 발병률이 증가하지 않았다.

(6) 증식성 유방질환

증식성 유방질환은 유방암의 발병확률을 높인다.

일반적인 증식성 유방질환은 위험도가 1.5~2배이지만 세포의 비정형성이 동반되면 유방암 발병률은 매우 높아져서 비정형 관증식(Atypical Ductal Hyperplasia, ADH)과 비정형 소엽증식(Atypical Lobular Hyperplasia, ALH)의 경우에는 일반인에 비해 4~5배의 유방암 발생 위험도를 가진다. 이러한 환자에서 가족력까지 동반된다면 유방암 발생 위험도는 9배에 이른다.

꼭 알아둡시다!!!

◆ 유방암의 위험인자

1. 소엽성 상피내암(LCIS) : 7배
2. 비정형 관증식, 비정형 소엽증식 : 4~5배
3. 증식성 유방질환 : 1.5~2배
4. 낭종, 유방선증, 섬유선종 : 높이지 않음

2) 고위험 환자의 관리

(1) 적극적 감시

심화학습

◆유방-난소암 증후군 가족의 여성

1. 18세부터 매월 자가유방검사 시행
2. 25세부터 6개월 간격으로 의사에 의한 유방검사 시행
3. 25세부터 매년 유방촬영술 시행 또는 가족 중 가장 빠르게 발생했던 환자의 유방암 발생 나이의 10년 전부터(40세에 가족이 유방암이 발병했다면 본인은 30세부터)
4. BRCA1, BRCA2 유전자 변이가 있는 여성은 6개월 간격 유방촬영술+매년 MRI

심화학습

◆5대암 검진 권고안(국립암센터, 한국유방암학회)

• 위의 고위험 환자와 비교하면서 보자.
30세 이상 여성 : 매월 자가유방검사
35세 이상 여성 : 매2년 유방임상진찰
40세 이상 여성 : 매2년 유방촬영술+유방임상진찰

(2) 약제를 통한 유방암의 예방

Tamoxifen이 효과가 입증된 유일한 약이다. 선택적 에스트로겐 수용체 조정자로 에스트로겐 수용체(Estrogen Receptor, ER) 양성인 유방암 치료에 유용하고 반대편 유방암의 발병률을 47% 감소시킨다. 그러나 자궁내막암, 폐색전증, 심부정맥혈전증의 위험도를 증가시키는 부작용이 있다.

Raloxifen은 Tamoxifen과 마찬가지로 선택적 에스트로겐 수용체 조정자(Selective Estrogen Receptor Modulator, SERM)로 3년경과 관찰 시에 54%의 유방암 발병률 감소를 보이고, tamoxifen과 달리 자궁내막암의 위험을 증가시키지 않는다는 장점이 있다.

(3) 예방적 유방절제술

고위험 여성에서 유방암의 예방을 위해 양쪽 유방을 모두 절제하는 방법으로서 유방암의 발생을 90% 감소시킨다. 그러나 예방적 수술은 지금 당장의 질병이 아닌 미래의 질병을 예방하기 위한시술이기 때문에 수술 전 여러 가지 인자를 고려해야 한다. 특히 충분한 환자와의 상담이 중요하며 수술 후 유방을 복원시킬 수 없다는 점과 수술 후 환자가 겪게 될 정신적, 신체적 변화를 충분히 이해시키는 것이 중요하다.

문제

13-11 1)

유방암의 위험인자로 옳은 것은?

가. 빠른 초경 나. 흉부 방사선 조사 과거력
다. 유방암 가족력 라. 자궁근종

1) 가, 나, 다 2) 가, 다 3) 나, 라
4) 라 5) 가, 나, 다, 라

해설
가. 12세 이전일 경우 reproductive risk factor
나. 30세 이전의 thoracic radiation
라. breast, ovarian cancer는 위험인자이나 자궁근종은 양성 질환으로써 위험인자가 아님

13-12 1)

56세 여자가 오른쪽 유방에 혹이 만져진다고 병원에 왔다. 암일 가능성이 높은 경우는?

가. 3년 전 왼쪽 유방암 수술을 받았다.
나. 한 번도 임신한 적이 없다.
다. 52세된 동생이 유방암 수술을 받았다.
라. 초경은 12세에 폐경은 45세에 있었다.

1) 가, 나, 다 2) 가, 다 3) 나, 라
4) 라 5) 가, 나, 다, 라

해설
12세 이전의 초경, 55세 이후의 폐경이 위험인자이다.

13-13 5)

다음 중 유방암의 위험요인에 해당하는 것은?

가. 유방암의 가족력 나. 12세 이전에 초경 시작
다. 55세 이후 폐경 라. 비만

1) 가, 나, 다 2) 가, 다 3) 나, 라
4) 라 5) 가, 나, 다, 라

해설
라. 칼로리 섭취와 지방 섭취가 유방암의 위험도와 연관이 있다.

13-14 5)

유방암이 병발할 확률이 가장 높은 질환은?

1) 섬유선종(fibroadenoma)
2) 아포크린 화생(apocrine metaplasia)
3) 경화성 선증(sclerosing adenosis)
4) 관내 유두종(intraductal papilloma)
5) 비정형 관상피증식(atypical ductal hyperplasia)

해설

유방암 병발 확률

① 위험도를 높이지 않는 질환
adenosis, apocrine metaplasia, cysts, mild hyperplasia, duct ectasia, fibroadenoma, fibrosis, mastitis(inflammatory), periductal mastitis, squamous metaplasia

② 위험도가 약간 증가하는 질환 (상대 위험도 1.5~2배)
modrate or florid hyperplasia, solid or papillary duct papilloma with fibrovascular coresclerosing adenosis, well-developed

③ 위험도가 많이 증가하는 질환 (상대 위험도 4~5배)
ductal atypical hyperplasia or lobular atypical hyperplasia

13.5 양성 유방 종양과 관련 질환

1) 유방 낭종(breast cysts)

(1) 특징

유방 낭종은 액체로 차 있고 크기가 다양한 상피세포로 덮인 공간으로 소엽(lobule)과 종말 소관(terminal ductile)의 파괴와 확장으로 생긴다.

난소 호르몬의 영향을 받고 35세 이후 처음 나타나며, 25세 이전에는 드물고 발병률은 폐경 전까지 지속적으로 증가하다가 폐경 후가 되면 급격히 감소한다.

(2) 진단 및 치료

세침흡인(needle aspiration)으로 진단과 치료가 모두 가능하며, 흡인 후에 덩어리가 완전히 없어지고 그 내용물이 육안적으로 혈성(bloody)이 아니라면 흡인된 액체에 대해 반드시 세포검사를 시행할 필요가 없다.

하지만 흡인 후에도 남은 덩어리가 있는 경우, 2번 이상 재발한 경우에는 세포검사를 한다. 수술적 제거는 세포검사소견이 의심스럽거나, 여러 번 재발한 경우에 시행한다.

2) 섬유선종(fibroadenoma)

기질(strma)과 상피(epithelium)로 구성되며, 낭종 다음 두 번째로 흔한 고형 종양으로 호르몬 분비가 왕성한 30세 미만에서 가장 흔하다. 10대, 초기 생식기(early reproductive years)에 많이 발생하며, 40～45세 이후 새로운 발병은 드물다. 소엽에서 발생하는 종양으로 호르몬의 영향을 받으면서 자라는 것으로 알려져 있다. 섬유선종은 간질조직과 유관이 비정상적으로 많이 자라 주위 유방조직을 밀어내면서 서서히 커지는 것인데 사춘기나 임신 기간, 폐경기 때에는 다소 빨리 커질 수 있다. 따라서 단단한 단일 종양은 수개월 후 크기가 증가할 수도 있다.

섬유선종은 주위 조직과 경계가 분명하고, 둥글고 단단한 고무같은 촉감을 주며, 통증은 없는 편이지만 생리 전에는 아플 수도 있다. 이들 병변은 임신기간과 수유기간 중에는 커지는 경향이 있으며 수유를 중단한 후 다시 작아진다. 폐경기 후에는 정상조직처럼 퇴축한다.

섬유선종이 존재하지 않는 다른 유방의 상피와 마찬가지로 섬유선종 내의 상피 부분에서는 암이 발생할 수 있으나, 섬유선종 자체의 악성 가능성은 없다.

섬유선종 제거 후 그 위치에서 암이 발생할 위험도는 보통 사람에 비해 2배이다.

치료는 절제 생검(excisional biopsy)이며, 미용적인 측면 때문에 10대나 20대에서는 관찰하거나 바늘 생검(needle biopsy)만 시행한다.

3) 유년성 섬유선종, 거대 섬유선종

거대 섬유선종(giant fibroadenoma)은 5cm 이상이고, 유년성 섬유선종(juvenile fibroadenoma)은 젊은 성인에서 발생한 큰 섬유선종이다. 보통의 섬유선종보다 더 세포밀도가 높고 유방 안에서 빠른 성장을 보이며, 수술적 제거를 통해 치료한다.

양성 엽상종양(benign phyllodes tumor)과 감별하여야 하고 둘 다 완전절제 후 재발은 드물다.

4) 유방농양과 감염증

(1) 유방농양(breast abscess)

유륜하부 유방에서 발생하고 재발할 수 있다. 유륜 하부 관 확장과 큰 관의 폐쇄 후 세균이 증식하여 농양이 형성된다. 치료는 대증적 치료 및 항생제이다.

(2) 감염성 유방염(infectious mastitis)

가장 흔한 세균은 *S. aureus*이고 그 외 Streptococcus도 있다. 유방의 광범위한 연조직염으로(농양을 형성하지 않음) 유륜하 관에서 시작되어 상행성 감염(ascending infection)을 일으킨다.

치료는 온, 얼음찜질을 하고 mechanical breast pump, 대증적 치료로 해결 안 되는 경우 항생제를 고려한다.

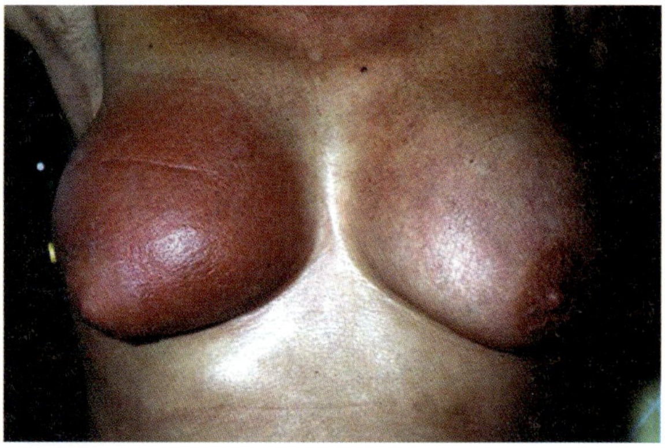

그림 13-3 유방염의 육안적 소견
오른쪽 유방의 발적이 관찰되며 통증과 압통이 동반된다.

5) 관내유두종(intraductal papilloma)

단일 관내유두종은 유방 관의 용종으로 양성이고 전암성 병변이 아니다. 가장 흔한 증상은 혈액성이나 장액성 유두 분비물이며, 단일성 선관 내 유두종의 50~90%에서 나타난다. 대부분 유륜 아래에 위치하며 주로 1cm 미만이나 4~5cm까지 자랄 수 있다. 커지면 내부에 낭종성 부분이 발생한다. 병변이 유방촬영술이나 초음파로 명백해지지 않으면 유관조영술, 유관내시경, 탐침(probe)을 이용하여 찾을 수 있다. 그러나 임상적 소견만으로 양성과 악성을 감별하는 것은 불가능 하므로 일차적인 치료는 국소적으로 완전히 절제하는 것이다.

6) 경화성 병변(sclerosing lesions)

(1) 경화성 샘증(sclerosing adenosis)

샘증(adenosis)은 작은 종말 도관, 소포 수의 증가이고 기질 조직 성장과 종종 관련되어 경화성 샘증을 형성한다. 악성의 가능성은 없으나 육안과 조직학적으로 암종과 유사하고 미세석회화로 인해 관내상피내암(DCIS)과 구별하기 힘들다.

유방촬영에서 미세석회화가 발견되어 바늘 생검을 시행하였을 때 경화성 샘증이 가장 흔하게 진단된다.

(2) 방사형 반흔(radial scar)

1cm보다 대개 작으나 큰 병변(촉지성 종양, 유방촬영술상 침상 종괴)은 유방촬영술과 신체검진상 암종과 유사하게 나타난다. 피부 견인(skin dimpling)이 있으나 양성 병변이고 항상 생검이 추천된다. 방사형 반흔이 있을 때 유방암의 위험이 2배 증가한다.

(3) 지방 괴사(fat necrosis)

외상 과거력과 연관이 있고 보통은 과거력이 없다. 지방조직의 경화로 시작하여 수 주 후에는 분명한 회황색 종괴를 형성하며 낭성 변화, 석회화를 흔히 동반한다. 현미경적으로 지방조직 내 국소적 조직구 침윤이 관찰되고, 만성 염증세포 침육과 섬유화가 동반되며 결절이 형성된다. 신체검진과 유방촬영술상 암과 유사할 수 있으나 악성 가능성 없다.

7) 과오종(Hamartomas)

과오종은 섬유선지방종(fibroadenolipomas)이라고도 하며 비교적 드문 유방질환이다. 과오종은 경계가 분명하고 이동성이 있는 것이 특징으로, 틈새가 없고 절단면에서 노란색의 지방조직이 점상으로 섞여 나타나는 것이 섬유선종과 다르다. 섬유성 간질은 세포밀도가 희박하여 지방조직과 군데군데 섞여 나타난다. 유방촬영술상 병변 주위에 결체조직의 환양(halo)이 나타나는 것이 섬유선종과 다른 점이다.

꼭 알아둡시다!!!

◆양성 유방질환의 간단한 감별진단

유두분비물, 단일 유두관, 유륜하부 주위의 작은 종괴 : 관내유두종
젊은 나이, 잘 움직이고 경계가 명확하며 단단한 원형의 종괴 : 섬유선종
수유 과거력이 있는 여자, 흡인 검사상 회백색의 액체 흡인 : 젖낭종

문제

13-15 3)

36세 여자가 1개월 전부터 유두에서 혈성분비물이 나와 병원에 왔다. 현재 수유는 하지 않으며, 유방 촉진 결과 덩이는 만져지지 않았다. 진단은?

1) 급성 유방염
2) 섬유샘종
3) 관내유두종
4) 엽상종양
5) 섬유낭 변화

해설

유두 분비물의 가장 흔한 원인은 관내유두종이다.

13-16 2)

32세 여자가 왼쪽 유방의 중심부에 2cm의 잘 움직이고 경계가 명확한 덩이가 있다. 8개월 전 수유 과거력이 있고, 흡인검사를 했을 때 회백색이었다. 진단명은?

1) 유방 고름집
2) 젖낭종(galactocele)
3) 섬유샘종
4) 관내 유두종
5) 섬유성 낭성 질환
6) 페이젯병
7) 관내상피암(intraductal carcinoma)
8) 침윤 관상암(invasive ductal carcinoma)
9) 엽상종양

해설

회백색의 흡인액이 나온 것에 주목하면 젖낭종임을 알 수 있다. 특히 8개월 전 수유를 한 과거력이 있다는 점이 진단을 보다 더 확신할 수 있게 해준다.

13-17 3)

20세 여자의 오른쪽 유방에 2cm 크기의 잘 움직이고 단단한 구슬 모양의 종괴가 만져진다. 가능성이 가장 많은 질환은?

1) 섬유 낭성 질환
2) 관내 유두종
3) 섬유선종
4) 유방 농양
5) 유방암

해설

30세 이전의 어린 나이의 가장 흔한 고형성 종괴는 섬유선종이다. 크기는 매우 다양할 수 있으며, 보통 잘 움직이고 단단한 원형의 종괴로 발견된다.

13-18 3)

28세 여자가 유방종괴를 주소로 내원하였다. 이학적 검사상 종괴는 유동성이며 경계가 명확하였다. 확진을 위해 실시해야 할 검사는?

1) incisional biopsy
2) aspiration biopsy
3) excisional biopsy
4) 유방 조영술
5) 초음파 검사

해설

환자의 나이와 진찰 소견은 섬유선종을 시사한다. 단순낭종인 경우에는 세침흡인으로 진단이 가능하지만 고형 종괴인 경우에는 확진을 위해서는 절제 생검이 필요하며, 조직검사에서 섬유선종으로 밝혀지면 더 이상의 치료는 필요 없다.

13.6 유방암의 병리소견

1) 비침습성 유방암(noninvasive breast cancer)

(1) 소엽상피내암(Lobular Carcinoma In Situ, LCIS)

① 특징

소엽상피내암(LCIS)은 그 자체로 종괴를 형성하거나 유방촬영술에서 석회화를 띄지 않기 때문에 그 자체로 진단되는 일은 거의 없고, 다른 원인으로 인해 수술 또는 생검으로 유방 조직을 얻은 후에 발견하게 되는 질환이다.

연구에 의하면 소엽상피내암을 가지고 있던 환자는 35세에 유방암을 가지고 있을 확률이 21.4%에 이른다. 이는 일반 인구에 비해 7배나 높은 확률이다.

② 유방암의 위험인자

특이하게도 그러한 환자 가운데 40%에서는 LCIS 자리가 아닌 곳에서 새로 암이 발생하였으며, 소엽암(lobular carcinoma)보다 관암(ductal carcinoma)이 압도적으로 많았고, 약 반에서는 암이 반대편 유방에 발생했다.

이는 LCIS는 유방암이라기보다는 유방암이 생길 수 있는 위험도를 나타내는 조직학적 위험인자라는 것을 시사한다.

③ 치료

유방절제술 보다는 보존적인 치료가 시행되는 추세이다. 5년간 tamoxifen을 투여한 환자군에서 유방암 발생 위험도를 56% 낮추었다는 보고가 있다.

유방암 발생 위험도가 비교적 높은 확률로 평생 존재하기 때문에 환자가 원한다면 양측유방절제술을 시행할 수 있다.

꼭 알아둡시다!!!

◆ 원발성 유방암의 분류(Classification of Primary Breast Cancer)

1. 비침습성 상피암(Noninvasive Epithelial Cancers)
   - 소엽상피내암(Lobular Carcinoma In Situ, LCIS)
   - 관내상피내암(Ductal Carcinoma In Situ, DCIS) or 관내암(intraductal carcinoma)
     - 유두(Papillary), 체모양(cribriform), 고형(solid), 면포(comedo) types
2. 침습성 상피암(Invasive Epithelial Cancers) : Percentage of Total
   - 침습성 소엽암(Invasive lobular carcinoma) :10～15%
   - 침습성 관암(Invasive ductal carcinoma)
     - 침습성 관암(Invasive ductal carcinoma, NOS) : 50～70%
     - 관상암(Tubular carcinoma) : 2～3%
     - 점액암(Mucinous or colloid carcinoma) : 2～3%
     - 수질암(Medullary carcinoma) : 5%
     - 침습성 체모양암(Invasive cribriform carcinoma) : 1～3%
     - 침습성 유두암(Invasive papillary carcinoma) : 1～2%
     - 아데노이드 낭종성 암(Adenoid cystic carcinoma) : 1%
     - 후형질 암(Metaplastic carcinoma) : 1%
3. 결합조직과 상피 혼합 암(Mixed Connective and Epithelial Tumors)
   - 엽상종양(Phyllodes tumors, benign and malignant)
   - 암육종(Carcinosarcoma)
   - 혈관육종(Angiosarcoma)

NOS: Not Otherwise Specified

(2) 관내상피내암(Ductal Carcinoma In Situ, DCIS)

형태학적으로 더 불균일한 병변으로 유두(papillary), 체모양(cribriform)은 침습성 암으로 서서히 진행 가능하다(lower grade). 반면에 고형(solid), 면포(comedo)는 짧은 시간에 진행하여 비교적 높은 위험도를 가진다(higher grade).

관 막 안에 세포가 성장하고 혈액공급이 기저막에 국한되어 중심부 괴사(central necrosis)가 진행하고 괴사 조직파편이 응고된 후 석회화된다. 그래서 고해상도 유방촬영술에서 작은 다형태의, 선형으로 보인다.

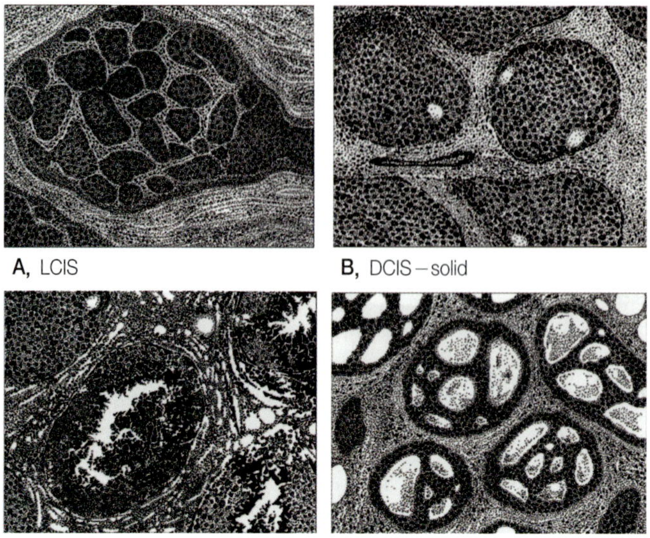

A, LCIS B, DCIS – solid C, DCIS – comedo D, DCIS – cribriform

그림 13-4 비침습성 유방암의 조직학적 소견
A, 소엽상피내암. 작은 크기의 종양세포들이 치밀하게 분포하며, 소엽의 단면 구조를 유지하고 있다.
B, 관내상피내암의 solid type. 소엽상피내암 q다 세포의 크기가 크고 소엽이 아닌 관을 채우고 있다. 유방 실질로의 침범은 관찰되지 않는다.
C, 관내상피내암의 comedo type. 중심부의 종양세포가 괴사, 응고, 석회화를 보인다.
D, 관내상피내암의 cribriform type. 종양세포가 관 내에서 연결되며, 둥그런 빈 공간을 남기는 모양을 가진다.

2) 침습성 유방암(invasive breast cancers)

(1) 침습성 소엽암(invasive lobular carcinoma)

유방암의 10~15%를 차지하고, 다른 유방암과 달리 특징적인 전이 방식을 가진다. 중추신경계를 침범하면 수막에 전이하여 뇌막염을 일으키고, 복강 내로 전이되면 후복막, 대망을 따라 미만성으로 퍼져 장과 요도폐쇄를 일으킨다. 드물게 위를 침범하여 증식성 위벽염을 형성한다.

(2) 침습성 관암(infiltrating ductal carcinoma)

가장 흔하고 침습성 유방암의 50~70%를 차지한다.

(3) 침습성 관상암(infiltrating tubular carcinoma)

상피세포(bland epithelium)의 단일 층으로 둘러싸인 작은 샘으로 low-grade(grade Ⅰ) 병변이고 2~3%를 차지한다.

(4) 점액암(mucinous carcinoma)

low-grade(grade Ⅰ) 병변이고 2~3%를 차지한다.

(5) 수질암(medullary carcinoma)

세포가 기괴하고 다형태의 핵 소견을 보인다.

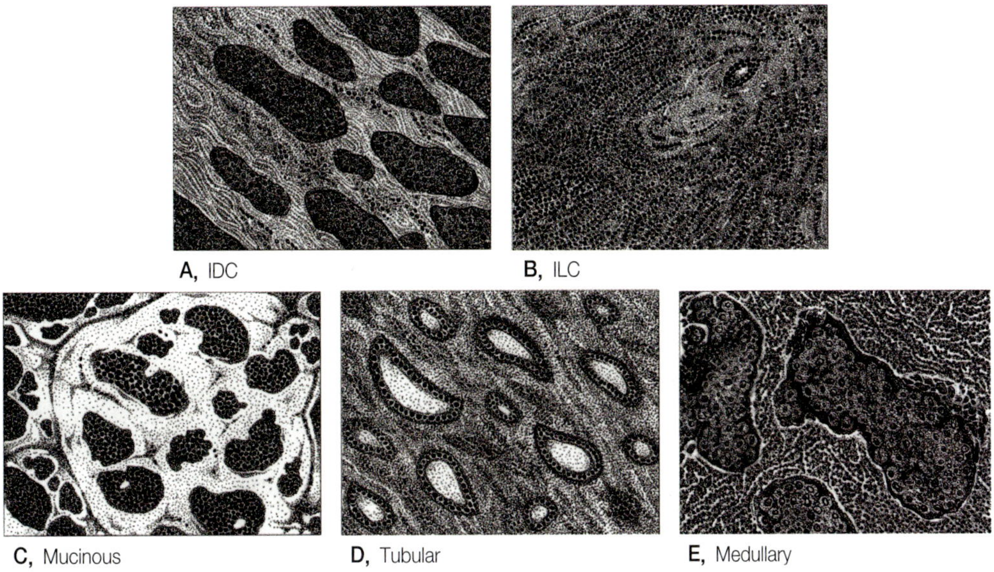

그림 13-5 침습성 유방암의 조직학적 소견
A, 침습성 관암의 일반적인 형태 : 악성 세포가 특정한 형태 없이 기질로 침범하는 형태를 가진다.
B, 침습성 소엽암 : 악성 세포가 일렬로 기질을 침범하며, 둥근 원을 지어 과녁 모양의 형태를 보인다.
C, 점액성 유방암 : 점액 위에 악성 세포가 섬처럼 떠있는 모양을 보인다.
D, 침습성 관상암 : 악성 세포가 관 모양을 지어 침범한다.
E, 수질암 : 악성 세포는 크기가 크며 매우 미분화되어 있으며 다양한 형태의 핵 모양을 가진다.

✤ 이것만 알아두세요 ✤

- 침습성 관암 : 가장 나쁜 예후
- 침습성 소엽암과 수질암 : 중간 예후
- 관상암과 점액암 : 가장 좋은 예후

3) 유방의 기타 원발암

(1) 엽상종양(phyllodes tumors)

① 특징

엽상종양은 결합조직과 상피세포가 혼합되어 나타나는 비전형적이면서도 중요한 원발성 유방암의 종류이다. 양성 엽상종양은 단단한 소엽의 덩어리로 나타나며 섬유선종(fibroadenoma)에 비해 크기가 커서 크기가 2~40cm으로 평균은 5cm이다. 조직학적으로 섬유선종과 유사하지만 섬유선종보다 기질(stroma) 성분이 세포성(cellular)이다.

② 치료

- 양성 엽상 종양의 치료는 국소 절제로 충분하다.
- 경계성(borderline) 엽상종양은 재발의 가능성 때문에 치료 시 가장자리를 포함하여

광범위하게 절제한 후 추적 관찰한다.

- 악성(malignant) 엽상종양은 세포 충실성(cellularity) 증가, 침습성 가장자리(infiltrative margin), 육종성 외양을 보이며, 치료는 En bloc 수술적 절제(전체 유방절제술)이고 지역 림프절(regional lymph node) 박리는 필요하지 않다.

③ 전이성 엽상종양

악성 엽상종양은 혈행성 전이를 하며, 주로 침범하는 장기는 폐, 뼈, 복강 내 장기, 그리고 종격동이다. 이와 같이 혈행성 전이가 생긴 환자에서 장기간 생존을 보인 경우는 없었다.

현재까지 전이성 엽상종양에 대한 고식적 치료방법은 결정되지 않았으며, 전신적 항암요법 또한 성공률이 매우 낮다.

(2) 혈관육종(angiosarcoma)

① 특성

혈관육종은 혈관에 생기는 질병으로 유방에 자연적으로(de novo) 생기기도 하지만, 임상적으로 중요성을 띄는 것은 방사선 조사 치료 후 진피에 혈관육종이 생기는 경우와, 근치 유방절제술 후 림프부종이 있는 팔에 혈관육종이 발생하는 경우이다.

신체의 어느 곳이든지 방사선 조사에 노출된 후, 피부에 생기는 경우가 일반적이며, 악성 혈관육종인지, 아니면 단순한 비정상적인 혈관성 증식인지를 감별하는 것이 중요하다. 조직학적으로는 진피층과 피하지방층에 혈관이 얽혀서 연결되어 있다.

② 임상증상

유방의 피부에 적갈색, 보라색, 부풀어 오른 발적을 보이고 질환이 진행함에 따라 또는 고도의 육종일수록 피부의 표면으로부터 돌출된다.

③ 치료

피부에 적절한 경계를 두고 절제하는 것이 필요하며 따라서 흔히 유방 전절제술을 시행하게 된다. 부위 림프절 절제는 일반적으로 필요하지 않다.

④ 예후

절제 후에도 국소 재발의 위험도가 높다. 신체 다른 부위에 생기는 육종은 방사선 치료에 반응하기 때문에 일차성 혈관육종의 치료에 흉벽 방사선 조사가 추천되기도 한다. 혈행성 전이를 일으키며, 폐, 뼈, 복강 내 장기, 뇌, 반대편 유방으로 전이한다. 유방절제 후 재발까지 걸리는 시간의 중간값은 8개월이며, 중간 생존은 2년이다.

13.7 유방암의 병기

표 13-2 유방암의 암 병기 체계(2002)

(p)T(Primary Tumor)	
Tis	상피내암(소엽 혹은 관내)
T_1	Tumor ≤2cm
T_1a	Tumor ≥0.1cm, ≤0.5cm
T_1b	Tumor >0.5cm, ≤1cm
T_1c	Tumor >1cm, ≤2cm
T_2	Tumor >2cm, ≤5cm
T_3	Tumor >5cm
T_4	크기에 관계 없이 흉벽(chest wall)이나 피부를 침범한 모든 종양
T_4a	흉벽을 침범한 종양(가슴근 침범은 제외한다)
T_4b	궤양, 부종, 위성 결절(satellite nodule)을 가지면서 피부를 침범한 종양
T_4c	T_4a and T_4b
T_4d	염증성 유방암
(p)N(Nodes)	
N_0	림프절 전이가 없음
N_1	1~3개의 겨드랑이림프절 전이 and/or 조직검사에서 속가슴(internal mammary) 림프절 전이
N_1a	1~3개의 겨드랑이림프절 전이
N_1b	조직검사에서 속가슴림프절 전이
N_1c	4~9개의 겨드랑이림프절 전이 and 조직검사에서 속가슴림프절 전이
N_2	4~9개의 겨드랑이림프절 전이 or 겨드랑이림프절 전이가 없고, 임상적으로 속가슴림프절 전이(+)
N_2a	4~9개의 겨드랑이림프절 전이, 최소 1개는>2.0mm
N_2b	겨드랑이림프절 전이가 없고, 임상적으로 속가슴림프절 전이(+)
N_3	10개 이상의 겨드랑이림프절 or 겨드랑이림프절과 속가슴림프절 모두 전이(+)
N_3a	10개 이상의 겨드랑이림프절(>2.0mm) or 빗장아래림프절(infraclavicular nodes) 전이
N_3b	임상적으로 속가슴림프절 전이(+)이면서 2개 이상의 겨드랑이림프절 전이 or 조직검사에서 속가슴림프절 전이(+)이면서 4개 이상의 겨드랑이림프절 전이
N_3c	동측 빗장위림프절(supraclavicular nodes) 전이
M(Metastasis)	
M_0	원격전이 없음
M_1	원격전이

표 13-3 유방암 병기 분류

병기	TNM	5년 생존율
0	Tis, N_0, M_0	100
Ⅰ	T_1, N_0, M_0	100
ⅡA	T_0, N_1, M_0 T_1, N_1, M_0 T_2, N_0, M_0	92
ⅡB	T_2, N_1, M_0 T_3, N_0, M_0	81
ⅢA	T_0, N_2, M_0 T_1, N_2, M_0 T_2, N_2, M_0 T_3, N_1, M_0 T_3, N_2, M_0	67
ⅢB	T_4, N_0, M_0 T_4, N_1, M_0 T_4, N_2, M_0	54
ⅢC	Any T, N_3, M_0	알려져 있지 않음
Ⅳ	Any T, any N, M_1	20

심화 학습

◆유방암의 병기

1. 흉벽(T_4) : 갈비뼈, 갈비사이근(Intercostal muscle), 앞톱니근(serratus anterior muscle), 가슴근(pectoralis muscle) 침범은 T_4가 아니다.
2. 유방암의 미세전이(microinvasion; microinvasive cancer)
   - 암세포가 기저막을 넘어 주변 조직으로 침윤한 것으로, 최대 침윤 깊이가 0.1cm을 넘지 않는 경우이다.
   - 여러 곳에 있는 경우, 크기는 가장 큰 곳의 크기를 따른다.
   - 림프절 전이는 드물기 때문에, 겨드랑림프절박리는 관례적으로 시행하지 않는다.
3. 림프절에서 암세포의 발견을 위한 새로운 방법 : IHC(immunohistochemistry), PCR
   → 유의성은 아직 확실하지 않다.
4. 전이된 림프절의 크기가 0.2mm이하이면서 면역화학 염색에서만 발견된 경우(found by IHC)에는 N_0로 간주한다.
5. 동측 겨드랑림프절 전이는(N stage) 종양 크기(T stage)보다 더 강력한 예후 인자이다.

13.8 유방암의 수술적 치료

1) 과거와 현재의 수술법

1970년대 중반 근치적절제술에서 변형근치적절제술로 변화하였고 현재는 유방을 전절제하지 않고 보존하는 비율이 40~60%를 차지한다.

또한 예전과 같이 겨드랑림프절을 광범위하게 박리하지 않고 선택적으로 시행하고 있다(임상적으로 음성일 때 감시림프절 생검이 일반적인 겨드랑림프절 박리를 대신하고 있다).

2) 근치적절제술(Radical Mastectomy, RM)

유방과 작은가슴근 및 큰가슴근(pectoralis minor and major muscle)을 제거하고, 겨드랑정맥부터 갈비빗장인대(costoclavicular ligament)를 따라 존재하는 림프절을 제거한다.

피부결손이 매우 크고, 림프부종, 팔의 운동장애와 같은 합병증 발생률이 높아 최근에는 거의 사용되지 않는다. 림프절 전이 양성인 경우 76%가 재발하고 음성인 경우 25%가 재발한다.

3) 현대적 유방절제술(modern mastectomy)

(1) 유방절제술(전체 또는 단순 절제술)

일반적인 유방절제술이며 유두와 유륜 및 유방 피부를 포함한 유선을 모두 제거하는 수술이다.

심화학습

◆ 피부보존 피하 유방절제술(skin-sparing mastectomy)

일반적인 유방절제술은 타원형의 절개를 통해 유두, 유륜 및 최대한의 유방 피부를 포함하여 절제함으로써 수술 후 가슴 부위가 편평해지도록 시술하기 때문에 향후 유방 재건 시 피부가 땅기는 단점이 있다. 피부보존 피하 유방절제술은 이러한 단점을 극복하기 위해 시도된 방법으로 유두, 유륜 및 이전 생검부위의 흉터를 절제하고 다른 유방 부위의 피부는 보존하는 시술이며, 피부를 침범하지 않은 유방암에서 사용할 수 있다. 이 수술법을 사용하면 향후 보형물 삽입 시 피부에 여유가 있어 보다 더 훌륭한 미용적 효과를 얻을 수 있다. 비교적 작은 종양인 경우에 시행하며 피부를 침범하는 염증성 유방암(inflammatory breast cancer)에서는 금기이다.

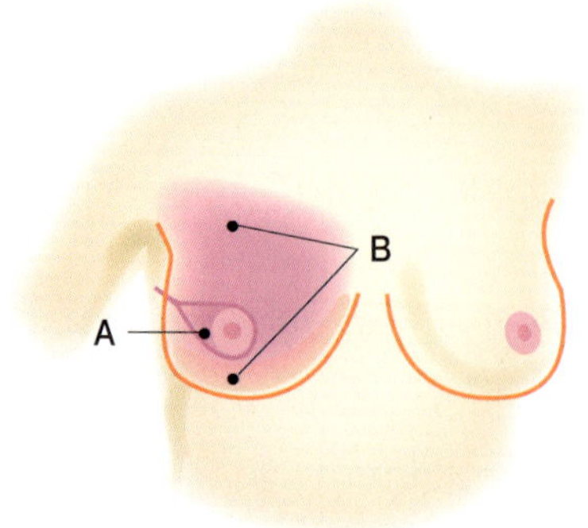

그림 13-6 피부보존 피하 유방절제술
A, 절제. B, 피부를 남겨둔다.

(2) 변형근치적유방절제술(Modified Radical Mastectomy, MRM)

근치적절제술과 중요한 차이점은 큰가슴근(pectoralis major muscle)을 보존하고, 겨드랑림프절 절제를 보다 소극적으로 시행한다는 점이다.

겨드랑림프절의 정확한 병기 결정을 위해 필요한 최소한의 검체는 10개이며, 10개 이상의 림프절 절제가 이루어져야 적절한 겨드랑림프절 절제가 시행되었다고 말할 수 있다.

겨드랑림프절의 경계는 위로는 겨드랑정맥(axillary vein), 바깥쪽으로는 넓은등근(광배근)의 앞쪽 경계(anterior margin of latissimus dorsi muscle), 위－바깥쪽으로는 빗장가슴근막(쇄골흉근근막; clavipectoral fascia)이다.

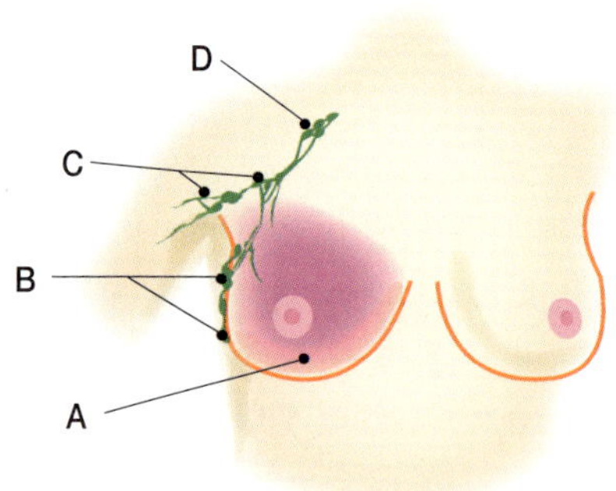

그림 13-7 단순유방절제술
A, 유방 전체를 제거한다. B, 겨드랑림프절 level Ⅰ
C, 겨드랑림프절 level Ⅱ. D, 겨드랑림프절 level Ⅲ

단순유방절제술은 유방 전체〈그림 13－7A〉만을 절제하며, 변형근치적유방절제술(Modified Radical Mastectomy, MRM)에서는 유방 전체와 주변 겨드랑림프절〈그림 13－7B~D〉을 동반 절제한다.

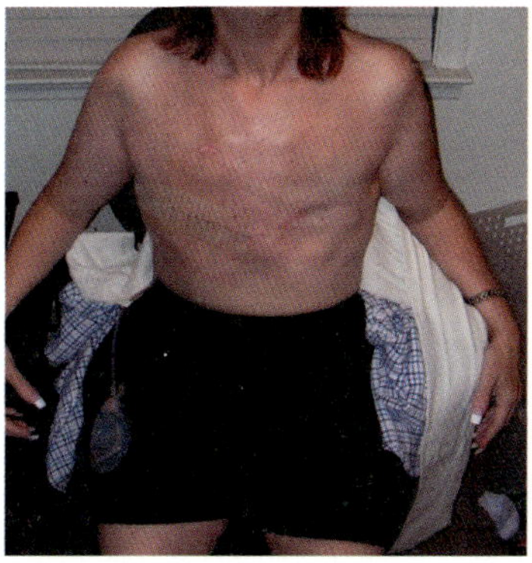

그림 13-8 양측 변형근치적절제술 후 모습

✤ 이 것 만 알 아 두 세 요 ✤

◆ 유방절제와 겨드랑림프절 제거(level Ⅰ 또는 level Ⅰ과 Ⅱ 림프절)

- level Ⅰ(lateral LN, axillary LN) : 겨드랑정맥의 아래쪽, 작은가슴근의 바깥쪽
- level Ⅱ(central LN) : 작은가슴근의 밑
- level Ⅲ(apical, subclavicular LN) : 작은가슴근의 안쪽

심화학습

◆ MRM(Modified Radical Mastectomy)의 종류

1. Patey : 작은가슴근을 제거한다. 이후 levels Ⅰ, Ⅱ, Ⅲ 겨드랑림프절을 제거한다.
2. Scanlon : 작은가슴근을 제거하지 않고 분리하여 level Ⅲ 겨드랑림프절 제거를 용이하게 하고 바깥가슴근신경(lateral pectoral nerve)을 보존한다.
3. Auchincloss : 작은가슴근을 제거하거나 분리하지 않는다. 따라서 겨드랑림프절을 완전히 제거하는데 제한이 있으나 단지 2%의 환자에서만 완전한 겨드랑림프절 절제로 이득을 보며, 합병증 발생률이 가장 적기 때문에 가장 흔히 사용되는 MRM이다.

(3) 광범위 국소절제술(wide local excision)

① 정의

유방을 적극적으로 보존하는 수술법이며 종괴절제술(lumpectomy), 부분 유방절제술(partial mastectomy), 구역절제술(segmentectomy) 등 다양한 이름으로 불린다.

사분절제술(quadrantectomy)은 대략 1/4의 유방을 절제하는 것으로, 종양 주변 유방의 1～2cm와 덮고 있는 피부를 제거하는 더 광범위한 국소 시술이다.

② 특징

유방절제술이나 변형근치적유방절제술과 달리 유방을 보존하기 때문에 반드시 수술 후 방사선 치료를 시행해야 하며, 적어도 4,500cGy를 유방전체에 조사하고 암종이 있던 절제 부위에 추가적인 방사선치료를 한다.

림프절 박리는 변형근치적절제술의 겨드랑림프절과 동일하게 10개 이상의 림프절을 제거해야 하며, 감시림프절 생검이 더 많이 사용된다.

③ 적응증과 금기증

일반적으로 금기증에 해당하지 않는다면 유방을 보존하고자 하는 모든 환자에서 적용할 수 있다. 금기증은 다음과 같다.

- 수술 후 임신상태가 예상되기 때문에 방사선 치료가 불가한 환자
- 유방이나 흉벽에 방사선 치료를 시행한 과거력이 있어 더 이상의 방사선 치료가 불가한 환자
- 병변이 광범위해서 한 개의 절개창으로 수술이 불가하거나 절제 후의 모양이 만족스럽지 못할 경우
- 유방촬영술 상 광범위한 미세석회화

심화학습

◆ 유방보존에 관해 환자와 상담 시 지침

1. 수술 받은 쪽의 암 발생은 수술 후 오랫동안 매년 1%씩 꾸준히 증가한다.
2. 유방보존 수술+방사선 치료는 변형근치적절제술과 완치율이 동일하다.
3. 방사선치료에 의한 합병증 발생률은 2~5%로 낮고, 자연 갈비뼈 골절, 왼쪽 암인 경우 일시적 심막염이 있을 수 있으며, 수술한 주변의 유방 및 조직의 변형이 있을 수 있다. 방사선치료는 반대쪽 유방의 암 발생을 증가시키지 않는다.

4) 수술 후 방사선 치료(postsurgical radiation therapy)

유방보존 수술 후에는 반드시 방사선 조사를 시행해야 하며 방사선 조사의 금기가 있는 환자에서는 유방보존 수술이 재발률이 높기 때문에 유방절제술이 바람직하다.

유방절제술 후에는 남은 유방 조직이 없기 때문에 일반적으로 방사선 치료를 시행하지 않지만 다음 중 한 가지 이상에 해당하는 경우에 있어서는 방사선 치료를 시행한다.

- 다수의 양성 림프절(4개 이상 양성)
- 유방암의 림프절 밖 확산
- 크기가 큰 암(>5cm) 또는 아주 침습적인 조직(미만성 혈관 침범)

꼭 알아둡시다!!!

유방암으로 유방을 남기지 않고 절제한 후에도 방사선 치료를 하는 적응증에 대해 알아두어야 한다.

5) 감시림프절 생검(sentinel lymph node biopsy)

유방암 수술 시 겨드랑림프절 박리로 인해 생기는 합병증이 생기는 환자의 비율이 약 30%에까지도 이르기 때문에 가능하면 겨드랑림프절 박리를 최소화하는 것이 필요하다. 즉 림프절 전이가 없는 환자에서 불필요하게 광범위 림프절 절제를 하지 않고 반드시 필요한 환자에서만 선택적으로 림프절 절제를 시행하자는 것이 감시림프절 생검의 의의이다.

(1) 겨드랑림프절 박리의 합병증

① 림프부종

② 어깨 기능이상

③ 긴가슴신경(long thoracic nerve)이 수술 중 손상되면 앞톱니근(serratus anterior muscle)의 기능 손상으로 날개견갑골(winged scapula)이 발생한다.

④ 가슴등신경(흉배신경; thoracodoral nerve)이 수술 중 손상되면 넓은등근(광배근; latissimus dorsi muscle)의 기능 손상 및 위축이 발생한다.

⑤ 가쪽가슴근신경(lateral pectoral nerve) 손상이 오면 큰가슴근이 위축된다.

⑥ 겨드랑정맥 혈전증

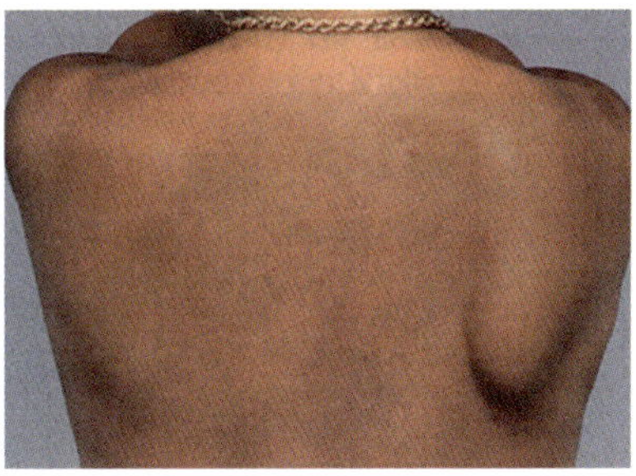

그림 13-9 날개견갑골
긴가슴신경의 손상으로 인한 앞톱니근의 위축으로 발생한 날개견갑골

(2) 감시림프절 생검이 가능한 근거

감시림프절은 원발성 종양으로부터 림프액이 첫 번째로 배액되는 림프절로서 일반적으로 감시림프절은 바깥유방림프절(external mammary LN)이다. 만약 감시림프절이 조직학적으로 음성이면 환자는 완전 겨드랑림프절 박리를 피할 수 있다. 즉 수술 중 감시림프절을 발견하여 조직검사를 시행하고 전이가 없다면 림프절 절제를 시행하지 않고 전이가 있다면 적어도 level Ⅱ까지의 림프절 절제를 시행한다.

13 유방 질환

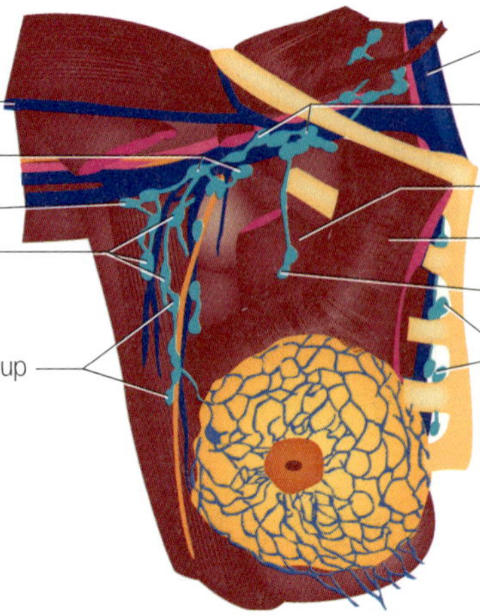

그림 13-10 Contents of the axilla.

(3) 수술 시 감시림프절의 발견 방법

두 가지 방법이 쓰이며 두 방법을 병행하면 감시림프절 발견 확률을 높일 수 있다.

① **방사성 동위원소를 사용하는 방법**

수술 당일 오전에 방사성 동위원소(technetium-radiolabeled sulfur colloid가 흔하게 쓰임)를 암이 있는 쪽 유방에 주입하고 10분 뒤 핵의학 촬영을 통해 방사성 동위원소가 어떠한 림프절을 타고 겨드랑부위로 배액되는지 확인한다. 수술 중 감마 프로브를 방사성 동위원소가 배액되었을 것으로 예상되는 부위에 대면 소리가 나면서 그 위치에서 감시림프절을 찾을 수 있다.

② **염색 시약을 이용하는 방법**

핵의학 시설이 갖추어지지 않았다면 isosulfan blue dye를 수술 직전 유두 부위에 주입하여 수술 중 염색된 겨드랑림프절을 찾는 방법이다.

(4) 금기증

임상적으로 림프절 전이가 있을 것으로 생각되는 환자, 방사성 동위원소 주입이 금기인 환자, 림프절 배액 체계가 정상적이지 않은 환자가 대상이다.

① 촉지되는 겨드랑림프절병증

② 이전의 겨드랑부위의 수술

③ 국소적으로 진행한 유방암(T_3, T_4, 염증성 유방암 포함)

④ 임신한 또는 수유중인 여성

⑤ 이전의 유방수술, 유방성형, 유방재건

문제

13-19 2)

45세 폐경 전 여성이 침윤성 유방암으로 변형근치유방절제술을 받았다. 병리 검사 결과는 다음과 같다. 향후 치료계획은?

암의 크기 3cm　　　림프절 : 6개/23개
resection margin(−)　　　에스트로겐 수용체(−)

1) 항 에스트로겐
2) 항암화학요법
3) 항암화학요법+항에스트로겐
4) 항암화학요법+방사선치료
5) 항암화학요법+방사선치료+항에스트로겐

해설

전이된 림프절 개수가 4개 이상이므로 MRM 후에도 방사선치료를 시행한다.

13-20 2)

유방암에서 감시 림프절 가능성이 가장 높은 것은?

1) 겨드랑림프절
2) 바깥유방림프절
3) 사이가슴림프절
4) 빗장뼈위림프절
5) 목림프절

해설

유방 림프액의 75%가 겨드랑림프절(axillary LN)로 배액된다. 겨드랑림프절 중에서도 가장 먼저 배액되는 림프절은 해부학적으로 바깥유방림프절(external mammary group)이다.

13-21 1)

변형근치 유방절제술 후 어깨뼈가 천사날개 모양으로 변형되었다. 무슨 신경이 손상을 받았겠는가?

1) 긴가슴신경(long thoracic nerve)
2) 가슴등신경(thoracodorsal nerve)
3) 가슴신경(pectoral nerve)
4) 어깨뼈밑신경(subscapula nerve)
5) 갈비사이위팔신경(intercostobrachial nerve)

해설

긴가슴신경은 앞톱니근을 지배하는 신경이다.

13-22 4)

좌측 유방암으로 10년전 변형 근치적 유방절제술을 받았던 환자에게서 진찰이나 흉부 CT 결과 다른 근육의 위축없이 좌측 대흉근이 우측에 비하여 심하게 위축되었다. 어떤 신경의 손상 때문인가?

1) 갈비사이신경(intercostal nerve)
2) 긴가슴신경(long thoracic nerve)
3) 가슴등신경(thoracodorsal nerve)
4) 안쪽가슴근신경(medial pectoral nerve)
5) 갈비사이위팔신경(intercostobrachial nerve)

해설
안쪽/가쪽가슴근신경의 손상시에는 대흉근의 위축이 발생한다.

13.9 유방암의 화학요법과 호르몬 치료

1) 화학요법(chemotherapy)

(1) 보조적 화학요법(adjuvant chemotherapy for operable breast cancer)

거의 모든 유방암에 효과가 있으나 예후가 좋을 것으로 판단되는 유방암(1cm 이하의 종양 크기, 림프절 전이 음성)인 경우에는 항암치료로 인한 이득이 독성에 비해 크지 않기 때문에 항암치료를 시행하지 않는다.

(2) 수술 전 화학요법(neoadjuvant chemotherapy for operable breast cancer)

수술 전 항암치료(=화학요법)를 시행하고 수술 후 다시 항암치료를 하는 치료방법으로 수술 전 미리 종양의 크기를 줄일 수 있으며 드물게는 임상적으로 종양이 완전히 없어지는 경우도 있다.

수술 전 항암요법은 유방절제술 예정이었던 환자에서 유방보존이 가능할 수 있고, 약제 내성인 세포 발생 가능성을 줄일 수 있고, 항암제에 대한 유방암의 반응을 수술 전 미리 예측할 수 있다는 장점이 있다.

2) 호르몬 치료(hormonal therapy)

에스트로겐 수용체 양성(ER+) 또는 프로게스테론 수용체 양성(PR+)인 모든 유방암 환자에서 Tamoxifen을 5년 동안 사용하는 것이 표준치료이다. Tamoxifen은 raloxifene, toremifene과 더불어 선택적 에스트로겐 수용체 조절자(Selective Estrogen Receptor Modulator, SERM)이며, SERM 외에 aromatase inhibitor가 흔히 사용된다. Tamoxifen의 합병증으로는 자궁내막암, 정맥혈전증이 있으며 수용체가 음성인 종양은 호르몬 치료가 일반적으로 추천되지 않는다.

✤ 이 것 만 알 아 두 세 요 ✤

유방암 수술 후의 화학요법의 적응증에 대해서는 스터디 그룹에 따라 다양한 의견이 있고 따라서 명확한 적응증이 있는 것은 아닙니다. 모든 그룹에서 일반적으로 인정하는 화학요법을 시행하지 않아도 되는 저위험군은 다음과 같습니다.

1. 림프절 음성이면서
2. 35세 이상
3. 종양 크기가 1cm 미만

따라서 위 3가지 경우를 모두 만족시키지 않는 경우라면 화학요법을 시행한다고 알아두면 됩니다.

심화학습

◆ Trastuzumab(Herceptine®)

HER2/neu 유전자는 성장인자 수용체 중 하나이다. 약 25~30%의 전이성 유방암 환자에서 HER2/neu 유전자가 과발현되며, 이 유전자가 과발현되면 재발이 빠르고 생존기간이 짧아 나쁜 예후인자로 알려져 있다.
이 유전자의 발현 여부를 측정하는 방법으로는 유방암의 원발성 종양이나 재발된 조직에서 시행하는 면역조직화학검사가 있고 직접적으로 HER2/neu 유전자를 확인하는 fluorescence in situ hybridization(FISH)이라는 특수 염색 방법이 있다. 검사 결과의 표기는 점수로 0/1+/2+/3+또는 c-erbB-2 유전자 과발현 여부(양성/음성)로 이루어진다.

- HER2/neu 과발현을 보는 검사방법
  - A. HER2/neu 단백질에 대한 면역조직화학검사 : 0, 1+는 음성, 3+ 부터 양성, 2+는 FISH 시행
  - B. HER2/neu 유전자를 직접 확인하는 FISH

Trastuzumab(Herceptine®)은 HER2/neu 신호를 차단하는 단클론 항체(monoclonal antibody)로서 전이성 유방암에서 단일, 또는 다른 세포 독성 항암제와 병용하여 사용되고 있으며, 면역조직화학검사 염색상 3+ 이상이거나 FISH 양성인 경우 Trastuzumab (Herceptine)를 유방암 치료에 이용할 수 있다.

심화학습

◆ Triple negative 유방암

유방암의 면역검사결과가 에스트로겐 수용체 음성(ER-), 프로게스테론 수용체 음성(PR-), 항상피세포 성장인자 수용체 음성(HER2-)인 경우를 말한다. 임상적으로는 면역검사 결과가 전부 음성이므로 치료가 어렵고 예후가 좋지 않다.

표 13-4 유방암의 치료에 사용되는 내분비계-활성 약물

Class	Common examples	Clinical use
Selective estrogen receptor modulators(SERMS)	Tamoxifen, raloxifene, toremifene	전이성 유방암에 대한 보조치료
Aromatase inhibitors(Als)	Anastrozole, letrozole, exemestane	전이성 유방암에 대한 보조치료
Pure antiestrogens Luteinizing hormone-releasing hormone(LHRH) agonists	Fulvestrant Goserelin, leuprolide	전이성 유방암에 대한 보조치료 전이성 유방암에 대한 2차 치료제
Progestational agents	Megestrol	전이성 유방암에 대한 2차 치료제
Androgens	Fluoxymesterone	전이성 유방암에 대한 3차 치료제
Hight-does estrogens	Diethylstilbestrol	전이성 유방암에 대한 3차 치료제

표 13-5 환자 분류와 재발 위험도에 따른 수술 가능한 유방암의 보조적 치료의 추천

Patient category	위험도에 따른 치료방법		
	저위험	중등도 위험	고위험
폐경 전, 수용체 양성	± 호르몬 치료	호르몬 치료±항암치료	항암치료±호르몬 치료
폐경 전, 수용체 음성	추가 치료 없음	항암치료	항암치료
폐경 후, 수용체 양성	± 호르몬 치료	호르몬 치료	항암치료+호르몬 치료
폐경 후, 수용체 음성	± 항암치료	± 항암치료	항암치료
동반질환이 있는 고령	± 호르몬 치료	± 호르몬 치료	± 호르몬 치료

문제

13-23 2)

63세 여자가 유방암으로 유방절제수술을 받았다. 유방의 덩이 직경은 0.5cm이었다. 겨드랑림프절 모두에서 암세포가 관찰되지 않았다. 에스트로겐 수용체는 양성이었다. 향후 치료는?

1) retinoic acid
2) tamoxifen
3) IFN-α
4) 방사선치료
5) 항암화학요법

해설

크기가 1cm 이하이고 림프절 음성인 환자이기 때문에 저위험군이다. 저위험군이므로 항암치료를 하지 않고 수용체 양성이므로 호르몬치료를 시행한다.

13-24 3)

39세 여자가 유방암으로 유방절제술을 받았다. 종괴는 3cm 크기였고 겨드랑림프절 15개 중 3개에서 암세포가 발견되었다. 호르몬 수용체와 뼈스캔 결과는 모두 음성이었다. 다음 치료 방침은?

1) 경과 관찰
2) 방사선 치료
3) 항암제 치료
4) 호르몬 치료
5) 면역 치료

해설

수용체 음성이므로 호르몬 치료를 시행할 수 없다. 종양의 크기가 2cm 이상인 것, 림프절 양성인 것 둘 중 하나의 결과만 가지고도 항암치료의 적응증이 된다.

13-25 2)

57세 폐경기 여자 환자가 왼쪽 유방에 무통성종괴를 주소로 내원하였다. 왼쪽 유두함몰이 있었고 종괴는 유륜 직하부에 3cm 크기였고 잘 움직였다. 왼쪽 겨드랑림프절이 3개 만져졌다. 세침흡입 검사에서 악성 세포가 나왔다. 치료는?

가. 변형 근치 유방절제술
나. 유방 보존술
다. 호르몬 수용체(+)이면 수술 후 호르몬 치료를 한다.
라. 수술시기가 지났으므로 방사선 치료 및 화학 치료를 병용

1) 가, 나, 다
2) 가, 다
3) 나, 라
4) 라
5) 가, 나, 다, 라

해설

유륜직하부의 유방암은 수술 후 만족스러운 모양을 기대하기 힘들기 때문에 유방보존술의 금기에 해당한다. 수술이 가능한 상태이나 겨드랑림프절이 만져지기 때문에 감시림프절 생검의 금기에 해당한다.

13-26 3)

다음의 유방암 치료약제들 중 그 치료기전이 다른 것은?

1) Letrozole
2) Exemestane
3) Tamoxifen
4) Anastrozole
5) Aminoglutethimide

해설

Tamoxifen은 selective estrogen receptor modulator(SERMS) 나머지는 aromatase inhibitor

13.10 특별한 경우의 치료

1) 염증성 유방암의 치료(T4d, stage ⅢB disease)

① 특징

염증성 유방암의 임상소견은 광범위한 발적, 부종, 발열감, 오렌지 피부(Peau d'orange), 림프 통로들의 미만성 침범이며, 병리학적 특징은 진피 내 림프 안에 암세포의 존재이다.

② 진단

겨드랑림프절 전이가 흔하고(75%) 원격전이가(25%) 있는지를 알아보기 위해 뼈스캔(bone scan), CT 검사가 필요하다.

③ 치료

현재의 치료는 화학요법+수술+방사선 치료이다. 그러나 평균 생존기간은 9~12개월로 예후는 매우 좋지 않다.

2) 페이젯병(Paget's disease)

① 특징

페이젯병의 임상소견은 유두 발적, 가벼운 습진성 낙설(scaling)이며, 병변이 유두 밖 유륜과 주변 피부로 퍼지고 97% 이상에서 동반된 유방암이 존재한다.

② 감별진단

감별할 질환으로는 습진, 접촉성 피부염, 방사선조사 후 피부염, 멜라닌 세포종, 유륜하 유관유두종증, 기저 세포암, 관내 유두종, 유관 확장증 등이 있다.

③ 치료

- 치료는 수술로 종괴절제술(lumpectomy)을 시행한다.
- 임상소견 및 방사선 소견 상 유두-유륜 복합체(nipple areolar complex)에 국한된 경우 유두-유륜 복합체를 절제하는 것으로 충분하다(적어도 유륜 뒤 조직 2cm을 포함한다).
- 림프절 검사는 수술 전 침습성 요소가 발견되었거나, 침습성 암이 강력히 의심될 때에만 시행한다.

3) 임신 중 유방암

(1) 정의 및 빈도

임신 중 유방암은 임신 중 또는 출산 후 1년 이내에 진단되는 유방암을 말하며(진단 2~3년 전 임신도 예후가 나쁘다), 전체 유방암의 0.2~3.8%를 차지한다.

(2) 진단

진단은 종괴 발견 즉시 시행하도록 한다.

침 생검(needle biopsy) 또는 절제 생검(excisional biopsy)을 포함한 초음파 검사를 하고 생검 시에는 수유를 중단하며, 뼈 스캔은 stage Ⅲ 이상에서만 출산 후에 시행한다.

(3) 치료

수술은 임신 1기와 2기에는 방사선 치료가 불가능하기 때문에 MRM을 시행하고, 임신 3기에는 종괴절제술 및 겨드랑림프절절제술(lumpectomy with axillary lymph node dissection) 후에 분만 후 방사선 치료를 고려할 수 있다.

방사선 치료는 임신 1기에는 금기이고 임신 후반기에는 출산 후로 연기한다. 화학요법은 임신 1기에는 금기이고 임신 2기와 3기에는 동의 하에 시행 가능하다.

3개월 이상 치료가 지연될 때에는 생존율, 치료 실패율이 나빠지기 때문에 임신 3기에는 조기유도분만하여 치료 지연기간을 단축하도록 한다. 화학요법은 출산 2주 전에 완료하여야 하며, 수유는 금지한다. 임신이나 수유 중에는 호르몬 치료는 금기이다.

(4) 예후

예후는 병기 별 비교 시 초기에는 비임신 여성과 예후에 차이가 없고 전반적 예후가 나쁜 이유는 진단이 지연되고 젊은 연령층에서 많이 생기기 때문이다.

한편 치료적 유산은 생존율에 영향을 미치지 않는다. 수술 후 화학요법 받은 경우, 2년 후부터 임신하는 것이 좋은 것으로 알려져 있다. 하지만 환자 개개인의 재발 위험이나 사망률, 임신에 대한 환자의 요구 등을 고려하여 결정하는 것이 타당하다.

PACIFIC
SURGERY

14 갑상샘

Thyroid Grands

14.1 갑상샘 단일 결절의 진단

1) 특징

갑상샘 단일 결절의 빈도는 나이와 함께 증가하며, 여자에서 4배 더 많이 발생한다. 소아에서 방사선에 노출된 경우 갑상샘 결절과 갑상샘 종양은 증가한다.

덩어리가 빠르게 성장하거나 통증 또는 쉰목소리와 같은 침습의 징후가 나타날 경우 악성의 가능성이 높아진다.

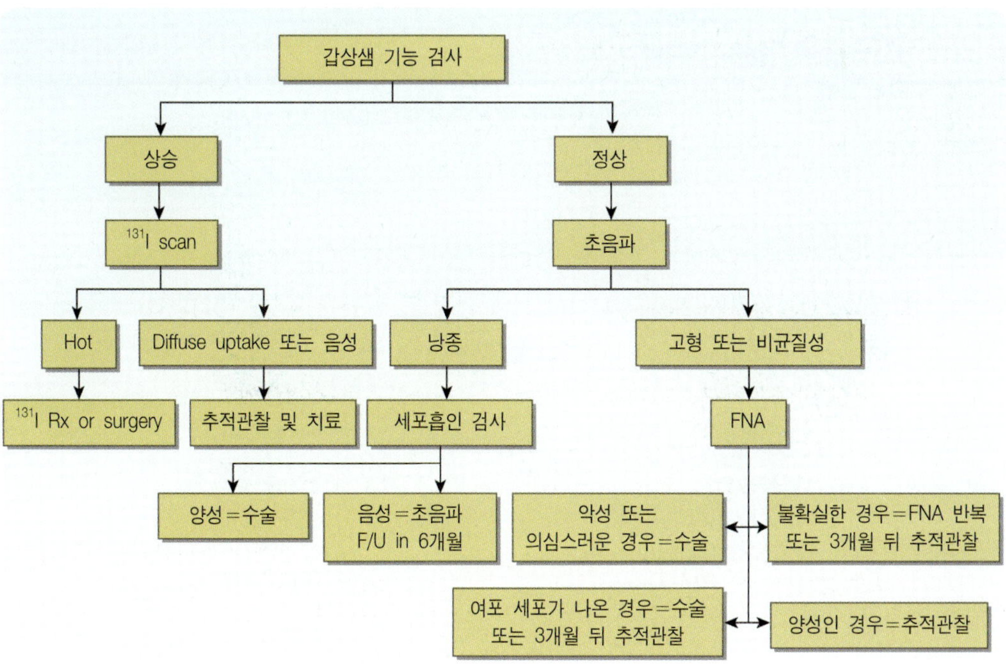

그림 14-1 단일 갑상샘 결절에 대한 검사

FNA: fine-needle aspiration(세침흡인검사)

2) 진단

진단은 나이, 방사선에 노출된 과거력, 가족력 및 특정 내분비 질환(수질암, MEN type 2 또는 유두암, familial polyposis, Gardner's syndrome)의 과거력과 신체검진을 통해 이루어진다. 다수의 결절 또는 광범위한 결절은 양성일 가능성이 많고 단단한 단일 결절(특히 노인에서)은 악성일 가능성이 많다.

3) 검사

(1) **갑상샘 기능검사**(TFT) : T4와 T3 resin uptake 그리고 TSH를 검사한다. 혈청 thyroglobulin은 잘 분화된 암을 예측하는데 있어서 표준방법으로 널리 인정되지는 않으며, 갑상샘 덩어리에 대한 혈청 calcitonin 측정은 별로 도움이 되지 않는다.

(2) **방사선 검사** : 초음파는 낭성 종괴(cystic mass)와 고형 종괴(solid mass)를 구별하는데 도움을 주긴 하지만 고형 결절일 경우 양성과 악성의 감별 진단을 정확히 할 수 없다.

(3) **방사성핵종 스캔**(radionuclide scanning) : 세침흡인검사 등 다른 훌륭한 진단방법이 널리 이용되고, 열결절 또는 냉결절(hot or cold spot) 소견으로 병변의 악성 여부를 확실히 결정할 수 없다는 단점 때문에 사용이 감소하고 있는 추세이다.

(4) **세침흡인검사**(Fine Needle Aspiration, FNA) : 갑상샘 결절이 있는 환자에서 제일 널리 쓰이는 중요한 진단적 검사방법이다.

표 14-1 갑상샘 결절의 감별

진단		진단과 연관된 요인	확인검사	나쁜 예후인자
양성	콜로이드	다결절 갑상샘종 (multinodular goiter)	수술	–
		FNA에서 보이는 콜로이드와 대식구		
	과기능성 결절	갑상샘 기능항진증	Iodine 131 scan	–
악성	유두암	방사선 조사 과거력	FNA 혹은 수술	남성, 40세 이상의 나이, 3cm 이상의 크기
		유두암으로 수술한 과거력		
	여포암	FNA에서 나타나는 여포세포	최종 병리 검사	남성, 40세 이상의 나이, 3cm 이상의 크기
	수질암	MEN types 2a and 2b	FNA 혹은 수술	MEN type 2b이거나 산발성(sporadic)으로 발생하면 예후가 나쁘다.
		증가된 calcitonin 수치	Calcitonin levels ret oncogene	
	역형성암	크기가 급격히 커지는 종양	FNA	진단된 것 자체로 이미 나쁜 예후를 예상할 수 있다.
		통증, 쉰목소리	수술	

FNA, fine-needle aspiration; MEN, multiple endocrine neoplasia.

14.2 갑상샘종(goiter)

1) 정의

갑상샘종은 갑상샘이 단순히 커지는 것을 의미한다. 즉 갑상샘종이 있는 환자들 가운데 갑상샘 호르몬의 분비가 증가하거나 감소할 수 있지만, 갑상샘종 용어 자체는 기능과는 관계없이 커진 갑상샘을 의미하는 것이며, 특별한 병적인 상태를 나타내는 말이 아니다.

2) 특징

갑상샘은 미만성(diffuse) 혹은 결절성(nodular)하게 커질 수 있으며, 각각 미만갑상샘종(diffuse goiter), 결절갑상샘종(nodular goiter)으로 지칭한다.

3) 분류

비중독갑상샘종(nontoxic goiter)은 갑상샘 호르몬에 영향을 미치지 않기 때문에 갑상샘 기능검사(TFT)가 정상을 나타내며, 중독갑상샘종(toxic goiter)은 갑상샘 기능항진증, 저하성 갑상샘종(hypothyroid goiter)은 갑상샘 기능저하증의 TFT 수치를 나타낸다.

4) 증상

가장 흔한 증상은 경부의 종창이며, 갑상샘의 위치로 인해 갑상샘종이 커지게 되면 다양한 압박 증상을 나타낼 수 있다. 즉, 식도 압박으로 인한 연하곤란, 기도 압박으로 인한 호흡곤란, 천명음, 되돌이후두신경 압박으로 인한 목쉰 소리, 발성장애, 목정맥 압박으로 인한 홍조(plethora) 등의 증상이 나타날 수 있다. 출혈, 감염, 괴사 등으로 인한 통증이 나타날 수 있으며 갑상샘 기능에 따라서 기능항진증 또는 기능저하증의 증상을 보일 수 있다.

5) 진단

(1) 갑상샘 기능검사

갑상샘종이 발견되면 먼저 갑상샘 기능검사를 시행하여 갑상샘 기능항진 및 저하를 감별한다. TSH(thyroid stimulating hormone), free thyroxine index, free thyroxine, thyroid antibody, thyroglobulin 등을 확인하고 갑상샘 수질암의 가족력이 있는 경우에는 calcitonin을 검사한다.

(2) 영상검사

① **초음파**

갑상샘종의 크기, 양상, 결절성을 확인한다. 결절에 대해서는 초음파 유도 생검을 시행한다. 갑상샘의 위치가 목의 표면에 얕게 위치하기 때문에 갑상샘종의 크기 변화를 추적관찰하기에는 CT보다 유용하다.

② **CT**

CT는 갑상샘종의 크기와 범위를 파악하는데 도움을 준다. 특히 기관, 식도, 주변 혈관과 같은 인접 장기와의 관계 파악에 유용하며, 갑상샘암은 인접 림프절에 재발하는 경우가 많기 때문에 갑상샘암의 수술 후 추적관찰에 유리하다. 초음파와 마찬가지로 CT 유도 생검이 가능하다.

③ **방사성 동위원소 스캔**(radionuclide scan)

이 검사는 갑상샘 기능항진증 환자에서 갑상샘의 기능 및 해부를 파악하는데 유용하며, 경부나 종격동의 종괴가 있는 환자에서 갑상샘암의 재발을 감별하는데 유용하다. 한편 이 검사를 통해 갑상샘결절의 기능성 여부를 확인 할 수 있으며, 진단적 목적 및 치료적 목적으로 사용할 수 있다.

④ **세침흡인생검**(fine needle aspiration biopsy)

비교적 안전한 검사로써 세포를 확인하여 진단이 가능하다. 보다 큰 바늘을 사용하면 더 많은 조직을 확보할 수 있기 때문에 진단이 더 확실해지는 장점이 있지만, 합병증 발생이 많아지는 단점이 있다.

6) 치료

크기가 작은 비중독 갑상샘종은 특별한 치료가 필요 없다. 크기가 크거나 압박 증상을 나타내는 갑상샘종은 내과적 혹은 외과적 치료가 필요하다.

(1) 내과적 치료

비중독 갑상샘종은 levothyroxine 억제 치료로 크기가 줄어든다. TSH가 갑상샘종의 증식에 중요한 역할을 하기 때문에 치료 기간 동안 TSH를 측정하면서 낮은 범위로 유지시킨다. 하지만 너무 낮게 유지시키는 경우에는 갑상샘항진증, 심부정맥, 골다공증이 유발될 수 있으므로 유의한다. 방사성 요오드(radioactive iodine)는 그 효과가 만족스럽지 못하기 때문에 널리 쓰이지 않는다.

(2) 외과적 치료

다음과 같은 경우에 비중독 갑상샘종을 외과적으로 치료한다. 수술은 갑상샘 아전절제술을 시행한다.

- 압박 증상을 나타내는 크기가 큰 갑상샘종
- 미용적으로 문제가 되는 크기의 갑상샘종
- 악성이 의심될 때
- 내과적 치료에 반응하지 않을 때

14.3 갑상샘 암

1) 유두암(papillary carcinoma)

(1) 특징

가장 흔한 갑상샘 암종으로써, 서서히 자라는 특징을 가지며, 예후가 좋고, 특히 40세 이하에서는 예후가 매우 양호하다. 유두암 세포는 요오드(iodine)를 선택적으로 흡수하기 때문에 방사성 요오드(radioactive iodine)를 치료에 사용할 수 있다.

심화학습

◆유두암

소아나 젊은 성인에서 방사선 노출로 인해 잘 분화된 암(특히 유두암)의 빈도가 증가한다.

1. 대개 노출된 지 5년 후에 발생하며, 호지킨 림프종(Hodgkin's lymphoma)과 같은 연조직 악성 암에 대한 외부 방사선 치료로 인해 생긴다.
2. 노출된 사람의 30~35% 정도에서 발생한다.

표준 유두암과 여포암 변이형은 똑같은 예후를 보이며, 임상소견은 단일, 통증이 없는 단단한 덩어리이며, 경부 림프절이 초기 증상일 수 있다.

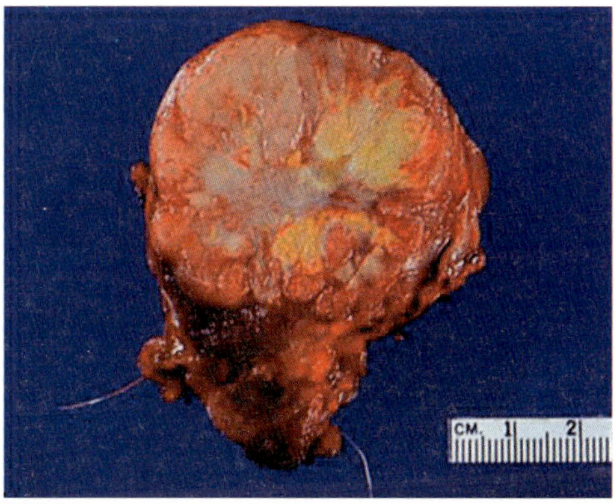

그림 14-2 갑상샘 유두암의 육안적 소견
흰색 또는 옅은 노란색의 단단한 종괴로 나타나며, 20%에서는 다발성으로 발견되며, 10%에서는 피막에 둘러싸여 있다.

표 14-2 고분화 갑상샘 암에서의 예후인자(AMES or AGES)

	저위험(사망률 1.8%)	고위험(사망률 46%)
Age	40세 이하	40세 이상
Sex	여성	남성
Extent	국소 침범이 없고, 갑상샘 내에 국한되어 있으며, 캡슐 침범이 없는 경우	캡슐 침범이 있고, 갑상샘을 넘어 침범이 있는 경우
Metastasis	없음	지역 림프절 전이 또는 원격전이가 있는 경우
Size	2cm 미만	4cm 이상
Grade	고분화암(well differentiated)	저분화암(poorly differentiated)
AMES(Age, Metastasis, Extent, Size) : 나이, 원거리 전이, 원발성 종양의 범위, 그리고 원발성 종양의 크기 AGES(Age, Grade, Extent, Size) : 나이, 종양의 병리학적 등급, 그리고 원발성 종양의 범위와 크기		

(2) 진단

세포 각각의 형태 및 특징적인 세포소견으로 병리학적 진단을 한다.

① **각각의 세포형태** : 핵포함체(intranuclear inclusion bodies), intranuclear grooving(세포핵에 홈이 파인 듯한 모양)

② **모래종체**(psammoma bodies) : 모래를 뜻하는 psammos라는 그리스어에서 유래한 말로, 갑상샘 유두암의 특징적인 소견이며, 약 50%에서 발견된다. 모래종체는 종양 세포의 괴사로 인해 칼슘이 뭉쳐져서 둥그런 모양으로 만들어진다.

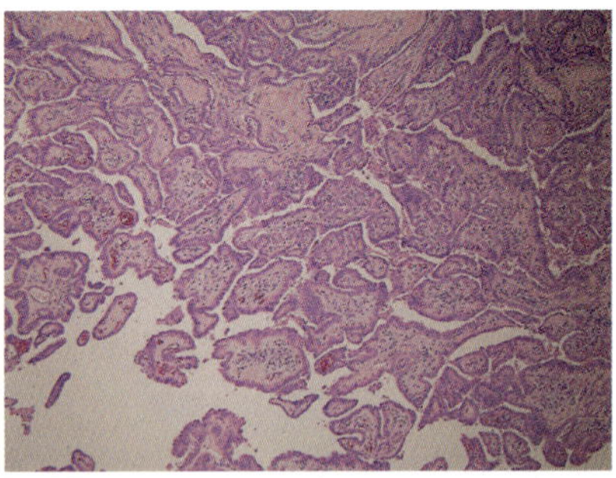

그림 14-3 갑상샘 유두암의 현미경적 소견
유두가 가지 치는 양상(branching)으로 뻗어 있다.

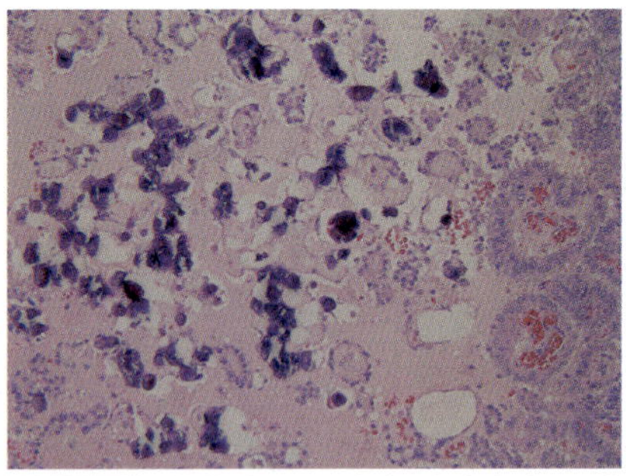

그림 14-4 갑상샘 유두암의 현미경적 소견
모래종체(psammoma body)가 관찰된다.

(3) 치료

① 수술

완치를 위한 유일한 치료방법이다. 명확한 수술적 치료방침은 확립되어 있지 않으며, 1cm 이하인 경우 일반적으로 엽절제술(lobectomy) + 협부절제술(isthmectomy)을 시행한다. 젊은 환자(<15세)는 경부 전이의 비율이 높다(90%). 2cm보다 크기가 큰 병변은

일반적으로 전절제술을 하는 것이 좋으나, 최근에는 크기에 관계없이 전절제술을 시행하는 경향이 많다.

② 수술 후의 치료

수술 후에는 갑상샘호르몬을 보충하고 TSH를 억제하기 위해 갑상샘호르몬제를 복용한다. 갑상샘호르몬제의 혈중 농도가 적절한지는 fT4와 TSH를 통해 감시한다.

크기가 큰 병변은 수술 후 방사성 요오드 치료(radioiodine ablation)가 필요하다. 혈중 TSH 농도가 상승해 있을 때 갑상샘이 방사성 요오드를 활발히 흡수하기 때문에 수술 후에 갑상샘 호르몬제를 복용하는 환자들은 약복용을 중단하도록 한다.

③ 재발의 감시

방사성 요오드 치료 후 재발의 감시는 방사성 요오드스캔과 혈중 thyroglubulin으로 한다. 갑상샘 기능이 완전히 제거되었다면 방사성 요오드스캔에서 갑상샘조직이 발견되지 않아야 하고, 혈중 thyroglubulin이 측정되지 않아야 된다.

④ 재발시의 치료

첫 수술 후에 국소 림프절 또는 지역 림프절에 재발한 경우에는 갑상샘 전절제술과 지역 림프절절제술(regional lymph node dissection) 및 방사성 요오드 치료를 실시한다.

심화학습

◆갑상샘 암의 수술적 치료(엽절제술 및 협부절제술과 전절제술의 비교)

갑상샘 암에 대해 시행할 수 있는 수술로는 엽절제술+협부절제술 또는 갑상샘 전절제술이 있으며 필요에 따라 경부 림프절 절제를 시행할 수 있다.

1. 엽절제술 및 협부절제술의 장점
   갑상샘 전절제술에 따르는 합병증인 되돌이후두신경 마비(recurrent laryngeal nerve palsy), 부갑상샘 기능저하증(hypoparathyroidism)이 발생할 가능성이 적고, 갑상샘 호르몬 제제를 평생 복용해야 하는 번거로움이 없다.
2. 전절제술의 장점
   남은 갑상샘이 없기 때문에 수술 후 방사성 동위원소를 이용한 치료의 효과가 좋다(갑상샘이 남아 있으면 치료 효과가 감소하고 많은 양의 용량이 필요하다). 또한 수술 전에 발견하지 못했던 반대편 갑상샘에 있을지 모르는 암(occult cancer)을 제거할 수 있다.
3. 선택
   일반적으로 암종의 크기가 크면(2cm 이상) 전절제술을 하고 작으면(1cm 이하) 엽절제술 및 협부절제술을 하는 경향이 있다. 하지만 최근 들어 수술 기술이 발전함에 따라 합병증 비율이 매우 낮아져서 크기에 상관없이 작은 암에서도 전절제술을 하기도 한다. 정리하면 크기가 작은 암에서는 엽절제술 및 협부절제술을 해도 되고 전절제술을 해도 되지만, 일반적으로 2cm 이상의 크기가 큰 암에서는 반드시 갑상샘 전 또는 근전(near-total)절제술을 시행해야 한다.

(4) 예후

저위험군과 고위험군의 사망률은 각각 1.8%와 46%이다. 위험군에 관계없이 전체적으로는 10년 생존율이 약 82%, 20년 생존율이 약 72%로 매우 좋은 예후를 가진다. 원격전이는 매우 드물지만 일단 전이되면 나쁜 예후를 가진다.

진단 시 나이가 가장 중요한 임상적 예후 인자이며, 증가된 핵의 DNA 이수성(aneuploidy)이 사망률을 증가시킨다.

2) 여포암(follicular carcinoma)

(1) 특징

순수 여포암은 갑상샘암의 10%를 차지하고, 호발 연령은 40대와 50대로 유두암에 비해 늦은 나이에 자주 발생한다. 남·여 비는 1대 3이며, 요오드 결핍지역에서 더 많이 발생한다.

(2) 종류

FNA를 통한 병리검사로 진단하며 여포종양(follicular tumor)은 양성인 여포샘종(follicular adenoma), 암종인 미세침윤형 여포암(minimally invasive follicular carcinoma), 광역침윤형 여포암(widely invasive follicular carcinoma)의 세 가지가 있으며 여포암의 변이형으로 Hurthle cell carcinoma가 있다.

(3) 치료

① < 2cm 그리고 한 개의 갑상샘 엽에 있는 경우 : 엽절제술+협부절제술

② > 2cm : 일반적으로 갑상샘 전절제술

③ > 4cm : 반드시 갑상샘 전절제술

림프절 박리는 림프절이 촉지 되지 않는 경우 필요하지 않다.

(4) 전이 및 예후

유두암은 림프절 전이가 흔한 반면 림프절 침범은 드물다(10% 미만). 림프절 전이가 드문 대신, 광역침윤형 여포암은 원격전이를 흔하게 한다(폐, 뼈, 다른 고형 장기들). 예후는 나이에 의존하며 40세 미만이 제일 좋아서 10년 생존율이 95%에 달한다. 유두암과 여포암을 비교한 연구에서는 여포암은 유두암에 비해 더 나쁜 예후를 보였다. 나쁜 분화도를 보이는 여포암은 10년 생존율이 60%, 나쁜 분화도를 보이는 여포암은 80%이다.

(5) 수술 후의 부가치료

수술 후 TSH 억제요법으로써 T4를 투여하는 치료는 여포암 재발에 대한 효과가 증명되지 않았다. 방사성 요오드(radioactive iodine) 치료는 논의의 여지가 있으나 진행한 병기의 여포암, 75세 이상의 환자, 수술하고 3개월 후에 thyroglobulin level이 증가된 경우에는 효과를 볼 수 있다.

심화학습

◆여포샘종 vs 암종

여포암의 종류인 여포샘종과 암종은 악성 세포의 침범 양상으로 구분하기 때문에 수술실에서 시행하는 냉동 절편 생검(frozen biopsy)으로는 여포샘종과 암종을 구분하지 못한다. 따라서 수술실에서 냉동 절편 생검 상 여포암으로 결과가 보고되면 일단 종양이 있는 쪽 갑상샘 절제 후 약 1주일 후에 나오는 최종 조직 검사를 기다린다. 이때 최종 진단이 여포샘종이면 관계가 없지만 암인 경우에는 남은 반대쪽 엽을 어떻게 할까? 위험도에 따라 결정하며 일반적으로 다음과 같다.

1. low risk(나이가 어리고 크기가 작을 때) : 6개월마다 초음파를 동반한 추적 관찰한다.
2. higher risk(2cm 이상이고 60세 이상인 환자) 그리고 방사성 요오드 치료(radioablation) 필요 시 : 남은 갑상샘 전절제술

3) 수질암(medullary carcinoma)

(1) 특징

수질암은 갑상샘암의 5~10%를 차지하고, 여포곁세포(parafollicular cell, C cell)에서 유래하는 신경 내분비 종양이다.

생물학적 표지자인 칼시토닌의 분비와 연관되어 있으며, 갑상샘수질암에 서 칼시토닌 수치가 상승하게 된다.

일반적으로 칼시토닌의 상승은 저칼슘증 때문에 생기게 되는데 갑상샘수질암에서는 저칼슘증이 없이도 칼시토닌 수치의 상승이 있기 때문에, 저칼슘증과 동반되지 않은 칼시토닌 수치의 상승이 있으면 갑상샘수질암을 의심해 봐야 한다.

(2) 임상양상

수질암은 MEN(multiple endocrine neoplasia)과 연관되어 유전적으로 발생하기도 하고 산발형(sporadic)으로 발생하기도 한다.

산발형 수질암의 경우에는 경부의 종괴 또는 혈청 칼시토닌의 상승으로 진단되는 경우가 많다. 산발형 수질암에서는 가족력이 없으며, 가족력이 있는 경우에는 RET 원발암유전자(proto-oncogene) 검사를 시행해야 한다.

(3) 치료 및 예후

양쪽에 암이 존재하는 경우가 흔하기 때문에 엽절제술을 해서는 안 된다. 최소한 갑상샘 전절제술을 시행하며, 중앙림프절박리를 함께 시행할 수 있다. 수술 후 재발 발견을 위해 혈청 칼시토닌 검사를 한다.

일반적인 10년 생존율은 90%가량이며, MEN 2A와 연관된 수질암은 는 MEN 2B 또는 산발형 수질암보다 더 좋은 장기적 예후를 갖는다.

4) 역형성 암(anaplastic thyroid cancer)

(1) 특징

갑상샘암의 1% 미만을 차지하고 가장 침습적 형태를 보인다.

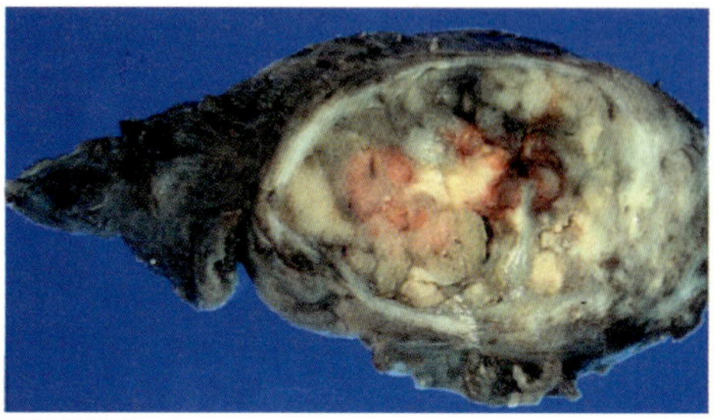

그림 14-5 역형성 암의 육안적 소견

(2) 임상양상

매우 빨리 자라기 때문에 압박 증상이 생길 수 있어, 연하곤란, 경부의 통증, 경부의 종괴로 발견되는 경우가 많다. 심한 경우에는 기도폐색이 초래되기도 하며, 주변 조직으로 빠르게 침투할 수 있다.

(3) 치료

치료는 어떤 수술적 치료를 하더라도 빠르게 진행하는 임상 경과를 갖는다. 따라서 원격 전이가 있거나 기도 침범이나 혈관 침범으로 인해 절제 불가능한 종양일 때에는 종양의 절제보다는 기관절개술(tracheostomy)과 같은 보존적 치료가 필요하다.

" 참고하세요 "

갑상샘 기능항진증이 동반된 환자는 수술 전 갑상샘 기능을 정상화시키기 위해 항갑상샘제제(prophylthiouracil, PTU)를 투여하고 갑상샘 혈류량을 줄이기 위해 Lugol's solution(potassium iodide, iodine이 함유되어 있는 용액)을 수술 전 7일간 투여한다. 또한 PTU에 의한 TSH의 증가를 막기 위해 thyroxine(T4)를 사용하고 심혈관계 기능의 안정화를 위해 propranolol을 사용한다.

5) 수술의 합병증

가장 중요한 합병증은 출혈로 인한 압박증상, 저칼슘증, 되돌이후두신경(recurrent laryngeal nerve) 손상이다.

(1) 출혈

수술 후 출혈이 발생하여 수술 부위가 빠르게 부어오르게 되면 기도를 압박하여 환자가 질식할 수 있기 때문에 즉각적으로 상처를 열어 감압해 주어야 한다. 따라서 수술 직후에는 환자 상태의 변화를 지속적으로 관찰해야 한다.

(2) 저칼슘증(hypocalcemia)

① 원인 및 증상

수술 중 부갑상샘의 혈류가 차단되어(devascularized) 부갑상샘 기능저하증이 발생하기 때문에 생긴다. 저칼슘증의 증상인 입술주위 감각이상, 손발 저림, 경련 등이 나타난다.

② 예방

수술 중 부갑상샘의 색이 변하는 경우 저칼슘증의 발생을 예상할 수 있으며, 이러한 경우 즉각적으로 부갑상샘을 자가이식(autotransplantation)한다. 이식은 목빗근(흉쇄유돌근; SCM muscle)과 병기를 벌리고 포켓을 만들어 잘게 쪼갠 부갑상샘을 넣는다.

③ 치료 및 예후

부갑상샘 기능저하증의 치료와 같은 방법으로 시행한다. 급성기에는 칼슘을 주사하고 급성 증상이 사라지면 칼슘과 비타민 D를 경구투여한다. 갑상샘 수술 환자의 약 5%에서 발생하며, 약 12개월 안에 80%정도 정상화된다.

(3) 신경 손상

① **되돌이후두신경 손상**

되돌이후두신경의 손상으로 영구적인 쉰목소리가 나타나는 경우는 갑상샘 전절제술 후 3% 이하에서 일어난다. 쉰목소리 뿐만 아니라 흡인(aspiration), 성대 마비로 인한 질식까지 발생할 수 있으므로 수술 시 매우 조심해야 하며, 특히 기관식도 홈(tracheoesophageal groove) 주변 박리 시 주의해야 한다. 신경 손상에 영향을 미치는 인자로는 수술자의 경험, 수술의 난이도, 재수술 여부, 출혈 등이 있다. 특히 되돌이후두신경의 해부학적 위치에 변이가 있을 때에는 손상 위험도가 증가하므로 유의해야 한다.

② **위후두신경 손상**

갑상샘의 superior pole에서 위갑상샘동맥의 결찰 시 위후두신경(superior laryngeal nerve)의 손상이 생길 수 있다. 위후두신경이 성대의 긴장도를 조절하기 때문에 손상 시의 증상으로는 고음처리의 장애 발생과 목의 빠른 피로감이 발생할 수 있다. 위갑상샘동맥 결찰 시 최대한 갑상샘에 붙여 결찰하는 것으로 예방할 수 있다.

심화학습

◆ 갑상샘절제 후 매우 드물게 호너 증후군(Horner's syndrome)이 발생한다.

호너 증후군은 교감신경계의 장애로 인해 발생하는 질환이며, oculosympathetic palsy라고도 한다. 모든 환자에서 이환된 쪽의 눈꺼풀이 쳐지게 되고, 동공의 수축, 동공의 이완 장애가 보인다. 안구함몰(enophthalmos), 무발한증(anhidrosis)이 관찰된다.

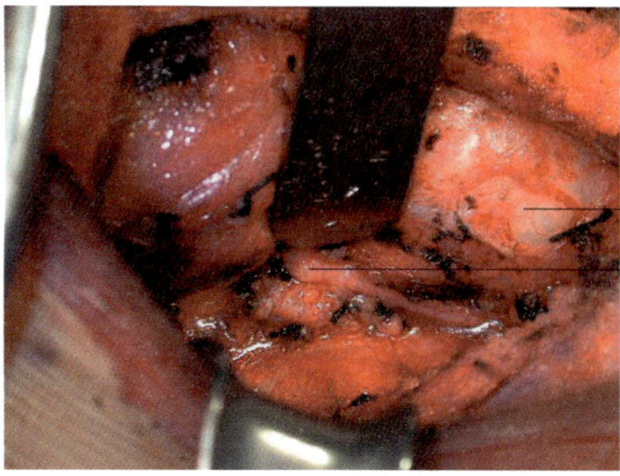

그림 14-6 갑상샘 절제 후 되돌이후두신경의 모습

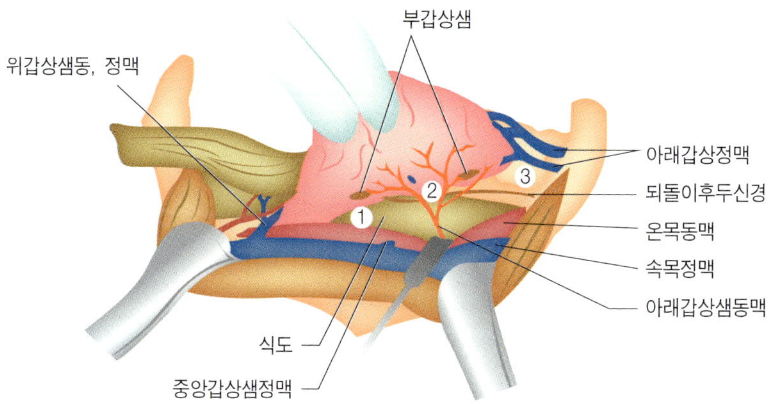

그림 14-7 되돌이후두신경이 손상 받을 위험이 높은 곳

1. 베리인대(ligament of Berry) 주변
2. 아래갑상동맥(inferior thyroid artery)의 분지를 결찰하는 동안
3. 흉곽입구(thoracic inlet)

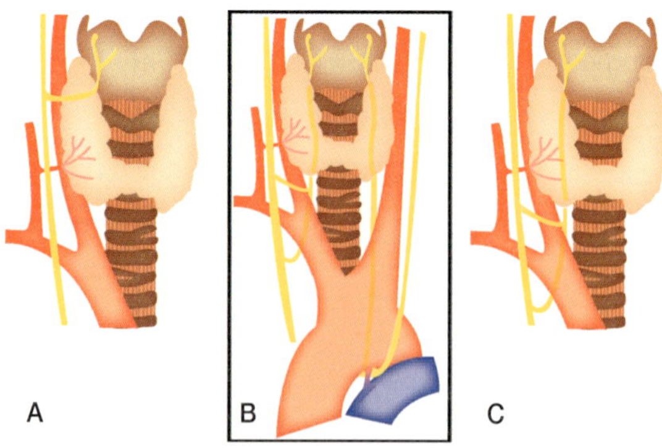

그림 14-8 다양한 주행경로를 보이는 오른쪽 되돌이후두신경

A, 후두신경이 빗장밑동맥을 돌지 않고(nonrecurrent) 미주신경에서 바로 분지한다.
B, 되돌이후두신경의 정상적인 주행경로. 빗장밑동맥 밑을 지난 후 미주신경에서 분지한다.
C, nonrecurrent 후두신경과 되돌이후두신경이 만나 common distal nerve를 형성하는 매우 드문 형태의 주행경로

문제

14-1 1),3),7)

54세 여자가 3개월 전 갑상샘 유두암으로 감상선 전절제술과 중심 목 림프절절제술을 시행 받았다. 갑상샘 호르몬을 복용하지 않고 있다. 치료방침을 결정하고자 한다. (세 가지)

1) 혈청 TSH
2) 혈청 fT_4
3) 혈청 갑생샘글로불린
4) 항 TPO 항체
5) TBII
6) ^{99m}Tc 갑상샘 scan
7) ^{131}I 전신 scan
8) 목 CT

해설

갑상샘 전절제술 후에는 TSH억제를 위해 갑상샘 호르몬제(T4)를 복용한다. 재발 감시를 위하여 혈중 TSH와 혈중 thyroglobulin을 검사한다. 방사성 요오드스캔은 기능적으로 남아 있는 갑상샘 조직을 발견하는데 유용한 검사로 재발의 발견에 유용하다.

14-2 5)

50세 여자 갑상샘 항진증으로 수술 예정이다. 환자에게 설명하는 말 중 적당한 것은?

1) 갑상샘 한쪽 절제를 시행한다.
2) 수술 사망률이 높은 수술이다.
3) 수술 후 재발가능성이 많다.
4) 수술 후 영구적으로 부갑상샘기능 저하증이 대부분 나타난다.
5) 무기 요오드를 이용한 수술 전처치가 수술에 도움이 된다.

해설

Lugol's solution에 함유되어 있는 무기 요오드가 갑상샘 혈류량을 감소시키는 역할을 한다.

14-3 5)

갑상샘유두암(papillay thyroid cancer) 치료로 갑상샘전절제술(total thyroidectomy)을 선호하는 이유는?

가. 갑상샘에 다발성 암 병소가 많다.
나. 수술수기의 발달로 수술 후 합병증 발생이 낮다.
다. 수술 후 방사성옥소치료가 필요할 때 효과를 증대시키기 위함이다.
라. ^{131}I 전신스캔을 이용한 환자의 추적관찰이 쉽다.

1) 가, 나, 다
2) 가, 다
3) 나, 라
4) 라
5) 가, 나, 다, 라

해설

전절제술을 시행하면 수술 후 방사성 옥소를 이용하여 눈에 보이지 않는 미세한 갑상샘 조직과 암세포를 ablation할 수 있다. 그러나 갑상샘 조직이 남아 있으면 남은 정상적인 갑상샘조직으로 인해 충분한 효과를 보기 어렵다.

14-4 1)

35세 여자가 갑상샘 수술 후 회복 중 갑자기 호흡 곤란을 호소하였다. 가장 적절한 처치는?

1) 입원실에서 수술부위 열기
2) 스테로이드
3) tracheostomy
4) 산소공급
5) 경과관찰

해설

갑상샘 수술 후 가장 무서운 합병증인 출혈로 인한 기도압박 증상이다. 수술실까지 갈 여유가 없으므로 관찰 즉시 수술 부위를 개방하여 혈종을 제거해 준다. 호흡이 정상화 되면 환자를 수술실로 데리고 간 이후 철저한 지혈을 시행한다.

14-5 4)

종양의 크기가 2cm인 갑상샘암 환자에서 목림프절이 촉지되지 않아도 예방적으로 편측 변형근치적림프선곽청술을 시행해야 하는 경우는?

1) 수질암
2) 유두암
3) 여포암
4) 역형성암(anaplastic cancer)

해설

역형성암은 크기가 급격히 커지는 종양이다. 진단된 것 자체로 이미 나쁜 예후를 예상할 수 있다.

14-6 4)

25세 여자가 혈중 calcitonin 600pg/ml(참고치 2-179)이다. 신체검사와 경부 초음파검사는 정상이었다. 가족력에서 언니가 갑상샘 수질암으로 사망하였다. 가장 적절한 처치는?

1) 주기적 외래관찰
2) 갑상샘 호르몬제 투여
3) ^{131}I 투여
4) 갑상샘 전절제술
5) 방사선 치료

해설

가족력이 있고 갑상샘 수질암이 의심되는 환자이다. 갑상샘 전절제술을 시행한다.

14-7 5)

40세 남자가 갑상샘 우엽에 3cm 결절이 있고, 동측 경정맥에서 림프절이 촉지되었다. FNA상 유두암으로 진단되었다. 다음으로 시행될 적절한 치료는?

1) 결절절제술 + 오른쪽 목림프절 곽청술 + 방사선 치료
2) 갑상샘 우엽절제술 + 방사선 치료
3) 갑상샘 우엽절제술 + 동위 원소 치료
4) 갑상샘 아전절제술 + 양 목림프절 곽청술
5) 갑상샘 전절제술 + 오른쪽 변형 목림프절 곽청술

해설

크기가 큰 갑상샘 유두암이고 림프절 전이가 의심된다.

14-8 4)

50세 여자가 2.5cm의 갑상샘 유두암으로 갑상샘 전절제 및 목림프절 절제술 후 ^{133}I 전신 스캔에서 수술 부위의 진한 음영이 나타났으며 혈중 thyroglobulin은 5㎍/ml이었다. 향후 치료는?

1) 외부 방사선
2) 잔존갑상샘절제술
3) 갑상샘 호르몬
4) 고용량 방사선 요오드
5) 1~2주 후 ^{133}I 전신 스캔 재검사

해설
재발을 시사하는 소견이며, 고용량의 방사선 요오드를 사용하여 ablation한다.

14-9 3)

50세 여자가 갑상샘 우엽절제술 후 쉰 목소리가 생겼다. 후두경 검사에서 성대마비가 관찰되었다. 다음 중 손상된 신경은?

1) 가로막신경
2) 미주신경
3) 되돌이후두신경
4) 위인두신경
5) 위후두신경의 안쪽가지

해설
갑상샘절제술의 병력과 쉰 목소리, 후두경 검사에서 성대마비가 있으면 되돌이후두신경의 손상을 의심한다. 고음처리가 잘 안 된다는 병력이 나온다면 위후두신경의 손상을 의심한다.

14-10 5)

54세 여자 환자가 갑상샘암으로 갑상샘 전절제술 후 2일째에 입술주위 감각이상, 양 손, 손가락이 뻣뻣해지고 손가락을 움직일 수 없었다. 무엇을 검사해야 하는가?(한 가지)

1) Hb
2) glucose
3) Na
4) K
5) Ca
6) Mg
7) NH_3
8) HCO_3
9) 오스몰 농도
10) 크레아틴 키나아제

해설
갑상샘 수술 후라는 병력, 입술주위 감각이상 등의 소견은 hypocalcemia를 시사한다.

14-11 3)

25세 여자가 양측성 갑상샘 종양으로 갑상샘 전절제술을 시행하였다. 수술 후 3일째에 입 주위에 감각 이상을 느끼며, 손발이 저리고 마비증세가 나타났다. 가장 적절한 처치는?

1) 갑상샘 호르몬 검사를 한다.
2) 혈색소 검사를 하고 즉시 수혈한다.
3) 혈액 내 칼슘을 측정하고 즉시 칼슘을 보충한다.
4) 신경 이상이므로 이에 관한 검사를 한다.
5) 수술 후 흔히 일어날 수 있는 일시적 현상이므로 관찰한다.

해설

hypocalcemia는 신경-근 흥분도(neuromuscular excitability)를 증가시켜 입주위, 손가락, 발가락의 numbness와 tingling sense를 유발하고, 불안, 우울, 착란 등의 증상을 가져오게 된다.

14-12 2)

43세 여자가 오른쪽 갑상샘에 유두상(papillary) 암종으로 갑상샘절제술을 받았다. 수술 후 고음이 나오지 않고 약간 쉰 목소리가 났다. 손상 가능성이 있는 신경이다. 옳은 것이 모두 조합된 것은?

가. 되돌이 후두신경(recurrent laryngeal nerve)
나. 갑상설골신경(thyrohyoid nerve)
다. 위후두신경(superior laryngeal nerve)
라. 아래후두신경(inferior laryngeal nerve)

1) 가, 나, 다　　2) 가, 다　　3) 나, 라
4) 라　　5) 가, 나, 다, 라

해설

고음이 나오지 않는 것은 위후두신경 손상의 영향이고 쉰목소리가 나는 것은 되돌이 후두신경 손상의 영향이다.

14-13 3)

40세 여자 환자가 갑상샘 좌엽의 유두암과 왼쪽 목림프절 전이로 진단되어 갑상샘 전절제술, 왼쪽 변형근치적 목림프절 곽청술을 받았다. 다음날 왼쪽 동공축소, 안검하수가 나타났다. 가능성 있는 손상부위는?

1) 흉관　　2) 미주신경
3) 교감신경　　4) 가로막
5) 부교감신경

해설

갑상샘절제술 시 림프절 청소를 광범위하게 하다 발생한 호너 증후군의 증상이다.

15

부갑상샘

The Parathyroid Glands

15.1 부갑상샘의 해부학 및 생리학

1) 부갑상샘의 해부학

부갑상샘은 일반적으로 4개가 존재하며, 갑상샘의 뒤편에 위치한다. 위부갑상샘의 위치는 일반적으로 기관식도능선(tracheoesophageal groove) 주변의 갑상샘의 뒤안쪽(posteromedial) 부근이며, 아래부갑상샘은 아래갑상샘동맥의 아래쪽 넓은 영역에 걸쳐 분포한다. 정상 부갑상샘의 무게는 35~40mg이며, 성인이 됨에 따라 지방 성분이 증가하여 점차 노란색으로 변한다.

부갑상샘은 아래갑상샘동맥에 의해 동맥혈 공급을 받으며, 일반적으로 한 개의 끝동맥(end artery)에 의해 동맥혈 공급을 받기 때문에 수술조작 중에 이들 혈관이 손상을 입을 경우 혈류 공급이 차단되기 쉽다.

2) 부갑상샘의 생리학

(1) 칼슘의 생리학

칼슘은 다른 분자에 결합하거나, 자유이온화된 상태로 세포외 혈장에 존재하며, 두 가지 상태의 칼슘을 모두 합한 체내 총칼슘 농도의 정상 범위는 8.5~10.2mg/dl이다.

생물학적으로 불활성화 되어 있는 상태의 칼슘은 총칼슘의 55%를 차지하며, 단백질에 결합되어 있다. 칼슘이 결합하는 단백질의 약 80%를 알부민이 차지하기 때문에 알부민 농도가 변하면 체내 총칼슘 농도도 변하게 된다.

단백질과 결합되지 않은 상태로 존재하는 나머지 45%의 칼슘은 생물학적으로 활성화되어 있으며, 이온화된 상태로 존재하고 정상 농도는 4.5~5.0mg/dl이다.

이온화 칼슘 농도는 혈중 pH에 의해 영향을 받는데, pH가 1 상승하면 이온화 칼슘은 0.36mmol/L가 감소하게 된다.

따라서 저칼슘혈증 환자가 과호흡을 하게 되면 pH가 상승하면서 저칼슘현상이 악화되어 입주변의 감각이상(perioral paresthesia), 손가락과 발가락의 저린감, 근육 경련, 경련(seizure)이 발생할 수 있다.

(2) 부갑상샘 호르몬

혈청 칼슘과 인의 농도는 부갑상샘에서 분비되는 부갑상샘호르몬(parathyroid hormone, PTH)에 의해 조절되며, PTH는 혈청 칼슘 농도를 높이고 혈청 인농도를 낮추는 역할은 한다.

PTH 분비는 음성되먹임기전(negative feedback)을 통해 조절되며, 칼슘 농도가 상승하면 PTH가 감소하게 된다.

부갑상샘에서 분비된 PTH는 뼈파괴세포(파골세포; osteoclast)를 자극하여 뼈흡수를 증가시키고, 콩팥을 자극하여 칼슘재흡수와 비타민 D의 생산을 자극하고, 위장관에 작용하여 칼슘과 인의 흡수를 증가시켜 혈청 칼슘 농도를 높인다.

(3) 칼시토닌

칼시토닌은 갑상샘에서 분비되며, 칼슘 농도가 높아져 있을 때 그 분비가 자극된다.

칼시토닌은 PTH와 반대되는 작용을 하며, 뼈흡수를 억제시켜 혈청 칼슘 농도를 낮추는 역할을 한다.

“참고하세요”

인체가 고칼시토닌에 장기간 노출되면 칼시토닌이 인체에 미치는 영향이 최소화된다. 따라서 갑상샘 수질암 환자들에서는 혈청 칼시토닌 수치가 매우 높지만 칼슘 농도는 정상인 경우가 많다.

(4) 비타민 D

① 전구체의 형태로 흡수되거나 합성되어, 두 번의 하이드록실화 반응(hydroxylation)을 거치면 생물학적으로 활성화된다. 첫 번째 하이드록실화 반응은 간에서 일어나며, 두 번째 반응은 증가된 PTH 농도에 반응하여 콩팥에서 일어난다.

② 위장관에서 칼슘과 인의 재흡수를 증가시키고, 뼈흡수를 증가시켜 칼슘 농도를 높이는 역할을 한다.

③ 비타민 D 부족증 환자는 칼슘의 재흡수 장애를 겪게 된다.

15.2 부갑상샘 기능저하증

1) 정의

부갑상샘 기능저하증은 부갑상샘의 기능저하로 인해 PTH의 농도가 낮게 유지되거나 PTH의 작용에 반응성이 없게 되어, 결과적으로 저칼슘혈증과 고인산혈증이 나타나는 내분비 장애를 말한다.

2) 원인

(1) 목수술(neck surgery)

부갑상샘 기능저하증(hypoparathyroidism)의 가장 흔한 원인은 목 부위의 수술이다. 갑상샘 수술 또는 부갑상샘 수술로 인해 발생하는 부갑상샘 기능저하증은 수술 후 1~2일 내에 증상이 뚜렷하게 나타나며, 수년간 지속될 수 있다.

영구적인 부갑상샘 기능저하증의 발생은 비교적 드물지만 그 발생률은 수술의 범위, 외과의의 경험, 환자의 기저질환에 따라 좌우된다.

(2) 자가면역질환

부갑상샘 기능저하증은 다선성 내분비 부족 증후군(multiglandular endocrine deficiency syndrome)의 일부로 발현될 수 있다.

다선성 내분비 부족 증후군은 부갑상샘 기능저하증, 부신기능부전(adrenal insufficiency), 점막피부 칸디다증(mucocutaneous candidiasis)의 삼대 증상을 보이는 질환으로 유년기에 발생하는 자가면역질환이다.

(3) 마그네슘 대사 이상

고마그네슘혈증 및 저마그네슘혈증 모두 PTH 분비 감소를 유발할 수 있다.

- **고마그네슘혈증** : 증가된 마그네슘 농도가 뇌하수체(pituitary)의 칼슘인식 수용체를 자극하여, PTH 분비를 저하시킨다.
- **저마그네슘혈증** : 만성 알코올중독자에서는 저마그네슘혈증이 흔하며, 이러한 경우 PTH 분비가 저하되고 PTH에 대한 저항성 역시 증가한다.

(4) 가성부갑상샘 기능저하증(pseudohypoparathyroidism)

PTH의 분비는 증가되어 있으나 표적조직(target tissue)이 PTH에 대해 반응성이 없기 때문에 발생한다. 이러한 환자들의 많은 수는 특징적인 발달 장애와 골격 장애를 가지는 Albright's hereditary osteodystrophy를 보일 수 있으며, 그 증상으로는 이소골화(heterotopic ossification), 둥근 얼굴, 작은 키, 비만, 단지증, 지능 저하 등이 있다.

3) 증상 및 징후

증상은 혈장 칼슘의 감소로 인한 신경근육의 과민반응 증가 때문에 발생하며, 조기 증상은 입 주위와 손가락의 저림과 따끔거림이고 불안 또는 혼미, 경련이 발생할 수 있다.

불안증(anxiety)이나 혼돈(confusion)이 발생할 수 있으며, 이러한 증상에 대해서는 환자를 안심시키는 것이 중요하다. 환자의 불안증이 해소되지 않으면 불안증으로 인해 과호흡을 일으킬 수 있으며, 과호흡으로 인해 호흡성 알칼리증이 발생하여 칼슘 농도를 더욱 저하시킬 수 있다.

저칼슘혈증이 지속되어 생길 수 있는 심각한 증상으로는 강축(tetany), 수족연축(carpopedal spasm; 손과 발이 꼬이는 현상), 경련(convulsion), 혹은 후두연축(laryngospasm) 등이 있으며, 이와 같은 증상은 환자에게 치명적일 수 있다.

신체검진 시 귀 앞의 안면신경을 두드리면 안면근육의 수축(Chvostek's sign)을 보인다. 하지만 정상인의 약 15%에서도 Chvostek's sign이 양성인 것으로 알려져 있다.

4) 치료

증상이 있는 경우 정맥을 통해 칼슘을 공급한다. 칼슘은 100～300mg(caclium gluconate로 환산하면 10% calcium gluconate 10～30ml)을 150ml의 D5W에 희석하여 10분간 정주한다. 저마그네슘혈증이 있다면 먼저 교정한다. 증상이 경미한 환자의 경우에는 경구용 칼슘 및 비타민 D를 공급한다.

경련(seizure)이 있다면 ABC(airway, breathing, circulation)를 잘 유지하고 benzodiazepine을 정맥을 통해 공급한다.

15.3 원발성 부갑상샘 기능항진증

1) 정의 및 빈도

원발성 부갑상샘 기능항진증(primary hyperparathyroidism)은 PTH 분비 과다에 의해 생기는 고칼슘혈증의 증상을 보이는 질환이며, 대부분의 부갑상샘 기능항진증이 여기에 속한다.

정상 콩팥기능을 가지고 있고 악성 종양이 없는 환자에서 고칼슘혈증이 발생한 경우에는 반드시 원발성 부갑상샘 기능항진증을 의심해야 하며, 혈청 PTH 농도를 측정하도록 한다.

빈도는 100,000명당 25명에서 발생하고 나이에 따라 증가하며, 특히 폐경기 여성에서 흔하다.

2) 증상

(1) 일반적인 증상

① 대부분의 환자는 증상이 없거나 경미한 증상을 가진다. 따라서 증상 발현으로부터 증상까지 걸리는 시간이 수년에 이르기도 한다. 증상이 있는 환자들은 일반적으로 전신쇠약, 피로, 집중력 저하, 우울증과 같은 비특이적이고 애매한 증상을 가진다.

② 드물게 고칼슘혈증이 급격히 악화되어 극심한 탈수, 의식상태 변화, 혼수 등이 발생할 수 있으며, 사망에 이를 수 있다.

(2) 특징적인 증상

① 신장계

- **신석증**(nephrolithiasis)은 가장 흔한 합병증으로 20%의 환자에서 발생한다. 요관 산통(ureteral colic)의 증상을 보인다. 원발성 부갑상샘 기능항진증을 수술하게 되는 가장 흔한 원인으로써 수술 받는 환자의 75%가량에서 신석증이 있다. 신석증 발생 위험은 수술 이후에도 10년 간 지속된다.
- 토리여과율이 감소하여 콩팥기능이 저하되고, 고칼슘뇨증을 나타낸다.

② 골증상

- **골막하골흡수**(subperiosteal bone resorption) : 부갑상샘 기능항진증의 가장 전형적인 특징으로 주로 손가락의 중간마디뼈(흔하게는 2번째, 3번째 손가락)에서 뼈의 흡수가 발생한다. 빗장뼈(clavicle), 갈비뼈에 생기기도 한다.
- **낭성 섬유뼈염**(osteitis fibrosa cystica) : 뼈에서 칼슘이 빠져나가 구멍이 나게 되고, 휘어지며, 낭을 형성하기도 하는 섬유화 염증반응이다.
- **소금후춧가루모양**(salt and pepper appearance) : 두개골의 뼈흡수로 인해 두개골이 소금과 후춧가루를 뿌려놓은 것처럼 뼈조직이 치밀하지 못하고 성긴 모양을 보인다.
- **갈색종양**(brown tumor) : 뼈파괴세포의 작용이 과다하여 지주골(trabecular bone)이 흡수되고 남은 섬유조직과 성긴 뼈(woven bone)로 이루어진 종양. 단순촬영 영상에서 방사선이 잘 투과되어 보인다.

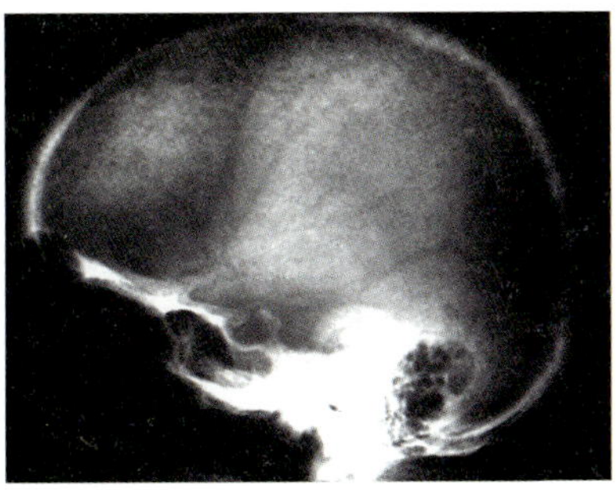

그림 15-1 소금후추가루모양의 두개골의 단순촬영 영상

③ 근위부 근위축

• 팔에 비해 전형적으로 다리를 침범한다.

④ 정서 장애

• 일반적인 우울증, 불안증, 정신병, 혼수 등이 다양하게 나타날 수 있다.

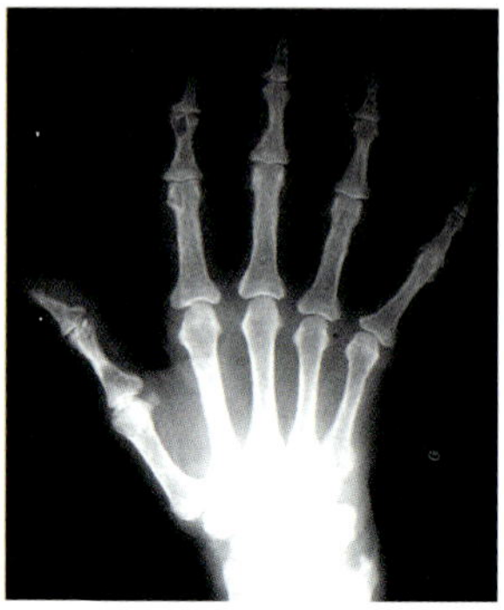

그림 15-2 갈색종양 및 골막하골흡수를 보이는 손의 단순촬영 영상
두 번째 손가락의 중간마디뼈에 갈색종양이 관찰되며, 2번째~5번째 손가락의 중간마디뼈에 골막하골흡수를 보인다.

표 15-1 부갑상샘 기능항진증의 증상

증 상	비 율	증 상	비 율
신석	30	변비	32
뼈증상	2	다뇨증	28
소화기 궤양	12	췌장염	1
정신착란	15	근육통	54
근위축	70	관절통	54

3) 진단

(1) 검사실 검사

① 고칼슘혈증이 있을 때 PTH가 증가되어 있다면 부갑상샘 기능항진증을 진단할 수 있다. 악성 종양으로 인해 고칼슘혈증을 보일 수 있으나 PTH가 감소되어 있다. 고칼슘혈증은 이온화 칼슘을 측정하여 가장 정확하게 측정할 수 있지만, 총칼슘을 측정해도 알부민 값을 보정하여 고칼슘혈증을 진단할 수 있다.

② alkaline phosphatase(ALP)의 증가는 여러 질환에서 나타날 수 있지만 고칼슘혈증이 의심되는 환자에서 ALP가 증가해 있다면 골격질환으로 인한 ALP의 증가를 시사한다.

(2) 영상검사

• 단순촬영

- 테크네슘 스캔
- 초음파
- CT
- MRI

4) 치료

부갑상샘 기능항진증의 치료의 주된 타깃은 고칼슘혈증의 치료이다. 특히 칼슘 농도를 11.5mg/dl 이하(정상 범위 : 8.5~10.2mg/dl)로 유지하는 것이 중요하며, 칼슘 농도가 정상으로 회복되면 대부분의 증상들은 해소된다.

(1) 등장성 생리식염수(isotonic saline, normal saline)

고칼슘혈증에 대한 가장 중요한 치료법이며 제일 먼저 신속히 시행하도록 한다. 심한 탈수를 동반한 심한 고칼슘혈증의 경우 반드시 필요한 치료법이며, 일반적으로 정상인에 비해 하루에 2~4L의 생리식염수가 필요하다. 혈관 내 용적(intravascular volume)이 정상화되면, 콩팥의 칼슘배설 능력이 향상되어 혈중 칼슘 농도가 정상화된다.

① **심한 고칼슘혈증**

정신 착란을 보이는 심각한 고칼슘혈증 환자에서는 고리이뇨제(loop diuretics)를 함께 사용하여 칼슘의 소변 배설을 촉진시키고, 생리식염수의 고도한 주입으로 인한 용적과부하(volume overload)를 예방할 수 있다. 단, 고리이뇨제는 반드시 수액 공급 이후에 사용하도록 한다.

② **무증상 고칼슘혈증**

무증상의 부갑상샘 기능항진증 환자들은 생리식염수를 천천히 주입해도 고칼슘혈증을 해소할 수 있다.

(2) 수술요법

심한 부갑상샘 기능항진증은 부갑상샘을 수술로 제거하는 것이 바람직하다. 부갑상샘절제술(parathyroidectomy)을 시행하여 95~98%에서 고칼슘혈증을 치료할 수 있으며, 82%에서 증상 완화를 보인다.

골다공증을 동반한 부갑상샘 기능항진증 환자에서는 골 무기질의 농도가 빠르게 증가하고 유지되는데, 대퇴골 목부분(femoral neck)의 골 무기질은 수술 후 1년 뒤 6%, 10년 뒤에는 14%가 증가하게 된다.

① 수술의 적응증

수술 적응증에 해당하는 환자 가운데 다른 사정으로 인해 수술이 불가능한 환자의 경우에는 6개월마다 혈청 칼슘, 1년마다 골밀도를 검사한다.

꼭 알아둡시다!!!

◆부갑상샘 기능항진증 환자의 수술 적응증

1. 심한 고칼슘혈증(혈청 칼슘이 정상 범위보다 1ml/dl 이상 상승했을 때)
2. 심한 고칼슘뇨증(24시간 소변으로 배설되는 칼슘량이 400mg 이상일 때)
3. 크레아티닌 청소율이 30% 이상 감소했을 때
4. 허리뼈(lumbar spine), 엉덩이(hip), 원위부 노뼈(distal radius)의 골밀도가 표준편차에서 2.5 이상 감소해 있을 때(t-score가 −2.5 이하)
5. 50세 이하
6. 추적관찰이 어려운 환자

② 수술의 효과

수술 성공률은 95% 이상이며, 합병증 발생률은 2% 미만이다. 혈청 칼슘은 수술 후 24시간 내에 감소하며, 혈청 PTH는 불과 수 분만에 감소하게 된다.

③ 수술 방법

전통적인 수술법은 전신마취 후 목절개를 통해 부갑상샘을 찾아 절제하는 방법이며, 최근 들어서는 부분 마취 및 최소화된 절개를 통해서도 수술이 가능하다. 따라서 수술 적응증에 해당하지 않는 환자, 수술을 원하는 환자, 수술 위험도 및 전신마취 위험도가 높은 환자에서도 안전하게 시행할 수 있다.

심화학습

◆전통적인 부갑상샘의 수술방법

- 전신마취 후 환자를 눕힌 상태에서 목을 최대한 신전시킨다.
- 갑상샘과 목동맥을 박리한다.
- 갑생샘 주변 조직을 박리하여 기도, 되돌이후두신경, 아래갑상샘동맥을 확인한다.
- 부갑상샘을 확인하여 제거한다. 부갑상샘이 확실하지 않을 경우 일부 절제하여 부갑상샘이 맞는지 조직검사를 시행한다.
- 한 개의 부갑상샘이 커져 있다고 해서 그 부갑상샘을 절제하는 것으로 마치지 않고 나머지 부갑상샘을 모두 확인하여, 또 다른 병변을 놓치지 않도록 한다.

• **부갑상샘 선종**(parathyroid adenoma)

한 개의 부갑상샘만 매우 커져 있고 나머지 세 개의 부갑생샘의 크기 및 기능은 정상이다. 커진 부갑상샘을 절제하는 것으로 치료가 가능하다. 수술 시 주의할 사항으로는 커진 부갑상샘을 발견했다고 해서 그것만을 절제하고 수술을 마치지 말고 또 다른 부갑상샘 선종이 존재할 수 있으므로 반드시 나머지 부갑상샘을 찾아서 확인하도록 한다. 2~3개의 부갑상샘 선종이 있다면 커진 것은 모두 절제하고 정상인 부갑상샘만을 보존한다.

- **부갑상샘 증식증**(parathyroid hyperplasia)

4개의 모든 부갑상샘이 약간씩 커져 있는 경우가 많으며, 따라서 부갑상샘 선종 보다 수술이 어렵고 그 결과 또한 만족스럽지 못한 경우가 많다. 수술 방법은 3개의 부갑상샘과 나머지 1개의 부갑상샘의 1/2을 절제하는 부갑상샘 아전절제술(subtotal parathyroidectomy)과 모든 부갑상샘을 절제하고 일부를 자가이식하는 방법(total parathyroidectomy with heterotopic autotransplantation)이 있다. 자기이식은 절제한 부갑상샘 가운데 한 개의 일부를 20~25개의 조각으로 잘게 썰어(mincing) 아래팔의 근육에 심어 부갑상샘의 기능을 보존하고, 부갑상샘 기능항진증이 재발했을 때 쉽게 제거할 수 있도록 한다.

- **부갑상샘의 위치확인법**

부갑상샘은 크기가 작고 색깔이 뚜렷하지 않아 수술 중에 종종 발견하지 못하는 경우가 있으며, 그럴 경우 위치를 찾기 위해 다양한 방법을 사용하기도 한다.

심화학습

◆부갑상샘의 위치를 찾는 방법

- ^{99m}Tc-sestamibi 섬광촬영
- 고해상도 경부 초음파
- 수술 중 PTH 측정
- 감마선 측정 프로브
- 비디오스코프

문제

15-1 3)

원발성 부갑상샘 기능항진증에서 가장 많이 나타나는 증상은?

1) 관절통
2) 다뇨증
3) 근육약화
4) 신격석증
5) 소화성궤양

해설

부갑상샘 기능항진증의 증상

증상	비율	증상	비율
신석	30	변비	32
뼈증상	2	다뇨증	28
소화기 궤양	12	췌장염	1
정신착란	15	근육통	54
근위축	70	관절통	54

15.4 부갑상샘 암

부갑상샘암은 드문 질환으로 원발성 부갑상샘 기능항진증 환자 중 0.5% 미만을 차지한다.

(1) 증상

약 50% 환자는 부갑상샘이 촉지되고 진단 시에 증상이 있다. 대부분의 환자는 혈청 칼슘 농도 14mg/dl 이상의 심한 고칼슘혈증을 보이며(평균 13.7mg/dl), 따라서 부갑상샘 선종에 비해 뼈, 신장계의 합병증을 보다 흔하게 나타낸다. 고칼슘혈증은 일반적으로 근육 위축, 피로, 우울증, 오심, 다뇨의 증상으로 나타나며, PTH가 과도하게 높아져 있는 경우, 목 부위 종괴가 만져지는 경우, 림프절 비대가 있는 경우 의심해봐야 한다.

(2) 치료

수술이 유일한 치료법이기 때문에 수술 중 부갑상샘암이 의심되면 부갑상샘을 포함하여 같은 쪽의 갑상샘엽, 림프절, 연부조직을 모두 절제한다.

(3) 예후

주변 조직을 광범위 절제하는 수술 후의 국소 재발률 8%이며, 생존율은 89%에 이른다. 반면, 단순히 부갑상샘만을 절제한 경우에는 국소 재발률이 51%, 생존율은 53%이다. 국소 재발 외에 폐, 간, 뼈로 전이가 일어날 수 있다.

문제

15-2 4)

부갑상샘 아전절제술에 비해 부갑상샘 전절제술 및 자가이식수술의 장점은?

1) 재발이 적다.
2) 시술이 간편하다.
3) 증상호전이 빠르다.
4) 재발 시 수술이 용이하다.
5) 부갑상샘 기능저하증이 생길 확률이 적다.

해설

전절제술 후 및 자가이식은 시술이 번거로운 단점이 있지만 부갑상샘의 일부를 팔에 이식하므로 재발 시에는 팔을 수술하기 때문에 수술이 용이하다.

16
내분비 췌장
Endocrine Pancreas

16.1 도세포 종양

도세포 종양(islet cell tumors)의 악성도는 다양하다. 이 중 인슐린종의 약 10%, 글루카곤증과 소마토스타틴종의 대부분은 악성이다.

종양이 전이하거나 주위 장기를 침범하면 악성으로 간주하며, 2cm보다 크기가 큰 종양의 대부분은 악성이다.

거의 모든 인슐린종, 글루카곤종과 VIPoma는 췌장에 발생하고 대부분의 가스트린종은 샘창자에 발생하며, 소마토스타틴종은 췌장과 소장에 균등하게 발생한다.

가스트린종, 췌장폴리펩티드종(PPoma), 소마토스타틴종은 위창자간막동맥(SMA)의 오른쪽에 발생(75%)하고 인슐린종, 글루카곤증은 SMA의 왼쪽에 발생(75%)하는 경향이 있다. 도세포 종양은 그 위치를 정확히 파악하고 신속한 치료를 하는 것이 중요하다.

1) 인슐린종(insulinoma)

(1) 진단

다음과 같은 임상소견으로 진단하며 진단 기준인 휘플 삼징후(Whipple's triad)는 다음과 같다.

① 저혈당 증상

② 40～50mg/dl 범위의 혈당

③ 저혈당 증상 시 정맥으로 당 주입 시 증상 호전

저혈당이 있는 동안 부적절하게 높은 인슐린(＞5uU/ml 이상)이 특징적이고 인슐린(uU/ml)/혈당(mg/dl) 비율이 ＞ 0.4인 것이 진단에 유용하다. 특히 저혈당을 유발하는 가장 좋은 방법은 환자를 금식시키는 것으로 24시간 금식 시 2/3의 환자에서, 72시간 금식 시 거의 대부분의 환자에서 저혈당을 보이는데, 이러한 현상으로 인슐린종의 진단이 가능하다.

(2) 위치 확인(localization)

대개 크기는 1.5cm 미만이고, 단일 병변(10%가 다수)이며, 양성(5~10%가 악성)의 특징을 가지기 때문에 위치확인이 어렵다.

① 초음파는 거의 도움이 안 되지만 조영증강 CT와 MRI로 50~60%에서 위치확인이 가능하다.

② 동맥조영술은 종양의 크기에 따라 다르지만 인슐린종의 경우 90% 정도로 높다.

③ 선택적 문맥정맥 채취(selective portovenous sampling)는 문맥정맥을 선택하여 인슐린 농도를 측정함으로써 인슐린종의 위치를 확인하는 방법으로서 75% 정도에서 비교적 정확한 위치 확인이 가능하지만 출혈 등의 합병증 발생의 위험이 있고, 침습적이며, 비싸고 어려운 단점이 있다.

④ CT는 초기와 이후의 조영 증강(문맥기 동안의 wash-out)으로 위치를 확인한다.

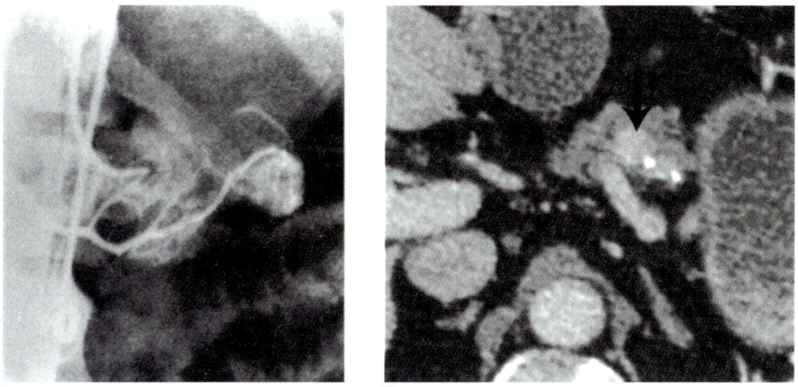

A B

그림 16-1 인슐린종의 동맥조영술 소견

A, 등쪽췌장동맥(dorsal pancreatic artery)으로 조영제를 주입하여 종양의 위치를 정확히 확인할 수 있다.
B, 조영증강 CT에서의 인슐린종. 췌장의 체부(화살표)의 종양이 관찰되며, 조영 증강되는 소견을 보인다.

췌장과 샘창자의 내분비 종양의 위치를 확인하는데 있어서 효율은 다음과 같다.

표 16-1 췌장과 샘창자의 내분비 종양의 위치를 확인하는데 있어서의 효율

비침습성(Noninvasive) 검사		침습성(Invasive) 검사	
초음파	23	내시경 초음파	82
Octreotide radioimaging(SRS)	86	선택적 혈관조영술	56
CT	43	문맥혈 채취	76
MRI	26	유발 혈관조영술(provocative angiography)	65

(3) 치료

인슐린종을 발견하면 심각한 저혈당으로 인한 뇌세포의 소실을 막기 위해 반드시 신속한 치료가 필요하다. 식사를 자주하도록 하며 심한 경우에는 밤에도 자다가 일어나서 먹도록 해야 한다. 표준 치료로 쓰이는 약물은 diazoxide(혈관 확장제로 고혈압의 치료에 쓰이며 인슐린종 환자에서는 인슐린의 분비를 억제한다)이며, 2/3의 환자에서 효과가 있다.

수술은 먼저 간, 췌장을 보고 촉지하여 위치를 확인한 다음 시행한다. 암이 간 또는 다른 장기에 전이되어 있는 경우에는 가능하면 모든 원발성 암과 전이 암을 제거하도록 한다.

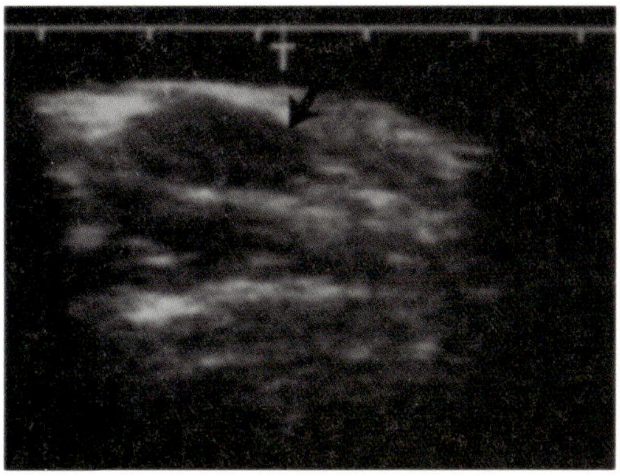
A

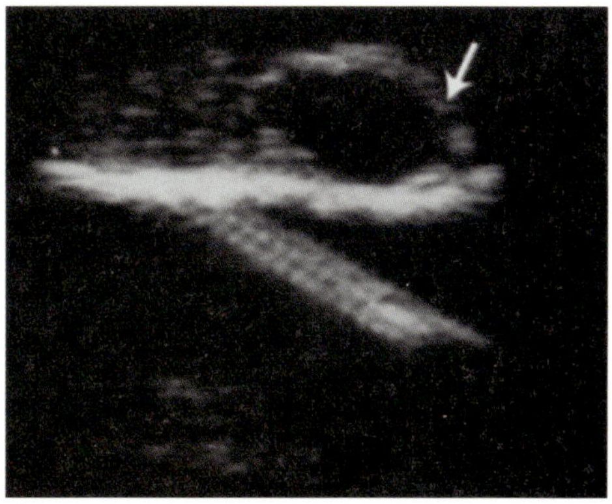
B

그림 16-2 수술 중 췌장의 초음파소견
췌장은 균일한 consistency를 가지는 초음파 투과성 덩어리로 보인다.

2) Zollinger-Ellison syndrome(가스트린종, gastrinoma)

1955년 Zollinger와 Ellison이 궤양성 경향, 위산의 과다분비, 췌장의 종양을 보이는 두 명의 환자에서 종양에 의해 어떠한 호르몬이 과다분비되어 궤양과 위산과다 분비가 발생하는 것을 발견하여 Zollinger-Ellison syndrome이라고 명명하였으며, 그 호르몬이 가스트린임이 밝혀져 Zollinger-Ellison syndrome을 구성하는 한 요소가 가스트린종이 되었다.

(1) 특징

산발형이 75%이고 MEN 1은 25%를 차지한다. 평균 발병 나이는 50세이며 MEN 1과 연관된 경우는 이보다 5~10년 먼저 발생한다. 악성에 관한 조직학적 기준은 없으며 오직 전이만이 악성의 유일한 기준이다. 그리고 간 전이가 예후 인자이나 림프절 전이는 예후인자가 아니다.

(2) 증상

증상은 주로 위산 분비 과다에 의해 나타나며, 복통(75%), 설사(60%)가 가장 흔한 증상이다. 10~20%의 환자에서는 설사만 있으며 다른 종류의 설사와는 달리 비위관 흡인으로 멈춘다는 특이점이 있으며, 이는 가스트린종에서만 관찰되는 현상이다. 또한 대부분의 환자에서 샘창자 궤양이나 공장 궤양이 발생하고 이로 인한 통증이 있다. 궤양의 가장 흔한 합병증으로 오심 및 구토(30%), 출혈(10%), 천공(7%) 등이 있다. 위식도 역류(GastroEsophageal Reclux Disease, GERD)는 30% 또는 그 이상에서 나타난다.

(3) 진단

약제에 반응하지 않는 소화성 궤양, 심한 식도염, 지속되는 분비성 설사의 증상을 가지는 모든 환자에서 가스트린종을 의심해야 한다.

진단은 위산 분비가 증가된 상황에서도 가스트린의 혈중 농도가 높은 것을 증명하면 가능하다. 가스트린의 정상 범위는 100pg/ml이나, 때로는 정상인에서도 100~1,000pg/ml 범위의 가스트린 범위를 보이는 경우가 있다. 하지만 1,000pg/ml 이상의 가스트린 농도를 보이면 거의 가스트린종을 진단할 수 있다.

한편 가스트린종에서는 기초 산 배출이 >15mEq/hr이고, 위 절제 후에는 >5mEq/hr이다. 위산의 산성도는 <2.0이며 2.5 이상이면 진단을 배제할 수 있다.

심화학습

◆ ZES 환자의 임상적 증거

- 심한 궤양 또는 위식도 역류질환
- *H. pylori*가 없거나 anti-H. pylori 치료나 H_2 길항제로 궤양 치료가 실패한 경우
- 분비성 설사가 지속(특히 코 위관 흡인으로 중지되는 설사)
- MEN 1 증후군의 징후나 증상(혈청칼슘과 부갑상샘 호르몬의 상승, 뇌하수체 종양)

(4) 위치 확인

가스트린종은 적어도 반 이상 췌장과 샘창자에서 기인하며, 60~90%가 가스트린종 triangle에서 발생한다.

① 샘창자의 경우 근위부에서 자주발생하고 원위부는 드물다(1st>2nd>3rd>4th).

② 위치확인은 선택적 문맥정맥 채취(Selective portovenous sampling)가 인슐린종보다 가스트린종에서 덜 유용하다.

③ 소마토스타틴 수용체 섬광조영술(Somatostatin Receptor Scintigraphy, SRS)은 세로토닌 주입 후 방사선 핵종(radionuclide) 스캔하는 방법으로 가장 민감도가 높은 방법이다. 가스트린종의 90% 이상이 소마토스타틴 수용체를 가지고 있다.

④ 내시경은 샘창자 가스트린종이 크기가 작기 때문에 샘창자 가스트린종의 위치 확인에 가장 효과적이다.

심화학습

◆가스트린종의 삼각구역(triangle)

- 위쪽 경계 : 쓸개와 총담관의 연결부위
- 아래쪽 경계 : 샘창자의 두 번째, 세 번째 부분의 연결부위 또는 아래 가장자리
- 바깥쪽 경계 : 두부와 경부의 연결부위

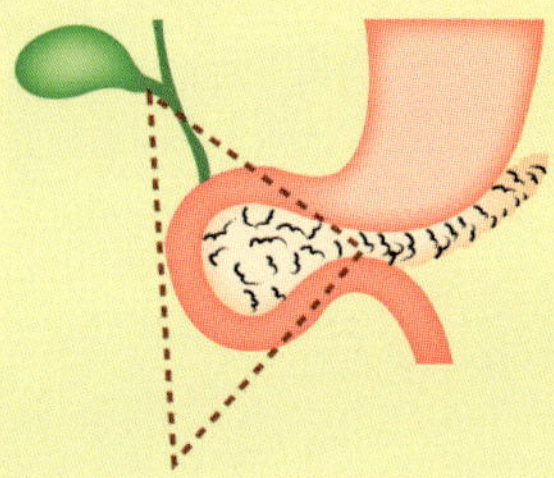

그림 16-3 가스트린종의 약 90%가 발견되는 삼각구역

(5) 치료

Omeprazole(Proton Pump Inhibitor, PPI)의 치료가 아주 효과적이다. 내과적 치료에 반응하지 않으면 수술적 치료를 고려하고, 수술 시 난소, 결장, 장간만, 위 등 복부 전체를 살펴보아야 한다.

가스트린종은 종종 단단하고 붉게 단 덩어리들로 발견된다(종종 푸른빛을 띤 붉은색). 수술 중 내시경(transillumination을 시행하여 쉽게 위치확인을 할 수 있는데, 샘창자 가스트린종은 70%가 샘창자의 1부, 20%가 2부, 10%가 3부에서 발견되며 4부에서는 발견되지 않는다. 수술 시에는 샘창자의 전층을 절제하여 제거한다(full-thickness elliptical incision). 췌장 두부 안의 종양은 가능하면 Whipple's operation을 시행해서라도 적출해야 한다.

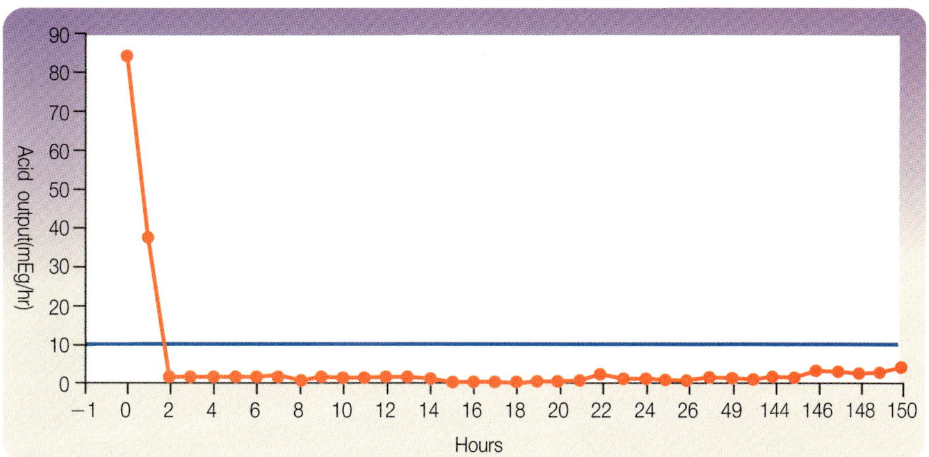

그림 16-4 ZES 환자에서 정맥을 통한 PPI치료 결과

정상인에서의 위산 분비는 15mEq/hr 이하이며 ZES 환자에서는 10mEq/hr(보라색 실선)로 유지되어야 한다. PPI 사용 전 위산 분비는 85mEq/hr이었으나 약물치료 후 2시간 이후부터 2mEq/hr 이하로 유지되고 있으며 효과는 24시간 이상 지속된다. 따라서 ZES환자에서는 하루 한차례의 PPI 투여가 필요하며 경구제제 역시 동일한 효과를 보인다.

PACIFIC
SURGERY

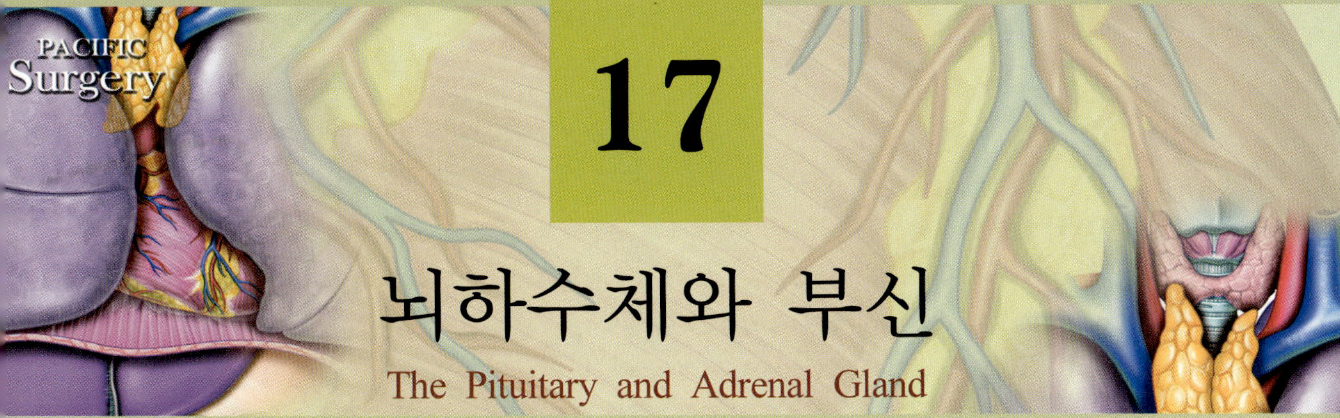

17

뇌하수체와 부신

The Pituitary and Adrenal Gland

17.1 부 신

1) 갈색세포종(pheochromocytoma)

(1) 특징

부신(adrenal gland) 수질에서 발생하는 경우가 90%이고 오른쪽이 왼쪽보다 많다. 발생 위치는 복부(98%), 흉부(2～3%), 경부(1%)이다.

✤ 이 것 만 알 아 두 세 요 ✤

◆Rule of 10

• 양측성으로 생기는 비율	10%
• 부신 외에 생기는 비율	10%
• 가족력을 가지는 비율	10%
• 악성 비율	10%
• 소아에서 생기는 비율	10%

(2) 증상

임상증상은 경증의 고혈압에서 고혈압 위기까지 나타나며, 지속적인 고혈압이 1/2에서 발생하고 발작성 고혈압은 1/3에서 발생하며, 1/5에서는 고혈압이 없다.

심계항진, 불안, 두통, 홍조가 나타날 수 있고 혈장량 감소, 자율반사 둔화로 기립성 저혈압이 발생할 수 있고 소화기 운동 저하로 장폐쇄증, 거대결장증이 생길 수 있다.

(3) 진단

갈색세포종은 체액에서 catecholamine과 그 대사물의 농도가 높아져 있는 것을 확인하면 진단 가능하다.

(4) 위치 확인

CT와 MRI가 이용되며 MRI가 약간 더 민감하며, 민감도는 87~100%에 이른다.

기타 MIBG scan, PET 등이 사용된다.

(5) 수술 및 예후

수술 중 환자의 상태가 나빠질 수 있으므로 종양의 조작을 최소화한다.

90% 이상에서 수술로 완치가 가능하며 최근에는 주변 장기로의 침범이 없다면 복강경 수술로 시행하는 추세이다.

심화학습

◆ 혈장 fractionated metanephrine 검사

1. 민감도가 99%에 이를 정도로 높고 검사방법이 편리하여(한 번의 혈액채취) 선별검사로 쓰이지만 특이도가 85%가량으로 낮다. 갈색세포종은 드문 질병이며 고혈압 환자들은 매우 많이 때문에 고혈압 환자를 대상으로 하는 선별검사가 특이도가 낮다면 매우 많은 위양성(false positive) 환자가 생기게 된다. 실제 고혈압 환자 가운데 갈색세포종이 아닌 환자가 훨씬 많기 때문에 특이도가 85%가량일 때 위양성 환자와 진양성(true positive) 환자의 비율은 30:1에 이른다. 따라서 혈장 fractionated metanephrine 검사는 결과가 음성으로 나왔을 때 갈색세포종을 배제하는 수단 정도로 사용될 수 있다.
2. 혈장 fractionated metanephrine 검사에서 양성으로 나온 환자에서는 확진검사로 24시간 소변중 catecholamines과 그 대사물인 VMA(vanilylmandelic acid), epinephrine, norepinephrine, dopamine 농도 측정을 시행한다. 거의 모든 경우에 있어 24시간 소변 중 catecholamine 검사에서 두 가지 이상의 수치가 높아져 있다면 확진 가능하다.

(6) 악성 갈색세포종(malignant pheochromocytoma)

발병빈도는 여성 대 남성이 3대 1이고 부신 외 장소에 2~3배 더 많이 발생한다.

양성과 악성 감별이 어렵고 흔히 전이되는 곳은 뼈, 간, 림프절, 폐, 중추신경계이다.

재발은 5~10년(대개 20년 후에 발견) 후에 발생하고 치료는 전이된 종양 절제와 고혈압의 약물 조절이고 골 전이는 방사선으로 치료한다.

^{131}I-MIBG는 부분 반응을 보이고 combination 항암화학요법은 효과적이다. 예후는 5년 생존율이 36~60%이다.

심화학습

◆수술 전과 후 관리

1) 수술 전 관리
- 고혈압 조절
- α-blocker : 수술 중 고혈압 위기를 예방
- 수액 보충 : 종양 제거 후 순환 허탈(circulatory collapse) 예방
- α-blocker : phenoxybenzamine(10mg twice daily) → 적어도 1주일 전부터 시행
- β-adrenergic blocker : propranolol
  - 적응증 : α-blocker와 동반된 빈맥, 부정빈맥, 주로 epinephrine을 분비하는 종양
  - 내인성 norepinephrine의 pressure response를 증가시킬 수 있으므로 α-blocker를 쓰고 적절하게 되면 사용
- 수액 정맥공급 : 종양제거 후에 심장혈관 허탈을 피하기 위해 수술 12~24시간 전 투여

2) 수술 중 관리
- 수술 중 고혈압 : sodium nitroprusside drip
- 부정맥 : short-acting β-blocker(esmolol), lidocaine
- 수술 시 주의할 점 → 최소한의 조작, 부신 정맥의 조기 결찰, 피막의 파열 방지
- 갈색세포종 절제 후 혈관 확장의 결과로 심한 저혈압 발생 → 수액 보충 필요
- 저혈당 : catecholamine → 인슐린 분비 감소로 인한 반동 고인슐린증(rebound hyperinsulemia) 때문에 첫 24시간 동안 혈당 감시

2) 부신우연종(adrenal incidentaloma)

부신과 관련 없는 부신 외의 질병의 진단을 위해 시행한 복부 영상검사 상 우연히 발견되는 부신의 종양을 말한다.

CT에서 1~5% 발견되며, 비기능성 피질 선종(nonfunctioning cortical adenoma)이 가장 흔하다(36~94%).

방사선학 검사에서 양성은 균질하고 매끈하며 규칙적인 피막 가장자리, 시간이 지남에 따라 크기가 증가하지 않는 특성을 보인다. 원발성 부신암종(primary adrenal carcinoma)은 크고, 불균질한, 불규칙적인, 출혈, 괴사, 석회화, 국소 침범, 림프절병증을 보인다.

MRI는 양성과 악성의 감별진단에 도움이 되며, 생검의 적응증은 거의 없고 부신전이 시 치료방법을 정할 때 사용하나 합병증이 많으므로 조심스럽게 시행한다.

심화학습

◆크기별 수술 기준

- 3~5cm : 논의의 여지가 있다.
- 부신절제술이 가장 추천되는 군 : 5cm 초과(악성 가능성 25% 이상)이거나 호르몬 이상을 초래하는 종양(hormonally active tumor)
- 부신절제술이 고려되지 않는 군 : 3cm 미만(악성 가능성 2% 미만)의 병변

심화학습

◆부신우연종의 생화학 검사

1. 갈색세포종의 선별검사
   혈장 fractional metanephrines
   24시간 소변 collection for catecholamines, metanephrines, VMA
2. 고코르티솔혈증의 선별검사
   overnight, single dose(1∼3mg) dexamethasone test
   오전 8시 코르티솔이 3mg/dl 미만으로 감소 실패하는 경우 양성
   Cushing's syndrome : 24시간 소변 free cortisol, 혈장 ACTH
3. 고알도스테론혈증의 선별검사
   PAC : PRA > 20, PAC > 15ng/dl
   확진 → 24시간 소변 알도스테론 수치

문제

17-1 4)

34세 남자가 고혈압으로 여러 가지 항 고혈압약을 복용해도, 혈압이 잘 조절되지 않아 병원에 왔다. 평소 심한 두통과 가슴 두근거림이 있었고, 손에 땀이 많았다고 한다. 진단을 위해 우선해야 할 검사는?

1) 혈청 TSH
2) 혈청 레닌의 활성도 및 알도스테론
3) 24시간 소변 코르티솔
4) 24시간 소변 메타네프린
5) 24시간 소변 5－HIAA

해설

갈색세포종이 의심되는 환자이다. 24시간 소변중 VMA, netanephrine, epinephrine, norepinephrine, dopamine 농도를 측정함으로써 확진한다.

17-2 3)

26세 여자가 간헐적인 심한 두통, 가슴 두근거림과 발한으로 내원하였다. 혈압 180/110mmHg, 맥박 100회/분, Na/K/Cl 143/3.9/101, 24시간 소변의 VMA배설량은 12.8mg(참고치 < 7.0) 메타네프린 배설량은 2.4mg(참고치 < 1.3)이었다. 가장 적절한 치료는?

1) captopril
2) nifedipine
3) phenoxybenzamine
4) furosemide
5) spironolactone

해설

갈색세포종이 의심되는 환자이다. α－blocker를 먼저 사용하는데, phenoxybenzamine이 대표적인 약물이다. 하루 10mg씩 두 번 사용하고 수술 전 적어도 1주일 전부터 시작한다.

17-3 1)

젊은 여자환자가 교통사고로 내원, 시행한 abdominal CT상 우연히 좌측 부신에 2cm 크기의 종괴가 발견되었다. 각종 내분비 검사 상 모두 정상 소견이었다. 향후 처치 중 바른 것은?

1) 6개월 내 CT 추적검사
2) 좌측 부신 절제
3) 복강경하 좌측 부신 절제 생검
4) 복강경하 좌측 부신 절제
5) 복강경하 좌측 부신 절제 및 우측 부신 절제 생검

해설

부신우연종은 크기에 따라 치료 방법이 달라진다.

PACIFIC
SURGERY

18

다발성 내분비 종양 증후군

MEN(Multiple Endocrine Neoplasia) Syndrome

다발성 내분비 종양 증후군(MEN)은 종양억제유전자(tumor suppressor gene)의 유전적 변이로 인해 발생하는 1형과 원발암유전자(proto-oncogene)의 유전적 변이로 인해 생기는 2형 두 가지가 있다. 이 유전성 종양 증후군은 다발성으로 내분비 조직에 악성 변화를 일으키며, 내분비 조직이 아닌 곳에도 침범하기도 한다. 최근 MEN 1과 2의 유전적 정보가 발견되어 MEN에 대해 유전자 검사가 가능해졌고 따라서 조기 수술이 가능해졌다.

18.1 1형 다발성 내분비 종양

1) 정의 및 역학

MEN1 유전자는 염색체 11q13에 위치하는 종양억제유전자이며, 이 유전자의 변이로 인해 MEN 1이 발생한다. MEN 1은 부갑상샘, 내분비 췌장, 뇌하수체 세 곳 가운데 최소 두 곳에 종양이 발생하는 질환을 의미한다.

인종 간의 발병률 차이는 없고, 보통염색체 우성으로 유전되기 때문에 남녀 발생 비율은 같다. MEN 1의 특성은 100% 후대에 유전되며, 임상양상은 약간 다를 수 있다.

2) 증상

가장 흔한 증상은 부갑상샘증식증(parathyroid hyperplasia)으로 인한 고칼슘혈증이며, 거의 모든 MEN 1 환자에서 발생한다(98～100%). 췌장과 샘창자 신경내분비 종양(neuroendocrine tumors of pancreas and duodenum; 30～80%)과 뇌하수체 종양(pituitary adenoma; 15～50%)이 그 다음으로 흔하게 발견되는 질환이다.

전형적인 이들 종양 외에도 기관지, 가슴샘의 칼시노이드, 갑상샘 결절, 부신피질 결절증식증(adrenocortical nodular hyperplasia), 지방종 등이 발생할 수 있다. 부검 시 거의 모든 환자에서 모든 3가지의 내분비 조직에 병변이 발견된다.

18.2 2형 다발성 내분비 종양

MEN 2는 MEN 2A, MEN 2B, FMTC(familial non-MEN medullary thyroid carcinoma)로 나누어진다.

보통염색체 우성유전으로 유전되며, 10번 염색체에 위치하는 원발암유전자인 RET 유전자의 변이로 인해 발생한다. 특히 갑상샘 수질암(medullary thyroid carcinoma)과 연관되어 있으며, 전체 갑상샘 수질암의 25%는 MEN 2A, MEN 2B, FMTC와 연관되어 발생한다.

1) MEN 2A

① **갑상샘 수질암**

MEN 2A의 모든 환자에서 발생한다. MEN 2A에서 발생하는 갑상샘 수질암은 일반적인 산발성 갑상샘 수질암에 비해 양측엽 모두에 생기고, 다발성이며, C cell 증식증과 연관되어 있다.

② **갈색세포종**(pheochromocytoma)

42%에서 발생하며 산발성에 비해 다발성, 양측성으로 생기는 경향이 있다.

③ **부갑상샘 기능항진증**

10~35%에서 발생하며 부갑상샘 증식증으로 인해 생긴다. 부갑상샘은 양쪽이 비대칭적이고 한 개 혹은 여러 개의 부갑상샘이 커질 수 있다.

2) MEN 2B

① **갑상샘수질암**

MEN 2A에서와 같이 모든 MEN 2B 환자에서 발생한다. 그러나 MEN 2A에서 발생하는 갑상샘 수질암에 비해 어린 나이(영아기)에 발생하며 가장 침습적인 형태를 보인다. 임상적으로 증상을 나타내게 되면 거의 치료가 불가능하다.

② **점막신경종**(mucosal neuroma)

신경이 증식하여 생기는 질환으로 모든 환자에서 발생한다. 주로 입술, 혀, 잇몸, 입안 점막, 코 점막, 성대, 결막에 발생한다.

③ **갈색세포종**

40~50%의 환자에서 발생한다.

④ 뚜렷한 신체 외양

윗입술이 돌출되고, 눈꺼풀이 뒤집히며, 다수의 결절이 혀에서 관찰된다. 또한 Marfan 증후군에서와 같이 작은 몸통과 긴 사지의 특징적인 체형을 갖게 된다.

3) FMTC(familial non-MEN medullary thyroid carcinoma)

FMTC는 다른 내분비 종양이 없이 갑상샘 수질암이 생기는 특징을 갖는다.

MEN 2A, MEN 2B에서 생기는 갑상샘 수질암에 비해 늦은 발병 시기와 보다 좋은 임상 경과를 갖는다.

종종 FMTC에서 발생하는 갑상샘 수질암 환자들은 검사소견이나 병리학적으로 분명히 갑상샘 수질암을 가지고 있음에도 불구하고 전혀 증상이 없거나 목에 종괴가 만져지지 않기도 한다.

표 18-1 임상양상(Clinical Features of Sporadic MTC, MEN 2A, MEN 2B, and FMTC)

임상진단	갑상샘수질암의 특징	유전 패턴	동반 기형	유전자 이상
산발성 갑상샘수질암	단일성	없음	없음	RET 변이가 20% 이상에서 관찰됨
MEN 2A	다발성 양측성	상염색체 우성(AD)	갈색세포종, 부갑상샘 기능항진증	missense mutations in extracellular cysteine codons of RET
MEN 2B	다발성 양측성	상염색체 우성(AD)	갈색세포종, 점막신경종, 거대결장, 근골격계 이상	Germline missense mutation in tyrosine kinase domain of RET
가족성 갑상샘수질암	다발성 양측성	상염색체 우성(AD)	없음	Germline missense mutations in extracellular or intracellular cysteine codons of RET

PACIFIC
SURGERY

19 식 도
Esophagus

19.1 식도 게실증

1) 개요

식도 게실증(esophageal diverticula)은 식도의 운동장애 또는 상부식도괄약근(Upper Esophageal Sphinchter, UES), 하부식도괄약근(Lower Esophageal Ssphincter, LES)의 이상으로 발생한다.

- 호발 위치
- Pharyngoesophageal : Zenker's diverticulum라고 불린다.
- Parabronchial(midesophageal)
- Epiphrenic(supradiaphragmatic)

(1) 가게실(false diverticulum; pulsion diverticulum)

식도 내부의 압력으로 점막과 점막하층이 밀려나가서 게실을 형성한다. Zenker's 게실, 가로막상부 게실(epiphrenic diverticulum)이 이에 해당한다.

(2) 참게실(true diverticulum; traction diverticulum)

종격동의 림프절염 → 식도와 유착 → 림프절이 치유되면서 수축 → 식도를 끌어당김 → 게실을 형성한다. midesophageal diverticulum이 이에 해당한다.

2) Zenker's 게실

(1) 특징

① 식도 게실증 중 가장 흔하고 60대에 많이 발생한다.

② 갑상인두근(thyropharyngeus muscle)과 윤상인두근(cricopharyngeus muscle) 사이의 공간에서 발생한다.

③ 진행되면 식도의 왼쪽을 타고 내려가 종격동에 이른다.

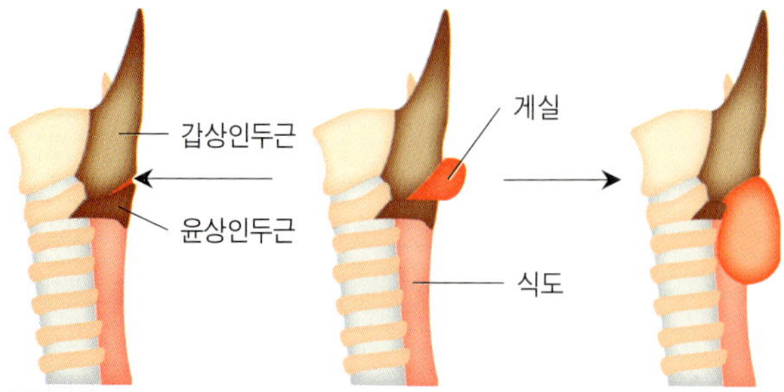

그림 19-1 Zenker's 게실의 발생 위치

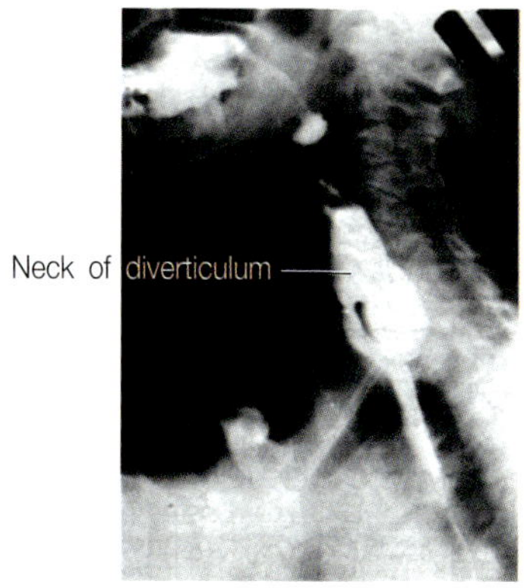

그림 19-2 Zenker's 게실의 바륨조영술 소견

(2) 증상 및 진단

① 목의 끈적끈적한 느낌(sticking in the throat)을 호소하며 진행된 경우에는 기침, 침의 과다, 연하곤란 등의 증상이 나타난다.

② 주머니의 사이즈가 점점 커지면 악취를 풍기는 소화되지 않은 음식물이 역류한다.

③ 가장 심각한 합병증은 흡인성 폐렴 및 폐농양이다.

④ 바륨 식도조영술로 진단한다.

(3) 치료

① 수술

- 게실절제술(diverticulectomy)+근절개술(myotomy)
- 게실고정술(diverticulopexy)+근절개술(myotomy)
- 근절개술 : 게실이 2cm 미만의 크기일 때, 갑상인두근, 윤상인두근의 절개만으로도 치료 가능하다.

② 내시경 치료를 시행할 수 있다.

- 3cm 이하의 게실은 수술이 더 좋은 결과를 보이며 3cm 이상의 게실에서는 수술과 내시경이 같은 결과를 보인다.

문제

19-1 5)

45세 남자가 목에 무언가 걸린 것 같은 느낌과 심한 구취, 반복되는 폐렴 때문에 왔다. 식도위샘창자 내시경 검사의 하부식도 사진이다. 치료는?

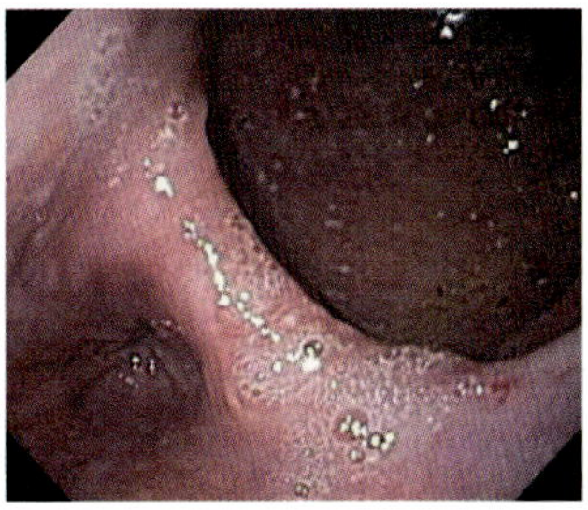

1) 프로톤 펌프 억제제
2) 식도확장술
3) 스텐트삽입
4) 근육절개술(myotomy)
5) 외과적절제

해설

목의 이물감, 심한 구취, 반복되는 폐렴이 있는 환자는 식도의 Zenker's diverticulum을 의심한다. 특히 위내시경에서 하부식도 소견이 주어졌으므로 진단은 명확하다. 증상이 심하고 크기가 3cm 보다 크기 때문에 게실절제술을 시행한다. 근절개술은 크기가 2cm 미만에서 시행한다.

19-2 2)

25세 남자가 소화불량과 기침, 심한 입 냄새 때문에 병원에 왔다. 이 사람의 식도 조영술 사진이다(식도상부의 돌출한 주머니에 조영제가 차 있는 사진. 측면+정면). 진단은?

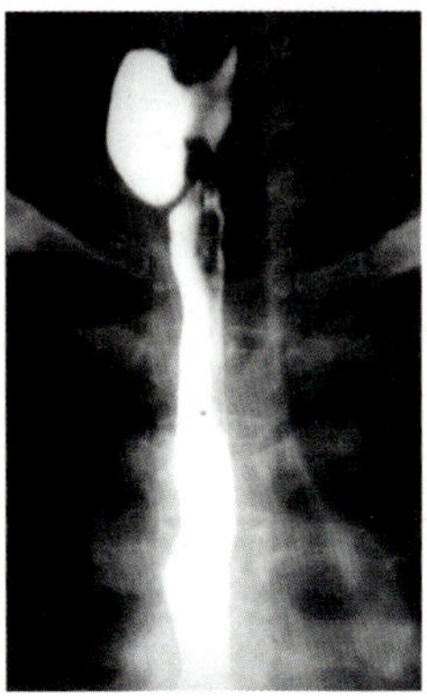

1) 부식성 손상
2) Zenker's diverticulum
3) Barrett's esophagus
4) 식도평활근종
5) 식도암

해설

기침, 심한 구취 환자에서 식도 조영술이 주어지면 Zenker's diverticulum을 의심한다.

19.2 식도의 운동이상

1) 식도 이완불능증(achalasia)

(1) 특징

① 일차적 원인은 하부식도괄약근(LES)을 조절하는 신경의 이상으로 인해 LES 이완의 장애가 생겨 발생한다.

② 이차적 원인은 식도체부 근육의 신경근기능(neuromuscular function)의 이상이다.

③ 식도의 전암성 병변(premalignant condition)으로써 8%에서 암이 발생한다.

(2) 증상 및 진단

① 전형적인 삼징후(classical triad) : 연하곤란, 역류증상, 체중감소

② 연하곤란은 유동식에서부터 시작되며 점점 고형식까지 진행된다.

③ 치료하지 않고 진행될 경우 폐렴, 폐농양, 기관지확장증이 발생하게 된다.

④ 진단은 식도조영술(esophagogram), 식도 내압검사(manometry)를 시행한다.

⑤ 식도조영술에서 새부리 모양(bird's beak) : LES 부분은 좁아져 있고 그 윗부분은 확장되어 있는 소견을 보인다.

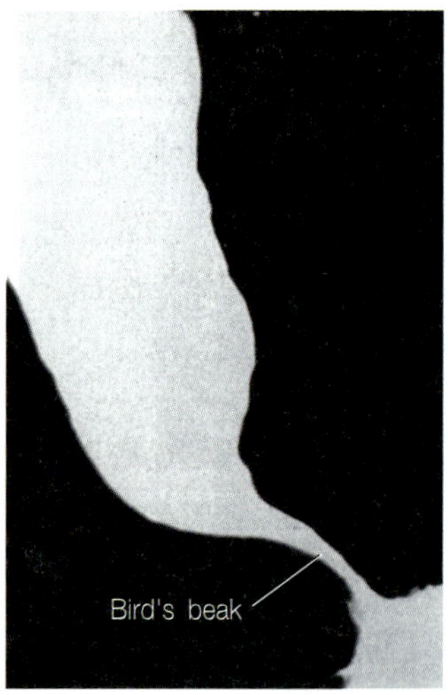

그림 19-3 식도 이완불능증의 바륨조영술 소견

⑥ 식도내압검사

- LES : 휴지기 압력이 35mmHg 이상으로 높다. 연하 시 이완의 장애를 보인다.
- 식도 체부 근육 : 공기의 배출이 불완전하므로 압력이 높다. 연동운동의 진행이 없이 동시 다발적인 수축한다. 저진폭의 파형(low amplitude waveform)을 보인다.

• 정상 LES 소견〈그림 19-4〉

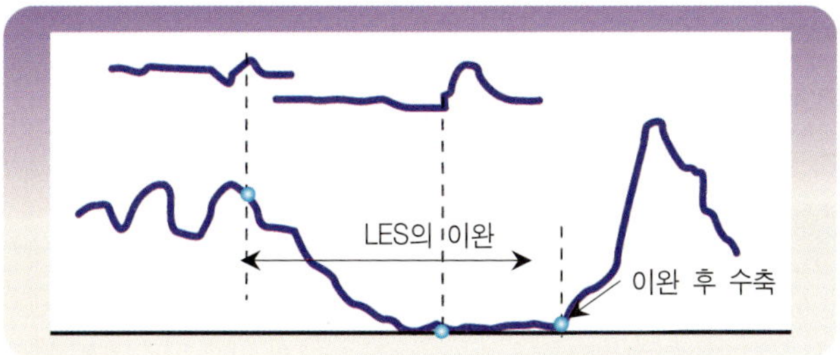

그림 19-4 식도 내압 검사상 하부식도 괄약근의 정상소견

• achalasia의 소견〈그림 19-5〉

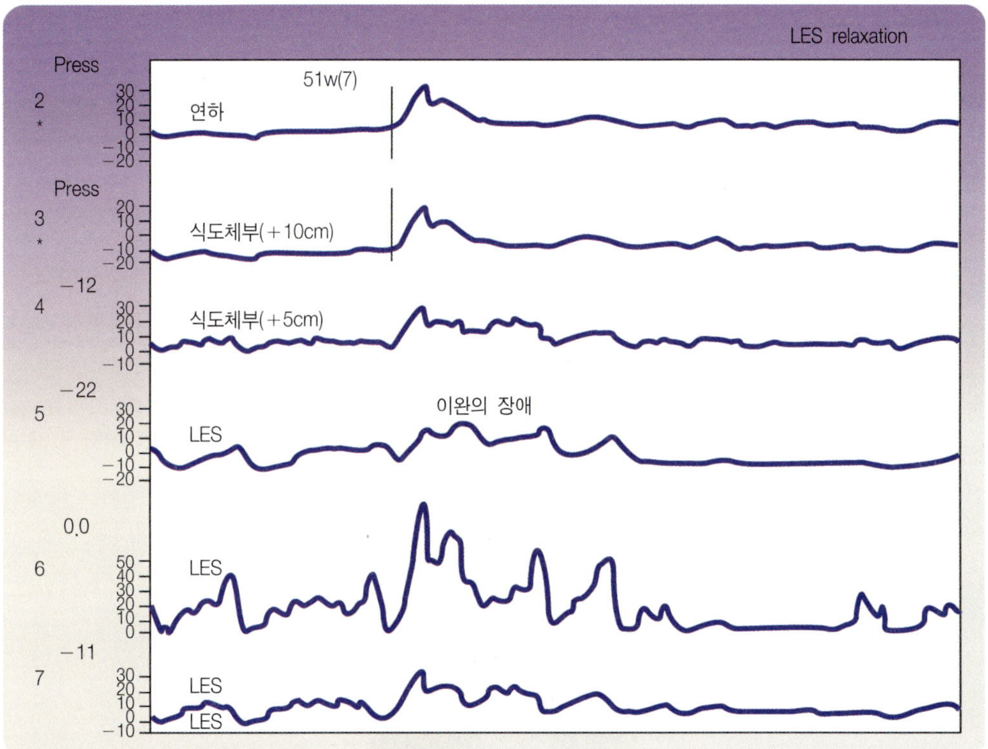

그림 19-5 식도 이완불능증에서의 식도 내압검사
하부식도 괄약근의 이완이 나타나지 않는다.

(3) 치료

① 비수술적 치료(일시적인 치료임)

- Nitroglycerin, nitrates, calcium channel blocker
- 내시경적 풍선확장술
- Botox 주사 : 효과 좋지만 6개월 내에 50%에서 증상이 재발한다.

② 수술적 치료

- 근절개술(esophagomyotomy) : 근절개술 후 역류 증상이 생길 수 있으므로 역류방지 시술(antireflux procedure)을 추가할 수 있다.
- 식도절제술(esophagectomy) : 식도가 심하게 확장된 경우, 근절개술로 효과가 없는 경우에 시행한다.
- 수술적 치료가 비수술적 치료에 비해 효과가 좋다.

2) 미만성 식도연축(diffuse esophageal spasm)

(1) 특징

① 식도의 과운동성(hypermotility) 질환으로, 특히 식도의 하부 2/3에서 이상 운동이 발생한다.

② 근육의 비대(hypertrophy), 미주신경의 변성(degeneration)이 나타난다.

(2) 증상 및 진단

① 흉통, 연하곤란, 역류증상

② 식도조영술 소견 : corkscrew esophagus or pseudodiverticulosis

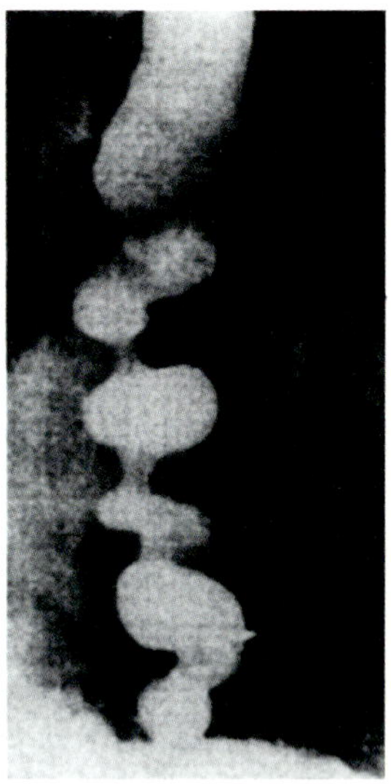

그림 19-6 미만성 식도연축의 바륨조영술 소견

③ 식도내압검사

- 동시 다발적인 식도의 수축(simultaneous, multipeaked contraction)을 보인다〈그림 19-7〉.
- 고진폭의 파형(> 120mmHg)을 보인다.
- 수축 시간이 2.5초 이상으로 길다(long duration).

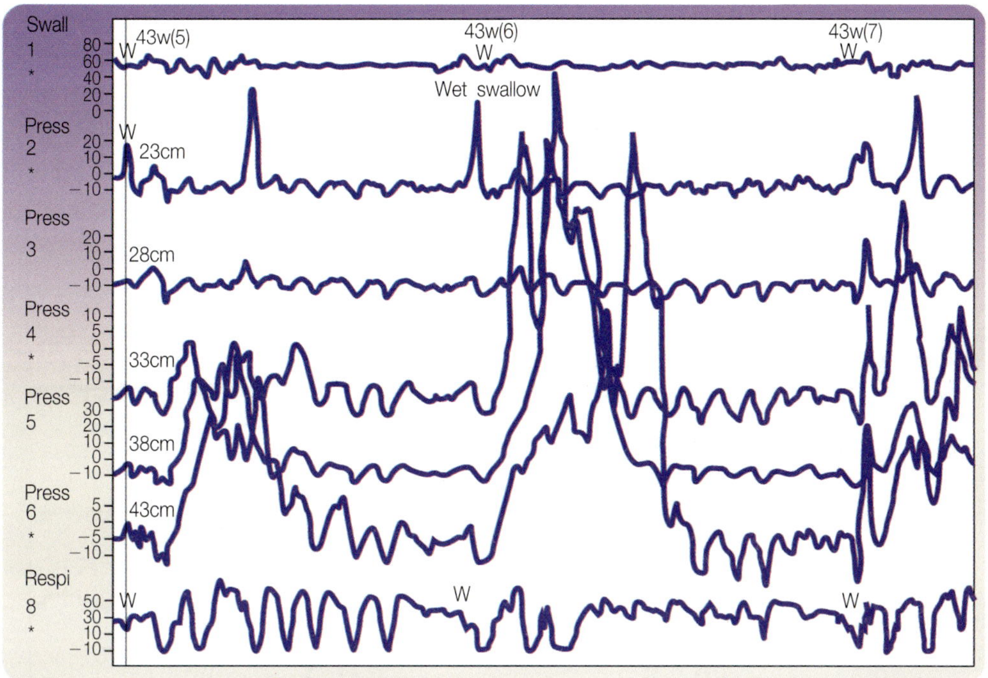

그림 19-7 미만성 식도연축의 식도내압검사
동시다발적인 수축 및 고진폭의 파형을 보인다.

(3) 치료

① 우울증, 정신–신체화(psychosomatic) 장애, 불안 등 정신과적 질환을 평가한다.

② 비수술적 치료

- 약물치료 : nitrates, calcium channel blocker, sedative, anticholinergics
- 내시경적 풍선확장술 : 심한 연하곤란의 70~80%에서 효과적이다.

③ 수술적 치료

- 심한 흉통이나, 비수술적 치료에 반응이 없는 경우 시행한다.
- 근절개술(long esophagomyotomy) : 식도내압검사로 근절개의 범위를 결정한다.
- 80%에서 증상 완화가 나타난다.

3) 호두까기 식도(nutcracker esophagus)

(1) 특징

① 식도연동 시 매우 높은 압력(supersqueeze)의 수축이 나타난다.

② 식도의 과운동성(hypermotility) 장애 중 가장 흔하다.

(2) 증상 및 진단

① 흉통, 연하곤란이 나타나며, 역류증상은 드물다.

② 식도 조영검사에서는 특이 소견이 없는 경우가 많으므로 진단의 gold standard는 흉통과 함께 식도내압검사에서 고진폭의 수축 파형이 나타나는 것이다.
③ 400mmHg 이상의 수축 파형이 흔하게 나타난다.
④ LES의 압력은 정상이며, 연하 시 이완도 정상적으로 나타난다.
⑤ 미만성 식도연축과 감별이 중요하며, 이유는 nutcracker esophagus에서 수술적 치료는 효과가 없기 때문이다.

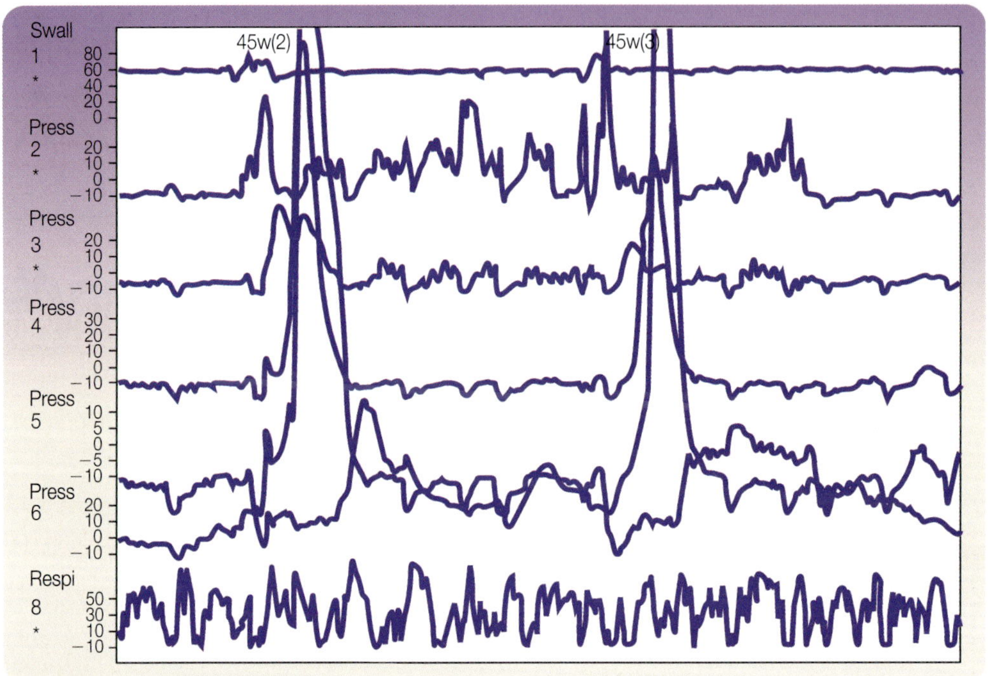

그림 19-8 Nutcracker esophagus의 식도내압검사
400mmHg 이상의 수축 파형이 나타난다.

(3) 치료

① 약물치료 : calcium channel blocker, antispasmodics
② 내시경적 풍선확장술의 목적은 일시적 증상 완화이다. 하지만 장기적으로는 효과가 없다.
③ 카페인, 차갑거나 뜨거운 음식을 피한다.

문제

19-3 5)

식도 이완불능증(esophageal achalasia)에 관한 설명 중 옳은 것은?

가. 대부분의 경우 뚜렷한 원인이 없다.
나. 연하곤란 및 역류증상이 주증상이다.
다. 약 10%에서 식도암이 발생한다.
라. 식도 운동검사상 하부식도이완이 안되어 생긴 질환이다.

1) 가, 나, 다　　2) 가, 다　　3) 나, 라
4) 라　　5) 가, 나, 다, 라

해설
전형적인 삼징후(classical triad) : 연하곤란, 역류증상, 체중감소

19.3 식도의 역류

1) 바렛 식도(Barrett's esophagus)

(1) 특징

① 위식도 역류에 의한 위산의 자극으로 식도의 편평상피세포가 원주상피세포로 화생(metaplasia)되는 현상을 말한다.

② 위식도 역류질환(GERD)의 10%에서 바렛 식도가 발견된다.

③ 정상인보다 40배 높은 식도암 발생률을 보인다.

④ 위식도 역류질환 외에도 고령, 비만, 스트레스, 카페인, 알코올, 흡연, 맵고 기름진 음식도 바렛 식도의 발생에 영향을 미친다.

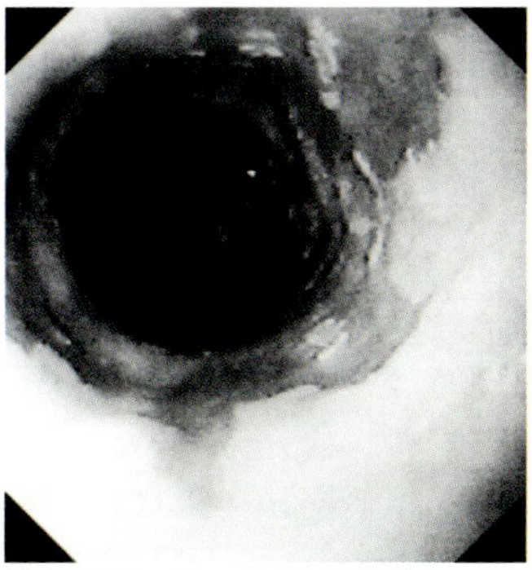

그림 19-9 바렛 식도의 내시경 소견

(2) 치료

① **절제시술**(ablative therapy)

PDT(Photodynamic Therapy), laser therapy, EMR(Endoscopic Mucosal Resection)

② **식도절제술**

고위험 이형성(high grade dysplasia) 이상의 식도를 가진 환자에서 시행한다.

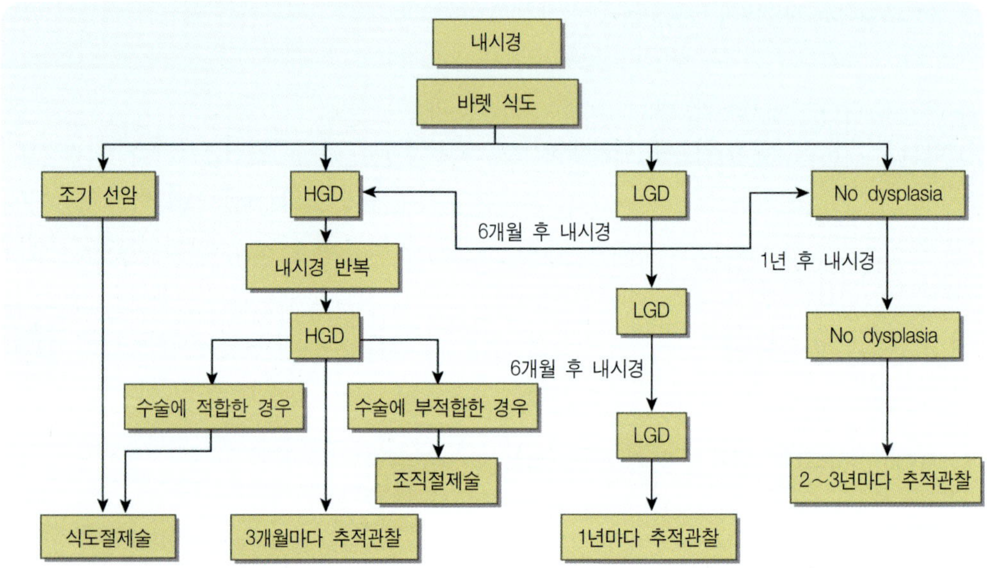

그림 19-10 바렛 식도의 치료
HGD: 고위험 이형성(high grade dysplasia); LGD: 저위험 이형성(low grade dysplasia)

19.4 식도의 부식성 손상

1) 특징

소아의 경우 실수로 소량 먹는 경우가 많지만, 청소년이나 성인의 경우 자살을 목적으로 먹는 경우가 많기 때문에 다량을 먹게 된다.

산성 물질은 먹는 즉시 구강에서 통증을 느끼나 알칼리 물질은 즉각적인 통증이 없기 때문에 알칼리 물질 섭취에 의한 손상이 더욱 흔하다.

- 급성기 : 손상의 위치, 심각도, 섭취 물질(산성 vs 알칼리), 성상(액체 vs 고체), 섭취한 물질의 양과 농도, 위장 내 음식물의 양, 조직과 접촉한 시간 등이 중요한 변수이다.
- 만성기 : 손상 수개월 후 협착 및 연하장애가 나타난다.

손상 받기 쉬운 위치 : 해부학적으로 좁은 3곳의 위치가 손상되기 쉽다.

- 상부식도괄약근(UES) 근처의 목협착부위(cervical constriction)
- 기관지 대동맥 협착부위(bronchothoracic constriction)
- 하부식도괄약근(LES) 근처의 가로막협착부위(diaphragmatic constriction)

(1) 알칼리 섭취(alkali ingestion)

① 액화 괴사(liquefactive necrosis)가 일어나 식도 손상을 일으킨다.

② 조직 침범이 깊다.

표 19-1 알칼리 섭취로 인한 손상의 3단계

단계	조직 손상	시작 시점	손상 기간	염증반응
1	급성 괴사	1~4일	1~4일	세포 내 단백의 응고가 일어난다.
2	궤양 및 육아조직 형성	3~5일	3~12일	조직에 가피가 형성되고 궤양에 육아조직이 형성된다.
3	딱지 및 scar의 형성	3주	1~6개월	유착이 일어나고, scar가 생긴다.

(2) 산 섭취(acid ingestion)

① 응고괴사(coagulation necrosis)가 일어난다.

② 가피(eschar)가 형성되어 조직을 보호하기 때문에 알칼리 손상과 같이 식도의 전 층을 침범하는 경우는 드물다.

③ 위손상에 비해 식도손상의 정도는 약하다.

2) 증상 및 진단

(1) 증상

① 단계 Ⅰ : 구강 통증, 침분비 과다, 흉골 후방의 통증, 연하곤란, 토혈, 구토가 발생한다.

② 단계 Ⅱ, Ⅲ : 통증은 감소되나 섬유화와 흉터(fibrosis and scarring)로 식도협착이 발생한다.

③ 호흡곤란, 쉰목소리 등의 증상은 상기도의 부종을 의미하며 주로 산에 의한 손상에서 발생한다.

④ 등쪽 통증 및 가슴의 통증은 종격동 내 식도의 천공을, 복부 통증은 복강 내 천공을 의미한다.

(2) 진단

① 청진 : 상기도의 손상 여부를 감별한다.

② 내시경 : 손상 후 즉시 시행할 경우 구토에 의해 손상이 악화될 수 있으므로 손상 후 12~24시간에 시행한다〈표 19-2〉.

③ 바륨 식도조영 검사 : 식도협착을 평가한다.

표 19-2 내시경 소견에 따른 손상 정도 및 그에 따른 치료

손상 정도	내시경 소견	치료
1도	점막 충혈 부종	48시간 동안 관찰 제산제 투여
2도	국소화된 출혈 삼출물 궤양 위막 형성(pseudomembrane formation)	충분한 수액공급 정맥을 통한 항생제 투여 제산제 투여
3도	점막의 가피 깊은 궤양 내강 폐색 탄화(charring) 천공	스테로이드 흡입 필요 시 기관내삽관

(3) 치료

① 알칼리 섭취 시 : 식초, 주스를 마시게 한다.

② 산 섭취 시 : 우유, 계란흰자, 제산제를 사용한다. 중탄산염(bicarbonate)으로 중화를 시도하는 것은 천공의 위험성 때문에 사용하면 안 된다.

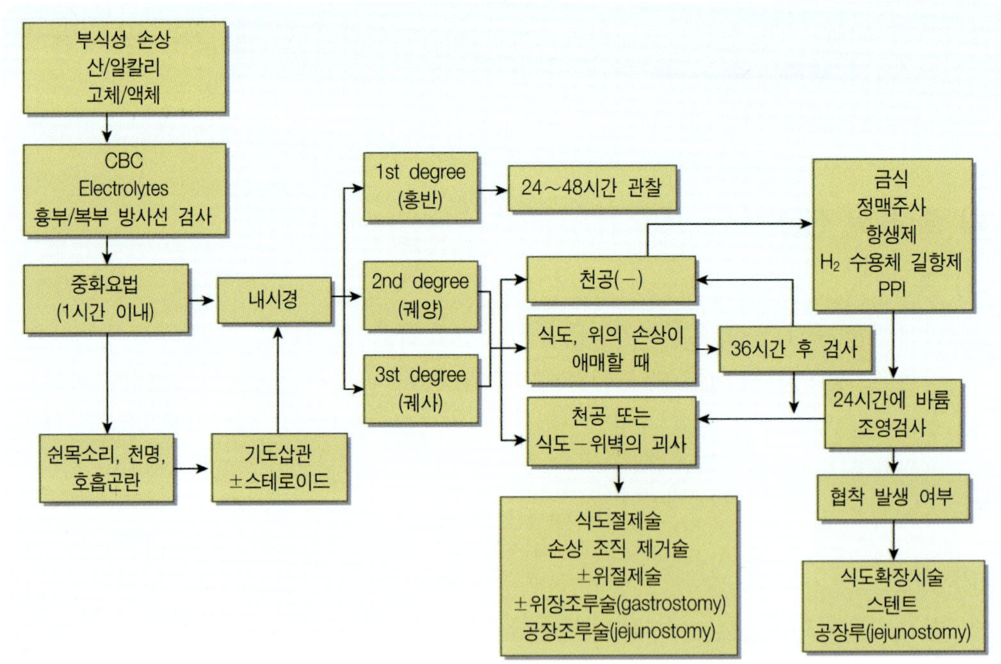

그림 19-11 부식성 식도 손상의 치료

문제

19-4 4)

식도에 급성 부식성 손상을 입은 환자가 호흡곤란을 호소하였다. 가장 먼저 해야 할 조치는?

1) 식도경 검사
2) steroid 주사
3) 항생제 투여
4) 기관내삽관
5) 응급 식도 수술

해설

내시경은 손상 후 12~24시간에 시행한다.

PACIFIC
SURGERY

20 위식도역류질환

Gastroesophageal Reflux Disease

20.1 해부학 및 발생원인

1) 하부식도괄약근(LES)이 높은 압력을 보이는 기전

- **원위부 식도의 내재근**(intrinsic muscle) : 음식물을 삼킬 때만 이완되었다가 평상시에는 일정한 톤을 가지며 수축하고 있다.
- **분문부**(cardia)**의 sling fiber** : 식도의 윤상근(circular muscle)과의 연장선상에 있는 근층이나 주행하는 방향은 다르다.
- **가로막** : 흡기 시 가로막에 의한 압력이 늘어나고, 호기 시 줄어든다.
- **복강내 압력** : 복강내 압력이 경벽압(transmural pressure)을 가한다.

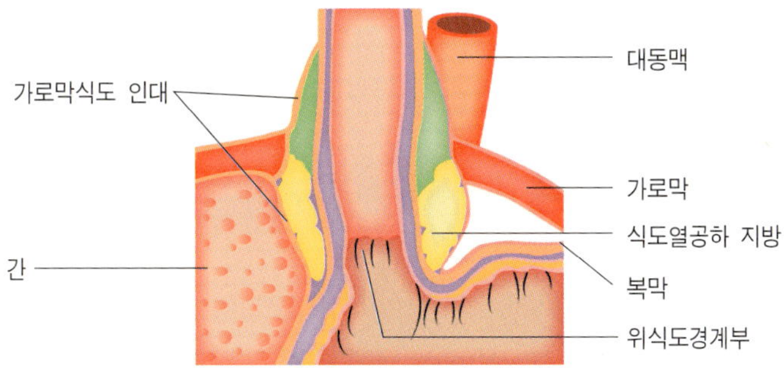

그림 20-1 위식도 접합부의 단면도

2) 식도열공탈장(hiatal hernia)의 분류

- Type Ⅰ : 활주탈장(sliding hernia)으로 불리며 위식도경계부위가 가로막식도 인대의 지지를 받지 못하고 종격동과 복강 사이를 이동한다.
- Type Ⅱ : 식도 주위 탈장(paraesophageal hernia)으로 불리며 식도 옆 열공의 틈새로 복강 내 장기가 종격동으로 올라가 있다. 위식도경계부위는 복강 내에 있다.
- Type Ⅲ : 혼합형으로 위식도경계부위가 종격동으로 올라가 있고 식도 옆으로 탈장이

동반되어 있다.

GERD(Gastroesophageal Reflux Disease)는 종종 식도열공 탈장(hiatal hernia)과 관계되어 발생하며 그 중 Type Ⅰ 탈장이 가장 흔하다. 탈장의 사이즈가 클수록 역류의 위험성이 높아진다. Type Ⅰ, Ⅲ 열공 탈장에서는 원위부 식도와 위분문부가 종격동 내에 위치하며 이로 인해 LES의 압력이 낮아지고 역류가 잘 발생하게 된다.

탈장이 있다고 역류증상이 있는 것은 아니며 이 경우 치료는 필요 없다.

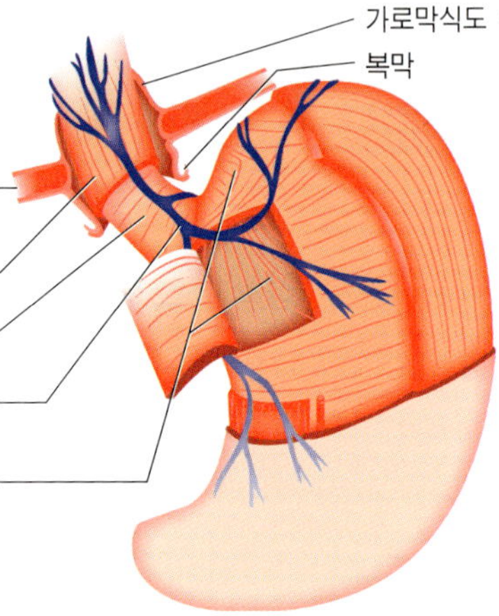

그림 20-2 위식도 부위의 근육층의 모식도
식도, 가로막, 그리고 sling fiber의 내재근(intrinsic muscle)이 하부식도 괄약근 압력을 유지하는 역할을 한다.

20.2 증상, 검사 및 치료

1) 증상

(1) 가슴 쓰린 증상(heartburn)

가장 흔한 증상이고 명치-흉골 후방의 쓰림이 지속된다.

(2) 역류(regurgitation)

허리를 굽히면 악화되며 소화된 음식이 역류한다. 소화되지 않은 음식이 역류할 때는 식도게실이나 식도이완불능증을 감별해야 한다.

(3) 식도 외의 증상

기침, 쉰목소리, 흡인(aspiration)

표 20-1 증상 별 빈도 순서

증 상	빈도(%)	증 상	빈도(%)
흉통	80	목쉰 소리	21
역류	54	트림	15
복통	29	복부팽만감	15
기침	27	흡인	14
고형식 섭취 장애	23	천명음	7

2) 검사

(1) 내시경

① 식도손상을 평가하고 조직생검을 시행한다.

② 조직생검 : 화생(metaplasia), 이형성(dysplasia) 등의 감별을 위해 필요하다.

(2) 식도내압검사(manometry)

① 식도 체부와 LES의 압력을 평가한다.

② LES의 전체 길이 특히 복강 내 길이가 길수록 역류 발생의 위험이 낮다.

③ Ineffective esophageal motility(IEM) : 60% 이하의 연동운동능력, 원위부 식도 압력이 30mmHg인 경우를 말하며 흔히 GERD를 동반한다. 360 degree fundoplication을 시행할 경우 수술부위의 고압력대를 통과하지 못해 폐색증상이 발생할 수 있다.

(3) 24시간 pH monitoring

① GERD 진단의 gold standard이다.

② 식도 내부에 catheter를 삽입하고 5~10cm 떨어진 식도의 두 부분에서 24시간 동안 pH를 monitoring 한다.

③ 흉통과 같은 증상이 있었던 시간을 따로 기록하여 monitoring 결과와 비교한다.

(4) 식도조영검사

① 식도와 위의 해부학적 구조 및 협착, 게실, 종양의 유무를 평가할 수 있다.

② 비록 GERD의 유무를 평가하기는 어렵지만 수술 전 검사로 유용하게 사용된다.

3) 치료

(1) 생활습관조절(life style modification)

금연, 카페인섭취 억제, 자기 전에 과식하지 않기, 누울 때 머리 올리기, 꽉 끼는 옷 피하기 등을 교육한다.

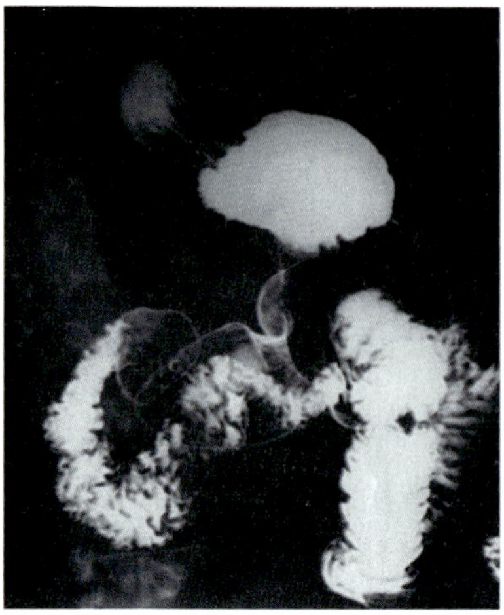

그림 20-3 열공탈장의 상부위장관조영술 사진
큰 열공탈장으로 인해 위 점막 주름이 왼쪽 가로막 위쪽에서 관찰된다.

(2) 약물치료

① GERD가 의심되는 환자가 오면 빈혈 검사와 6주간의 PPI 처방으로 치료를 시작한다.

② 증상이 호전될 경우 치료 자체가 진단적 의미를 가지며 증상의 호전이 없을 경우 진단적 검사를 시행한다.

③ PPI를 끊은 후에도 산 억제 효과가 4~5일 정도 지속되므로 pH monitoring 검사를 위해서는 일주일 전에 약을 끊어야 한다.

(3) 수술적 치료

① 적응증

- 궤양, 협착, Barrett's mucosa와 같은 심한 식도 손상이 있을 때
- 약물치료에 반응이 없거나 재발할 때

② 최근에는 복강경 술식을 많이 이용한다.

③ **Laparoscopic Nissen fundoplication**(복강경 니센 위저 추벽성형술) : fundoplication은 fundus와 placation(접다)의 합성어로 식도 하단을 가동화하여 위저를 올려서 식도 주위를 360도로 둘러쌈으로써 식도에 주름을 형성하는 술식을 의미한다.

④ **Partial fundoplication**(부분 위저 추벽성형술) : 식도운동이 저하된 환자에서 식도 주위를 360도 둘러싸게 되면 폐색의 위험이 있기 때문에 이럴 경우에는 부분 위저 추벽성형술을 시행한다.

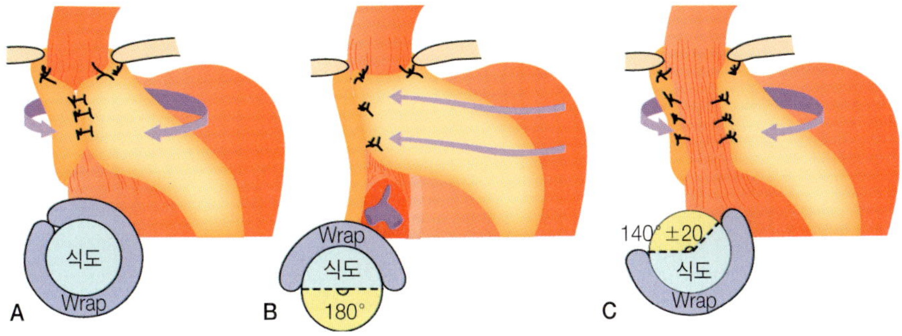

그림 20-4 세 가지 종류의 fundoplication
A, 360 degree fundoplication. **B,** partial anterior fundoplication. **C,** partial posterior fundoplication

문제

20-1 4)

위식도 역류를 진단하는 방법은?

1) 식도경 검사 2) 식도 조영술
3) 산 관류 검사 4) 24시간 pH 검사

해설
식도 내부에 catheter를 삽입하고 5~10cm 떨어진 식도의 두 부분에서 24시간 동안 pH를 monitoring 한다.

PACIFIC
SURGERY

21

복 벽

Abdominal Wall

복벽은 9개의 층으로 구성되어 있으며 바깥층부터 안쪽으로 다음과 같은 순서로 이루어져 있다.

피부(skin) → **피하 조직**(subcutaneous tissue) → **얕은 근막**(superficial fascia) → **배바깥빗근**(외복사근; external oblique muscle) → **배속빗근**(내복사근; internal oblique muscle) → **가로배근**(복횡근; transversus abdominis muscle) → **가로배근근막**(복횡근근막; transversalis fascia) → **복막 앞 지방층**(preperitoneal adipose tissue), **복막**(peritoneum)

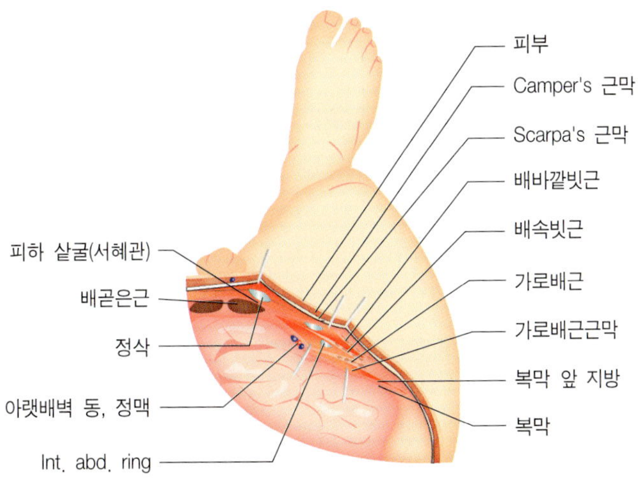

그림 21-1 전, 측면 복벽의 9개 층

21.1 배꼽창자간막관의 지속적인 존재로 인한 선천성 기형

1) 멕켈게실(Meckel's diverticulum)

(1) 특징

멕켈게실은 배꼽창자간막관(omphalomesenteric duct)의 장측 끝(intestinal end)이 지속적으로 존재하여 생긴 구조물이다.

소장(회장에서 가장 흔하다)의 창자간막 반대편 측에서 생기는 true diverticulum이며 "rule of two's"라는 법칙이 적용된다. 즉 인구의 약 2%에서 생기며, 돌막창자판막(회맹판; ileocecal valve)의 2feet 내에 생기고, 약 2inch의 길이를 가지며, 2가지 종류의 이소성 점막(위점막, 췌장점막)을 가지며, 2세경에 증상을 나타낸다.

(2) 증상

염증, 천공, 출혈, 장폐색의 위험이 있다. 또한 멕켈게실은 위장점막을 가지고 있는 경우가 많아서 게실 주변의 소장 점막에서 소화성 궤양이 생겨 위장관 출혈이 발생할 수 있으며, 장중첩증이나 염전(volvulus)이 발생하여 장폐색이 올 수 있다.

(3) 치료

출혈의 증상이 있을 때에는 게실을 포함하여 그 주변의 소장 일부를 절제하는 수술(segmental resection)을 시행하며, 출혈 이외의 다른 증상이 있을 때는 게실제거술(diverticulectomy)을 시행한다.

증상이 없는 멕켈게실을 수술로 제거할 것인지에 대해서는 의견이 분분하나 소아에서 다른 원인으로 개복 수술을 할 경우에는 게실제거술을 하는 것이 권장된다(소아는 앞으로 여명이 많기 때문에 합병증 발생을 막는 차원에서 어차피 개복한 김에 절제해 준다).

심화학습

◆ True diverticulum

게실이 장벽의 모든 층으로 이루어져 있는 것을 말하며, True diverticulum은 장벽의 근육층에 결손이 생겨 그 사이로 점막과 점막하층이 빠져 나온 것으로 false diverticulum은 게실 내에 근육층을 가지고 있지 않다.

2) 창자피부샛길을 형성하는 배꼽창자간막관(omphalomesenteric duct)

배꼽창자간막관은 정상적으로는 자연히 소실되지만, 지속적으로 남아 있게 되면 소장과 배꼽 사이에 창자피부샛길(enterocutaneous fistula)을 형성할 수 있다. 이러한 상황에서는 태변과 점액이 배꼽으로 나오게 된다. 또한 배꼽창자간막관이 지속적으로 존재함으로써 그 주위를 통한 창자간막 염전이 발생할 수 있기 때문에 개복술을 통해 제거해야 한다.

3) 배꼽 용종(umbilical polyp)과 배꼽동(umbilical sinus)

배꼽창자간막관이 지속적으로 남아 있게 되어 이곳을 통해 배꼽장막관의 점막이 배꼽에서 조그맣게 돌출되면 배꼽 용종을 형성하게 된다. 이러한 용종이 있다는 것은 배꼽장막관이 지속적으로 존재하거나 배꼽동이 존재한다는 것을 시사하기 때문에 수술적 치료를 통해 배꼽 용종과 함께 배꼽장막관이나 배꼽동을 제거하여야 한다.

4) 배꼽낭(umbilical cyst)

배꼽장막관이 지속적으로 존재하면서 점액이 축적되면 배꼽낭이 형성된다. 배꼽낭은 소장이나 배꼽과 섬유 밴드를 통해 연결되어 있다. 치료는 낭을 제거하고 그와 연관된 지속적인 배꼽창자간막관을 제거하는 것이다.

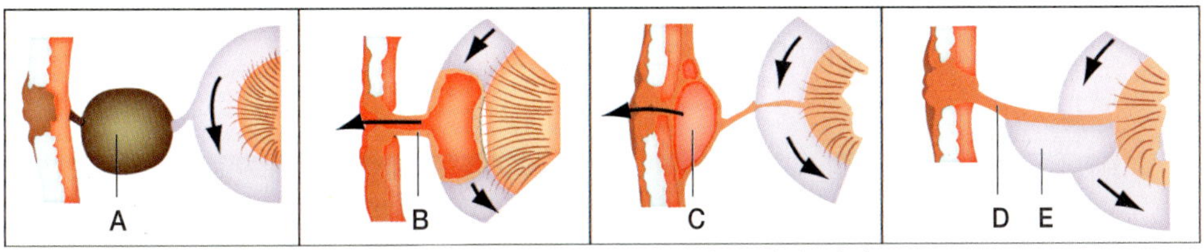

그림 21-2 OMD(Omphalomesenteric Duct)의 지속적인 존재로 인한 기형들
A, 배꼽창자간막관 낭종(OMD cyst)
B, 창자피부샛길을 동반한 잔존하는 배꼽창자간막관(Persistent OMD with an enterocutaneous fistula)
C, 배꼽낭 배꼽동(OMD cyst and sinus)
D, 소장과 배꼽의 후면 사이의 섬유성 다발(Fibrous cord between the small intestine and the posterior surface of the umbilicus)
E, 멕켈게실(Meckel's diverticulum)

21.2 복벽의 후천성 이상

1) 배곧은근집 혈종(복직근초 혈종; rectus sheath hematoma)

배곧은근집 혈종은 비교적 드문 질환으로서 급작스러운 복통과 복벽의 종괴로 발현하는 질환이다. 남성보다 여성에서 흔하며 젊은 사람보다는 노인에서 흔하다.

(1) 증상

복통이 가장 흔한 증상이며 움직임에 의해 심해지고(복벽 근육 수축), 통증, 압통이 심해서 복막염과 감별이 필요할 정도이다. 이학적 검사 상 배곧은근(복직근; rectus muscle) 위로의 압통이 나타나며 muscle guarding이 나타나기도 한다. 또한 마른 체구에서는 광범위한 종괴 또는 포만감(fullness)의 증상을 보인다. 그 외 반상출혈(ecchymosis)이 나타나기도 한다.

혈종이 광범위하게 퍼지면 헤마토크릿이 감소할 수 있으나, 혈역학적으로 불안정해지는 경우는 드물다.

(2) 원인

둔상 또는 관통상, 근육의 수축 또는 스트레칭(재채기나 기침), 항응고제가 있다.

① 젊은 여성 : 임신

② 젊은 남자 : 외상 또는 근육의 과도한 수축

③ 노인환자 : 항응고제의 복용

→ 항응고제의 복용이 배곧은근집 혈종(복직근초 혈종; rectus sheath hematoma)과 약 70%에서 관련이 있다는 보고가 있다.

(3) 진단

Fothergill's sign(배곧은근을 수축해도 지속적으로 복부 종괴가 만져지면 양성)을 통해 가능하고, 초음파 또는 CT로 진단할 수 있다.

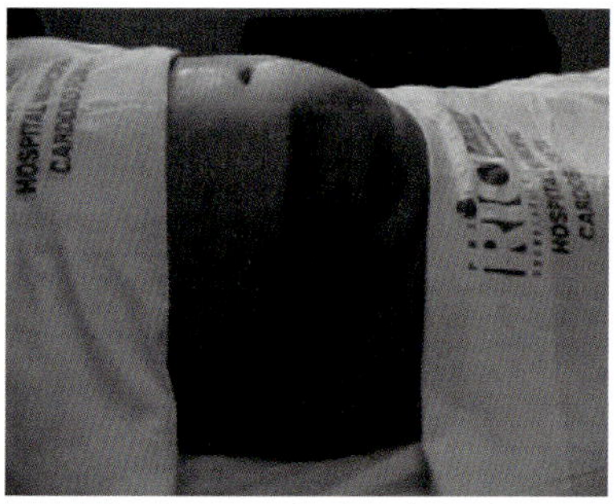

그림 21-3 배곧은근집 혈종의 육안적 소견

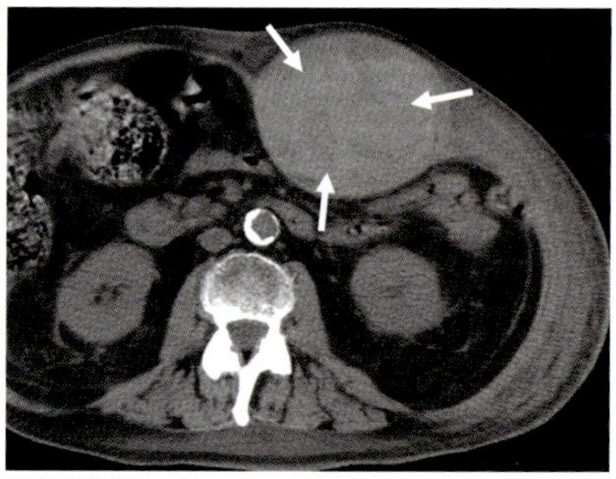

그림 21-4 배곧은근집 혈종의 CT 소견
배곧은근 내의 혈종이 관찰된다.

(4) 치료

항응고제 복용을 중단하고 응고장애를 교정한다. 진통제를 투여하여 근육의 긴장을 완화하고, 혈종이 지속적으로 진행하면 혈관조영술을 통해 색전술을 시행한다. 드물게는 수술적으로 혈종을 제거하고 지혈하는 것이 필요할 때도 있다.

2) 배곧은근 분리(diastasis recti)

배곧은근 분리는 명치 부위의 백색선(linea alba)이 넓어져서 복벽의 중앙 부위가 좌우로 나뉘어 돌출된 것을 말한다. 가로배근근막(transversalis fascia)은 완전한 채로 유지된 상태이기 때문에 탈장은 아니며, 따라서 장의 꼬임의 가능성은 없다.

환자가 배에 힘을 줄 때 또는 누운 상태에서 고개를 들어 올릴 때 증상이 명확해진다. 이러한 증상은 별다른 합병증이 없고 문제가 되지 않기 때문에 이러한 점을 설명하고 안심시키는 것이 중요하다.

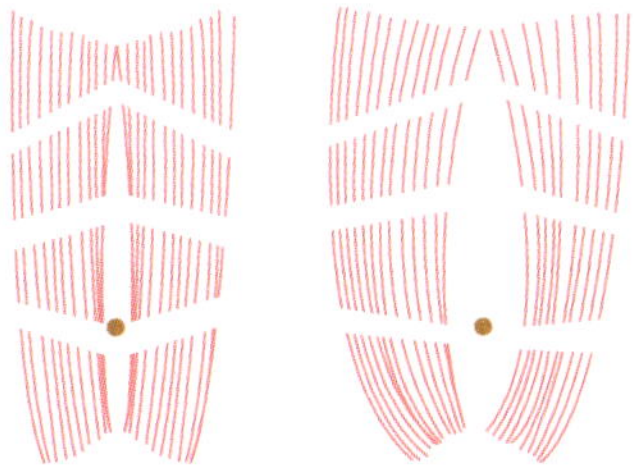

그림 21-5 정상 배곧은근(왼쪽), 복벽의 중앙이 좌우로 나뉜 배곧은근 분리(오른쪽)

문제

21-1 5)

복직근을 수축시켜야 진단이 보다 확실해지는 질환은?

1) 창자간막 낭종(mesenteric cyst)
2) 급성 충수돌기염(acute appendicitis)
3) 후복막종양(retroperitoneal tumor)
4) 범발성 복막염(generalized peritonitis)
5) 배곧은근집 혈종(rectus sheath hematoma)

해설

Fothergill's sign : 배곧은근을 수축해도 지속적으로 복부종괴가 만져지는 것

21.3 복벽의 악성종양

I) 데스모이드 종양(desmoid tumor)

(1) 역학 및 특성

데스모이드 종양은 산발성(sporadic)으로 생길 수도 있으며 가족성 선종성 용종증(Familial Adenomatous Polyposis, FAP)의 일부분으로 유전적인 영향을 받아 생길 수도 있다.

산발성으로 생기는 종양은 어깨나 복벽에 생기는 경향이 있으며, FAP와 관련되어 생기는 종양은 창자간막과 같은 복강 내에 생기는 경향이 있다. 백 만 명 당 2.4~4.3명이 발생하고 FAP 환자에서 1,000배 높은 유병률을 가진다.

임신 중이거나 분만한 지 1년 이내 젊은 여자, 경구피임약, 복부 외상이나 수술의 과거력이 있는 환자에서 위험률이 높다.

(2) 임상증상

주로 무통성의 커지는 덩어리로 발견된다. 종양이 커지면서 주변 장기 또는 신경, 혈관을 압박함으로써 국소적인 증상이 나타나기도 한다.

(3) 진단

MRI, 절개 생검(incisional biopy) 또는 중심부 바늘생검(core needle biopsy)으로 진단하다. MRI T1 weighted image에서 균일하고 근육과 비슷한 신호 강도(signal intensity)를 가지는 종괴로 나타난다. MRI 후에 절개 생검이나 중심부 바늘생검을 통해 종양에서 방추세포(spindle cell)와 콜라겐이 나타나면 진단 가능하다.

종양의 중심부는 종종 세포가 없으며 주변부에는 저악성도의 섬유육종(low grade fibrosarcoma)과 같은 세포가 보인다. 하지만 육종과는 달리 데스모이드 종양에서의 섬유모세포(fibroblast)는 고분화되어 있고 분열성(mitotic activity)이 적어 양성 질환으로 간주된다. 비록 이러한 양성의 조직학적 특성을 띄고 원격전이가 극히 드물지만, 데스모이드 종양은 침습성이고 완전절제 후에도 국소적으로 재발하는 경향이 강하기 때문에 매우 불량한 예후를 가진다.

(4) 치료

종양을 완전절제하는 것이 가장 좋은 치료법이다. 하지만 불행하게도 완전절제 후에도 국소 재발률이 높아 40%에 이르며, 다발성 국소 재발이 흔하다. 재발 후의 치료는 재절제하는 것이 원칙이며 비록 재발한 종양을 완전절제할 수 없어도 재절제하는 것이 좋다.

불완전한 절제에서는 보조 방사선 치료를 시행한다. 종양의 수술적 제거가 불가능하고, 증상이 있으며, 임상적으로 급격히 진행하는 종양에서는 화학요법을 시행할 수 있다. 한편 NSAID와 항에스트로겐 제제(Tamoxifen)와 같은 독성이 없는 약물을 사용할 때 50%가량에서 반응을 보인다.

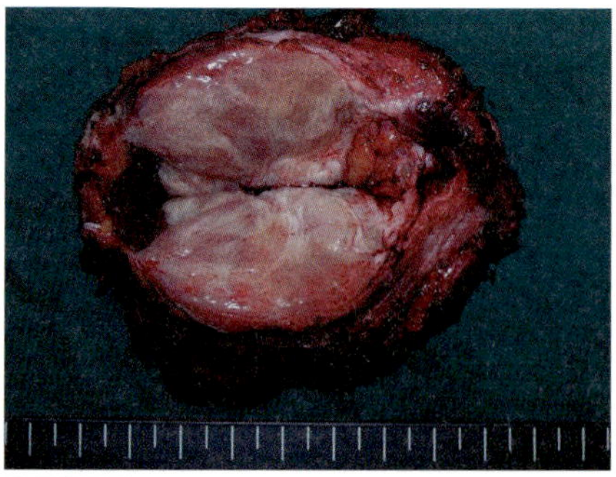

그림 21-6 데스모이드 종양의 절제 표본 단면

2) 복벽육종(abdominal wall sarcoma)

(1) 역학 및 특성

체간육종(흉부와 복벽을 포함)은 전체 육종의 10%를 차지한다. 조직학적으로는 지방육종(liposarcoma), 섬유육종(fibrosarcoma), 평활근육종(leiomyosarcoma), 횡문근육종(rhabdomyosarcoma), 그리고 악성섬유조직구종(malignant fibrous histiocytoma)으로 나뉜다. 임상적 특징은 조직학적 분류보다는 종양의 해부학적 위치, 크기, 정도(grade)에 따라서 나타난다.

(2) 임상증상

데스모이드 종양과 비슷하게 통증이 없는 복벽 종양으로 증상이 나타난다.

(3) 진단

MRI 검사를 시행함으로서 종양의 위치와 파급정도, 주변장기와의 관계를 알 수 있다. 확진은 생검으로 시행하며 절개 생검이나 중심부 바늘생검을 시행한다.

(4) 치료

종양을 완전절제하는 것이 가장 좋은 치료법이다.

심화학습

◆복벽에 연관된 복강 내 질환의 증상(복통)

1. 내장통증(visceral pain) : 내장 통각 수용기(visceral nociceptor)를 자극
   - 둔하고 상복부, 배꼽주변, 하복부에 위치하며 정확한 위치로 발현되는 것이 드물다.
   - 이차적인 자율신경에 의한 반응을 동반한다(발한, 구역, 구토).
2. 체성복막통증(somatoparietal pain) : 벽측 복막의 염증
   - 좀 더 심하고 정확히 국소화된 통증으로 발현된다.
3. 연관통증(referred pain) : 질환이 있는 장기로부터 멀리 떨어진 곳에서 느껴진다.
   - 내장 구심성 뉴론(visceral afferent neurons)과 체성 구심성 섬유(somatic afferent fibers) 때문에 발생한다. 특정 해부학적 위치에서 발생한다.

     예) 가로막의 자극이 어깨 통증으로 방사, 급성 담관 질환이 견갑골 통증으로 방사, 후복막 염증이 고환 통증으로 방사

문제

21-2 5)

다음 중 데스모이드 종양에 대하여 옳은 설명은?

가. 복부수술 반흔에서 발생할 수 있다.
나. FAP에서도 발생하기도 하며 장수술 후 복강내에 발생하기도 한다.
다. 양성이지만 침윤정도는 악성으로 광범위 국소절제가 필요하다.
라. 치료 방법으로 Tamoxifen을 사용하기도 한다.

1) 가, 나, 다 2) 가, 다 3) 나, 라
4) 라 5) 가, 나, 다, 라

해설
양성의 조직학적 소견을 보이고 원격전이가 드물지만 완전절제 후에도 재발하는 경우가 많다.

21.4 복막의 악성 종양

1) 악성중피증(malignant mesothelioma)

(1) 역학 및 특성

복막에 가장 흔하게 생기는 악성종양은 악성중피증(malignant mesothelioma)이다. 이 드문 질환의 평균 생존율은 4~12개월이다. 예후가 좋지 않은 이유는 환자의 증상이 병이 상당이 진행된 후에 나타나기 때문이다. 환자는 복통, 복수, 체중감소를 호소한다. 50~70%의 환자에서 석면에 노출된 병력이 있다. 그물막(omentum)을 전체적으로 침범하면 상복부 종괴로 만져지기도 한다.

(2) 임사양상

CT를 시행하여 진단할 수 있으며, CT 상 장간막이 두꺼워지고, 복막이 기둥처럼 뭉치고, 복수가 있으며, 종양 내부에 출혈이 있는 소견을 보인다. 개복소견 상 복수는 장액성 삼출액에서부터 점액다당질을 포함한 점액성 복수까지 다양하게 나타날 수 있다. 이 종양은 복막 전체를 침범하는 특징을 가지고 있다.

(3) 진단

악성중피종은 다른 복강 내 장기(위, 췌장, 대장, 난소 등)에서 생긴 암의 복막전이와 구분이 어려운 경우가 많다. 따라서 수술 중에 면밀한 관찰 및 조직검사를 시행하여 감별하여야 한다. 또한 악성중피종은 복강 외에 다른 장기를 잘 침범하지 않는 특징이 있으므로 검사 상 폐나 간에 혈행성 전이가 있다면 복강 내 장기의 암을 의심 할 수 있다.

(4) 치료

침범한 장기를 포함한 완전절제가 필요하나 복막 전체에 번지는 특성이 있어 기술적으로 매우 어렵다. 최근에는 항암치료를 병행하여 좋은 치료 결과는 내는 논문들이 발표되고 있다.

2) 복막가성점액종(pseudomyxoma peritonei)

(1) 원인 및 증상

복막 내에 생기는 드문 악성 질환으로서 난소 또는 막창자꼬리(충수; appendix)의 선암(adenocarcinoma)의 파열로 인해 발생한다.

악성 세포들이 분비하는 점액이 복강 내 공간을 채우게 되어 끈끈한 반고형(semisolid)의 점액이 복강 내에 가득 차게 된다. 50～70세의 여성에서 가장 흔하게 발생하며, 질병이 진행하여 복부팽만이 생길 때까지 증상이 없는 경우가 많다.

복통, 복부팽만이 가장 흔한 증상이며 복강 내 장기 압박으로 인한 호흡곤란, 식욕 부진, 소화 불량 등 여러 비특이적인 증상이 발생한다.

(2) 진단

CT를 시행하여 진단할 수 있으며, 다량의 점액으로 인해 소장이 뒤로 밀려있고 점액이 복강 내를 가득 채우는 경우가 많다. 개복하여 보면 희거나 노랗거나 회색의 젤라틴 액체가 수리터 존재하며 그물막(omentum)과 복막에 끈끈하게 달라붙어 있어 완전 제거가 불가능하다.

(3) 치료

종양이 급격하게 자라면서 복강 내 장기를 압박하여 정상적인 생활이 불가능할 경우에는 종양을 완전절제하지 못하더라도 최대한의 절제(debulking)를 해준다.

막창자꼬리의 선암에서 기원한 종양일 경우에는 우반결장절제술을 하는 것이 바람직하며, 난소의 종양에서 기원했다면 자궁절제술과 더불어 양측난관－난소절제술을 시행한다. 만일 그 발병 기원을 알지 못한다면 우반결장절제술과 그물막절제술 및 양측난소절제술을 시행한다. 수술 후의 보조요법으로 복강 내 항암요법이 있으나 효과는 불확실하다. 약 2/3의 환자에서 재발하며 5년 생존율이 50% 10년 생존율이 20%일 정도로 나쁜 예후를 보인다.

21.5 그물막의 질환

그물막(omentum)과 창자간막(mesentery)은 림프절과 혈관이 풍부한 조직이다. 그물막은 특히 대식구(macrophage)가 풍부하게 존재하여 세균 제거에 도움을 준다. 또한 그물막은 장천공, 게실염, 막창자꼬리염과 같이 염증이 있는 복강 내 조직에 들러붙어 복막염이 진행하는 것을 막는 역할을 한다.

1) 그물막 낭종(omental cyst)

그물막의 림프 통로가 선천적 또는 후천적으로 폐쇄되어 발생하며, 장액성의 액체(serous fluid)로 채워져 있고 소아나 젊은 성인에서 흔하다. 작은 낭종은 증상이 없으며 우연히 발견되는 경우가 많고, 크기가 큰 낭종은 복부 종괴로 만져지기도 한다.

합병증으로는 염전, 감염, 파열 등이 생길 수 있다.

진단은 초음파, 또는 CT로 가능하지만 최종 진단은 개복술을 통해 낭종을 절제하고 조직학적 검사를 하는 것이다.

국소적인 절제로 완전 치유가 이루어지며, 최근에는 복강경을 이용하여 치료하기도 한다.

2) 대망 염전(omental torsion), 경색(infarction)

(1) 정의와 분류

대망(greater omentum)의 염전은 대망이 장축을 따라 꼬이는 것을 말한다.

동맥혈이 유입되지 않을 정도로 단단하게 대망이 꼬이게 되면 대망의 경색이 와서 괴사가 이루어지게 된다.

별다른 원인이 없이 대망 염전이 생기는 것을 일차성이라고 하며, 오른쪽에서 자주 발생하고, 탈장, 종양, 유착과 같은 원인에 의해 생기는 것을 이차성이라고 한다.

여자에 비해 남자에서 2배 정도 흔하게 발생하며 30~40대에 가장 흔하다.

(2) 증상

약 80%의 환자에서 심한 복통이 오른쪽 복부 국한되어 갑자기 나타난다. 오심, 구토가 있을 수 있다.

체온은 정상일 수 있지만 이학적 검사 상 복부의 압통과 근육강직(guarding)이 나타나며 이는 복막염을 시사한다.

(3) 진단 및 치료

급성 막창자꼬리염, 급성쓸개염, 난소 낭종 염전과 같이 오른쪽 복부에서 발생 가능한 질병들을 감별한다.

CT를 이용하여 진단에 도움을 받을 수 있으며 일반적으로 환자의 증상이 매우 심하기 때문에 개복이나 복강경을 통해 진단되는 경우가 많다.

치료는 이환된 대망을 절제하고 연관된 문제를 해결하는 것이다.

3) 그물막 종양(omental neoplasm)

원발성 그물막 종양은 극히 드물고 주로 복강 내의 전이성 종양이 확산되어 생긴다.

21.6 창자간막의 질환

1) 창자간막 낭종(mesenteric cyst)

중피 낭종(mesothelial cyst)이 비종양성 창자간막 낭종(mesenteric cysts) 중 가장 흔하다. 빈도는 소장(60%), 결장(40%) 순서이고 임상증상으로는 복통, 발열, 구토를 보인다. 적출술(enucleation)로 완치가 가능하고, 아주 큰 낭종의 경우 복막 안으로 배농한다.

2) 급성 창자간막 림프선염(acute mesenteric lymphadenitis)

(1) 정의와 특징

급성 창자간막 림프선염은 막창자꼬리가 정상인 상태에서 창자간막 림프절이 커지면서 우하복부의 급성 통증을 나타내는 질병이다. 어린이와 젊은 성인에서 발생하고 남녀의 발생비는 같다.

(2) 원인

바이러스, 세균, 기생충, 진균 감염 등 다양한 원인에 의해 창자간막 림프절이 커지면서 발생한다.

(3) 증상

급성 막창자꼬리염과 매우 유사하여 배꼽 주변의 통증으로 시작하여 시간이 지남에 따라 우하복부로 이동하는 특징을 보인다. 이학적 검사 상 우하복부의 압통을 나타내며 근육의 경직이 동반되고 반발통 또한 존재한다. 오심, 구토, 식욕 부진 등이 있을 수 있지만 주된 증상은 아니다. 일반적으로 체온과 백혈구 수치는 정상이거나 약간 상승해 있다.

(4) 진단

일반적으로 급성 막창자꼬리염을 의심하여 개복술을 시행하고 나서 정상 막창자꼬리와 커진 창자간막 림프절을 발견한 후에서야 진단되는 경우가 많다. 커진 림프절을 절제하고 균배양 검사와 조직검사를 시행하여 발생 원인에 대한 정보를 얻을 수는 있지만, 치료방법 및 예후에 영향을 미치지 않기 때문에 반드시 시행할 필요는 없다.

3) 창자간막 종양(malignancy of the mesentery)

가장 흔한 종양은 복강 내부의 선암(adenocarcinoma)의 전이이고, 창자간막에 생기는 가장 흔한 일차성 악성종양은 데스모이드 종양(desmoid tumor)이다.

심화학습

◆창자간막 데스모이드(Mesenteric Desmoid)

FAP, Gardner 증후군에서 흔하게 발생하고 초기에 빠른 성장을 보이다가 안정화되거나 없어지기도 한다. 합병증으로 장폐색, 허혈 또는 천공, 수신증(hydronephrosis), 대동맥 파열이 생길 수 있고 10년 생존율은 60～70%이다. 치료는 종양의 완전한 절제이다(재발률 : 60～85%).

Reference

의학문화사 간담췌외과학 2판

이우주. 영한·한영 의학사전, 3rd edition

지제근. 대한의사협회 의학용어에 따른 지제근 의학용어사전, 1st edition

Blumgart. Surgery of the Liver, Biliary Tract, and Pancreas, 4th edition

Dorland. Illustrated Medical Dictionary, 31st edition

Sabiston. Textbook of Surgery, 18th edition

Schwartz. Principles of Surgery, 8th edition

Shackelford. Surgery of the Alimentary Tract, 6th edition

Zollinger. Atlas of Surgical Operations, 8th edition

PACIFIC
SURGERY

INDEX

PACIFIC
SURGERY

PACIFIC
SURGERY

INDEX

PACIFIC SURGERY

나

자

차

카

A

B

C

D

N

O

P

T

U

V

W

Z

PACIFIC
SURGERY

Answer

문제	정답	문제	정답	문제	정답
1-1	④	3-3	②	6-17	③
1-2	③	3-4	①	6-18	②
1-3	③	3-5	①	7-1	①
1-4	①	3-6	③	7-2	②
1-5	③	3-7	③	7-3	⑤
1-6	⑤	3-8	②	7-4	①
1-7	③	3-9	⑤	7-5	①
1-8	④	3-10	③	7-6	①
1-9	⑤	3-11	⑤	7-7	①
1-10	④	3-12	③	7-8	⑤
1-11	①	3-13	①	7-9	④
1-12	④	3-14	⑤	8-1	⑤
1-13	①	3-15	⑤	8-2	⑤
1-14	⑤	4-1	②	8-3	③
1-15	③	4-2	④	8-4	①
2-1	③	4-3	③	8-5	②
2-2	④	4-4	⑤	8-6	⑤
2-3	①	4-5	④	8-7	④
2-4	④	4-6	③	8-8	②
2-5	③	4-7	⑤	8-9	③
2-6	②	5-1	③	8-10	⑤
2-7	③	6-1	⑤	8-11	⑤
2-8	①	6-2	③	8-12	⑤
2-9	③	6-3	⑤	8-13	②
2-10	④	6-4	②	8-14	②
2-11	①	6-5	③	8-15	③
2-12	①	6-7	⑤	8-16	⑤
2-13	④	6-8	⑤	9-1	③
2-14	③	6-9	③	9-2	③
2-15	①	6-10	④	9-3	③
2-16	①	6-11	①	9-4	①
2-17	⑤	6-12	②	9-5	③
2-18	③	6-13	⑤	9-6	①
2-19	①	6-14	①	9-7	⑤
3-1	③	6-15	⑤	9-8	①
3-2	③	6-16	①	9-9	⑤

Answer

문제	정답	문제	정답	문제	정답
9-10	④	13-7	②	17-2	③
9-11	②	13-8	③	17-3	①
9-12	③	13-9	④	19-1	⑤
9-13	⑤	13-10	④	19-2	②
9-14	③	13-11	①	19-3	⑤
9-15	③	13-12	①	19-4	④
9-16	②	13-13	⑤	20-1	④
9-17	③	13-14	⑤	21-1	⑤
9-18	②	13-15	③	21-2	⑤
10-1	③	13-16	②	22-1	①
10-2	②	13-17	③	22-2	②
10-3	②	13-18	③	22-3	⑤
10-4	②	13-19	②	22-4	④
10-5	⑤	13-20	②	22-5	⑤
10-6	①	13-21	①	22-6	①
11-1	①	13-22	④	23-1	④
11-2	②	13-23	②	23-2	④
11-3	③	13-24	③	23-3	④
11-4	④	13-25	②	23-4	④
11-5	⑤	13-26	③	23-5	④
11-6	③	14-1	①, ③, ⑦	25-1	③
11-7	①	14-2	⑤	25-2	①
11-8	④	14-3	⑤	25-3	⑤
12-1	①	14-4	①	25-4	②
12-2	④	14-5	④	25-5	①
12-3	③	14-6	④	25-6	①
12-4	⑤	14-7	⑤	25-7	①
12-5	④	14-8	④	25-8	③
12-6	⑤	14-9	③	25-9	③
12-7	④	14-10	⑤	25-10	②
13-1	③	14-11	③	25-11	③
13-2	③	14-12	②	25-12	④
13-3	⑤	14-13	③	25-13	⑤
13-4	⑤	15-1	③	25-14	①
13-5	①	15-2	④	25-15	③
13-6	⑦, ⑧	17-1	④	25-16	②

Answer

문제	정답	문제	정답	문제	정답
25-17	②	28-8	①	30-10	②
25-18	③	28-9	④	30-11	⑤
25-19	①	28-10	②	30-12	①
25-20	③	28-11	②	30-13	②
25-21	②	28-12	①	30-14	④
26-1	③	28-13	①	30-15	④
26-2	③	28-14	①	30-16	③
26-3	③	28-15	②	30-17	④
26-4	⑤	28-16	③	31-1	⑤
26-5	①	28-17	②	31-2	③
26-6	④	28-18	⑤	32-1	④
26-7	⑤	28-19	①	32-2	②
26-8	③	28-20	①	32-3	①
26-9	④	28-21	④	32-4	③
26-10	③	28-22	①	32-5	④
26-11	②	29-1	①	32-6	①
26-12	①	29-2	①	32-7	③
26-13	①	29-3	⑤	32-8	④
26-14	⑤	29-4	⑤	32-9	③
26-15	③	29-5	②	32-10	④
27-1	⑤	29-6	①	32-11	⑤
27-2	①	29-7	②	32-12	②
27-3	⑤	29-8	④	32-13	⑤
27-4	④	29-9	②	32-14	⑤
27-5	①	29-10	③	32-15	④
27-6	⑥,⑦	29-11	⑤	32-16	⑤
27-7	④	29-12	①	32-17	⑤
27-8	⑤	30-1	②	32-18	①
27-9	②	30-2	③	32-19	①
28-1	①	30-3	②	33-1	⑤
28-2	④	30-4	③	33-2	⑤
28-3	①	30-5	①	33-3	③
28-4	④	30-6	⑤	33-4	①
28-5	①	30-7	①	33-5	⑤
28-6	③	30-8	⑤	33-6	⑤
28-7	②	30-9	④	33-7	③

Answer

문제	정답	문제	정답	문제	정답
33-8	①	36-7	③		
33-9	④	36-8	③		
33-10	④	36-9	④		
33-11	②	36-10	②		
33-12	④	36-11	⑤		
33-13	⑤	36-12	②		
34-1	①	36-13	①		
34-2	⑤	36-14	①		
34-3	②	36-15	①		
35-1	⑤	36-16	⑤		
35-2	②,⑨	36-17	⑤		
35-3	③	36-18	③		
35-4	①	36-19	③		
35-5	②	36-20	②		
35-6	⑤	36-21	④		
35-7	①	36-22	①		
35-8	②	36-23	⑤		
35-9	①				
35-10	①				
35-11	②				
35-12	⑤				
35-13	⑤				
35-14	②				
35-15	④				
35-16	②				
35-17	①				
35-18	③				
35-19	②				
35-20	③				
35-21	③				
36-1	⑤				
36-2	①				
36-3	⑤				
36-4	④				
36-5	⑤				
36-6	⑤				

편저자

채영준 외과전문의
(서울대학교 의과대학 졸업, 서울대학교병원 외과수련의 수료)
오흥권 외과전문의
(서울대학교 의과대학 졸업, 서울대학교병원 외과수련의 수료)
이인섭 외과전문의
(서울대학교 의과대학 졸업, 서울대학교병원 외과수련의 수료)
한동석 외과전문의
(서울대학교 의과대학 졸업, 서울대학교병원 외과수련의 수료)
한인웅 외과전문의
(서울대학교 의과대학 졸업, 서울대학교병원 외과수련의 수료)

www.papu.co.kr

PACIFIC SURGERY I

1판 발행 2009년 2월 10일
2판 발행 2011년 3월 15일

편저자 채 영 준 외
발행인 이 웅 현
발행처 **퍼시픽북스**
서울특별시 중구 초동 42번지 아시아미디어타워 501호
TEL. 02-2272-7766(代) / FAX. 02-2272-7166
E-mail: papu77@daum.net

정가 Volume I (chapter 1~21) **26,000원**
Volume II (chapter 22~35) **26,000원**
Set 48,000원

PACIFIC
SURGERY

PACIFIC
SURGERY

PACIFIC
SURGERY